京都 ER ポケットブック 第2版

編　　集 ■ 洛和会音羽病院救命救急センター・京都ER
責任編集 ■ 宮前 伸啓　洛和会音羽病院救命救急センター・京都ER 副部長
執　　筆 ■ 荒　隆紀　医療法人おひさま会

医学書院

謹告

本書に記載されている検査・診断・治療・マネジメントを個々の患者に適応するときには，読者各人の責任において判断するようお願いいたします．薬物などの投与量や投与方法は変更される場合がありますので，特に細心の注意を払うようお願いいたします．

京都 ER ポケットブック
発　行　2018 年 6 月 15 日　第 1 版第 1 刷
　　　　2022 年 3 月 15 日　第 1 版第 9 刷
　　　　2023 年 2 月　1 日　第 2 版第 1 刷©
　　　　2024 年 6 月　1 日　第 2 版第 3 刷
編　集　洛和会音羽病院救命救急センター・京都 ER
発行者　株式会社　医学書院
　　　　代表取締役　金原　俊
　　　　〒113-8719　東京都文京区本郷 1-28-23
　　　　電話　03-3817-5600(社内案内)
印刷・製本　日経印刷

ISBN978-4-260-04988-7

推薦の序

筆者が医師になって半世紀近くになる．この間の医学・医療界の変化は多岐にわたる．ITの普及，教授選考や学位制度の透明化，医局運営の民主化，インフォームド・コンセントの浸透，癌告知の広がり，医療安全への配慮，カルテ改竄の撲滅，多職種協働の増加，医療者の労働条件の改善，パワハラ・セクハラの激減……．

良いことづくめではない．医療者と患者との間に電子カルテと画像診断機器が濃密に介在するようになり，対面の機会や身体診察が激減した．コロナ禍とはいえ，身体診察消滅の光景すら散見される！

半世紀前の日本の救急は悲惨だった．夜間は特に酷く，受入拒否が横行し，患者は医師になかなか診てもらえなかった．医学界は三次救急以外には重きを置かなかった．夜間一次救急は規模の大きい病院から締め出され，民間の小さな救急告示病院での1人診療に終始した．救急訓練など受けたことがない若手医師のアルバイトの巣窟であった．筆者の若きころの連日の姿である．一次救急を拒めば，施設とは呼ばれても病院とはみなされない米国の医療情勢とは，根本的に異なっていた．そのような情勢下に，「救急の日赤」の間隙を縫うように登場してきたのが徳洲会だった．

学生運動の高揚下で廃止に至ったインターン制度は，中身を充実させ，2004年に「新医師臨床研修制度」（以下，「新制度」）として36年ぶりの復活を果たした．この抜本的改革の真意は，救急を含めた幅広い基本的臨床能力の獲得である．対象は初期研修医全員．救急に関して平たく言うと，飛行機や列車の中で，「ただいま急患が発生．どなたかお医者さんはおられませんか？」というアナウンスに対して，現役医師の大半が各々の専門性の垣根を越えて怯まずに対応できる医療体制の基盤が整った．欧米先進諸国や，米英の教育的影響が強い一部のアジア諸国の水準にやっと比肩できるようになった．

「新制度」のあおりを食った形で大学医局の医師派遣能力が劣化し，「病院崩壊」の一因となったこともあり，“弾力化”が開始された．すなわち，2年間の研修義務年限が実質的に1年間に短縮され，2年目は将来の専門性の方向に舵を切る風が吹き荒れた．全国的に2/3の研修病院がこの方向になびいた．その状況下でも，6か月以上の内科研修，1か月以上の地域医療研修とともに必修対象から外されなかったのは，救急医療にとっても幸いだった．その後の多年に及ぶ見直しの結果，2020年にこの嵐が止み，「“弾力化”の廃止・2004年への回帰」に至ったのは慶賀にたえない．

COVID-19は，日本の医療とERを襲った．医療崩壊を防ぐために最終学年の医学生を繰り上げ卒業させたイタリアや，100万人を超えるコロナ死に直面した米国には遠く及ばないが，日本の初期研修医も大半がERでの未曽有のコロナ対応に奮闘した．「新制度」以前には見られなかった光景である．

本書の旧版は，洛陽の紙価をいささか高めたと聞く．引き続き本書が，ERでの研修医の学習と，ひいては患者の福音に資することを願う．

2022年11月

洛和会本部参与・洛和会京都厚生学校長　松村理司

第2版の序

2018年の『京都ERポケットブック』発刊から，早4年が経過しました．

初版では，ER研修の壁を乗り越えるサポーターとして，上級医の頭の中を言語化してコンパクトに実装するということをコンセプトに制作しました．

その後の4年間はCOVID-19のパンデミックが起こり，救急初療の現場では，日々変わる不確実な状況に対して暗中模索での対応が求められました．そのような中，洛和会音羽病院（以下，当院）ではoff the jobとして，初版で語れなかった各症候学の補完内容を示した勉強会を行ってきました．また日々の臨床の中で，研修医との対話から浮かび上がった，皆が躓くERでのポイントや初版では触れていなかった病態対応を言語化して共有してきました．第2版ではそれらの要素を組み込んで内容を大きく刷新しました．改訂の主な内容としては，まず「I　原則編」を大幅に加筆しました．「ERと不確実性・複雑性」についてと，超高齢化や社会の変化への対応を盛り込み，1：1のマニュアル対応では捉えきれない，ERでの臨機応変で柔軟な対応についての考え方を掘り下げました．次に，研修医との対話の中から，躓くポイントとして挙げられた採血オーダーの検査項目の考え方や，初期点滴オーダーを図表化して加えました．そして「III　主訴別アプローチ編」の「アタマの中」を，文字だけではなくイラストやフローで図示し，緊急性の高い病態対応の大きな幹を，イメージ化して捉えやすくすることを目指しました．項目も，トリアージ黄に尿閉，低血糖，高血糖，高体温，低体温，コラムにCOVID-19対応を新たに追加しました．最後に，「V　特殊分野編」では「肝硬変患者救急」「担癌患者救急」「自殺企図・自傷行為対応」「虐待対応」などの項目を加えました．いずれもその症例に当たったときに，研修医と振り返る頻度の高いポイントとなっています．

これらの内容は，当院での実践経験をもとに，荒 隆紀先生との対話を通して試行錯誤しながら紡ぎ出されているものです．「アタマの中」では，当院のセッティングで考えられる対応の根幹部分を「見える化」していますが，もちろん全てを語りきれているものではありません．この本を手に取っていただいた方々も，救急外来での実践経験を積みながら，自施設の状況を踏まえて，ご自身の言葉で書き加えながらご使用いただければ幸いです．

救急外来での経験が，豊かで実りあるものになることを願いつつ．

2022年11月　秋深まる京都にて　　宮前伸啓

第2版の序

[illegible]

初版の序

ER 初療に出始めたばかりのとき，多くの研修医には立ちはだかる様々な壁があります．

救急車で搬送された患者の緊急対応についていけず置いていかれる．一方，walk in 患者を診はじめると，問診に時間がかかり検査治療計画が立たず 30 分，1 時間と経過してゆく．いらいらする看護師，患者，家族．たまっていく患者リスト．

ところが上級医に相談すると，短時間で組み立てて解決する．そのうえで，系統だったフィードバックをしてくれる．

「なぜその頭の中を言語化してまとめないんだ！」

当時の当院研修医，荒 隆紀先生の問題意識から生まれたのが，この『京都 ER ポケットブック』です．

この本では，救急車でくる蘇生レベルから walk in でくる低緊急レベルまで，症候別に記載し，診察前に短時間で確認しておく外せないポイントを「アタマの中」として表現しています．また内科だけでなく ER として対応が必須な眼科，耳鼻咽喉科，皮膚科，泌尿器科，形成外科，整形外科，婦人科，小児科といったマイナーエマージェンシーの内容も網羅しており，それ以外にも，救急での情報収集ツール，覚えきれないけれど必要時にすぐに参照したい表やフローチャートも「使える！ ER の覚え書き」としてまとめて盛り込まれています．

後進教育のため 3 年前に院内自主制作されて以来，当院の研修医にとってはなくてはならないバイブルとなりました．今回，そのコンセプトを継承しながら，現時点での当院 ER でのマネジメントや研修医へのフィードバックの内容と突き合わせて刷新し，発刊に至りました．そして常に持ち歩けるようにできる限り小さく書籍化をお願いしました．

ER は診断のついていない患者が緊急度，内容，時間を問わず様々にやってきます．限られた時間で患者や家族とラポールを作り，ニーズを汲みとりながら，医療スタッフと一丸となってトリアージ，蘇生，次の治療への引き継ぎを次々と行うことが求められます．

研修医が ER 研修で培うこうした患者・看護師・医師との対話力，様々な疾患，緊急度に対する初期対応力，瞬間瞬間の状況判断力は，どの診療科に進むにせよ必ず役に立つ能力だと信じています．

本書が ER 研修の壁を乗り越えるための一助となることを願っています．

2018 年春　　　　宮前伸啓

責任編集，執筆者略歴

【責任編集】

宮前　伸啓(みやまえ・のぶひろ)

2006年　昭和大学医学部卒業
　同年　浦添総合病院にて初期研修
2008年　洛和会音羽病院にて救急科，外科後期研修
2010年　米国LDSホスピタルMSICU短期研修
2011年　東京都済生会中央病院心臓血管外科研修
2013年　洛和会音羽病院救急科
2015年　倉敷中央病院　EICU研修
2017年より現職

【執筆】

荒　隆紀(あら・たかのり)

2012年　新潟大学医学部卒業
　同年　洛和会音羽病院にて初期研修
2014年　同院にて呼吸器内科後期研修
2018年　関西家庭医療学センター家庭医療学専門医コース(浅井東診療所，大阪赤十字病院救急科，金井病院総合診療科)を修了
　同年　医療法人おひさま会へ

現在は，在宅療養支援診療所の人事責任者としてマネジメントを行いながら，経営とデザインの視点を持った医療介護福祉機関の人材育成パートナーとなるべく起業．MBA・コーチングの資格を取得し，領域横断的にデザイン思考の可能性を探索すべく，京都芸術大学大学院芸術研究科学際デザイン研究領域に在籍中．また，新潟大学医歯学総合病院総合臨床研修センターの非常勤講師として卒前/卒後教育にも携わる．他著書に『在宅医療コア ガイドブック』(中外医学社)．

目次

トリアージ黄

トリアージ緑

Ⅳ 治療編 297

V 特殊分野編 313

VI 使える！ ER の覚え書き 449

略語一覧

以下の用語については略語を用い，フルスペルと日本語表記は省略した．

ABG	arterial blood gas：動脈血液ガス
ACS	acute coronary syndrome：急性冠症候群
CAG	coronary angiography：冠動脈造影
CCU	cardiac care unit：冠疾患治療室
CPR	cardio pulmonary resuscitation：心肺蘇生法
CRT	capillary refill time：毛細血管再充満時間
CT	computed tomography：コンピュータ断層撮影
DC	direct current shock：直流除細動
div	intravenous drip injection：点滴静脈注射
DKA	diabetic ketoacidosis：糖尿病性ケトアシドーシス
DOAC	direct oral anticoagulants：直接経口抗凝固薬
FFP	fresh frozen plasma：新鮮凍結血漿
GERD	gastro esophageal reflux disease：胃食道逆流症
HHS	hyperosmolar hyperglycemic syndrome：高浸透圧高血糖症候群
ICU	intensive care unit：集中治療室
iv	intravenous injection：静脈注射
IVR	interventional radiology：画像下治療
LR	likelihood ratio：尤度比
MRA	magnetic resonance angiography：核磁気共鳴血管撮像法
MRI	magnetic resonance imaging：核磁気共鳴画像法
NIHSS	National Institutes of Health Stroke Scale
NS	normal saline：生理食塩水
PCI	percutaneous coronary intervention：経皮的冠動脈形成術
PPRF	paramedian pontine reticular formation：傍正中橋網様体
PVC	premature ventricular contraction：心室性期外収縮
r/o	rule out：除外
RBC	red blood cell：赤血球
s/o	suspect of：疑い
SCU	stroke care unit：脳卒中治療室
sn	sensitivity：感度
sp	specificity：特異度
SVT	supraventricular tachycardia：上室頻拍
VF	ventricular fibrillation：心室細動
VT	ventricular tachycardia：心室頻拍

I

原則編

ER 診療の大原則

昔から「<u>**後医は名医**</u>」と言われる．

つまり診断学や検査の精度がいくら進歩しても，初診時はどんな名医も疾患を見逃す可能性を0にはできない．

例えば，70歳以上の腹痛で受診した131例のうち，22.9%が非特異的腹痛であったという英国のプライマリ・ケアのデータベース解析によるコホート研究がある．

診断	男性(n=52)	女性(n=79)
内科疾患	29(56%)	45(57%)
外科疾患	13(25%)	14(18%)
非特異的腹痛	10(19%)	20(25%)

(J Emerg Med 39：275-281, 2010より作成)

つまり，**ERではどんなに頑張っても初回の診療だけでは確定診断がつけられないことがよく経験される**のだ．だからこそ，ERは「診断の場」ではなく<u>**「判断の場」**</u>であることを肝に銘じるべきである．

ERで研修医が求められること．それは，

✓致死的疾患を除外すること

✓入院か，外来フォローか，帰宅か，しかるべき場所へ患者を届けること

なのである．

当然，致命的あるいは機能障害を残す可能性の高い疾患の除外のために精査は必要だ．しかし，診断確定のためにたくさんの検査を行うことは患者にとって害になり，医療経済上も望ましいものではない．

診療のエンドポイントは病気の確定診断よりも，致命的疾患を否定しつつ，その患者が入院適応なのか，帰宅させてもよいのか，はたまた外来フォローすべきなのか……，患者の要望や希望を探りつつ妥当な落とし所を見つけることが重要である．

ER 診療の心得 3 箇条

✓致命的・緊急性の高い疾患の除外
✓「診断」より「判断」
✓「後医は名医」を胸に刻むべし

また，自分の置かれた病院のセッティングにも注目すべきである．Green らの調査によると一般対象 1,000 人に対して 1 か月の受療行動の調査を行ったところ，何らかの健康問題が生じた人は 800 人いたが，医療機関を実際に受診した人は 217 人で，救急外来を受診したのは 13 人．大学病院規模の病院に入院したのはわずか 1 人だったという．同様の研究は繰り返し実施され，COVID-19 パンデミック後は大幅な受療行動の変化があったものの，ER を受診するにはそれなりの理由があることが推察される．

自分が研修している病院のセッティングを把握することは，検査前確率を考えるうえでも非常に重要である．場合によっては目の前の患者が 10 万人に 1 人の頻度の稀な病気かもしれない．背景を意識しながらシマウマ探し（珍しい病気を探すことにこだわる人）になりすぎないようにしよう．

一般対象 1,000 人の 1 か月の受療行動

（N Engl J Med 344：2021-2025, 2001 より作成）

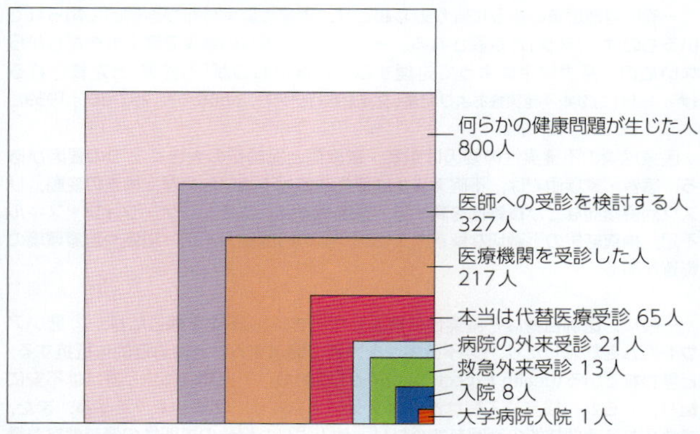

近年の日本のデータについては，J Community Health 42：935-941，2017/J Gen Intern Med 37：1211-1217，2022 を参照．

ER と不確実性・複雑性

筆者が診療の現場に入って一番衝撃的だったのは**「臨床現場はあまりにも不確実で，複雑な出来事であふれている」**ということであった．教科書で習った臨床的な知識を通りいっぺんに当てはめても，患者の苦痛は取れず，家族は怒り，医療チームメンバーが消化不良を起こすことは多い．現代の医療現場では，提供するサービスの増大，患者背景の多様性の増大，使用薬剤の変化，医療技術の進歩，説明責任の増大などにより，不確実性・複雑性が増している．このため患者マネジメントに関して医師間の変動の大きさが，医療の質に大きな影響を与えるようになっている(Ann Fam Med 8：341-347, 2010)．特に ER での診療は，生命の危機がある状況でタイムプレッシャーがかかりやすい．このようなストレスフルな状況に，どう対峙していけばいいのだろうか．明快な解答はないが，ここでは「不確実性・複雑性」への対応ポイントを 3 段階で記載する．

1 自分が不確実な状況にいることに気づく

一般に自然現象のように繰り返し起こり，事象の確率分布が客観的に知られているものは「リスク」と定義される．一方で，1 回限りの事象で確率分布がわからないもの，意思決定によって処理するしかないものが「不確実」と定義される(ナイト FH：危険･不確実性および利潤．文雅堂銀行研究社，pp66-67，297-305, 1959)．

医療現場の不確実性の要因は患者・家族側と医師側の大きく 2 つの要因がある．患者・家族側では，不確実または優先順位が不適切な病歴，検査の変動，リスク回避傾向などが複雑性を高める．医師側では，コミュニケーション・スキル不足，検査結果の不適切な解釈，エビデンスの吟味能力不足，組織や診療環境の影響がある．

一般に，医師自身は不確実性に直面したとき，① 不安を感じたり，② 悪いアウトカムを懸念したり，③ 不確実性を患者に開示することに心理的に抵抗する，と言われている(Health Expect 14：84-91, 2011)．**不確実性により医師は不安に駆り立てられ，検査や入院などのアクションをもって解決しようとする**．また，求められる専門技能の範囲を狭めたり，他人よりも自分の専門性の優越感覚を得るために，**専門化することで不確実性を減じようとする**こともしばしばみられる(Med Educ 36：216-224, 2002)．「この患者はうちの科の患者ではない」と拒絶する専門科の医師は，ある意味で不確実性への防衛的対応なのかもしれない．

まずは自分が不確実な状況にいることを認識することが最初のステップである．そして，現状の複雑性がどのレベルなのかを考えていく．

❷ 今の状況が複雑性分類のどこに該当するのかを把握し，対応の原則を意識する

複雑性にはグレードがある．グレードを考える上で有用なのがクネビン・フレームワークである(DIAMOND ハーバード・ビジネス・レビュー March：108-118, 2008)．ここでは直面する状況を大きく4つに分類し，それぞれ対応の原則に沿って対応をしていく．

■ 複雑性を考える枠組みとしてのクネビン(Cynefin)フレームワーク

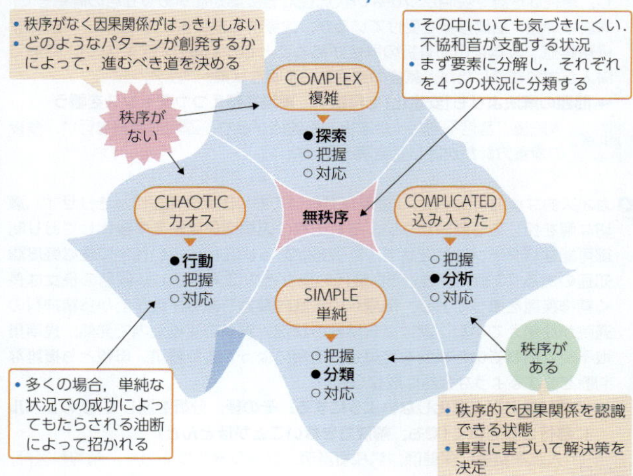

❶ 単純な状況(simple)：内部での相互作用がなく安定的で因果関係が誰の目にも明らかであり，振る舞いが予測可能な状況(ex. 合併症のない健康成人のマイコプラズマ肺炎の治療)

➡ **この場合は，教科書や文献を頼りながら，事実と問題を把握し確立された**

方法で対処する

対応例 マクロライド系抗菌薬を選択して外来治療することを説明し同意をもらった

❷ 込み入った状況(complicated)：やや複雑であるがそれぞれの要素は相互作用がありパターン化された方法で対応可能な状況(ex. 高齢者の糖尿病患者で動脈硬化病変が進み，冠動脈疾患による胸痛と高血糖緊急症で救急搬送)

➡ **複数の問題を要素に分けながら分析．専門外のアイデアを意見を取り入れつつ選択肢を検討して対処**

対応例 患者の複数の疾患と周囲の状況を1つひとつ整理して専門医へコンサルトを行い，複数科併診で入院

❸ 複雑な状況(complex)：複雑で，内部の要素間の関係性は絶え間なく変化し，単純な理論で説明がつかない状況(ex. 軽度認知症がある独居の高齢者で，家族は疎遠．訪問診療を受けているが，診療情報提供書には高血圧，糖尿病，骨粗鬆症，大腿骨頸部骨折の既往があることしか記載されていない．発熱で隣人が救急要請したが，家族の連絡先も不明な状態)

➡ **問題の解決よりも[安定化]を目指す．環境を整えつつチャンスを覗う**

対応例 入院後，音信不通だった家族とも連絡がとれ，退院前調整を行い，今後の療養方針が決定して退院となった

❹ カオス的な状況(chaotic)：混乱が渦巻いており因果関係がはっきりせず，適切な解を探しても意味がない．それぞれの因果関係は絶えず変化しており制御可能なパターンは存在せず，緊張感がある状況(ex. 古い住宅に住む軽度認知症のある70歳代女性と50歳代の長女との2人暮らし．同居の長女は長く精神疾患を患っており，母親への家庭内暴力もあるが数年前から精神科の通院が途絶えていた．家はゴミ屋敷の状況．異臭のする室内で発熱，食事摂取不良で倒れていた長女を発見した母親によって救急要請．母親とも複雑な判断を要するような会話は成立しない)

➡ **まずはこれ以上悪化しないようにする．その後，分析を通して❸のレベルに移行させていく(でも，解決できないことがほとんど)**

対応例 入院を契機に保健師，病棟看護師，ソーシャルワーカー，精神科医師，救急科医師が今後のケアを検討したが事態は膠着したままだった

実際のERの現場では，緊急性というタイムプレッシャーを背負いながら❶～❹すべての複雑性の問題に対する幅広い対応が求められる．このような状況で，医師はリアルタイムで情報収集しながら，その場その場で方向性や施策を決めて，すぐに行動することが求められる．このようなプロセスは，従来の「計画→

実行→検証→改善」と進めていくPDCAモデルと異なり，OODA(ウーダ)モデルと呼ばれる．最初からうまくいくことは少なくトライアンドエラーで進んでいくことを意識したい．

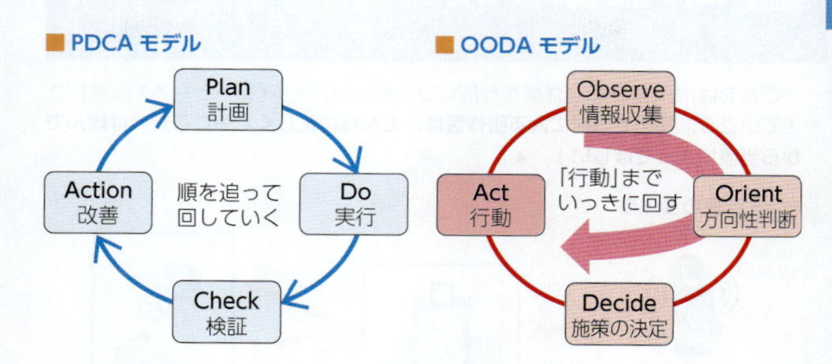

3 不確実性・複雑事例をあとで振り返り，学びを深めていく

どんなにエビデンスが蓄積されていても，エビデンスは一般論にすぎない．また，ERでは時間とともに変化する優先順位づけや状況に対応した暫定的な決断が求められる．これを学習の契機と捉えクリエイティビティを高めていきたい．**そのためにも，実践を終えたあと同僚や指導医と経験したことを振り返り検証することで，不確実性について学びを深めていくことをぜひお勧めしたい．**

洛和会音羽病院では，1 on 1の形で指導医と研修医が症例からの学びを振り返る時間を月に1回，1時間程度設けている．ホワイトボードを用いながら，それぞれの研修医の経験，感情，価値観を紐解くことでより深いリフレクションを促すことができている．

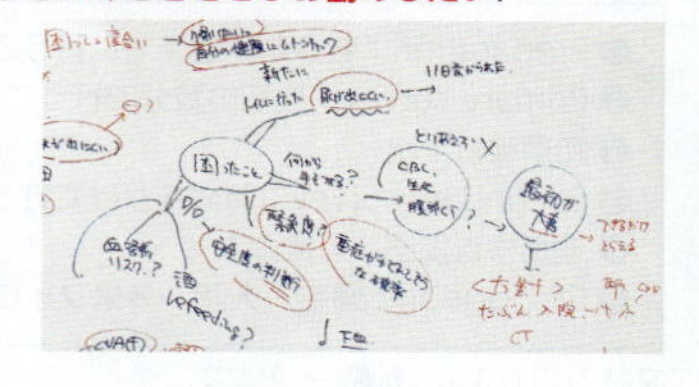

ERは人を相手にした非秩序系の不確実性の高い場所であり，基本的には何かで困って来ている人と向き合う場所である．単に広く疾患をみる医師ではなく，不確実性に対応するクリエイティブで，柔軟性が高く，認知能力の高い医師であることが要求される．このような能力は対患者のみでなく対部門，対病院，対地域と広く応用範囲を拡大できるものであり，将来どの科でも必要とされる能力と言えよう．

ER 診療の流れ

ここでは，ER 診療の全体像を理解しつつ各 step でポイントとなる知識を押さえていこう．**初めて当直に入る研修医は，どんなに忙しくてもここだけは読んでから当直に入ってほしい！**

ER 診療の全体像

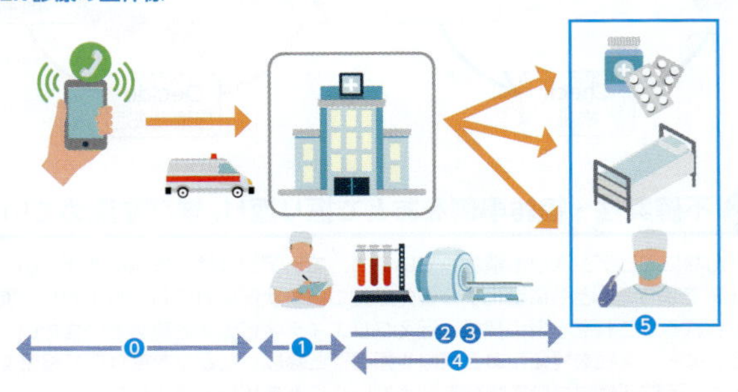

⓪ Preparation：救急車到着までに行うこと
❶ Primary survey：最初の数分で行うこと
❷ 初期検査提出
❸ Secondary survey：時間をかけて行うこと
❹ 追加検査提出，治療介入
❺ Disposition：帰宅，入院，外来フォローの決定

文献 1）の p.3 より転載，一部改変．

ER 診療は，患者の受診や救急車の搬送依頼連絡からスタートを切る．特に救急車が現場から病院搬入されるまでの 5~10 分の短時間に行うべきなのが「**⓪ Preparation（事前準備）**」だ．次に，搬送された患者に初めて接触してから数分で行うのが「**❶ Primary survey（初期評価）**」である．その後，簡単な問診を経て「**❷ 初期検査提出**」をしながら今度は時間をかけて「**❸ Secondary survey（二次**

評価)」を行う．最終的には出てきた検査結果や画像所見を吟味しつつ「**❹ 追加検査**」を出したり，治療介入を行いつつ，その患者が帰宅なのか，入院なのかの「**❺ Disposition の決定**」を行う．これがER診療の全体像である．文献1)のpp3〜14にも詳しく載っているので，参照されたい．

⓪ Preparation（事前準備）

救急車の搬送依頼から患者が搬入されるまでの時間を有効活用しよう．具体的には，以下の3つの点をチェックしておくと後の診療がスムーズになる．

- ✓**（かかりつけ医であれば）過去サマリー，診療情報，外来カルテの把握**
- ✓**バイタルサイン分析**
- ✓**想定される疾患・病態のリストアップ，場合によっては初期検査の準備**

過去の診療情報の把握

かかりつけの患者であれば，特に過去の情報は有用だ．既往歴，薬剤歴，アレルギー歴，最近の検査歴とその結果（血液検査，心電図，画像検査など），また患者本人のADL（日常生活動作）や家族関係，キーパーソンなどの社会的背景にも目を通しておいたほうがよい．

MEMO

ADL（日常生活動作）とは？　〜高齢者のバイタルサイン〜

ここでは特にbasic ADL（basic activity of daily living：基本的日常生活動作能力）が大事．家庭における歩行や移動，食事，更衣，入浴，排泄などの基本的な身体動作を指す．

これらが障害されると単独で生活を送るのは困難と判断され，日常生活に介護の手が必要になる．覚え方は**「ET だー（ET DAH）」**．E-Eating（食べる），T-Toileting（トイレ），D-Dressing（着る），A-Ambulating（歩く），H-Hygiene〔衛生（入浴）〕（※通常，下から逆にH→A→D→T→Eの順に衰えていく）

ADLが障害されている人は介護サービスを受けていることが多いが，ER搬送者の中には適切な介護申請が行われておらず，介護生活の破綻による救急要請（頻回の転倒や放置された褥瘡など）が多くみられる．介護の仕組みを知ることもERに従事する医師の必須要件である．

高齢者救急対応のコツ

ERを受診する高齢者の約1/3は，非典型的症状で受診する．発熱のない感染症，疼痛をきたす疾患なのに痛みなどがない，などが代表例である(Arch Gerontol Geriatr 62：97-102, 2016)．特に，**非特異的症状の中でも，「活気がない」「脱力」「食欲低下」は注意すべき主訴**であり，これらを呈する患者では約半数で急性疾患が見つかり，これらの症状がなければ陰性的中率91％で急性疾患が否定されたという報告がある(J Am Geriatr Soc 51：1111-1115, 2003)．

また，高齢者の急性疾患ではADLの変化が生じやすいという特徴がある．罹患によるADL低下は高齢者における独立した予後不良因子である．「家で看れなくなった」という理由での救急外来受診事例において，初期評価で急性の医学的問題が見つからず，社会的入院という評価になった患者の51％で，後に急性疾患が見つかったという報告もある(Swiss Med Wkly 135：145-150, 2005)．

我々は**"高齢者の急性のADL低下と非典型的症状の背景には何かある！"**という予想を持って診療にあたるべきと言えるだろう．

高齢者施設とその特徴

日本では高齢者の救急搬送が年々増加している．その中で，「高齢者施設」からの搬送患者も増加している．しかし，ひとえに「高齢者施設」と言っても，入所されている方のADL，医療依存度や夜間の医療体制は様々である．下記のような類型を知ることで搬送連絡の際から「患者に対して病歴聴取がどれくらい可能なのか？」「この施設からであれば職員の付き添いは相当難しそうだな」などの予測を立てることができる．

■ 年齢区分別の搬送人員と5年ごとの構成比の推移

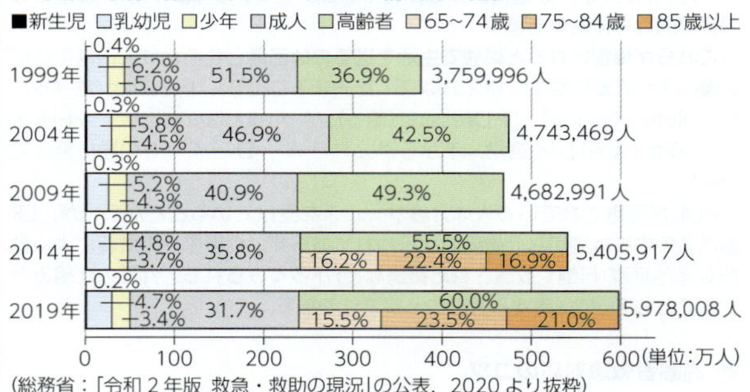

(総務省：「令和2年版 救急・救助の現況」の公表，2020より抜粋)

高齢者施設の類型と医療提供体制

類型	基本的性格	医療依存	医療体制	訪問診療	訪問看護
ケアハウス	自治体から助成のある低所得者向け住宅	低			
グループホーム	認知症高齢者の共同生活の場		訪問看護と連携		可能
有料老人ホーム	入浴，排泄，食事などの介護サービス提供を目的とした施設			可能	
サービス付き高齢者向け住宅	安否確認や生活相談サービスが付いた住宅				
特定施設*	24 時間切れ目のない介護サービスを提供	中	配置看護師		
介護老人福祉施設(特養)	要介護高齢者のための生活施設		非常勤嘱託医，配置医師	往診のみ	
介護老人保健施設(老健)	要介護高齢者にリハビリテーションを提供し，在宅復帰を目指す施設	高	常勤医師1人以上(100：1)		不可
介護医療院	医療の必要な要介護高齢者の長期療養施設		常勤医師3人以上(48：1)	不可	

* 定員が 30 人以上の施設で，都道府県から事業者指定をうけたもの．有料老人ホーム，サービス付き高齢者向け住宅，ケアハウスなどが取得可能

ポイントとなる既往歴とリスク

肝硬変 ➡ 食道静脈瘤，腹水，特発性細菌性腹膜炎(SBP)，肝性脳症，肝細胞癌，*Vibrio vulnificus* 感染，薬剤の選択
腎不全 ➡ 造影剤使用の可否，薬剤選択
心房細動 ➡ 血栓症，塞栓症のリスク．抗凝固薬内服中は出血リスク↑
急性冠症候群 ➡ 再発リスク，抗血小板薬 2 剤以上は出血リスク↑
気管支喘息 ➡ 急性増悪のリスク，造影剤使用の制限
脳卒中 ➡ 神経後遺症の有無
糖尿病 ➡ 低血糖や糖尿病性ケトアシドーシス(DKA)，高浸透圧高血糖症候群(HHS)，易感染性，痛みのない急性冠症候群
アレルギー歴 ➡ 造影剤，投薬
血液透析患者 ➡ 透析のタイミング，心血管系リスク，感染症リスク

腹膜透析患者 ➡ 出口部感染，トンネル感染，CAPD 腹膜炎
過去の抗菌薬投与 ➡ *Clostridioides difficile* の可能性，過去の培養での耐性菌の有無
体内人工物の有無 ➡ デバイス感染
化学療法歴 ➡ 発熱性好中球減少症や血小板減少のリスク
高齢者 ➡ 最近の ADL，キーパーソン，事前指示〔DNAR (do not attempt resuscitation) の有無〕など

文献 1) の p.4「表Ⅰ-1 特に目を光らせておくべき情報の例」より一部改変して引用.

バイタルサイン分析

一般に身体所見は患者の慢性変化を反映し，**バイタルサイン (血圧，脈拍，呼吸数，SpO_2，体温，意識) は患者の急性変化を反映**する指標といわれる.

そのため，ER では特に初期段階での患者のバイタルサインの確認が重要となる．**さらにバイタルサインを分析することで，数字そのものだけではなく患者の体内に起こっている病態の把握ができる.**

特に呼吸数は必ず測定する. 日本版敗血症診療ガイドライン (J-SSCG) 2020 にも記載されている quick SOFA (sequential organ failure assessment) score の中にも呼吸数は入っている．**筆者も全く発熱のない重症肺炎や敗血症の患者を呼吸数の増加のみから発見できたことを複数回経験している.** 測定のコツは患者に呼吸を意識させないように「脈を測りますね」と言って，橈骨動脈に触れながら 30 秒間胸の上がりを見て呼吸数を測り，その数字を 2 倍するのがお勧めである.

各年齢ごとのバイタルサインの基準値の目安と，バイタルサインを用いた有用な指標を提示する.

■ バイタルサインの基準値

血圧 (mmHg)
成人 90〜139/60〜89，小児 80〜110 (収縮期)，幼児 70〜95 (収縮期)，新生児 > 60 (収縮期)

脈拍 (/分)
高齢者 60〜90，成人 60〜100，小児 80〜100，幼児 100〜120，新生児 120〜160

呼吸数 (/分)
成人 12〜20，小児 15〜30，幼児 25〜50，新生児 40〜60

体温 (発熱の基準)
高齢者 36.8℃ 以上，成人 37℃ 以上，小児 37.5℃ 以上

※バイタルサインの異常は絶対値よりも**普段との変化が重要**なことに留意

■ バイタルサイン分析の pearl

- **脈圧(＝収縮期血圧－拡張期血圧)≧収縮期血圧/2 ➡「カテコラミンリリース」**の状態
  ex. 呼吸不全，心不全，循環不全，低血糖，発熱，疼痛
- 発熱と脈拍の関係式：**体温 0.55℃↑ ⟺ 脈拍 10/分↑**
- 高齢者の洞性頻脈：**220－年齢≧洞性頻脈**

1 Primary survey(初期評価)

学生時代，診断へのアプローチは「問診 → 鑑別診断 → 診察 → 検査」という流れと教わった．

しかし救急現場では，最初に治療をしながら検査を出し，その結果を見ながら鑑別診断を挙げていかなければならない場面も多い．慣れない研修医は現場に出た際，この卒前学習とのギャップにぶちあたり，悩んでしまう．**実は，どんな患者でも，ER の初めのアプローチは決まっている．**

walk in 患者も，救急搬送された患者も，病棟で急変した患者でも，いつも同一のアプローチをとればよいのである．これを頭文字をとって **ABC-VOMIT アプローチ**(本書オリジナル)と呼ぶ．以下で 1 つひとつみていく．

■ ABC-VOMIT アプローチ

ABC ➡ **V**ital signs 測定 ➡ **OMI** ➡ **T**hree「カ」(3 つの「カ」)

ABC の異常

救急現場において，重症か否かをスクリーニングするためにまず行うチェック項目である．

A ➡ airway(気道)　**〈嗄声，stridor，会話困難〉**
B ➡ breathing(呼吸)　**〈頻呼吸　呼吸様式の異常〉**
C ➡ circulation(循環)　**〈頻脈，冷汗〉**

それぞれ〈　〉のような所見を診察から読み取り，A, B, C のどこに異常があるか推測していく．

なぜ，A → B → C の順でスクリーニングを行うべきなのか？

それは，この順番で命を落とすまでの時間が短いためである．一般に airway の問題はおよそ数分で，breathing の問題は数十分以内で，circulation の問題は

数時間以内で人の命を奪うと言われている．

この評価は次の図のようにすればほんの数秒で確認できる．急変患者や救急搬送された患者をみたら何はともあれ，下図の姿勢をとろう．

■ 救急患者をみたらとりあえず行う“ABC のスクリーニング”

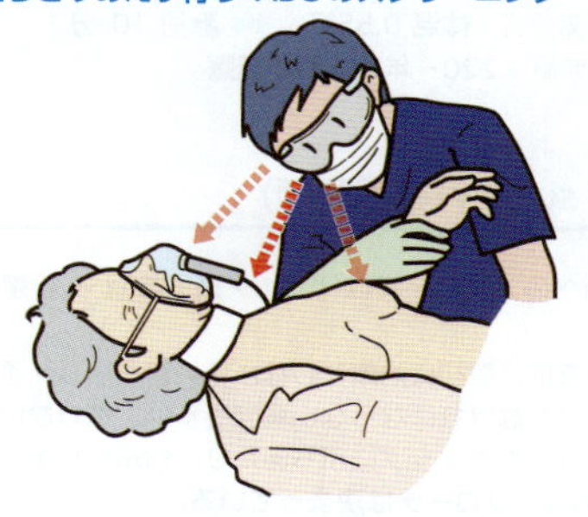

ABC の異常を認めた場合は随時速やかにその異常を除く必要性がある．例えば，A の異常を認め頸椎損傷の危険がなければ，速やかに triple airway maneuver（頸部伸展・下顎挙上・開口）をして気道確保を行う．

バイタルサインの確認

「⓪ Preparation」項でも述べたように，ER での患者のバイタルサインの確認は非常に重要である．

救急隊の報告するバイタルサインのみで判断することなく，再度しっかり確認するのは，「救急車で運ばれた」というだけで緊張して血圧が上昇したり頻脈になっているだけの患者なのか，真の重症患者なのかを見分けるためでもある．

OMI

ABC やバイタルサインの異常があれば，すぐさま治療介入をしていく．そこで大事な合言葉が「OMI」である．**OMI とは，O（oxygen＝酸素投与），M（monitoring＝モニター管理），I〔iv（静脈注射）＝ルートの確保〕**のことである．

輸血が必要な患者では 18 G 以上の針でできるだけ太い血管に留置し，この際必要であれば採血と血液ガス・血液培養も採取しておくと効率がよい．輸液製剤はまず細胞外液（生理食塩水など）を選択する．

Three「カ」(3 つの「カ」= 患者・家族・カルテ)からの情報収集

その後，情報収集に向かう．その際，3 つの「カ」を意識する．認知症や意識障害の患者では家族や発見者からの情報収集が鍵となる．

2 初期検査提出

主訴と Primary survey までに得た情報を参考に，血液検査や尿検査，各種培養，心電図，X 線などの検査を必要に応じてオーダーする．下図のように鑑別疾患をイメージしながら迅速な検査オーダーができるようになるとよい．また，採血と同時に静脈ルートを確保する場合は生理食塩水(NS)，ラクテック® を基本にしながら必要に応じて 1 号液，3 号液，5% ブドウ糖液に切り替えていく．

※施設固有の検査体制を要確認

当院での採血オーダーのイメージ

検査項目		イメージする鑑別疾患等
血液ガス(VBG/ABG) pH, CO_2, HCO_3, Lac, BE, Na, K, Cl, Glu, CO-Hb	➡	“ABCD”の異常 ➡詳細は第 II 編「①血液ガス分析」(⇒p.39)参照
血算(CBC)		
生化学(迅速Cre) 電解質，脂質，CRP，TSH/FT4，コルチゾール		
血液凝固検査 PT-INR, FIB, D ダイマー	➡	術前，抗凝固薬内服中，DIC合併，肝硬変，PE/DVT，致死的出血(外傷や消化管出血)
HbA1c	➡	糖尿病疑い ※透析患者は生化学でグリコヘモグロビン
アンモニア	➡	肝性脳症，けいれん
血中BNP/トロポニン	➡	心不全，ACS
血液培養	➡	敗血症，菌血症
不規則抗体(スクリーニング) 交差適合試験(クロスマッチ)	➡	輸血，術前
赤沈	➡	自己免疫疾患，不明熱，椎体炎
ビタミンB_1	➡	低栄養，アルコール依存症，妊婦，悪性腫瘍

■ 当院での点滴オーダーのイメージ

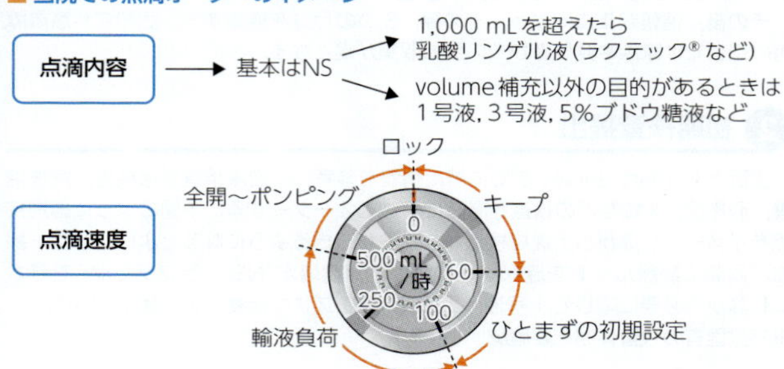

詳細は「Ⅱ 検査編」(⇒ p.37)で説明するが,「検査が意思決定のための律速段階となる」という厳然たる事実のため,必要かつ十分な検査プランを立ててマネジメントを行えるようになりたい.

■ 検査が律速段階!

- 血糖:8 秒
- 血液ガス:2 分
- エコー:5～10 分
- X 線, CT:5～20 分
- 採血:30 分
- MRI:1 時間弱

最低限,上記の時間が必要となる!!

3 Secondary survey(二次評価)

「Secondary survey」は,Primary survey で異常がない場合(もしくは異常を解決した後)に行うことである.

ここでポイントとなるのが,**ツボを押さえた問診**と**詳細な身体診察**である.少しでも診療の精度を上げるためにできるだけ多くの情報を得たいので,時間の許す限り丁寧に問診し,頭から足先までの全身診察を行うことが重要である.しかし,ER 診療では**ここが疎かになり多くのトラブルが起こっている.**

ツボを押さえた病歴聴取・問診――問診の「大動脈 AORTA」

問診はただ聞けばいいというものではない.系統的に,漏れなく情報収集するには戦略が必要である.人体の生命維持のために大動脈が必須なように,問診でも「**大動脈 AORTA**」を意識して行うとよい.

■ 病歴聴取のツボ“大動脈”

問診の「大動脈 AORTA」とは以下の5つのポイントを意識した問診のことである.

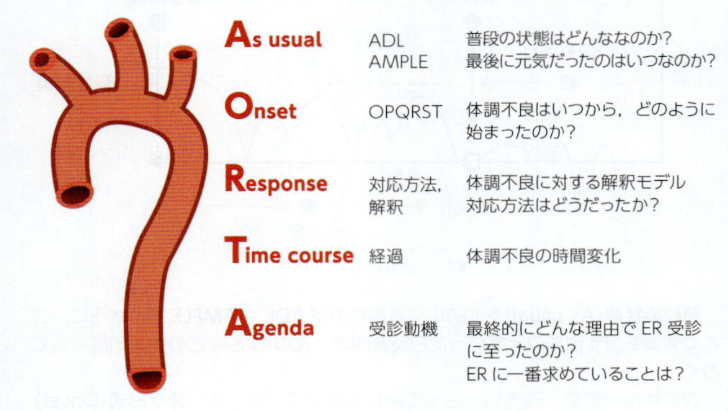

具体例で考えてみよう．例えば，「高血圧と脳梗塞の既往のある ADL 自立の 85 歳の男性が 3 日前からのめまいと嘔吐のため救急要請した」事例．どのように問診していけばいいだろうか？

“OSCE（客観的臨床能力試験）で習ったように症状の OPQRST を押さえつつ，めまいの red flag がないか慎重に聞いていこう……”．しかし，それだけでよいのだろうか？

そもそも，この患者は「**なぜ，めまいが続いているのに 3 日も救急受診しなかった**」のだろうか？ そこを疑問に思わないだろうか．

実は，病歴には 4 つの phase がある．次頁図のように，患者の体調変化の変動を縦軸，横軸を時間にしてグラフを書いてみる．

われわれにも受診した患者にも，体調の波はある（次頁図 ❶）．しかし，それだけでは病院には受診しない．ある日，通常とは違う体調変化が患者に起こる（❷）．「**あれ？ これは困ったぞ**」．そう思いながら，たいていの人はその後，がまんをしてやり過ごそうとしたり，手持ちの薬を飲んだりして様子をみる（❸）．

しかし，一定の期間を経て，受診閾値を超えるような段階になったときに初めて救急受診や救急要請に至るのである（❹）．

問診もこの 4 つの phase に沿って尋ねると理解しやすい．

そもそも病歴には 4 つの phase がある

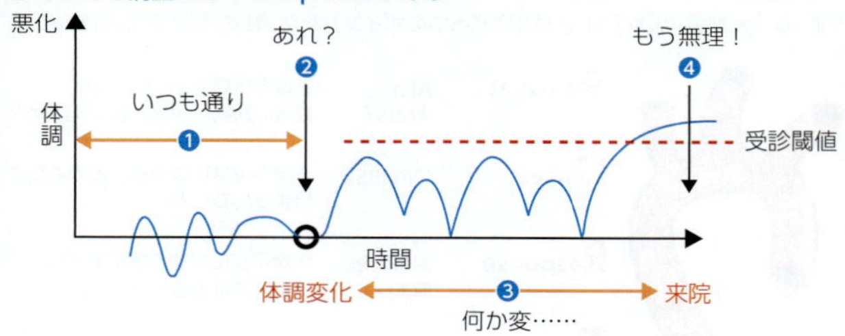

普段の状態(As usual)を知るのに有用なのが **ADL** や **AMPLE** だ．さらに，ここで体調を崩す直前の元気だった日時を聞き，次の Onset との差を明確にしておく．

次に体調の異変を時系列に沿って細かく聞いていく．特に**発症形式**(Onset)は非常に重要である．電気のスイッチを押したように瞬間的に起こった体調不良は血管系の障害を示唆するので精査が必要である．また，主訴と思われる症状は漏れなく**"OPQRST"**を聴取する．その後 ROS (review of system ⇒ p.22) をチェックし，患者の意識していない重要な自覚症状もスクリーニングしていく．

AMPLE

- **A** ➡ allergies：アレルギー歴
- **M** ➡ medications：内服歴・常用薬
- **P** ➡ past history/pregnancy (menstruation)：既往歴，妊娠歴(月経)
- **L** ➡ last meal：最終飲食．手術が必要な際「full stomach」か否かの判断が必要．内科系疾患でも，飲食ができなくなってきている際は何か重症な疾患が隠れている場合が多い
- **(E)** ➡ event：受傷機転，病歴

OPQRST

O ➡ **onset**：sudden onset（突発発症）は，「破れる，捻れる，詰まった」のcritical な疾患が隠れている可能性が大きい．「その症状は数分以内に最大になり，以後変わりませんか？」と質問する
比較的急性に増悪してきたものは acute onset（急性発症）と呼び，感染を示唆することが多い

P ➡ **position**：全体的か，部分的か

Q ➡ **quantity/quality**：痛みの性質，10 点満点中何点か

R ➡ **radiation**：放散痛

S ➡ **sequence**：経過（間欠的か，持続的か）
痛みの程度が発作ごとに異なるのであればそれは「断続痛」として区別する．「断続痛」は捻転などで起こる症状であり，「間欠痛」と全く鑑別が異なる

T ➡ **time**：持続時間

典型的な片頭痛のプレゼンテーション

頭痛は急性発症だそうです．
頭の右側にズキズキした痛みがあり，眼や後頭部への放散はないようです．間欠的な痛みで，明るいところで増悪し，暗い場所ではよくなるそうです．頭痛とともに吐き気も感じるようです．

その症状に対する患者の**反応（Response）**は患者の解釈モデルや健康観などを把握するのに有用である．OTC 医薬品の乱用傾向やアルコール・睡眠薬・鎮痛薬の依存傾向などのスクリーニングにもなる．

時間経過（Time course）は症状の経過だけでなく，患者がどのような医療システムを通ってきたか，という視点も重要である．この質問によって，その患者がどんな母集団にいるか，これまでどんなケアが不足しているのか理解しやすくなる（ex. 診療所で投薬の副作用に関する説明がなかった）．

最後に，**なぜ今，この場所に来たのか？** を明確にさせるため**受診動機（Agenda）**を把握する．どんなに医学的に正しい診断をしても患者は不満を抱いていることがある．同じ風邪の患者でもある人は肺炎を心配し，ある人は肺癌を心配していることがある．受診動機を把握すれば，全員に画一的な対応をすることなく，個別のケアができるようになる．

＊

先ほどの症例をもう 1 回振り返ってみよう．

高血圧と脳梗塞の既往のある ADL 自立の 85 歳の男性が，3 日前からのめまいと嘔吐のため救急要請した事例である．

問診の「大動脈 AORTA」を意識して聴取すると，この症例が典型的な良性発作性頭位変換性めまい症であることがわかる（詳しくは第Ⅲ編「めまい」項を参照 ⇒p.162）．しかし，以前からめまいがあり，脳梗塞の既往もあるこの男性は，この3日間の症状が脳梗塞によるものかどうか不安のまま1人で過ごしていた．いつものめまいだろうと思いつつ様子をみてもなかなか治らない．また息子に毎晩電話で相談しても相手にされない．かかりつけ医はあるが，ほとんど話も聞いてくれる感じでなく定期処方されるだけ．以前から訴えの多い父親だったが，自分の仕事も忙しく3日間適当にあしらっていた息子もたび重なる父親の電話相談についに堪忍袋の緒が切れ救急要請……，となった事例であった．

■「85歳独居，3日前からのめまい，嘔吐」

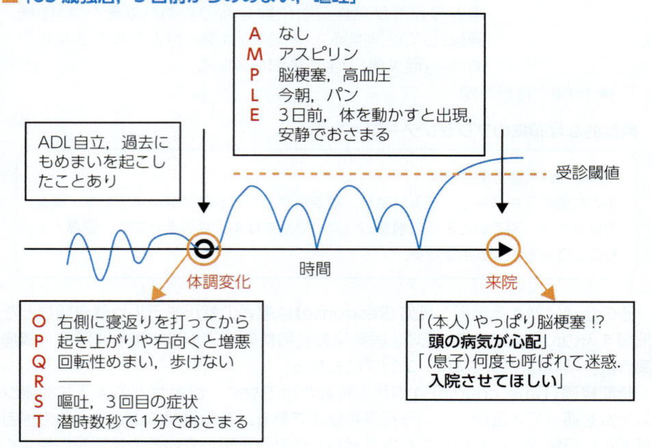

この症例で求められているのは正しいめまいの診断だけではない．どれだけ本人が抱く脳梗塞の不安を拭えるか，入院させてほしいと希望する息子とどう話し合うか，今後のセーフティーネット（かかりつけ医との連携や介護体制など）をどう作っていくか，などである．

この症例に頭部の診察も行わず「耳からくるめまいですね」と一発で帰宅させようとしたら……，別の病院にハシゴするかもしれない．

詳細な身体診察——head to toe physical examination

ここでは1つのスクリーニング診察の例を示す．どんな形式でもよいが，慣れるまで一定の形式を繰り返して体に覚えさせることが重要である．

筆者らは自作のラミネートカードを持ち歩いたり，カルテにテンプレートを登録しておいたりして毎回の診療で漏れがないように心がけている．

- ➡ 手（CRT 延長，爪周囲毛細血管拡張，関節腫脹，ばち指，皮膚冷感，色調，橈骨動脈触知）
- ➡ 頭部（発疹，側頭動脈怒張や圧痛，jolt accentuation*1）
- ➡ 眼（瞳孔，対光反射，眼球結膜黄染，眼瞼結膜蒼白，視野，眼球運動，眼振，eyeball tenderness*2）
- ➡ 副鼻腔圧痛
- ➡ 頸部（耳下腺，顎下腺，リンパ節腫脹，項部硬直）
- ➡ 口腔内（舌，咽頭，扁桃，唇，カーテン徴候，嗄声，挺舌，舌攣縮）
- ➡ 耳（難聴）
- ➡ 胸部（肺雑音，過剰心音，心雑音）
- ➡ 腹部（視聴打触の順番で → 手術痕，硬さ，圧痛，反跳痛，腹膜刺激徴候，Murphy sign，肝脾叩打痛）
- ➡ 背部（CVA 叩打痛，脊柱叩打痛，褥瘡や発疹）
- ➡ 神経系診察（意識レベル，錐体路，小脳症状，腱反射，異常反射，感覚障害）

＊1　**jolt accentuation**：1 秒間に 2〜3 回，左右に素早く頭を振り頭痛が増強されれば陽性．風邪でも陽性になるために特異度は低いが，感度が高いために髄膜炎否定に多少有効と言われている

＊2　**eyeball tenderness**：示指と母指で軽く眼球を圧迫して疼痛を訴えたら陽性とする．緑内障を否定できない人には行わない．特異度が高いのでこれを認めたら髄膜炎を強く疑う

MEMO

「重症感のない患者の ER 受診」は忙しい ER の悩みの種であるが，これを理解するのに有用なのが，**「既存の医療システムの中で解決できなかった問題が『急ぎ』という顔をしてやってきている」**という捉え方である．

ER での対応をするときに，その場の対応も大事だが，きちんと救急以外で受けてきた医療システムを「失敗ではない」という意味づけを作るよう説明に配慮したり，ER とそうでない場をつなぐことで，救急受診を含めた医療システム全体としての成功体験をコーディネートすることは，間接的に患者・住民の医療制度に対する信頼度を上げる．これは，医療システムの代表という形で患者と出会う以上，すべての医療者が担うべき役割ともいえる．

ROS (review of system)

全身状態
体重変化，発熱，悪寒戦慄，倦怠感，虚弱，寝汗

皮膚
紅斑，皮膚瘙痒感，脱毛，チアノーゼ

HEENT
頭：頭痛，頭部外傷，めまい
目：視力低下，視野障害，複視，発赤，眼痛
耳：耳鳴，視力変化，耳痛，排出物
鼻：鼻汁，鼻閉，鼻血
喉頭：痛み，嗄声，歯肉炎，歯肉出血，味覚変化

頸部
リンパ節腫脹，腫瘤

乳部
しこり，痛み，排出物，乳汁流出

呼吸器系
咳，痰，血痰，呼吸困難，喘鳴

循環器系
胸痛，動悸，夜間発作性呼吸困難，起座呼吸

消化器系
嘔気・嘔吐，食欲低下，腹満感，吐血，下血，水様便，便秘，腹痛

泌尿器系
頻尿，多尿，夜間尿，排尿時痛，排尿困難，尿閉，失禁，血尿，膿尿，残尿感

生殖器系
外尿道口からの排出物，精巣痛・腫瘤

末梢循環系
間欠性跛行，足のけいれん痛，下肢静脈瘤，浮腫

骨格筋系
関節痛，こわばり，可動域障害，腫脹，腰痛

神経系
失神，けいれん，麻痺，しびれ，感覚変化，振戦，歩行変化

精神系
記憶変化，不安感，うつ，不眠，幻覚，妄想

情報の統合と診断への進め方

Secondary survey が進んでいく中で，来院時にオーダーした検査の結果も次々に判明してくる．Secondary survey で得た情報や初期検査の結果を基に，検査の追加や CT 撮影，各種穿刺，内視鏡などの侵襲的手技に進んでいくが，同時に**得られた情報からプロブレムリストを用いて目の前の患者に今起こっていることをアセスメント（評価）する必要がある**．プロブレムリストを用いる理由は，問題点の漏れが少なくなるからである．救急車診療をしていて，「一点買い診療」をしてしまったり，1 つのプロブレムに夢中になってしまい，他の重要なプロブレムについての評価ができていない，といった状況はよく経験される．例えば，酸素低下と意識障害を主訴に来院した患者の診察中に，X 線で片側肺の浸潤影を認めたため肺炎と診断し，肺炎のマネジメント（喀痰グラム染色や抗菌薬選択など）に夢中になるあまり，もう 1 つの重要なプロブレムである意識障害の原因検索のために必要な頭部 CT や腰椎穿刺の必要性について検討することを忘れていたという例などである．〔以上，文献 1）の p.15 より一部改変して引用〕

ER で必要とされるのは入院患者と同様の詳細なプロブレムリストではない．このプロブレム作成方法は文献 1）にも詳しく載っているので参照してほしい．

発見した順に列挙し，適宜経過に応じて更新

診療を開始した時点からプロブレムは発見した順に列挙していく．そして診療経過に応じて適宜プロブレムリストを更新していく．もし，プロブレムリストとして列挙すべきか迷う項目がある場合，ひとまずプロブレムとして挙げるべきである．列挙してあれば，プロブレムの統合でリストから削除することは容易であるからである．

「疑い」ではなく，「今判明している事実」のみを記載する．

「○○の疑い」のような形でプロブレムとすると，他の疾患の可能性を見落とすことがある．

プロブレムの優先順位は ENTer の数で決める．

ひととおりプロブレムの列挙が完成したところでプロブレムリストの整理を行う．ER において以下の**“ENTer（入り口）”**[1]の項目を満たす数が多いものは優先順位が高い．

E : emergency (バイタルサインへの影響が高いもの)
N : new-onset (新たに発症したもの，急性増悪したもの)
Ter : treatable (治療可能なもの)

文献 1)の p.17 より転載，一部改変.

優先順位の高いプロブレムに対してのみ，“3C”〔頻度が高く(common)，治療可能で(curable)，致命的な(critical)〕を意識して鑑別を立てる． 鑑別診断に関しては後述の「Ⅲ トリアージで考える 主訴別アプローチ編」(⇒ p.97)などを参照のこと．次に，列挙した鑑別診断で他のプロブレムが説明できないか考える．説明できない場合は別のグループとして新たに鑑別疾患を立て，鑑別の絞り込みに必要な追加検査をオーダーしていく．

文献

1) 松原知康，他(著)：動きながら考える！ 内科救急診療のロジック．南山堂，2016

MEMO

認知症患者へのコミュニケーションのポイント

高齢者救急対応が増える中で，認知症の患者さんの診療を経験することも多いだろう．下記のポイントに注意してコミュニケーションを取るとうまくいくことも多い．

✓**複雑な質問を避ける**：答えが何通りもある open question は避け，「Yes/No」で答えられるよう変換する
ex. ×「どこが傷みますか？」
○「お腹は痛みますか？」

✓**質問は 1 つだけに限定する**：1 度にいくつも質問しない！
ex. ×「痛むのはお腹？ それとも胸？」
○「お腹は痛みますか？ では，胸は痛みますか？」

✓**いきなり大きな声で話さない**：「高齢者は難聴」という思い込みを捨てる

✓**馴れ馴れしい呼称や子どものように話さない**：尊厳を持って，名前で正確に

ER診療における プレゼンテーション

ERでは，上級医に正確かつ簡潔に症例提示できる能力が求められる．通常では1〜2分(場合によっては30秒!?)以内のプレゼンテーションをすることが多い．

上級医や専門医は忙しい． コンサルトの際は最初に相談なのか，診察や処置の依頼なのか，入院依頼なのか，**結論から話そう．** また，夜中にコンサルテーションをすることは気がひけるが，**何よりも目の前の患者のためのコンサルテーションであることを忘れてはいけない．**

内科系疾患のテンプレート例(丁寧バージョン)

最初に結論〔診断名(症候名)＋重症度＋目的(診断/治療/入院/帰宅)〕を！

➡ 既往歴(持病，手術歴)，生活歴(喫煙，飲酒，職歴，旅行歴，妊娠)＋年齢・性別
➡ 主訴
➡ 現病歴
➡ バイタルサイン異常＋身体所見で異常のあるもの
➡ 検査所見
➡ アセスメント＋プラン

ex.「**救急当直の○○です．85歳男性，room airで91％の低酸素血症患者の診断の相談をさせてください．**

施設入居中で要介護2の認知症患者．数日前からの発熱と咳で家族と来院されました．room airで91％，酸素2LでSpO_2 96％，他のバイタルサインは安定しています．身体所見で特記なく，X線とCTで浸潤影もありませんでした．肺塞栓も考えましたが，低リスクでDダイマーも低値でした……」

最初から上手にプレゼンテーションできる人は誰もいない．コンサルトする前にかならず1回は練習してから臨むべきである．

コンサルテーションのコツ

なぜ上級医が必要なのかを明確に伝える

「入院が必要と思うのですが，先生の科の入院として妥当かどうかご検討いた

だきたいのです」
「今入院させるべきか外来でよいかの決定に関して迷っておりますので先生にご検討いただきたいのです」
「私は○○だと思うのですが，大きな見落としをしていないかチェックしていただきたいのです」

医学的でなくても重要な情報は最初に伝える

「4日前まで先生の科に入院していた患者さんで……」
「患者さんが○○科の先生に診ていただきたいと主張されてまして……」
「先生かかりつけの患者さんで……」
「○○看護師長の親戚の方で……」

短縮したプレゼンではSABRによるコンサルテーションがわかりやすい

SBAR（エスバー）とはもともと軍事用に開発されたショートプレゼンテーションの型であり，Situation（状況），Background（背景），Assessment（評価），Recommendation（提案）の内容を含めて話す．

実際のコンサルテーションの例

「○○先生，バイタルが安定しているSTEMIではないACS疑いの緊急カテ適応のご相談です Situation（状況）．
もともと高血圧と高脂血症で当院かかりつけの56歳男性で，患者さんは30分前から持続する胸痛を主訴に受診され，12誘導心電図では△△誘導でST低下と，○○誘導で新たな左脚ブロックを認めました Background（背景）/Assessment（評価）．
ご高診いただいてもよろしいでしょうか Recommendation（提案）」
（ACS疑い患者のプレゼン）

「○○先生，頭部CT画像と創部の確認をいただけないでしょうか． Situation（状況）．
心房細動でワルファリン内服中の80歳男性の頭部打撲患者なのですが，左後頭部に5 cm大の挫創があります Background（背景）．
特に大きな神経学的異常などは認めませんが，CT画像での出血の見落としがないかと，創部を確認いただけたらと思い相談させていただきました Assessment（評価）/Recommendation（提案）」
（リスクのある頭部打撲患者のプレゼン）

「○○先生，**胃潰瘍の既往のある 75 歳男性，血圧は 100 mmHg 台の吐血に対する緊急内視鏡適応に関してご相談です．**患者さんは本日の 18 時ごろの吐血で受診され，ER でも新鮮血を 1 回吐血しました Situation（状況）．
血圧は来院時 90 mmHg 台でしたが，1 L の輸液で 100 mmHg 台まで上昇しています Background（背景）．
来院時 Hb は 8 g/dL で，血小板と凝固系に異常はありません．脳梗塞の既往があり，アスピリン内服中ですが，肝硬変の既往はありません．MAP 8 単位オーダーしています Assessment（評価）．
ご高診いただいてもよろしいでしょうか Recommendation（提案）」
（緊急内視鏡適応の吐血患者のプレゼン）

「○○先生，**62 歳男性の脳梗塞患者の診察をお願いします．t-PA や血管内治療も適応時間内です．**患者は，最終未発症 2 時間前の右半身麻痺と左顔面神経麻痺で受診されました．Situation（状況）．
もともと高血圧，脂質異常症，糖尿病，喫煙と既往（頭蓋内出血の既往や最近 1 か月以内の脳梗塞や手術歴のないことを確認）があり，1 時間前に突然の右半身麻痺と左顔面神経麻痺で受診されました．最終未発症は 2 時間前で妻が確認しています Background（背景）．
家族付き添いで来院され，現在 CT で明らかな出血は認めませんでした．**t-PA 適応の脳梗塞を疑っています** Assessment（評価）．
ご高診いただいてもよろしいでしょうか Recommendation（提案）」
（t-PA 適応候補患者のプレゼン）

実際のコンサルトの具体例は，『救急現場から専門医へ あの先生にコンサルトしよう！──各科コンサルトが劇的にうまくなる業界 No.1 の How to 本』〔増井伸高，他（著）：金芳堂，2021〕に詳しく載っているので通読をお勧めする．

ER診療における リスクマネジメント

救急室は一般外来と大きく異なり，長い付き合いの中で患者と人間関係を築くなどということはなく，初対面同士が重大な局面を乗り越えるという実にチャレンジングな場所である．そのため，患者だけではなく，医療従事者にも大きなストレスがかかる．不眠不休で体力的にも追い詰められるなか，大きな見逃しをした，患者が文句を言い始めた，暴れ始めた，後日訴えられた……，という事態に陥ったら，心もポキンと折れてしまうかもしれない．

トラブルを回避するためには，事前のリスクを正しく見積もることが必要だ．

トラブル防止のためのリスク見積もり

曜日，時間帯

土日休みの病院では金～土曜日の当直は特別な夜になる．なぜなら，**再評価までの時間が長くなるから**である．平日の受診なら翌日には専門医の評価を予定することができるが，休日の当直はそれができない．また，**休日の当直明けの引き継ぎ症例も要注意**だ．精神的にも肉体的にも疲労困憊，あと少しで休息が得られる当直明けの症例のマネジメントはどんな人間でも不十分になるリスクが高いからだ．

また，インフルエンザ流行期などでは「発熱＝インフルエンザ」と思考停止に陥ってしまい，他の重症感染症を見落とすこともよく見受けられる．置かれている状況の特殊性にも敏感になる．

患者，家族背景

以下のようなトラブルになりやすい患者は早期に認識すること．

- 本人，あるいは家族が暴力団関係者
- アルコール泥酔患者（自分が診療拒否したことを覚えていない）
- 受付，待合室ですでに腹を立てている患者，長く待たされた患者（コメディカルとの連携が重要）
- 交通事故，ケンカで未成年者が1人で受診した場合（原則，家族に確認がとれるまで帰さない）
- 権利意識の強い患者（有名人，社長，議員，法律家，公務員，マスメディア）
- 本人，家族，親戚に医療過誤経験者がいる場合
- 本人，家族，親戚が医療関係者（無意識に医学用語が交じる）

トラブル防止のためのコミュニケーション技法

救急室は「夜の病院の顔」である．研修医であっても，患者にとってはその病院の医師としか映らない．自分の言動がそのまま病院の評判になることを忘れてはいけない．**患者と家族への説明は過剰なくらい親切かつ丁寧でよい．できれば，以下の❶～❸の項目を記載したメモを渡すことを勧める．**

初期診断できなかったことが医療過誤になるのではなく，1 回の ER 受診では限界があり，評価が必要なことをしっかり説明しなかったことが医療過誤につながるのである．さらに，時間を味方につける目的でも，**不安な患者に翌日電話でフォローする**のは患者満足度向上につながるという報告があるのでお勧め（Ann Emerg Med 61：631-637, 2013）．

帰宅の際の説明の 3 つのコツ

❶ 悪化した場合
「週末内に 38℃以上の発熱が出たら ER 受診してください」

❷ 悪化しないが症状続く場合
「熱が出なくても自覚症状が続く場合は，月曜日に○○科の外来を受診してください」

❸ よくなった場合
「よくなったら主治医の予約どおり受診してください」

予期しない再受診症例にご注意！

予期しない再受診症例は通称「bounceback（跳ね返り）」と呼ばれるが，このような症例は絶対に収容依頼を断ってはいけない！ 大抵が，前回の受診時に何か重大な見落としをしていることが多く，他院に搬送されて正しい診断がついたときは「病気を見逃されたうえに，今回は搬送すらも断られた」と患者や家族にとって非常に悪印象を残しやすいからである．仮に救急の受け入れ制限があったとしても，管理当直に相談の上，判断を仰ぐべきである．

多職種連携とリスクマネジメント

救急に限った話ではないが，職場における医師の不適切な振る舞いは非常に多い．看護師にタメ口を使ったり，横柄な振る舞いをしていないだろうか？ 職場スタッフの不適切な振る舞いが，有害事象の 67%，ケアの質の 71% に影響を与えていると回答された研究（Jt Comm J Qual Patient Saf 34：464-471, 2008）もあり，単に人間関係のやりにくさだけで済まない問題がある．安全で質の高い ER 診療には，医師自身が多職種と円滑にコミュニケーションを取りつつ，他のスタッフへよい影響を与える人材となることが求められている．

ER研修での学習方略①
——成人学習理論を利用して

研修中にERでの診療を通してどのように学習していけばよいだろう？

実際現場に出ると痛感するが，**毎日知らないことが山ほど出てくる**．なのにその復習も終わらない，ましてや事前学習や文献検索なんてとてもできない……，そのうちに自分が成長しているのか自信がもてなくなってくる．

このような悩みを緩和するためにも，**成人学習理論**(adult learning theory)を知っておくとよい．Knowlesは，成人の学習者の特徴を以下のように5つ挙げている．

成人である学習者は，
1. 独立心が強く，自己のペースで学習することを好む
2. すでに幾多の経験があり，それが学習の糧となる
3. 実際に役立つ学習に価値をおく
4. 差し迫る問題を解決するための学習を好む
5. 強制ではなく自らの学習意欲に駆られて学ぶ

(渡邊洋子：生涯学習時代の成人教育学—学習者支援のアドヴォカシー．明石書店，pp150-159, 2002を参照して作成)

研修医の学習は小中高における「テストのための学習」とは大きく異なる．**日々の学習が現場で使える内容や差し迫った内容を解決するための学習に偏ってしまうのは，ある意味仕方のない**ことなのである．出たとこ勝負で，毎日の診療から学んでいく，それが成人の学習の基本スタイルなのだ．

さらに，**自分の学習がうまくいっているのかどうかの判断**に役立つのが，Kolbの**経験的学習モデル**(experiential learning)である．

■ **経験的学習モデル**

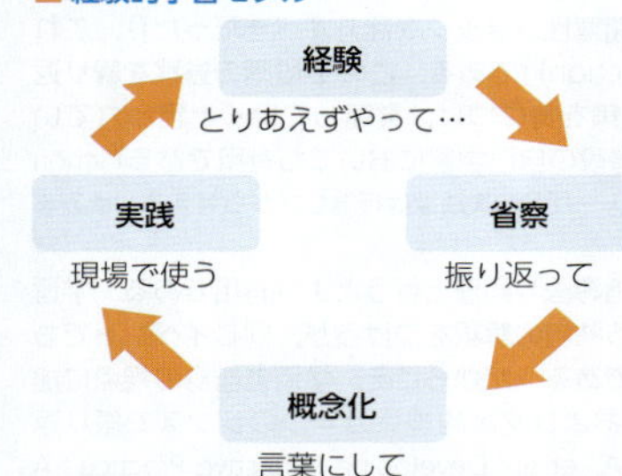

〔Cantillon P, 他(編), 吉田一郎(監訳)：医学教育 ABC──学び方, 考え方. 篠原出版新社 , p100, 2004 より〕

これは, 従来の体系化された知識を受動的に習い覚える学習手法とは異なり, 主体的な学習者である成人が「経験 → 省察 → 概念化 → 実践」という 4 つのサイクルで主体的に学習を行うことで効率的かつ質的に深い学習ができる, というものである.

例えば, 「心筋梗塞と思ったら実は大動脈解離だった」という症例を ER で経験したとき, それを振り返り, 教科書や文献を調べ, 他の症例にも適応できるように, **知恵を結晶化する**(例えば, 「下壁の心筋梗塞を見たときは必ず右室梗塞と大動脈解離を除外するために右誘導の心電図とエコーをする」などの pearl を作る)ことで次に同じ場面に遭遇しても冷静に対処できるようになる.

このような学習は「経験学習」として理想的なサイクルが回っていると言える. かつ, そこから得た知識は他人とも共有できる. 同じ失敗を繰り返さず, 他人とともに学べるのが子どもにはできない大人の学び方なのである.

学習サイクルの中での最大のポイントが**「省察(振り返り)」**である.

Schön は, 現代の複雑な課題に取り組むプロフェッショナルを, 以前の「師匠の背中を見て技を盗め！」というような職人肌気質の専門家像と対比して, 新たに**省察的実践家**(reflective practitioner)と呼んだ.

何度も述べるように, 現代の医療現場では事前にすべての疾患や治療方法を予習して備えておくことなど到底不可能であり, 多様化する医療ニーズに対して明確な答えがないことも山ほどある. 「省察的実践家」である医師は, そんな状況において, これまでの経験や知識を総動員させ, 何とか直面する状況に対応する(例えば, 病態がわからないショック患者に対して, ABC を安定化させ上級医を呼ぶ). これが**「行動しながらの省察**(reflection in action)」である. そして, 問題を何とかしのいだ後に，今回直面した状況の変化を評価し，教訓を導き出す（例えば，「ショックに対してはまず閉塞性ショックを除外すべきだった」）．これが「**行為の後の省察**（reflection on action）」である．この2段階の省察を繰り返すことで，専門家は自ら学び，解決策を身につけ，発達していくと言われている．2段階の省察を意識することは普段の自己学習においても有用である〔Schön D（著），佐藤学，他（訳）：専門家の知恵――反省的実践家は行為しながら考える．ゆみる出版，pp76-128, 2001〕．

また，振り返りは自分だけでなく指導医や同僚と行うとより有用である．学習者はイベントに自分の経験に由来する独自の解釈をつけるが，同じイベントでも他者には違った解釈がありうるためである．だからこそ，学習者自身の視点に加えて，患者側の視点，同僚や指導医および文献的視点の4つのレンズで振り返ることが勧められている（Grant A, et al：Developing Reflective Practice：A Guide for Medical Students, Doctors and Teachers. Wiley-Blackwell, p74, 2017）．

では，ERでの診療を通して知識や技術のみを身につければそれでよいのか？

あるインタビュー分析による救急医の熟達プロセスの研究によると，救急医に求められる能力として「**診療技術（素早い判断力，基礎的蘇生技術，仮説構築力）**」「**患者・家族とのコミュニケーション力**」「**他医師・コメディカルとの協働能力**」の**3つ，**が見いだされたという（松尾睦：救急医の熟達と経験学習．国民経済雑誌 202：13-44, 2010）．

診療能力だけでない幅広い能力を，成人学習を通して学んでいこう！

ER研修での学習方略②
——検査の判定や日々の学習にEBMを利用する

感度，特異度，尤度比について

診断とは検査後確率を限りなく100%に近づけていく行為と言える．そのために，ある患者に認めた身体所見や検査結果がどの程度診断に寄与するのか知っていなければならない．

感度(Sn)は，「病気の人」を分母にし，そのうち検査陽性の人を分子にしたもの．特異度は「病気ではない人」を分母にして，そのうち検査陰性の人を分子にしたものである．感度は除外(rule out：r/o)に，特異度(Sp)は確定診断に(rule in)に使うので，英語では**Snout, Spin**と覚える．

しかし，感度・特異度「そのもの」を使って患者を評価することはできない．なぜなら，感度・特異度だけでは目の前の患者が病気をもっているのか，いないのかはわからないからである．つまり，「分母」がわからないので，検査自体の評価はできても，目の前の患者には適用できないのである．

むしろ臨床現場で役立つのは感度・特異度ではなく，検査結果が疾患の可能性(likelihood)をどう変えるかである．その意味で尤度比(LR)は有用である．オッズとは「疾患がある可能性÷疾患がない可能性」で表されるが，尤度比とは，検査後オッズ＝尤度比×検査前オッズとなる数字であり，**疾患の可能性を上げるか下げるか直接示す指標**と言える．

例えば，検査前確率が50%の急性心筋梗塞疑いの患者に，陽性尤度比(LR＋)62の検査結果(2以上のST上昇が連続する誘導)を認めるとき，検査後オッズ比は1×62，検査後確率＝62/(62＋1)＝0.98，すなわち98%となる．この検査後確率の計算は少し複雑であるので，最近はスマートフォンで計算してくれるアプリがあったり，簡便に検査後確率を計算できる**ノモグラム**がある(直線を引くだけで簡単に推定できる)．

■ノモグラム

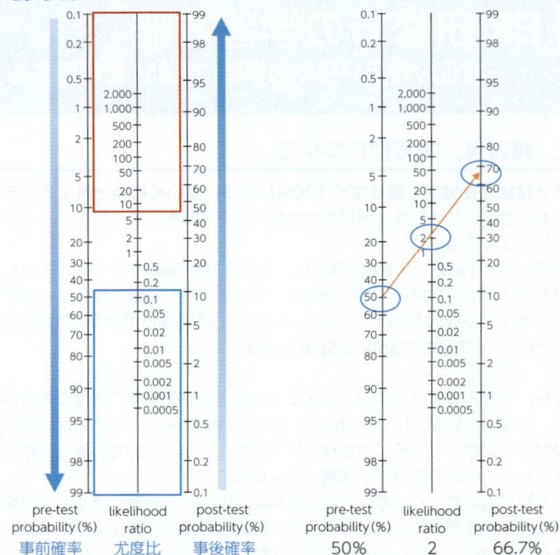

大雑把には，LRの値とその意義の目安は以下の表を参考にする．尤度比を意識した身体所見の理解や検査結果の判定はもはや臨床では必須の知識となっており，文献を読むときにも重要なポイントとなる．

- LR10 ➡ ＋45%（確定診断的）
- LR5 ➡ ＋30%（可能性はかなり上がる）
- LR2 ➡ ＋15%（軽度可能性を上げる）
- LR1 ➡ ± 0%（可能性を変えない）
- LR0.5 ➡ −15%（軽度可能性を下げる）
- LR0.2 ➡ −30%（可能性はかなり下がる）
- LR0.1 ➡ −45%（除外診断的）

実践的 EBM 活用法

プライマリ・ケア領域だけに限っても，新たな知見を含んだすべての論文を読むには 1 日 22 時間必要という試算が出ている．さらに，良質なエビデンスとされるシステマティック・レビューでもその寿命は 5.5 年であり，15% は 1 年で更新の必要があるとも言われている(Ann Intern Med 147：224-233, 2007)．所詮，**現在の標準治療も 6 年後には「不適切な治療」と評価される可能性がある**のである．

つまり，事前学習というアプローチで知識をブラッシュアップすることは現実的に不可能であり，出会った患者についてわからないことがあるときに，「その場の 1 分，帰宅前の 5 分で解決する」アプローチが現実的で持続可能な手法と言えよう．この**「その場で解決するアプローチ」**こそが EBM の手法である．

EBM は具体的に 5 つの step に分かれる(詳しくは成書参照)が，最も大事なのは最初の step である．それは，診療で実際に患者を診ていて疑問が発生したとき，**まずはその疑問が background question なのか，foreground question なのかを見極めること**だ．

background question とは，簡単に言えば，病気の基礎知識にかかわる質問であり，例えば，急性期の脳梗塞で血圧が上がるのはなぜか？ Bell 麻痺の治療薬にはどんなものがあるか？ といったような，病態生理や治療の選択肢の列挙にかかわるような問いが多い．多くの場合，**background question は教科書や総説論文，インターネット情報や UpToDate® などを見ることですぐに答えが見つかる．**

一方, foreground question とは，患者の意思決定や治療の質にかかわる質問であり，例えば,「目の前の脳梗塞の患者に降圧薬を投与すべきか？」や「ワルファリンはどれくらい脳梗塞を予防できるのか？」といった，“yes/no”あるいは程度を問う質問が多くなる．**foreground question は疑問の解決のために最低 5 分はかかるため，忙しいときにはメモだけして後回しにする．**ある程度時間がとれそうなときは，foreground question を整理するためのツールである **PE(I)CO** を用いる．PE(I)CO とは，疑問を**Patient(どんな患者に)，Exposure/Intervention(どんな検査や治療をして)，Comparison(何と比較して)，Outcome(どんな変化があったか)**のことであり，この順に整理すると臨床上の問題を定式化し，論文の検索もしやすくなる．この中で重要なのはアウトカムで，真のアウトカムとは，発生したときに患者の人生に直結するイベント(死亡率，入院率，生存率，心筋梗塞の発症率など)のことである．一方，代替アウトカムとは，発生しても患者の人生には直接的には影響しない要素(HbA1c の数値など)であり，これが改善しても，真のアウトカムが改善するとは限らない．**常に優先されるのは真のアウトカム**である．

PE(I)COの具体例

P → 中年男性の高血圧患者が
E(I) → 降圧薬を服用するのは
C → 降圧薬を服用しないのと比べて
O → 脳卒中の発生率が減少するか

具体的な論文の形式や読み方に関しては成書に譲るが，実際に論文検索するときは，PubMedのClinical Queriesなどを利用するとよい．**間違っても全文読もうとしてはいけない．**一部の論文マニアはさておき，抄録でPE(I)COを把握するだけで十分である．

3分で読み流す論文の読み方

ラムダム化比較試験編

❶ 論文の「PE(I)CO」を読む
❷ ランダム化かどうかをチェック
❸ 一次アウトカムの結果を読み込む

メタ分析編

❶ 論文の「PE (I) CO」を読む
❷ ランダム化比較試験のメタ分析かどうか
❸ 一次アウトカムの結果を読み込む

検査編

すべての検査には時間がかかる

まずは，このことを強く心にとどめておこう．例えば，血糖測定は結果がわかるまで約8秒，血液ガスは2分程度の時間が必要となる．一方，採血一般では30分，MRIは1時間弱もの時間がかかる．

ERで求められるのは，「その患者を死なせずに，入院あるいは帰宅の方針決定までのトータルの時間をできるだけ短くすること」であり，**検査が診療の律速段階となることが多い**．

そのことを認識して，できるだけ戦略的に必要かつ十分な検査をオーダーする．さらに，限られた時間と資源のみで早期に意思決定しなければならないERでは，各種検査結果への深い知識が必要不可欠である．

ここでは，**結果が判明する順**に各検査に関して学んでいこう．

■ 理解しておくべき検査

1. 血液ガス分析
2. 心電図
3. 救急エコー
4. 胸部X線
5. グラム染色
6. 血液検査
7. CT読影
8. 頭部MRI

① 血液ガス分析

血液ガス分析は，「ABCD（airway, breathing, circulation, disability of CNS）」の異常の原因を短時間で推察できる検査であり，初期評価で「ABCD」の異常を認めた場合は積極的に採取すべきである．

検体として**動脈血が求められるのは，低酸素血症や高二酸化炭素血症を疑う場合だけである．** pH，HCO_3^-の値に少し誤差が出るものの，他の異常を拾うだけなら静脈血で構わない〔※後の解釈にかかわるためカルテに必ず採取条件と呼吸数（RR）を記載することを忘れない（ex. "RR 30 回/分，リザーバーマスク 7 L/分" など）〕．

■ 基準値

✓pH　7.40 ± 0.04
✓$PaCO_2$　40 ± 5 mmHg
✓HCO_3^-　24 ± 2 mEq/L

静脈血ではpHは平均0.033低く，HCO_3^-は約1 mEq/L高くなる（Eur J Emerg Med 21：81-88, 2014）．

※ HCO_3^-は検査では以下の2項目が測定される：

- $cHCO_3^-$（act）は「アクチュアル・バイカーボネート」→ Henderson-Hasselbalch 式にpHとpCO_2測定値を入力して計算されるもの
- $cHCO_3^-$（std）は「スタンダード・バイカーボネート」→ 完全に酸素化した血液を40 mmHgのpCO_2で平衡し呼吸性因子を排除したもの．よって，**臨床では$cHCO_3^-$（act）を読めばいい**

※そのほかの覚えにくい基準値：

- BE（塩基過剰）　基準範囲（成人）：男性　−1.5〜＋3.0 mmol/L
  　　　　　　　　　　　　　　　　女性　−3.0〜＋2.0 mmol/L
- 乳酸値　基準範囲（成人）：0.5〜1.6 mmol/L（4.5〜14.4 mg/dL）
- Ca 濃度　基準範囲（成人）：1.15〜1.29 mmol/L
- FCO-Hb（a）　基準範囲（成人）：0.5〜1.5％（0.005〜0.015）

血液ガス分析を上級医に報告する際は必ずpHから述べる．pHが何よりも生死を分けるためである．その解釈には次に述べる5つのStepを踏めばよい．

Step1：primary の変化は何か？

	$pCO_2 > 40$ mmHg	$pCO_2 < 40$ mmHg
$pH < 7.4$	呼吸性アシドーシス	代謝性アシドーシス
$pH > 7.4$	代謝性アルカローシス	呼吸性アルカローシス

Step2：代償性の範囲内か？

primary 変化		代償作用
代謝性アシドーシス		$[HCO_3^-]$ が 1 mEq/L 下降するごとに pCO_2 が **1.2** mmHg 低下
代謝性アルカローシス		$[HCO_3^-]$ が 1 mEq/L 上昇するごとに pCO_2 が **0.7** mmHg 上昇
呼吸性アシドーシス	急性	pCO_2 が 1 mmHg 上昇するごとに $[HCO_3^-]$ が **0.1** mEq/L 上昇
	慢性	pCO_2 が 1 mmHg 上昇するごとに $[HCO_3^-]$ が **0.4** mEq/L 上昇
呼吸性アルカローシス	急性	pCO_2 が 1 mmHg 下降するごとに $[HCO_3^-]$ が **0.2** mEq/L 低下
	慢性	pCO_2 が 1 mmHg 下降するごとに $[HCO_3^-]$ が **0.4** mEq/L 低下

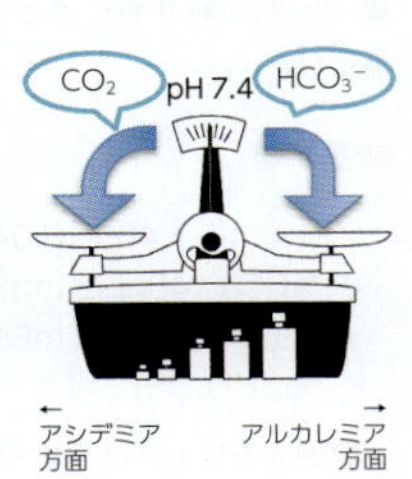

当直中の研修医なら，いつ(1.2)もな(0.7)，来い(0.1)よ(0.4)，24 時間(0.2，0.4)ER と覚えよう！

Step3：アニオンギャップ(AG)を計算(基準値：12 ± 2 mEq/L)

$$AG = Na - (Cl + HCO_3^-)$$

AG≧20 mEq/L ➡ AG 開大性アシドーシスが存在(低 Alb 血症が存在する場合は，Alb 値 1 g/dL 低下に対して AG 2.5 mEq/L 低下するため補正する)．

Step4：補正 HCO_3^- の計算(AG 上昇のときのみ)

「AG が開大している＝変な酸が蓄積している」状態では，見かけ上 HCO_3^- が減ってみえてしまう．その影響を排除し，AG 開大性代謝性アシドーシスと併存する隠れた機構を見つけるための計算である．

補正[HCO_3^-]=実測[HCO_3^-]+(AG−12)=Na−Cl−12

✓補正[HCO_3^-]<23 mEq/L ➡ 非AG代謝性アシドーシスも隠れている！
✓補正[HCO_3^-]>30 mEq/L ➡ 代謝性アルカローシスも隠れている！

Step5：結果から鑑別を挙げ，臨床状況と矛盾しないか検討

- 呼吸性アシドーシス＝低換気状態 → **$AaDO_2$ 計算**
  ex. 重症肺炎，気道閉塞，CO_2 ナルコーシス，重症筋無力症，Guillain-Barré 症候群
- 呼吸性アルカローシス＝過換気状態 → **$AaDO_2$ 計算**
  ex. 敗血症(**ERではまずこれを想起**)，過換気症候群，肺炎，肺水腫，肝硬変
- 代謝性アシドーシス → **AG計算**
  AG開大……“I SLUMPED(私，スランプでした)”と覚える
  AG正常……“USED CAR(中古車)”と覚える → **尿AGを測定**
  AG低下……“HAMBL(hamble：地味な)”と覚える

AG開大
“I SLUMPED”

- I ➡ iron，INH
- S ➡ salicylate
- L ➡ **lactic acidosis** *
- U ➡ **uremia**
- M ➡ **methylalcohol**
- P ➡ paraldehyde
- E ➡ ethyl alcohol, ethylene glycol
- D ➡ **diabetic ketoacidosis**

AG正常
“USED CAR”

- U ➡ uretero sigmoidostomy
- S ➡ saline
- E ➡ endocrine (低アルドステロン)
- D ➡ **diarrhea**
- C ➡ carbonic anhydrase inhibitor
- A ➡ ammonia
- R ➡ **renal tubular acidosis**

AG低下
“HAMBL”

- HA ➡ hypoalbumin-emia
- M ➡ multiple myeloma
- B ➡ bromide
- B ➡ polymyxin B
- L ➡ lithium

* 乳酸アシドーシスの鑑別：
- A型(酸素化障害あり) → けいれん，ショック，心停止，局所的虚血
- B型(酸素化障害なし) → 腎不全，肝不全，HIV，短腸症候群，アルコール，β刺激薬，メトホルミン，一酸化炭素(CO)，カテコラミン，イソニアジド，プロポフォール，サリチル酸，テオフィリン，バルプロ酸，リネゾリド

- 代謝性アルカローシス → **尿Clを測定**
  ex. 脱水(ERではほとんどこれ．背景に嘔吐，利尿薬あり)，アルドステロン症，Cushing症候群，重症のK不足

② 心電図

各波形の成因と基準値

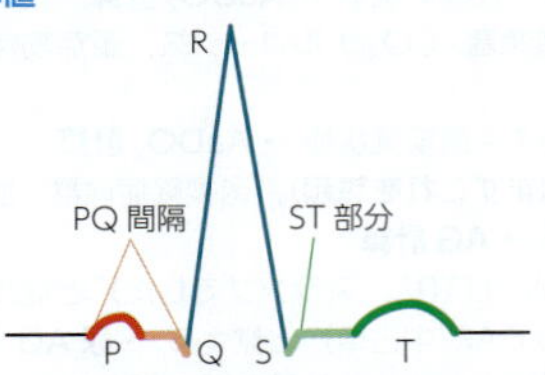

P 波：心房興奮，PR：心房-心室興奮伝導，QRS：心室興奮
ST　：心室再分極に先行する活動休止
T 波：心室再分極，QT：心室興奮と再分極に要する時間
基準値：PR 間隔　0.12〜0.20 秒（記録紙の小さなボックスは 0.04 秒）
　　　　QRS 間隔　0.12 秒以内
　　　　QTc 間隔　0.44 秒以内

心電図判読の 8 Steps

Step1：調律とリズムをチェック

「洞調律」＝Ⅰ・Ⅱ・aVF 誘導で，① P 波が上向き，② 規則的に出現，③ それに QRS 群が規則正しく連結，のすべてを満たすもの．

➡ 徐脈（<60 回/分），頻脈（>100 回/分）
➡ 絶対不整なら心房細動，一部不整なら上室性期外収縮または心室性期外収縮（wide QRS）

Step2：電気軸をチェック

- Ⅰ・Ⅱともに陽性なら正常軸
- Ⅰが陰性の場合：右軸偏位（他に右房負荷を示唆する所見がないか確認）
- Ⅱが陰性の場合：左軸偏位（何らかの基礎疾患を疑わせる）

Step3：PR 間隔のチェック（基準値：0.12〜0.20 秒）

・PR 短縮 ➡ 房室伝導を短縮させるカテコラミン過剰状態または副伝導路（Δ波を探せ）

・PR 延長 ➡ 迷走神経緊張もしくは房室ブロック
（※ PR の延長なく突然 QRS が抜ける or PP/RR 間隔は正常だが PR 間隔が完全不整 ➡ 要ペースメーカ！）

Step4：QRS 間隔のチェック

0.12 秒以上の場合は脚ブロックである．

・V1 誘導で M 字型は右脚ブロック

・V6 誘導で M 字型は左脚ブロック

■ 左脚ブロックの場合の二次性の ST 変化（これは正常）

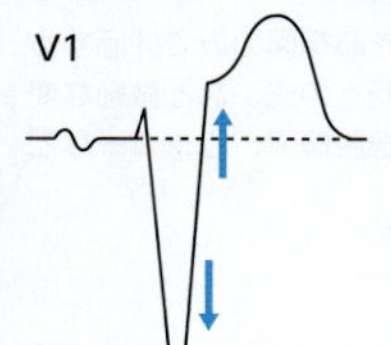

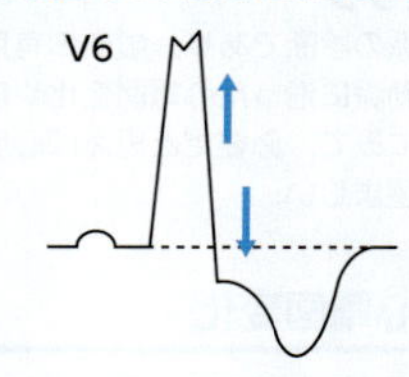

Step5：T 波のチェック

陰性 T 波の有無（aVL，aVR，V1･2，Ⅲ誘導は正常でも認める）チェックする．

・左右対称の陰性 T 波は心筋虚血の可能性

・非対称性なら strain pattern を伴う左室肥大

■ strain pattern（V5・6 に多い）

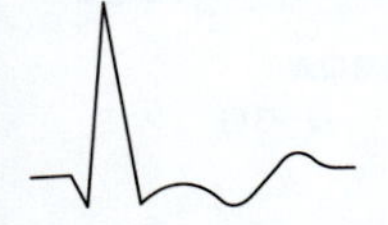

■ Wellens 症候群の 2 相性 T 波

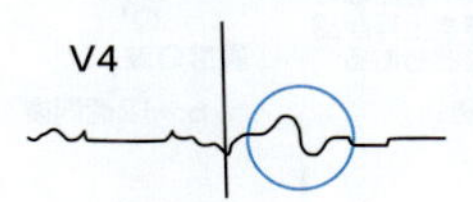

※ Wellens 症候群（LAD 起始部 7 番狭窄を示唆）
➡ V1〜4 誘導の深い陰性 T 波，または 2 相性 T 波（青の囲み）！
胸痛を一度自覚した後の症状が消失した時間帯に胸部誘導で T 波に変化が起こるため油断しやすい．“widow maker”の別名に相応しく即死する可能性があるので注意！

Step6：QTc（=QT/$\sqrt{RR}$）間隔のチェック

延長 → 心室頻拍，低 Mg・K・Ca 血症，抗不整脈薬・マクロライド・三環系抗うつ薬などの薬剤性，先天性 QT 延長．

Step7：負荷および肥大のチェック（※ ER では参考程度）

・左室肥大 ➡ SV1＋R5・6>35 mV（V1 誘導の S 波＋ V5 or V6 誘導どちらか大きいほうの R 波の合計，特異度高い）
・右室肥大 ➡ V1 誘導の R/S 比> 1，V5 or V6 誘導の R/S 比< 1
・左房負荷 ➡ Ⅱ誘導で 0.04 秒以上のノッチを伴う P 波
・右房負荷 ➡ Ⅱ誘導で P 波の高さ> 2.5 mm，V1 or V2 誘導で P 波の高さ> 1.5 mm

Step8：虚血のチェック

心電図が得意なのは不整脈の診断であり，虚血の有無を心電図のみで評価するのは困難なことも多い．冠動脈に沿った心電図変化や前回との違いなど微細な変化を無視しないように丹念にみて，必要だと思えば心筋逸脱酵素，心エコーなど他の検査を追加することが望ましい．

心筋梗塞の典型的な心電図変化

始めは hyperacute T wave．数時間後に親指で押し上げられたような ST 上昇，その後数日して ST 低下や T 波陰転化，異常 Q 波などが出現する．

■ 心筋梗塞の心電図時間的変化

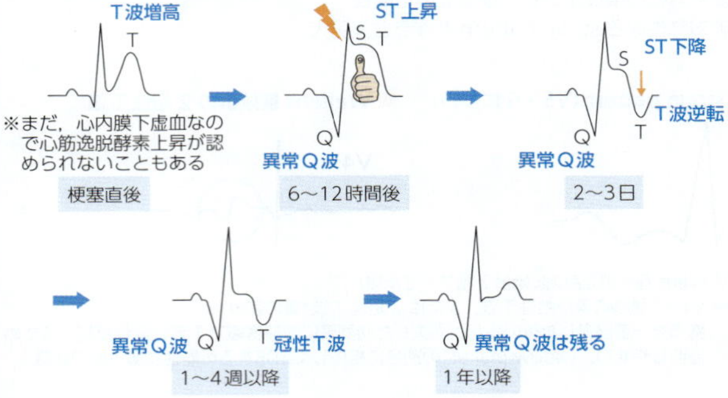

T波増高
T
※まだ，心内膜下虚血なので心筋逸脱酵素上昇が認められないこともある
梗塞直後

ST上昇
S T
Q
異常Q波
6～12時間後

S
ST下降
T波逆転
Q T
異常Q波
2～3日

異常Q波 Q T 冠性T波
1～4週以降

Q 異常Q波は残る
1年以降

■ 障害部位の推測方法

ST 低下を見たら必ず ST 上昇を探せ！

障害部位	異常心電図所見のある誘導
前壁中隔(LAD#6～8)	V1～4 で ST 上昇
心尖部	V5・6 で ST 上昇
側壁(LCX#11～15)	I，aVL，V5・6 で ST 上昇
下壁(RCA)	II，III，aVF で ST 上昇
右室	V4R で ST 上昇
後壁	V1～4 で ST 低下 (→鏡像変化が大事！)

側壁・後壁誘導は心電図の不得意範囲！
LAD：左前下行枝，LCX：左回旋枝，RCA：右冠動脈

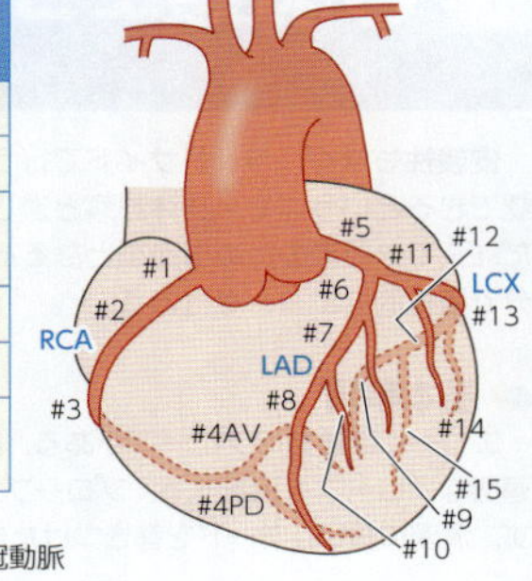

MEMO

陰性 T 波の鑑別の語呂合わせ“SLIP”

前壁誘導で陰性 T 波認めたら，s/o 虚血.

- ✓ Stroke
- ✓ Left ventricular strain(最多)
- ✓ Ischemia
- ✓ PE

電極のつけ間違いに気づくスクリーニング方法

① I，aVL 誘導の P 波が上向きか？ ➡ 左右の肢誘導つけ間違い
② aVR 誘導の P 波が下向きか？ ➡ 上下の肢誘導つけ間違い
③ 胸部誘導の R 波が滑らかに増高しているか？ ➡ 胸部誘導のつけ間違い

③ 救急エコー

侵襲性もなく，ベッドサイドで行うことができ，リアルタイムに検査結果が確認できるという点で，身体診察と通じるものがあり非常に有用なのがエコー検査だ. ERでは診断のために必須となるため，臨床検査技師任せにするだけでなく自分で積極的にエコーを行おう.

基本事項

エコーには複数のプローブがある. 目標とする臓器の体表からの深さに合わせて適切なプローブを選択する. プローブだけで数百万円するため，落とさず，ぶつけず，清潔に扱い，コードを巻きつけたまま機械を引っ張らないよう気をつける.

プローブの種類と特徴

	コンベックスプローブ	セクタプローブ	リニアプローブ
観察にふさわしい部分	体表から深い部分		体表から浅い部分
目標とする臓器	腹部臓器	心臓・大血管	肺・体表血管

プローブの多くは左右対称であるので，表裏を入れ替えると画面は左右反転して表示されてしまう. このため，プローブ本体には方位を示す突起部分があり，**プローブマーカー**などと呼ばれている. 通常，画面上にプローブの向きと画面との関連性を示す“マーク”が表示される. 残念ながらメーカー間で統一されていないので，**まずエコーゼリーをプローブの突起側につけてオリエンテーションを把握する**とよい.

プローブの向きと画像の見え方のルールは心エコーを除き，**基本はCT画像と同じ**である. つまり，**モニター上左側が患者の右側，または頭側となるようにする**.

心エコーに関しては，前述と異なる独自の国際ルールで運用されている．詳しくは次項で説明する．また，エコーガイド下の穿刺手技の際には針の進み方と画面を一致させるべく，施行者の視点から見て上下左右のオリエンテーションがつきやすい描出を最優先としてよい．

■ **プローブマーカー**

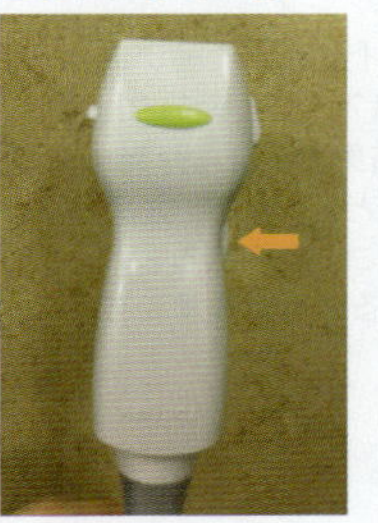

矢印部分がプローブマーカー．

■ **プローブの向きと画像の見え方のルール**

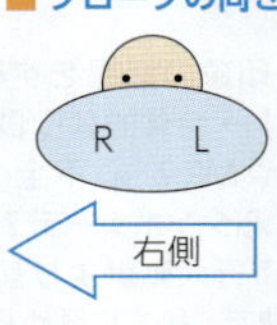

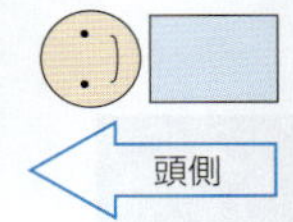

心エコー

本式の心エコーに気後れする若手医師も多いと思われるが，ER では細かい計測や機能評価など必要ない．ここでは，ER で必要な経胸壁心エコーの基本的なアプローチを説明する．

まず，初めに可能な限り患者を左側臥位にし，左腕を挙上させ肋間を広げる．**患者の正しい体位作りは美しい描出のために重要**である．**セクタプローブを鉛筆を持つように 3 本の指で握り，小指と小指球を患者の胸壁にぴったりと当て，手と一緒にプローブを固定する**と画像が安定する．クリアな画像が出ないときは，① Gain を調整，あるいは，② 肋骨にかぶっていることが多いので，肋間の中で上下の肋骨に近づけたり離したりするとよい．

基本描出(使用するプローブ：セクタ)

❶ 左室長軸像

✓内腔の大きさ
✓心嚢水の有無
✓visual EF

まず出すべきビュー(view)が「左室長軸像」．プローブを胸骨左縁に置き，プローブマーカーが患者の右肩に向くようにしながら，縦方向にスキャンして一番見やすそうな肋間を見つける(たいてい，**胸骨左縁第3〜4肋間**が見やすい)．右室内腔と大動脈弁がほぼ同じ大きさに描出され，左室内腔に腱索が描出されないビューが理想的．このとき，大動脈弁と僧帽弁が明瞭に描出され，僧帽弁が画面のほぼ中央に位置する．

正確な像が出たらまずは第一印象の把握をする．「元気よく動いている」→normal heart？「元気ないな」→全体的ならDCM？ IHD(多枝)？ 局所ならMI？「左房デカイ！」→MSやMR？ 心不全の結果か？「A弁光っている？」→AS？「心嚢液ある！」→心タンポナーデ？ などと考える．左房の後方には下行大動脈が観察される．下行大動脈より前方に認められるEFS(echo free space：無エコー域)は心膜液で，後方に認められるEFSは胸水である．

左室長軸像の描出

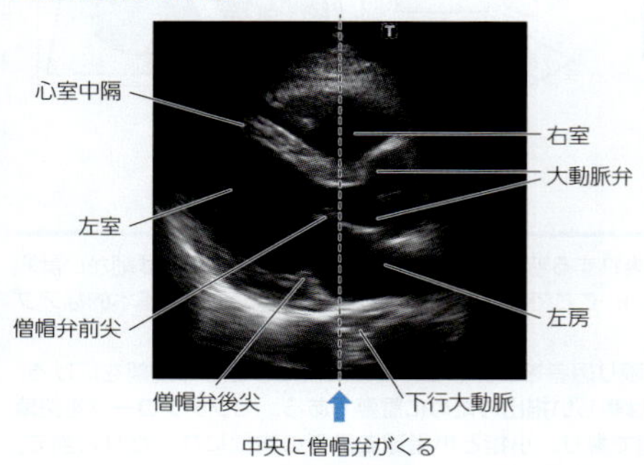

❷ 左室短軸像

✓asynergyの有無
✓TRPG測定や右心系評価

❶の状態から時計方向にプローブを90°回転させると僧帽弁レベルの左室短軸像が見えてくる．ここからプローブを大動脈弁レベル→僧帽弁→乳頭筋→心尖部と扇状に動かしていく．傾けていくうちに，プローブが皮膚から離れてしまう場合は，もう1回プローブを垂直に戻し，プローブ全体を振って行った方向に少し動かしてからまた扇動操作に入るとよい．こうして必ず左室内腔が見え

なくなる最後までスキャンをする．このビューで確認すべきは壁運動異常 asynergy の有無である．さらに D-shape（右心負荷）がないかも確認する．余裕がある人は TRPG まで測定できるとよいが，詳しくは成書に譲る．

■ 左室短軸像の描出

短軸像（僧帽弁レベル）

短軸像（大動脈弁レベル）

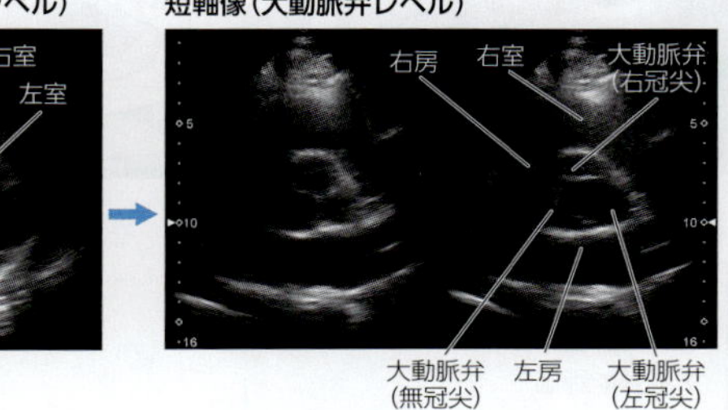

短軸像（僧帽弁レベル）

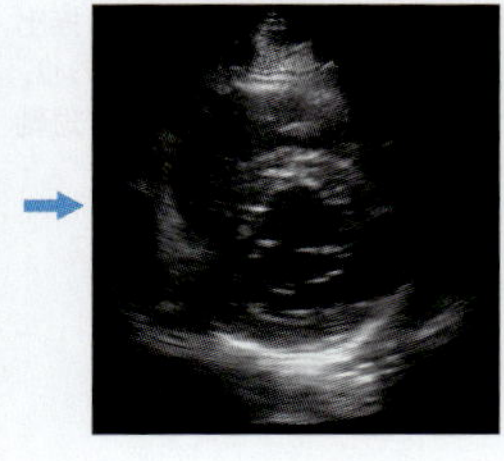

短軸像（乳頭筋レベル）

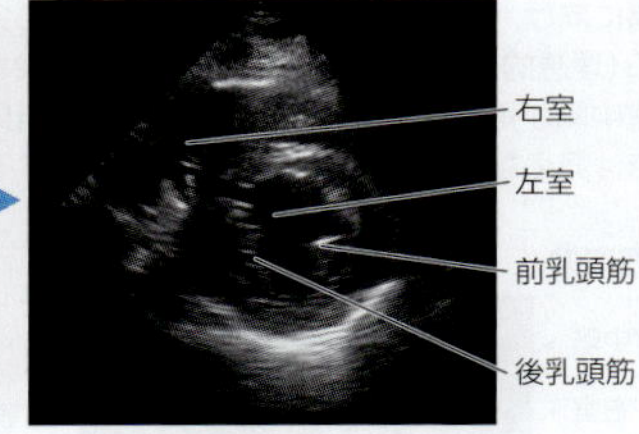

短軸像（心尖部レベル）

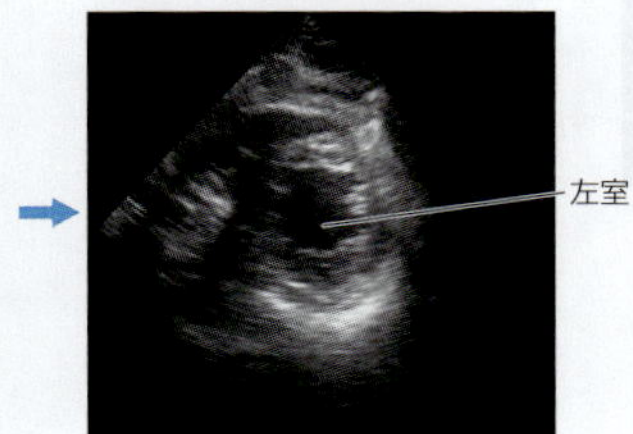

D-shape

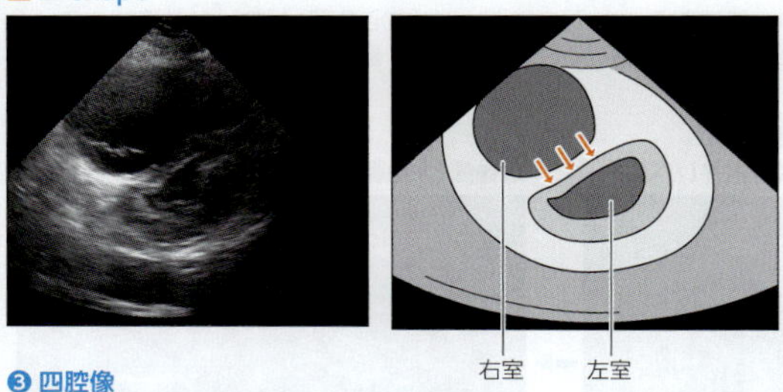

❸ 四腔像

✓壁運動異常
✓visual EF
✓拡張能評価

指先で心尖拍動を確認して，そこにプローブを置く．プローブマークを患者の左肩に向け，左室内腔が最大になり，かつ心尖部が扇型の頂点にくるように描出する（理想的な四腔断面像とは，左室の心尖が必ず右室より上に位置しており，心室中隔が垂直に描出され，大動脈弁が描出されていない）．このビューで短軸像では見えなかった asynergy をチェックする．

四腔像

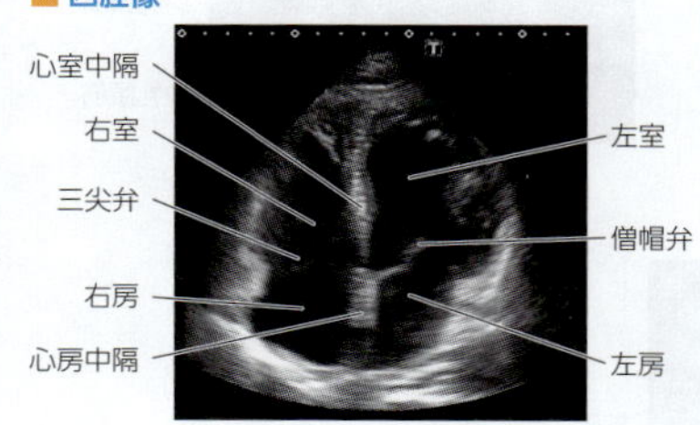

❹ 肋骨弓下アプローチ

✓IVC 径と呼吸性変動
✓腹部大動脈の flap

最後に心窩部やや右側にプローブを置き，下大静脈(interior vena cava：IVC)と肝静脈の合流部より末梢側 2 cm で，下大静脈径とその呼吸性変動の有無を確認する．21 mm を超えて呼吸性変動が 50% 未満だと右房圧 15 mmHg 以上と考える．このビューで腹部大動脈の flap がないかも確認しておく．

■ IVC 径と呼吸性変動の有無による CVP の推定

(J Am Soc Echocardiogr 23：685-713，2010)

IVC 径(mm)	呼吸性変動	CVP(mmHg)
≦21	≧50%	0~5
	<50%	5~10
>21	≧50%	5~10
	<50%	15

CVP：central venous pressure(中心静脈圧)

■ 肋骨弓下アプローチ(短軸像)

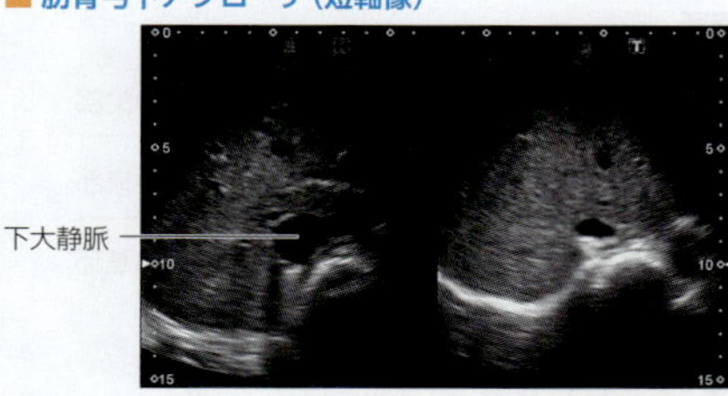

右側のエコーでは，50% 以上の IVC の呼吸性変動が認められる．

壁運動異常(asynergy)の評価

壁運動異常をみるポイントを以下に示す．

- 内膜の移動と収縮期の壁厚増加の程度差(ただし，正常部分に引っ張られるので評価が難しいこともある)
- 正常領域と高度の壁運動低下がある領域の境界に生じる，収縮期に蝶番のように屈曲する「ヒンジポイント」
- 壁運動低下部分が冠動脈の走行に一致している

実は**冠動脈支配の関係で壁運動が最初に低下しやすい場所は決まっている**ため，以下の 3 か所を評価すればよい(次頁「壁運動が低下しやすい場所」のオレンジ色の丸囲みの部分)．

① **LAD(左前下行枝)領域の梗塞**では，最初に心尖部の壁運動が落ちやすいので，**四腔像の心尖部**をよく見る

② **RCA（右冠動脈）領域の梗塞**では，最初に下壁基部の壁運動が落ちやすいので，**短軸像乳頭筋断面の左下側**をよく見る

③ **LCX（左回旋枝）領域の梗塞**では，最初に心基部後壁の壁運動が落ちやすいので，**四腔像の右側**をよく見る

壁運動評価

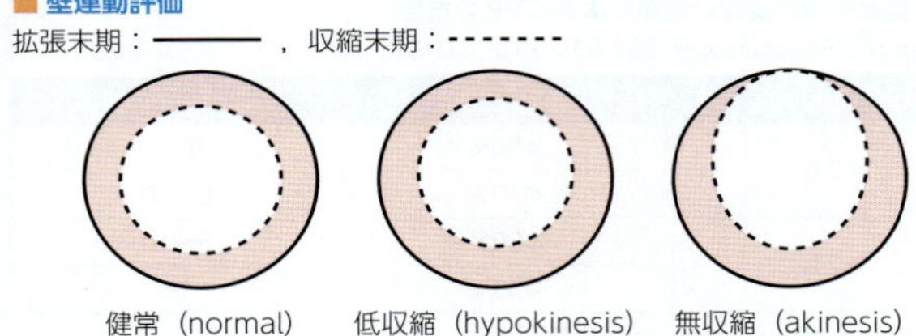

壁運動が低下しやすい場所

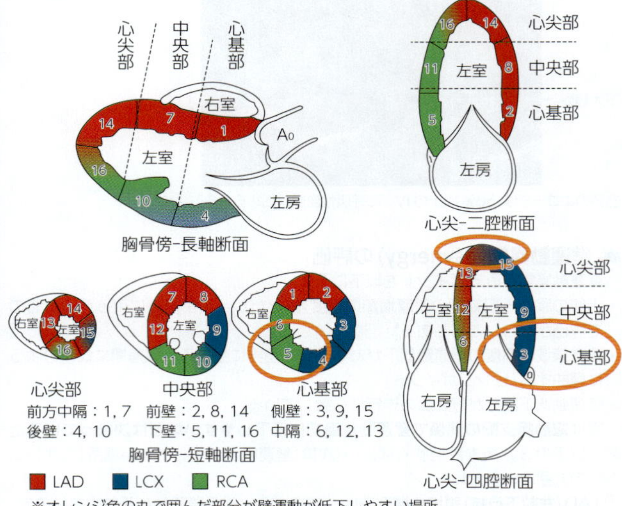

※オレンジ色の丸で囲んだ部分が壁運動が低下しやすい場所
（米国心エコー図学会のRecommendationより）

腹部エコー

心エコーと同様，悪性腫瘍検索を念頭に置いた検査室レベルの腹部エコーはERでは不要である．ERで必要とされるのはFASTと腹痛の原因検索(胆嚢炎，胆管炎，尿管結石，水腎症など)である．

コンベックスプローブを使用し，設定は「abdomen」とする．

腹部エコーならではのテクニックは，ターゲットとなる臓器に近距離からアプローチするために，**プローブを適切に圧迫すること**である．腹部エコーの上級者は例外なく「押し上手」である．

また，息止めも肝心で，**原則深吸気で息止めをすることを繰り返しながら評価していく．消化管ガスを移動させるために，左側臥位や座位をとらせたりすることも有効**である．

FAST

FAST(focussed assessment with sonography for trauma)は，プローブを当てるだけで体腔内の液貯留を検出して出血の有無を判断するものである．

FASTで調べる場所は心嚢，腹腔，胸腔だが，大きく次の❶～❹の4つのエリアで行う．最近ではextended(E)-FASTとして肺エコーも組み合わせた方法も提示されている．

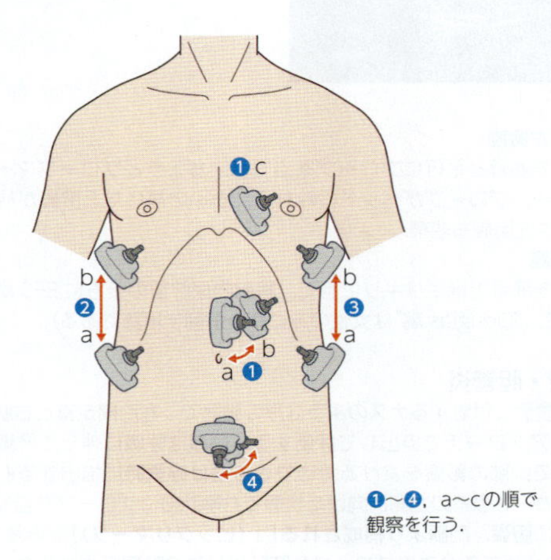

❶～❹，a～cの順で観察を行う．

❶ 心嚢(無理なら傍胸骨左縁)

患者に苦痛を与えない程度に心窩部にプローブを長軸方向にしっかり押し当て，ビームが胸骨裏面にある心臓のほうに向かうように傾ける．目的は心臓ではなく心嚢液の貯留の観察なので画面の左半分に拍動する心臓が見えれば十分．動いている心筋の外側にEFSがないか探そう．

❷ 肝腎境界(Morrison 窩)と右胸腔

右側胸部，なるべく背側から，肋骨に平行かつ皮膚に垂直にプローブを当てる．そのままスライドさせて肋間から右胸腔も観察する．

■ 肝腎境界の FAST 陽性

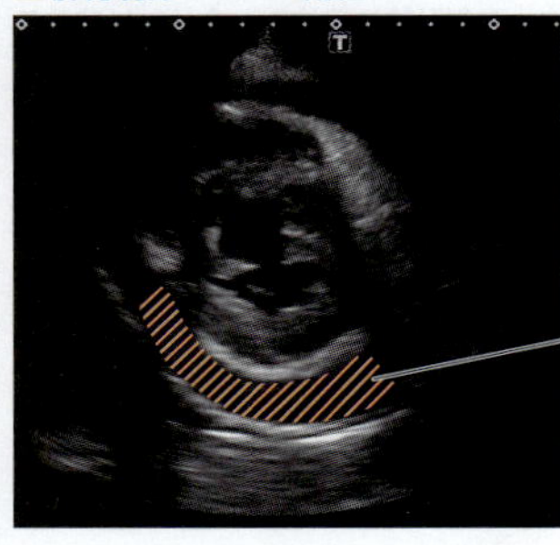

❸ 脾周囲と左胸腔

左側胸部で肋骨と平行にプローブを当てる．ちょうどプローブマーカーは2時方向に向き，プローブがベッドに触れるくらいの高さだと脾臓が観察しやすい．そのまま左胸腔も観察．

❹ 直腸膀胱窩

プローブを恥骨上縁ギリギリに当て，膀胱内尿貯留の後方にEFSがないか確認する(なお，“Douglas 窩”は女性のみに使う解剖学用語である)．

胆嚢炎・胆管炎

胆嚢は肝裏面に付着するナスのような形の臓器で，右肋間走査と右肋骨弓下走査の2つのアプローチで描出して評価する．胆嚢は呼吸に伴って肝臓と同時に移動するので，肺の影響を避けるため**できるだけ呼気時**に描出するとよい．プローブマーカーを患者の左側に向けた状態で右季肋部にプローブを当てる．すると，画面上に**胆嚢，門脈より構成される「！(ビックリマーク)」**が見えてくる(次頁図)．この状態で**そのままプローブを時計周りに 90° 回転**させると，直下に胆嚢の全体像が描出される.

急性胆嚢炎では，胆嚢壁肥厚や胆嚢の緊満感の所見が重要である．エコープローブで胆嚢を描出しながら圧迫することで疼痛を認める**sonographic Murphy sign は Sn 82%，Sp 95%**という報告もあり，NSAIDs で除痛しても感度特異度不変なために診断に有用である(Eur J Emerg Med 17：80-83, 2010).

また，エコー上の肝内の管腔像の見分け方だが，**周囲が白く縁取られているのが門脈であり，縁取りがはっきりしないのが肝静脈**である．肝動脈や肝内胆管は門脈と並走しているが通常ごく細い管腔像か，はっきりしないことが多い.

胆管炎で認められる**拡張した肝内胆管はカラードプラ(CDI)でカラーが乗らない**ことを用いて判断できる．肝門部胆管拡張は"セブンイレブン"ルールより，7 mm 以下は正常で，11 mm 以上は肝外胆管閉塞を強く疑う.

■ 右季肋部走査での正常胆嚢

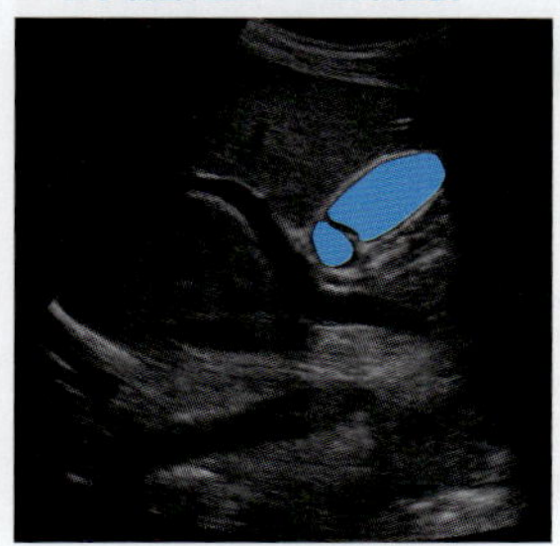

「！(ビックリマーク)」が見える.

■ 急性胆嚢炎

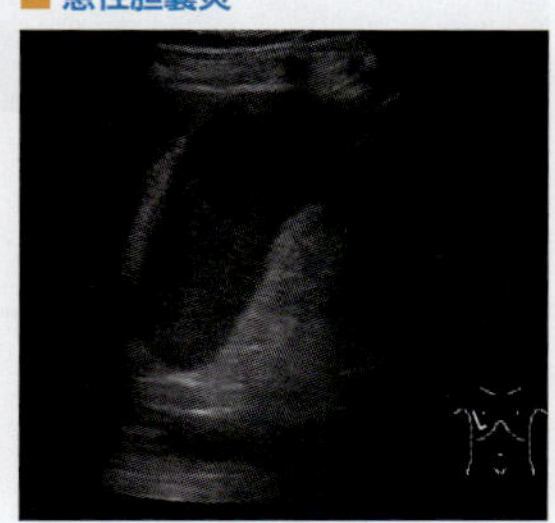

水腎症・尿管結石

右腎臓を描出する際は右肋骨弓下走査，もしくは右肋間走査で腎長軸像を描出する．腎全体が肋骨弓よりも尾側になるように吸気位で観察する．一方，左腎は，吸気時に肺内ガス像で上極側が見えにくいことがあり，吸気と呼気を繰り返し見えやすい位置を探す必要がある.

水腎症とは，腎後性の尿路閉塞や膀胱尿管逆流などの機能異常があるときに，腎盂・腎杯の拡張をきたした状態のことをいう．時に，正常腎静脈を軽度水腎症と見間違えることがある．どちらかはっきりしない場合は CDI を使用するとよい(血管の場合はカラーが表示されるが，水腎症の場合はされない)．水腎症を見つけた場合，次に尿路結石や腫瘤による閉塞機転がないか探す必要がある．正常の尿管は腸管に覆われておりエコーでの描出はなかなか難しいが，閉塞機転があり拡張している尿管は描出しやすくなる．腎盂から尾側に尿管を追っていくとよい．尿路結石の主な嵌頓部位は，① 腎盂尿管移行部，② 総腸骨動脈との交差部，③ 尿管膀胱移行部，であるのでそこを重点的に探すのがポイント．腹部エコーでの尿管結石検出は Sn 19% だが Sp 97% であり，見つけたらほぼ確定的となる(Am Fam physician 63：1329-1338, 2001)．

■ 水腎症(中等度)

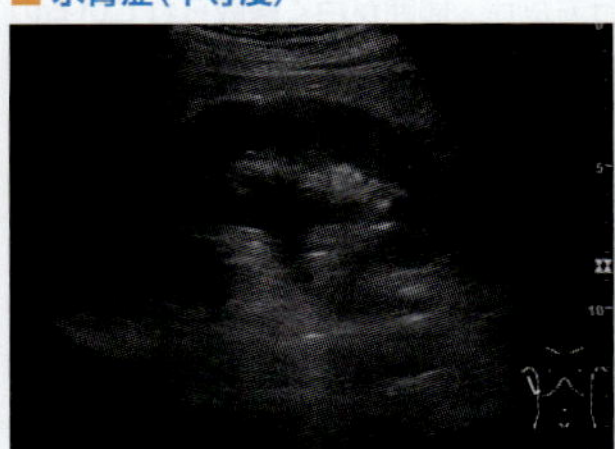

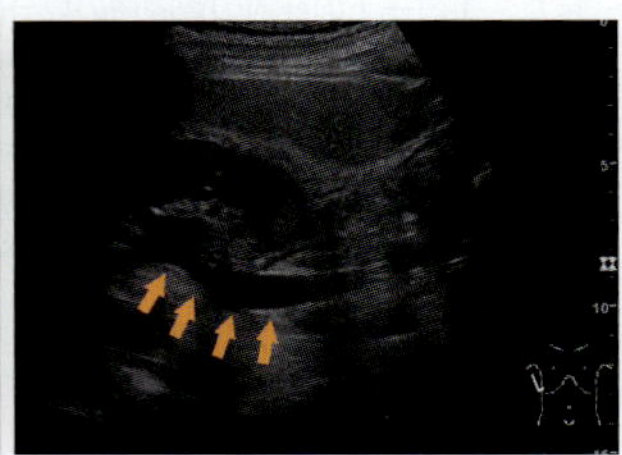

肺エコー

肺エコーは，胸水以外に胸膜，小葉間隔壁肥厚，肺浸潤影，すりガラス陰影の評価が可能で，ベッドサイドで CT に近い評価能を有する検査として近年 ER や ICU で注目されている．

肺エコーのコツは，所見から CT 画像を想像することであり，そのためにまず**肺の二次小葉構造を理解する**必要がある．

■ 肺の基本構造

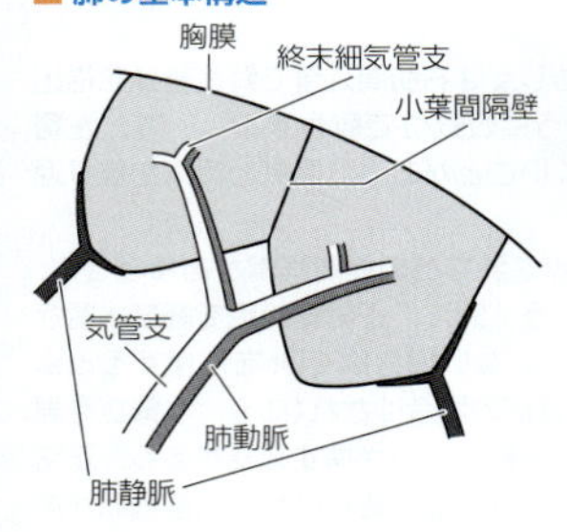

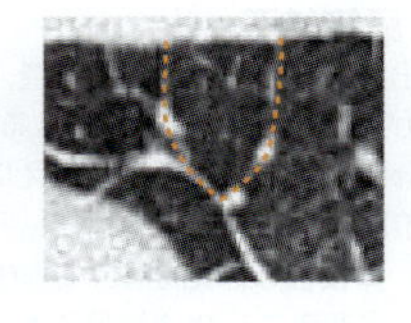

肺の二次小葉は 1 cm 前後の線維性隔壁で囲まれた構造で，**CT で確認できる最小単位の構造**である．小葉の中心に気管と動脈が走行し，小葉の辺縁には線維性隔壁と肺静脈，リンパ管が走行する．小葉内には呼吸細気管支，肺胞，毛細血管がある．

小葉間隔壁は 0.1 mm 程度の厚さであり，通常 CT やエコーでは描出されず，肥厚があると初めて確認されるようになる．隔壁自体が線維化や浮腫を起こす，肺水腫や癌性リンパ管症，サルコイドーシス，間質性肺炎などで小葉間隔壁肥厚は顕著になる．後に説明する **B ラインはこの小葉間隔壁肥厚を示している**．

肺エコーで使用するプローブは，心エコー用のセクタもしくは体表エコー用(設定は thyroid などでよい)のリニアである．

まずはオリエンテーションをつけるために肋骨に直交するようにプローブを置き，胸膜の位置を確認してから肋間に沿っていくとわかりやすい．あえて肋骨を画面に描出するのは，胸膜の深度の目安とするためである．

プローブの置き方

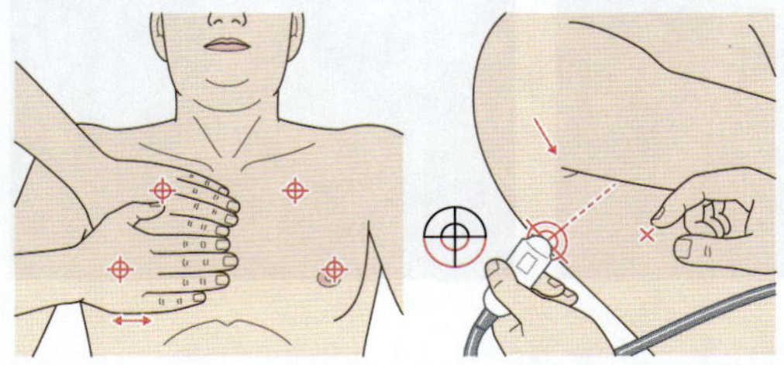

仰臥位で，前上・前下・側上・側下の片側 4 か所，両側で 8 か所評価を行うのが標準的である．

正常の肺に“縦”にプローブを当ててみると，プローブ直下から胸壁の筋 → 肋骨 → 胸膜(壁側，臓側) → 肺実質部が見える．肋骨は，表面は白いが，中は黒く抜けて，後ろに黒いシャドウ(音響陰影)を引く．肋骨の間で呼吸運動に同調して横方向にスライドする(lung sliding という)明るい線が(壁側)胸膜であり，肺実質部は灰色のもやのように見える．

胸膜とプローブの多重反射で起こる横のライン(何重にもみえる)は **A ライン**と呼ばれ，「肺胞内・胸腔内に空気が満たされている」ことを示している．

lung sliding の消失は臓側胸膜が壁側胸膜に反してスライドしないことを指し，炎症による癒着，無気肺，無呼吸と，気胸や肺切除などで臓側胸膜と壁側胸膜が離れた際にみられる．**Aラインが存在し lung sliding が消失している場合(A' profile)は，Sn 81%，Sp 100%で気胸**と言える(Chest 134：117-125, 2008)．

一方，**Bライン**は，胸膜から起こる彗星の尾のように奥まで広がり A ラインを消し，lung sliding とともに動くといった特徴をもつ．「小葉間隔壁の肥厚」を示し，1 視野に 3 つ以上の B ラインがある際は B3 ライン，あるいは隣同士の間隔が 7 mm 以下なら B7 ライン陽性と呼ぶ．心不全，肺炎，肺線維症，サルコイドーシス，癌性リンパ管症などが鑑別として挙がる．1～2 本程度は葉間を指し健常人でも認められる．**lung sliding を伴う両側 B ライン(B profile)は Sn 97%，Sp 95%で肺水腫**と言える(Chest 134：117-125, 2008)．

そのほかに肺炎などの診断にも肺エコーは有用だが，詳しくは成書に譲る．

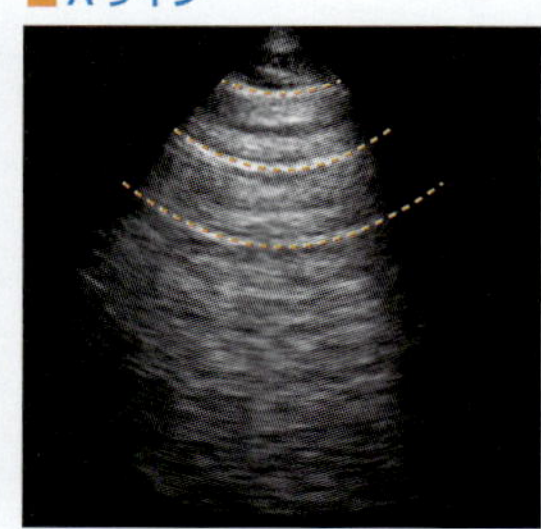

■ **Bライン**

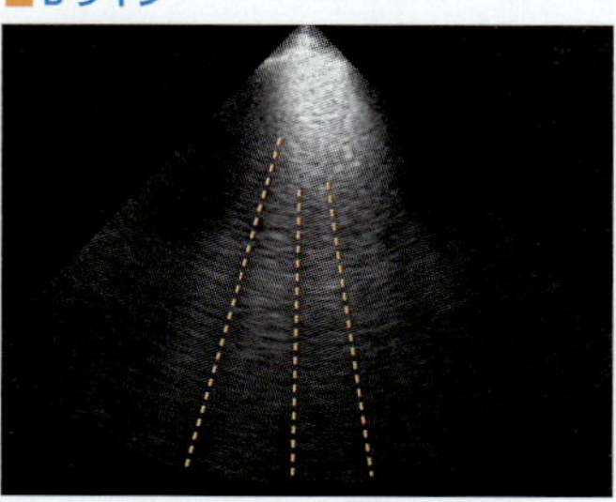

眼球エコー

眼球エコーは，眼内異物や網膜剝離，頭蓋内圧亢進など様々な眼科緊急疾患に有用と言われている．

描出のポイント

左右差を比較することと，検査中に眼を動かしてもらうことである．また，外傷による眼瞼腫脹があるときでもエコー画面上で眼球運動の評価が大まかに評価できる．

注意点を次に示す．

❶ プローブやゼリーによる眼球の直接損傷を起こさないように配慮する．
意識清明の患者ではしっかりと閉眼させて行う．意識障害などで指示が入らないときは，透明なフィルムやテープ（テガダーム®など）を貼り，ゼリーが眼球に直接接触しないようにする．眼球破裂が疑われる場合などでは，特に多めのゼリーを使用して，プローブと眼瞼を直接接触させないことで眼球に圧力がかからないようにする

❷ 超音波による眼球への影響を最小限にする．**高周波数のプローブを長時間当ててしまうと超音波ビームによる角膜損傷が起こる**ため注意する

頭蓋内圧亢進

頭蓋内圧の上昇は，脳脊髄液を介して視神経周囲のくも膜下腔に伝わり，視神経の浮腫や腫脹をきたす．**視神経鞘径（optic nerve sheath diameter：ONSD）の拡大**から頭蓋内圧亢進の有無を判断することができる．

超音波が視神経を横断するようにプローブ位置を調整し，眼球正面より少し耳側に動かすと視神経鞘が見えてくる．

ONSDの測定は網膜縁から3 mm後方の位置で測定し，正常なONSDの上限は，成人で5 mm，小児で4.5 mm，幼児では4 mmとされる．頭蓋内圧正常の患者群ではONSDは5 mm以下であり，**特に5.9 mmを超える場合はSn 87%，Sp 94%で頭蓋内圧亢進がある**と言える（Intensive Care Med 33：1704-1711, 2007）．

また，頭蓋内圧亢進の際は，視神経円板の中に，うっ血乳頭の存在を示唆する高エコー構造（crescent sign）がみられることもある．

網膜剝離

もともと増悪傾向の飛蚊症がある人で，カーテンが降りるような視野欠損を呈した症例などでは網膜剝離を疑って眼球エコーを行ってみる．

剝離した網膜は，硝子体の中に浮遊する高輝度な膜様物として描出される．診断にはSn 97～100%，Sp 83～100%と報告されている（Ann Emerg Med 65：199-203, 2015/West J Emerg Med 17：196-200, 2016）．

❹ 胸部X線

胸部X線読影の手順

❶ 患者と日付の確認

❷ 撮影方法確認

立位P→A撮影が標準．ERでよく撮られるポータブルX線は臥位A→P撮影

❸ 評価に値するか

➡ 両側鎖骨内側の中心に棘突起があればほぼ正面(斜位でのポータブルX線撮影は肺野透過性の左右差につながる)．心臓の裏で椎体，血管，下行大動脈が見えれば放射線量は過剰ではない．血管陰影が中下肺野で末梢の肋膜直下まで追えれば放射線量十分と言える

❹ 外から中へエリアごとに確認していく

(1) 軟部組織・骨

✓皮下気腫，腫瘤陰影，骨折や脱臼・融解性病変・石灰化(➡第1肋骨や下部肋骨では正常)

✓フィルムを横にして肋骨は必ず全部追う

(2) 胸膜

✓肥厚，石灰化(両側肺尖部胸膜肥厚像は正常)

(3) 横隔膜

✓位置(正常は左が右より0.5～1椎体低い)，第11肋骨が見えたら横隔膜低下

✓肋骨横隔膜角(costophrenic angle：CPA)が鈍なら胸水か肺過膨張

✓横隔膜陰影は明瞭か(不明瞭ならそこに接するS8に病変あり)，左横隔膜と胃泡の距離≦20 mm

(4)気管

✓偏位や圧排の有無を確認

✓右気管傍線が5 mm以上なら胸水・胸膜肥厚・リンパ節腫脹などを考える

(5)縦隔・大動脈・心臓

✓心胸郭比(ポータブルでは正常値55％までOK)，肺門部のサイズ(右肺動脈の幅は15 mm以下，左肺動脈は右の15 mm上の位置が正常)および濃度の左右差，シルエットサインの有無

(6) 肺野
✓最初は X 線から離れて全体を見て，次に近づき上・中・下肺野を左右比較
✓見逃しやすい 4 か所(肺尖，肺門部，心陰影，横隔膜下)は 2 回見直すこと
※肺野陰影表現のコツ・陰影の分布と広がり
➡「上肺野（第 2 助間）・中肺野（第 4 助間）・下肺野優位」「内側・外側優位」

陰影パターンの表現

- すりガラス陰影(末梢血管陰影が追える)
- 均等影(末梢血管陰影が追えない)
- 線状・網状陰影
- 粒状影(4 mm まで)
- 結節影(30 mm まで)
- 腫瘤影(30 mm 以上)

正常胸部 X 線写真

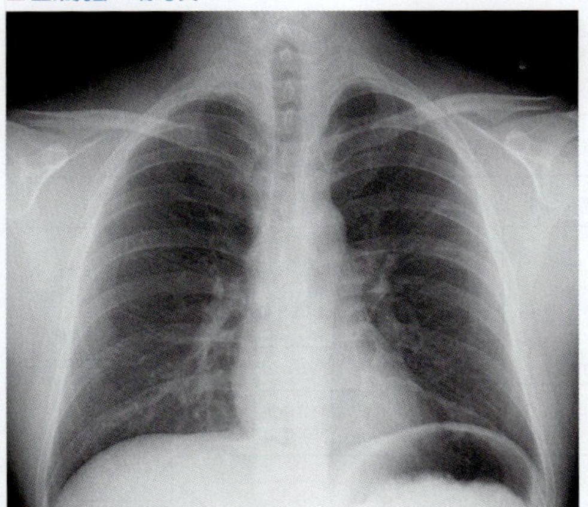

異常所見がない場合の定型文：
「骨軟部陰影に異常なく，両側 CP angle は sharp です．気管偏位や気管内異常陰影なく，心拡大もありません．左右心陰影，下行大動脈をスムーズに追えます．左右肺門部の拡大ありません，肺野に明らかな異常陰影は認めません」

⑤ グラム染色

手順

グラム染色しすぎて…**「明くる朝」**と覚えよう.

❶ 検体をスライドガラスになるべく薄く塗る
❷ しっかりと検体が固定するまで自然乾燥(特に流れやすい尿). 時間がなければドライヤーを使う
❸ **ア**ルコールでダメ押しの検体固定を行う
❹ **ク**リスタルバイオレットを塗抹面に満載(約1分)し, 裏側から流水でよく水洗
❺ **ル**ゴール液で満載し, 裏側から流水でよく水洗
❻ **ア**ルコールで満載し, 青色が溶け出さなくなるまでしっかり脱色する(約30秒)
➡ 不完全な脱色による失敗が多い
❼ **サ**フラニンを満載し, 裏側から流水でよく水洗
❽ 乾燥させ, 濾紙で余分な水分を吸いとり乾燥させる
❾ まずは弱拡大で観察にふさわしい場所を特定し, 最終的に油浸レンズを用い, 1,000倍で観察する

グラム陽性球菌の例

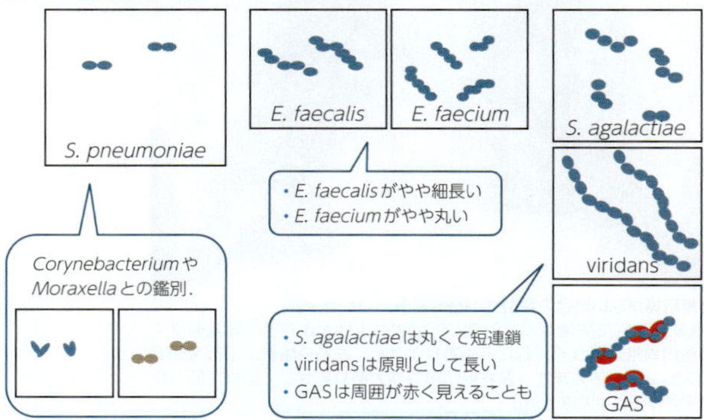

■ グラム陰性桿菌の例

腸内細菌科　　ブドウ糖非発酵菌　　他

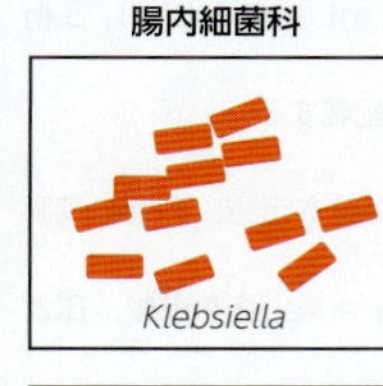

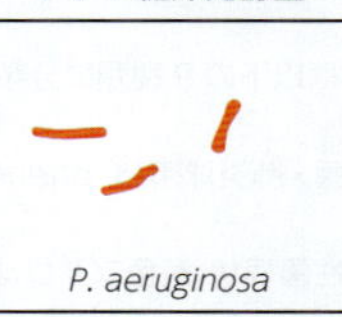

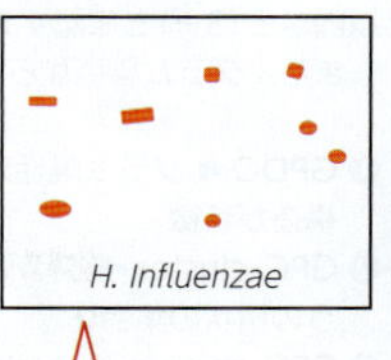

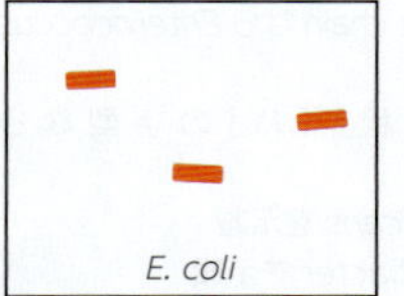

・腸内細菌科は形を主張してくる
・ブドウ糖非発酵菌は控えめ

*H. Influenzae*は塵芥のように広がる.

解釈の仕方

- グラム陰性桿菌(GNR)が見えたら，まず緑膿菌(*P. aeruginosa*)かどうか判別する．緑膿菌は小さくて細く，薄く弱い染まり方をすることが多い(腸内細菌は濃く，しっかりと染まる)．ただし，グラム染色における細菌同定の特異度はそれほど高くないので，「見え方」を過信しないこと
- 菌体と同じくらいの厚さをもつ莢膜が見えたら，*Klebsiella* を疑う
- インフルエンザ菌(*H. influenzae*)は球桿菌(coccobacillus)で，非常に小さく，大きさがそろっていないGNRである
- *Bacteroides* は細長い(かなり細い)嫌気性グラム陰性桿菌
- *Acinetobacter* はグラム染色で，グラム陽性にも陰性にも，球菌にも桿菌にも見えることがある
- グラム陽性桿菌(GPR)のうち，コリネバクテリウムは，単体では「ハ」の字型で，多くは真の感染原因ではないコロニー形成が見える

菌体表記の仕方

菌量は強拡大で1視野に菌体が1桁以内なら(1+)，2桁以内なら(2+)，3桁以内なら(3+)と表記する．

また，グラム染色から菌体は以下の9種類に分類して記載する．

❶ **GPDC** ➡ グラム陽性双球菌・肺炎球菌(*S. pneumoniae*)を示唆．周囲の莢膜構造が特徴

❷ **GPC-cluster** ➡ グラム陽性菌塊状 黄色ブドウ球菌(*S. aureus*)を示唆．ぶどうの房状の集合体

❸ **GPC-chain** ➡ long chain では *S. pyogenes*，short chain なら *Enterococcus* を示唆

❹ **GPR** ➡ 棍棒状なら *Clostridioides difficile*，柵状や「ハ」の字型なら *Corynebacterium* を示唆

❺ **GPC-huge** ➡ 一部が出芽していたりする．*C. albicans* を示唆

❻ **GNDC** ➡ *Moraxella*，淋菌，髄膜炎菌，*Acinetobacter* を示唆

❼ **GNCB** ➡ 星を散りばめたように分布する小型球桿菌．インフルエンザ菌(*H. influenzae*)を示唆

❽ **GNR-middle** ➡ 両端が濃くしっかり染まる．*E. coli*，*Proteus*，*Klebsiella* を示唆

❾ **GNR-small** ➡ 小さくて細く，薄く弱い染まり方をする．緑膿菌(*P. aeruginosa*)を示唆

このほか，グラム陽性のフィラメント状菌体は *Actinomyces* や *Nocardia* を，グラム陰性のフィラメント状菌体は *Fusobacterium* を示唆．

喀痰のグラム染色における Geckler 分類

グループ	白血球(好中球)*	扁平上皮細胞*
1	<10	>25
2	10～20	>25
3	>25	>25
4	>25	10～25
5	>25	<10
6	<25	<25

* 100倍率の際の1視野あたりの細胞数

喀痰であればGeckler分類を記載し，喀痰の質を評価する．

➡ グループ4・5が望ましい検体

検体別頻出菌体

喀痰

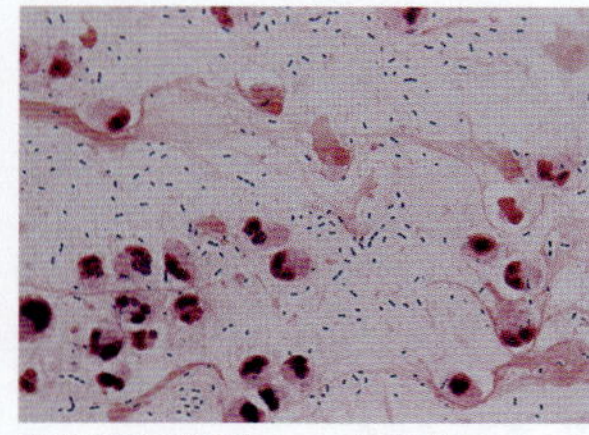

肺炎球菌(GPDC)……，と背景にちらっと見える *Moraxella*(GNDC).

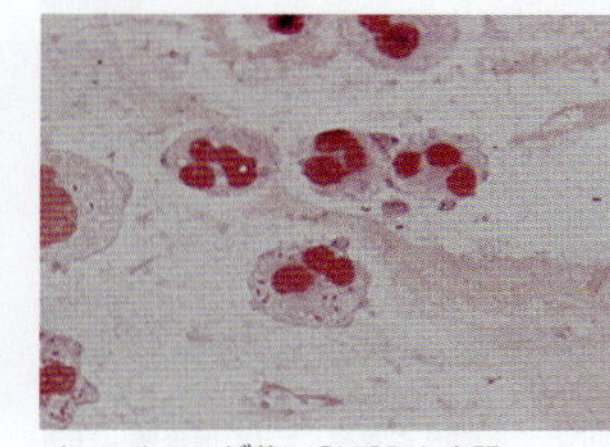

インフルエンザ菌．GNCB と表記.

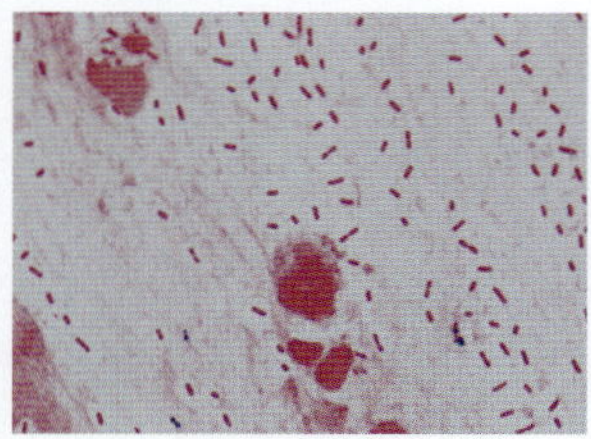

Klebsiella pneumoniae(肺炎桿菌).
太い眉毛のよう．GNR-middle と表記.

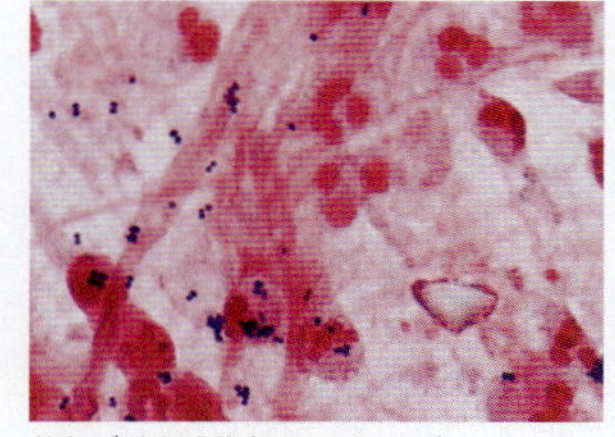

黄色ブドウ球菌(GPC-cluster)，
もしかしたら MRSA かもしれない.

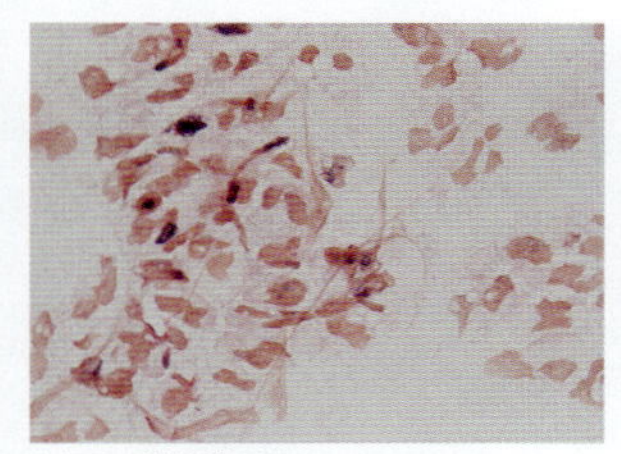

あれ？ 菌体がいない…….
非定型肺炎かもしれませんね.

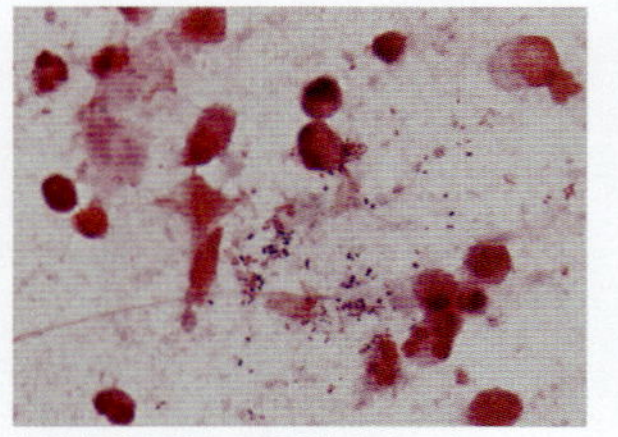

複数菌種を認める誤嚥性肺炎の痰.

尿

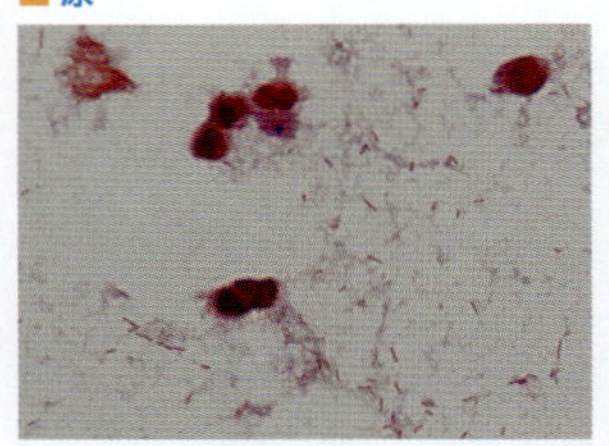

E. coli, *Klebsiella*, *Proteus* を考える．GNR-middle と表記．ESBL 産生菌に注意する．

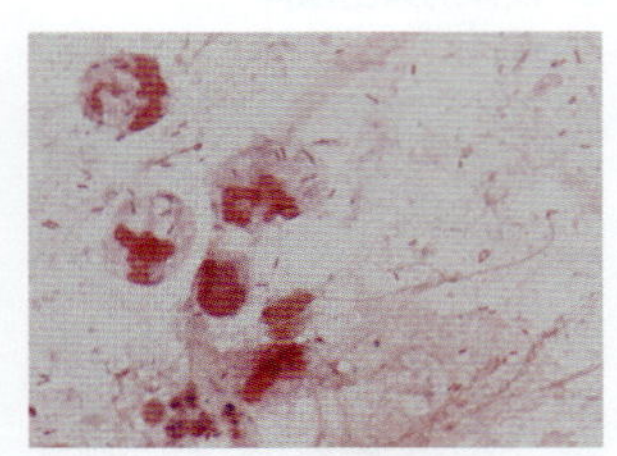

緑膿菌，GNR-small と表記．実際には判断に迷うことも多い．

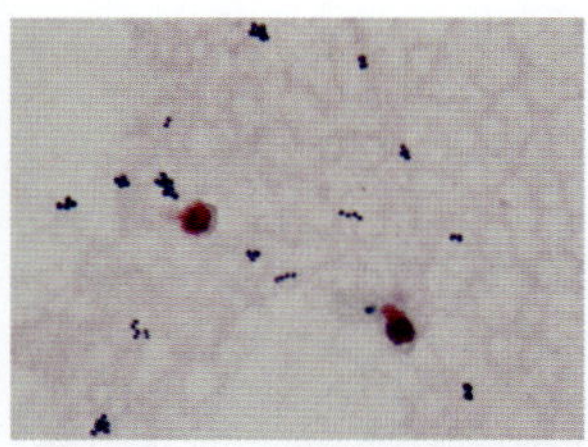

Enterococcus, GPC-short chain と表記．*E. faecalis* か *E. faecium* かで抗菌薬選択が大きく変わる．

⑥ 血液検査

血液検査の考え方

ER における血液検査はルーチンで実施されることが多い．しかし，3 つの視点で考え直す必要がある．それは，**❶ 過剰・不必要な検査の乱発**，**❷ 患者および現場への負荷**，**❸ 時間生産性の低下**である．

❶ 過剰・不必要な検査の乱発

あるシステマティックレビューでは，過剰な検査は全体の 20%に及ぶといわれている(PLoS One 8：e78962, 2013)．そのようにして行われた結果の“ノイズ”は，偽陽性と偽陰性に伴う追加検査の必要性や診断への不利益につながる可能性もある．また，測定された CRP が診断治療に反映された割合は 10%強にすぎないとの報告もある〔Ann Med Surg(Lond) 51：48-53, 2020〕．

❷ 患者および現場への負荷

検査のオーダーはワンクリックで終了するが，現場には大きな侵襲性と人手，コストがかかる．患者は採血に伴い痛みを感じ，神経損傷のリスクもある．検者には採血時の針刺しなどの血液曝露リスクや労力が生じる．

❸ 時間生産性の低下

血液検査は遠心分離や機械測定のため平均でも 30 分以上の時間がかかる．また，その診断効率はピークがあり，検査の数を増やすほどに実は効率性はますます低下する．

これら ❶～❸ を鑑みても，初学者ではある程度「安心のためにだけ検査を行うこと」も許容されると筆者は考えている．しかし，このような行為は年次と共に減っていくことが望ましいだろう．**研修医は何よりも検査オーダー前に「何のために，誰のためにやるのか」を明確化することを忘れないようにしたい．**

ERでオーダーする代表的な検査は下記のようなものである．各種検査項目の詳細な解釈は成書に譲り，ここでは代表的項目に関してポイントを整理して述べる．

- ✓**血算(CBC)**：白血球数(WBC)，赤血球数(RBC)，Hb，ヘマトクリット，MCV，MCH，MCHC，血小板
- ✓**生化学**：BUN，Na，K，Cl，血糖，アミラーゼ，クレアチニン，総ビリルビン(T-Bil)，直接ビリルビン(D-Bil)，±アンモニア
- ✓**凝固**：PT，APTT，フィブリノゲン，Dダイマー
- ✓**心不全マーカーおよび心筋マーカー**
- ✓**赤沈(赤血球沈降速度，ESR/血沈)**
- ✓**輸血**：不規則抗体
- ✓**免疫**：血清学検査 ➡ 感染症/ウイルス

生化学

腎機能検査

- クレアチニン値はすべての人で同じカットオフにはならない．なぜなら，クレアチニンは筋肉を構成する蛋白質のクレアチンが代謝されて生成され，体格や筋肉量の影響で個人差が出やすい．さらに基礎疾患としてCKDがある場合は普段から高値になりうる．**このため救急外来での単回測定でクレアチニンが高値であってもAKI(急性腎障害)と言い切れない**
- BUN/クレアチニン比は判断材料として活用されることが多い．脱水や心不全で腎血流が低下すると，尿細管での尿素窒素の再吸収量が増大し，BUN/クレアチニン比が高値(>10〜20)となる．一方で消化管出血では腸管内に出た赤血球や血漿蛋白が分解されて生じるアンモニアが尿素となることから，より高値となる．これ以外にも，高蛋白食の摂取や異化亢進を呈する状態(運動，発熱，副腎皮質ステロイド投与など)でも上昇するので特異度は高くない
- CKDの診断にはそれぞれの患者の腎機能の定常状態を評価するために定常状態でのeGFRが用いられる．加齢によって自然に減少していくことが知られているが，eGFR<60 mL/分/1.73 m^2の場合，救急外来での尿検査で蛋白尿がなくてもCKDを考慮するとよい
- 腎機能に応じた用量調節が必要となる薬剤を使用するときはCockcroft-Gaultの予測式などを用いてクレアチニンクリアランス(CCr)を概算して使用する

■ **Cockcroft-Gault の予測式**

男性：CCr＝〔(140－年齢)×体重(kg)〕/〔72×血清クレアチニン値(mg/dL)〕
女性：CCr＝〔0.85×(140－年齢)×体重(kg)〕/〔72×血清クレアチニン値(mg/dL)〕

肝機能検査

重症急性肝障害を除き AST，ALT と肝障害重症度の相関は乏しいものの (InnovAiT 12：507-515, 2019)，肝疾患関連の AST・ALT・γ-GTP 上昇と全死亡率は正の相関があるとする報告もある (Johns Hopkins Diabetes Guide. Liver function. 2020 https://www.hopkinsguides.com/hopkins/view/Johns_Hopkins_Diabetes_Guide/547086/8/Liver_function)．一方で，**肝線維化が進行した状態では数値正常の場合もあるため肝機能検査だけで肝臓の状態を推し量ることはできない**．

精密な評価としては AST，ALT，LDH，ALP，γ-GTP，Bil，Alb，PT に加えてコリンエステラーゼ，アンモニアも考慮する．ALT 上昇が乏しい AST・LDH 上昇を認めた場合は，心筋梗塞や横紋筋融解，溶血など肝胆道系疾患以外の鑑別を要する．

『ACG Clinical Guideline：Evaluation of Abnormal Liver Chemistries』では，以下のように検査異常からアプローチする方法を提示している．

① AST, ALT および ALP どちらが優位に上昇しているか？

AST・ALT > ALP：肝細胞障害，ALP > AST・ALT：胆汁うっ滞，AST・ALT ≒ ALP：混合型と考える．

AST・ALT の正常上限値 2〜5 倍を軽症，5〜15 倍を中等症，15 倍以上または 10,000 IU/L 以上を重症と定義する．軽症ではアルコール性・非アルコール性脂肪肝，肝硬変などが鑑別．ウイルス性肝炎，急性肝動脈閉塞，自己免疫性肝炎，急性胆道閉塞，びまん性癌細胞浸潤，外傷性肝損傷，HELLP 症候群などは軽症〜重症例でもみられ，虚血性肝炎(ショックリバー)，薬剤性肝障害(特にアセトアミノフェン中毒)は，軽症から時に 10,000 IU/L 以上の重症例となる．

※多くの慢性ウイルス性肝炎や非アルコール性脂肪肝は ALT>AST．一方でアルコール性肝疾患の 90%は AST>ALT であり，70%以上が AST/ALT 比> 2 となる

※虚血性肝炎は肝細胞障害パターンかつ数値の上昇が ALT<AST<LDH となるのが急性期の特徴で，循環動態安定による病態改善がみられれば速やかに低下し，半減期の兼ね合いから回復期は AST<ALT で数値改善するのが特徴

ALP 上昇があれば結石や悪性腫瘍などによる胆道系疾患を鑑別するため腹部エコーを検討する．異常所見がない場合は原発性胆汁性胆管炎や原発性硬化性胆管炎，薬剤性肝障害を含めた肝内疾患を考慮し各種抗体や画像検査へと進んでいく．

② R 比＝(ALT 測定値÷ ALT 正常上限値)÷(ALP 測定値÷ ALP 正常上限値)を計算

＜ 2：胆汁うっ滞，2〜5：混合，5 ＜：肝細胞障害，と評価する．

③ Bil 上昇はあるか？

Bil 上昇があれば D-/I(間接)-Bil を評価し，D-Bil 優位なら肝細胞障害や胆管閉塞を疑う．

肝硬変を合併したアルコール性肝炎や進行した肝硬変に敗血症や腎不全を併発した場合に，T-Bil＞30 mg/dL となることもある．I-Bil 優位なら溶血によるものが多く，ハプトグロビン低下や LDH 上昇が参考になる．

炎症マーカー

CRP はインターロイキン(IL-6 や IL-1)などのサイトカイン刺激により肝臓で合成される．主に感染症の診断閾値として用いられるが，立ち上がり(6 時間)，ピーク到達（48〜72 時間）あるいは半減期(約 20 時間）などが遅いことや感染以外の種々の炎症性疾患や手術/外傷，ストレス，ステロイドや免疫抑制薬使用患者，重症肝不全患者では上昇しないという注意点がある．プロカルシトニン(PCT)は，細菌・真菌感染時に，肝臓・腎臓・筋・脂肪細胞など実質臓器で産生され血中に放出される．反応時間が早く(2〜3 時間)，24 時間程度でピークに達する．半減期は 24 時間程度でウイルス感染では増加が起こりにくいため，細菌感染とウイルス感染の鑑別に利用されるが，細菌感染症以外の侵襲的病態においても上昇すること，局所感染症では上昇しにくいなど感染症診断のバイオマーカーとするには不十分である．CRP は Sn 75%，Sp 67%，PCT は Sn 88%，Sp 81%(Clin Infect Dis 39：206-217, 2004)であり，**感染症はやはり総合判断が要求される．**

β-D-グルカンは真菌の細胞壁を構成する多糖成分で，深在性真菌症時に血中で同定される．β-D-グルカンは偽陽性の多い検査法で陰性予測率は高いため(Clin Infect Dis 39：199-205, 2004)，**深在性真菌症の事前確率の高い患者群を選択してβ-D-グルカンを測定し，初期治療において抗真菌薬を使用しないために利用する**のがよい．

赤沈（赤血球沈降速度：血沈，ESR）

血液を固まらないようガラス管内に静置したときに，赤血球が 1 時間以内に何 mm 沈むかを測ったものである．炎症時は沈む速度が早まる．基準値は，男性 10 mm 以下/時，女性 20 mm 以下/時である．

特に不明熱とリウマチ性多発筋痛症（polymyalgia rheumatica：PMR）の精査には有用で，**赤沈が CRP よりも目立つ場合**の鑑別として，PMR，巨細胞性動脈炎，SLE，結核が挙がる．赤沈が 100 mm 以上のときは鑑別として悪性腫瘍，薬剤熱，骨髄炎，椎体炎，心内膜炎が挙がる．

心不全バイオマーカー

- 心筋細胞から産生された BNP 前駆体が切断され，BNP と NT-pro BNP に分かれ血中に分泌される．これらは主に心室で合成され左室拡張末期圧とよく相関するため「心負荷」の評価に用いられる
- BNP（brain natriuretic peptide：脳性ナトリウム利尿ペプチド）は血管拡張作用やナトリウム利尿作用，レニン-アンジオテンシン系抑制作用などの生理活性をもつ．採血法は血漿のみで，採血してから 6 時間以内に血漿分離を行う必要がありやや煩雑．NT-proBNP（脳性ナトリウム利尿ペプチド前駆体 N 端フラグメント）に生理活性はないが，血清・血漿どちらでも測定可能で検体の安定性がよく，血清は冷蔵で 3 日間保存できるため，診療所などで用いられることが多い．BNP よりも腎機能や加齢の影響を受けやすい
- BNP，NT-proBNP ともに感度が高い検査で，**BNP が 100 pg/L 以下もしくは NT-proBNP が 400 pg/L 以下のときは，心不全をほぼ除外できる**

心筋マーカー

- 心筋トロポニンは心筋収縮調整蛋白の１つで，３つのサブユニットが存在し，そのうちのトロポニンⅠとＴは心筋特異性が高く，微小心筋障害の診断に有用．**近年高感度トロポニンⅠ/Tの定量評価が可能となり，超急性期(2～4時間)の急性心筋梗塞の感度が上がり診断能が改善**した．その一方，偽陽性が増加し心不全，心筋炎，肺血栓塞栓症，敗血症，腎不全などでも上昇するため注意を要する
- H-FABP(heart-type fatty acid-binding protein：心臓由来脂肪酸結合蛋白)は心筋細胞の細胞質に豊富に存在する低分子蛋白で，測定キット(ラピチェック®)が市販されており，血液の滴下のみで検査を行うことができ15分で結果がわかる．心筋が障害を受けて1時間後から血中に出現し，発症2～4時間の超急性期の急性心筋梗塞の除外診断に有用．しかし，特異度が低く運動などの筋障害，腎機能低下例では偽陽性になるため注意が必要
- CK(クレアチンキナーゼ)は筋肉中に存在する酵素で，3種類のアイソザイムがある．中でも心筋に由来するCK-MBは骨格筋中にも少量存在するため，心筋特異性はトロポニンより劣る．CK-MBがCKの10%以上を占める場合には心筋梗塞を疑う．血中CKの最高値は心筋壊死量を反映し，早期再灌流療法施行例ではピーク到達時間が早くなり最高値も高くなる．発症後3～8時間で上昇し，12～24時間でピークに達し，3～6日後に正常化する

■ 京都ERにおける検査スピッツの一覧

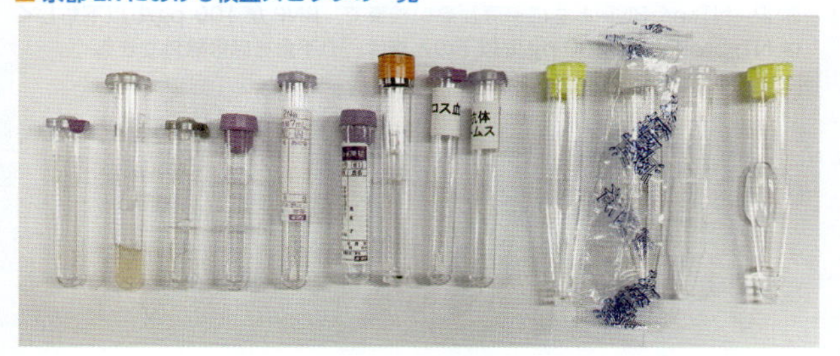

⑦ CT 読影

胸部 CT

本格的な胸部 CT 読影は放射線科医でも難しい．ここでは胸部 CT 読影の基礎知識と，ER で特に必要な肺炎とうっ血性心不全，肺結核の読影に絞って説明する．

肺の二次小葉(⇒ p.56) は胸部 CT 読影のキモと言える構造で，1 cm 前後の線維性隔壁で囲まれた，**CT で確認できる最小単位の構造**である．気道は 10〜20 分岐を繰り返して終末細気管支に至るが，この終末細気管支を中心として小葉間隔壁によって囲まれたスペースが二次小葉である．**小葉の中心に気管と動脈が走行し，小葉の辺縁には肺静脈，リンパ管が走行している**．二次小葉は 5〜15 の細葉からなり，細葉にはガス交換で重要な肺胞を含んでいる．

「小葉中心」とは二次小葉の中心部を指し，「小葉中心性病変」とはこの部分に陰影が存在する．これらは，経気道的病変を示唆する〔過敏性肺臓炎，気管支炎(肺炎)，結核，抗酸菌，誤嚥性肺炎，びまん性汎細気管支炎(DPB)など〕．

「小葉辺縁」とは，解剖で理解できるように小葉間隔壁の部分を指す．この部分の病変はリンパ・肺静脈系の病変を示唆する(肺水腫，サルコイドーシス，癌性リンパ管症，転移性腫瘍，敗血症性塞栓など)．

そのようなパターンに当てはまらないものを「ランダム分布」と呼ぶ(粟粒結核，悪性腫瘍の血行性転移，リンパ球浸潤性・増殖性肺疾患，珪肺・炭鉱夫肺，好酸球性肉芽腫症など)．

■ 小葉中心性陰影

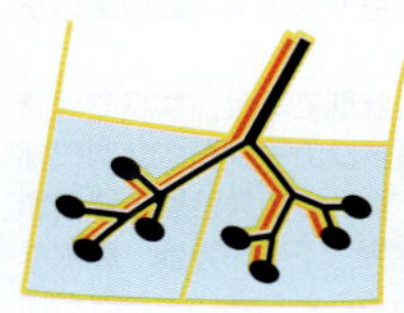

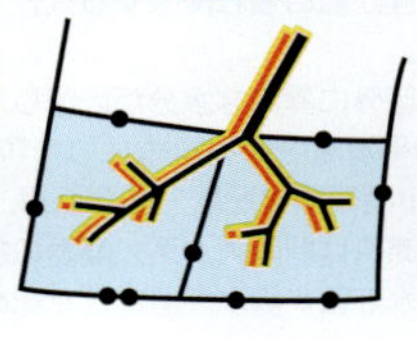

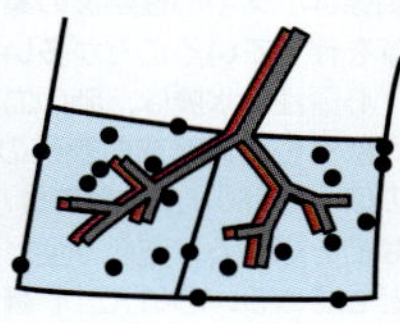

■ 気管支肺炎

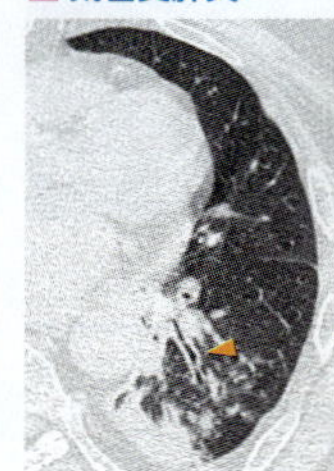

■ 癌性リンパ管症

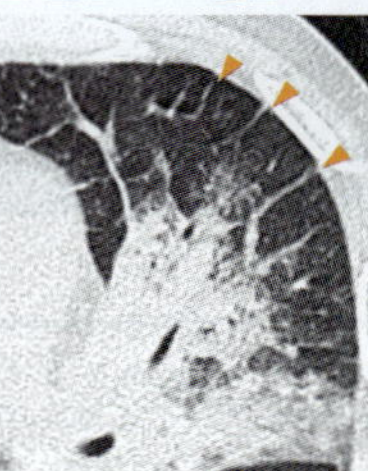

■ 粟粒結核

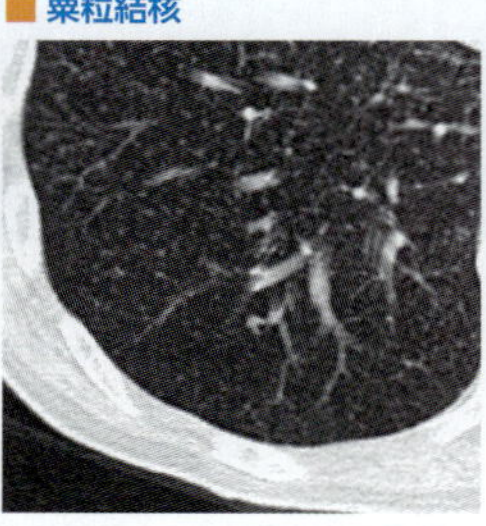

また,「間質影」というくくりの中に「ground-glass opacity(GGO：すりガラス陰影)」「reticular pattern(網状影)」「nodular/granular pattern(結節影・粒状影)」などが含まれ,それぞれ肺胞の空気が膿や水分,細胞,線維化に置き換わるためCT値が上昇する.腫瘤影は3 cm以上,結節影は5 mm～3 cm,粒状影は5 mm以下の塊状の陰影と定義される.GGOでは間質に病変があり,肺胞内は含気が残っている.

肺炎と心不全の鑑別

どちらも肺が白くなる疾患で鑑別に困ることが多いが,病態から所見を考えれば理解しやすい.

肺炎とは病原体の経気道的感染であるため,CTでは**結節影や粒状影が経気道散布性で区域性の広がり**を示していることが多い.「肺胞性肺炎」は,肺胞領域の滲出液がKohn孔などの側副換気路を介して隣接する肺胞領域に連続して進展する肺炎で,非区域性の広がりを呈する.一葉全体に及べば大葉性肺炎と呼ばれる.一方,「気管支肺炎」は気管支炎や細気管支炎から連続して肺胞領域へと拡大する肺炎で,1つの区域内に小病変が多発する.CTでは浸潤影とともに境界不明瞭な小葉中心性陰影の集簇が認められ関与する気管支壁や気管支肺動脈束の肥厚を伴っていることが多い.

心原性肺水腫は,肺の血管外に異常な水分が貯留した状態であり,中枢では肺門部優位の気管支血管束の平滑な肥厚を認め(リンパのドレナージ機能は肺門部のほうが弱い),末梢では小葉間隔壁肥厚,胸膜肥厚,すりガラス陰影～浸潤影などを認める.右心不全があれば肝腫大,下大静脈の拡張,下肢の浮腫,腹水なども認める.心拡大,心嚢水貯留や胸水貯留などを認めることも多い.これらの所見を総合して判断する.

■ **気管支肺炎（本症例はマイコプラズマ肺炎）**

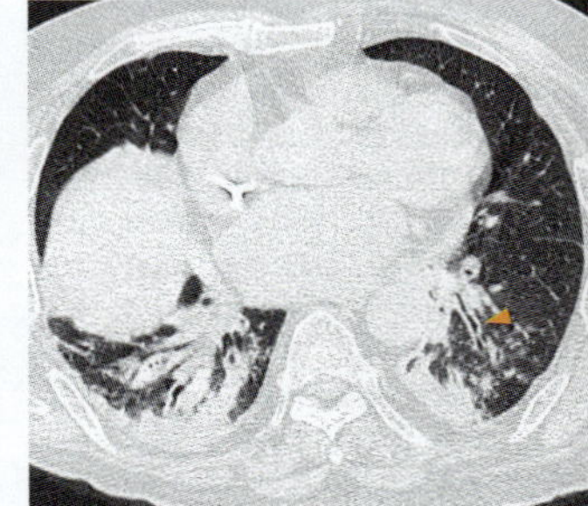
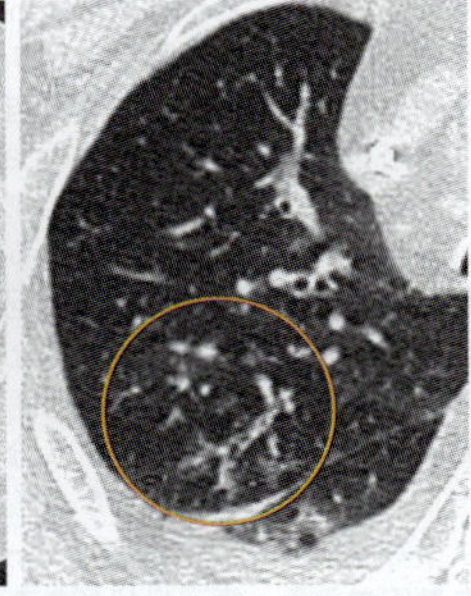

左下葉に気管支壁の肥厚と周囲小葉中心性結節影．それらが融合した浸潤影の区域性分布を認める．

■ **心原性肺水腫**

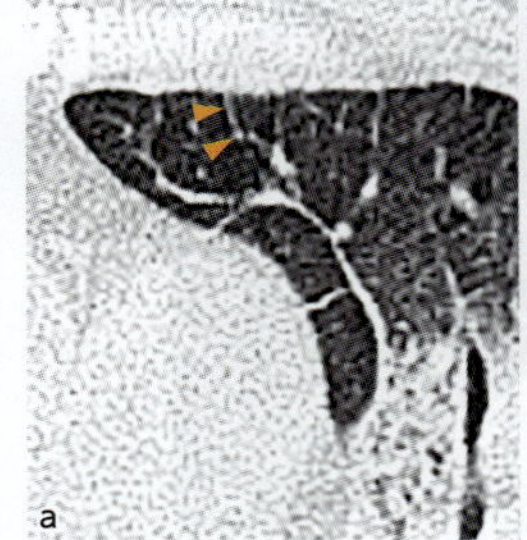
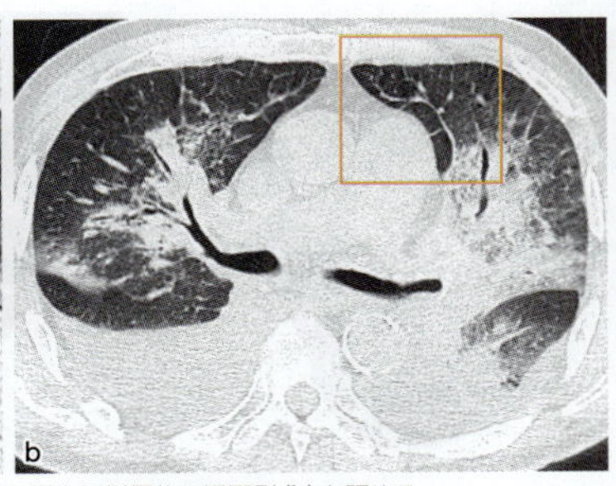

小葉間隔壁肥厚（a）と胸水貯留（b），両側中枢側優位の浸潤影（b）を認める．

肺結核の CT 所見

日本の結核発症件数は西日本に多く，2021 年の罹患率は平均 9.2 人/10 万人であった．同年は新型コロナウイルス感染症の影響もあってか過去最低となったが，それまで世界的に日本は，年の発症率から結核の「中蔓延国」だった．中でも高齢者の罹患率は高く，80 歳以上では平均 101.1 人/10 万人の罹患が報告されている（厚生労働省：2021 年 結核登録者情報調査年報集計結果について．2022）．感染（罹患）していても発症する人は 1〜2 割程度と報告されていることからも，**免疫**

力低下に伴う二次結核はERにおいても問題になっている．感染管理上の問題から肺結核を画像所見から積極的に疑うことが重要である．

胸部CT上は，いかなる陰影もとりうると言われているが，基本的には**経気道感染を反映しての気道散布性陰影と肉芽腫性病変が主体**となる．小葉中心性結節ないしは分岐状構造物(tree-in-bud appearance)は，活動型の肺結核の特徴的所見である．他の小葉中心性病変である細気管支炎よりも末梢まで陰影を認め，**粒のコントラストがはっきりしている**ことが特徴である．これらの陰影は，**上葉の肺尖部から背側の区域や下葉の上区域(S1・2・6)**を中心にみられることが多い．重症例では早期病変に加えて，比較的辺縁明瞭なconsolidationで，壁の厚い空洞を伴った病変が多発・広範囲に認められる．また，**粟粒結核では2 mm大の小結節が上肺野優位にランダム分布しているのが典型的**である．比較的短期間の散布であるため粒の大きさがそろっているのも特徴的である．

このような**陰影を呈し，患者にサージカルマスク着用，医療スタッフはN95マスクを着用のうえ，気道症状がある人は必ず個室・陰圧室管理でまずは3連痰を行い，活動性結核かどうかを判断**する．

■ 空洞結節

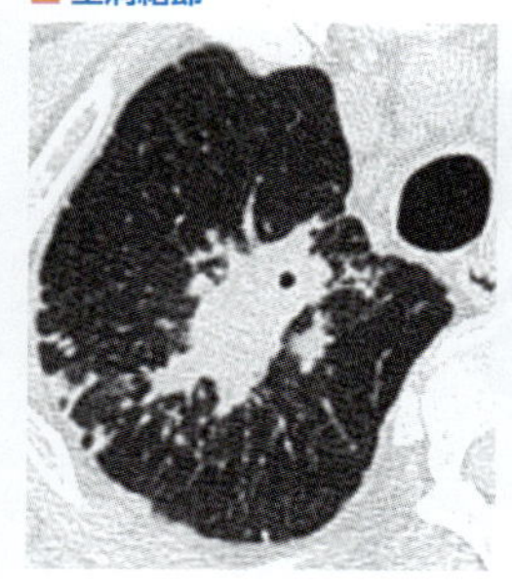

■ tree-in-bud

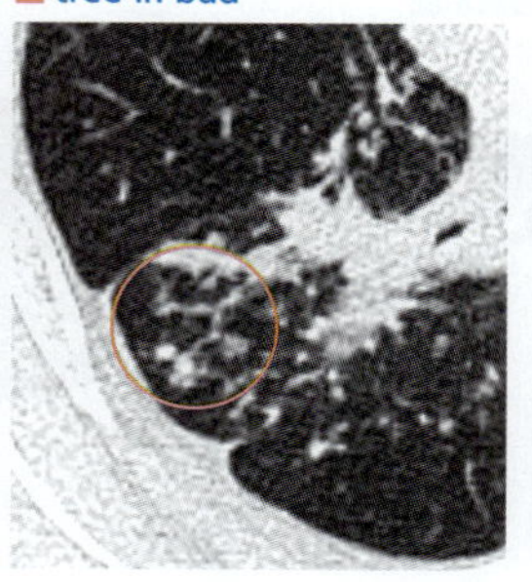

腹部CT

ERにおける腹部CTは，急性腹症の対処を決める重要なツールである！

原則

- 脂肪組織濃度上昇は急性炎症を示唆する！
- 腸管の3層構造を意識！ 壁肥厚は粘膜下層が浮腫状に肥厚するために起こる
- 男性の腹水は異常所見！ ROI(region of interest)値を調べ，血性か否かも確

認せよ

- **読影依頼は放射線科へのお手紙**です！ 必ず主訴と既往歴(手術歴)と鑑別疾患を記載すること

読影手順

❶ **まず，ウィンドウを「軟部陰影条件」**にし，腹腔内 free air，壁内ガス，腹膜外ガス，門脈ガスをチェック ➡ r/o 消化管穿孔

❷ **次にウィンドウを「脂肪条件」**にし，実質臓器を順次チェック

肝臓…✓右葉左葉腫大とグリソン鞘周囲の浮腫，胆嚢周囲浮腫像
➡ s/o 急性肝炎
✓右葉萎縮＆左葉肥大および辺縁不整
➡ s/o 慢性肝障害(内部の腫瘤は？)
✓不整な高度低吸収域とその周辺の軽度低吸収域の二重構造
➡ s/o 肝膿瘍，転移
✓腫瘤性病変≦15 HU ➡ まず嚢胞を考える

胆嚢…✓胆嚢緊満感や壁肥厚 ≧4 mm ➡ s/o 胆嚢炎，胆管癌，胆嚢腺筋症
CT に描出されない胆石もあるので注意！

胆管…門脈(約 40 HU)の腹側に併走．ROI(region of interest)は約 10 HU 程度
✓造影 CT で肝内に樹枝状の low density ➡ 肝内胆管拡張(総胆管径≧10 mm はほぼ確実に拡張と判断) ➡ 閉塞機転(肝内，総肝管，上部総肝管，膵頭部，Vater 乳頭部)を探せ

脾臓…頭部方向 10 cm 以上 ➡ s/o 脾腫

虫垂…(同定方法)上行結腸を同定 ➡ 遠位に進み ➡ 右側結腸の内側から始まる回腸末端同定 ➡ その周囲の管腔臓器が虫垂(冠状断も利用するとよい)
✓腫大(>6 mm)，糞石や壁肥厚，周囲脂肪織濃度上昇
➡ s/o 虫垂炎

膵臓…膵頭部の厚さは 3 cm 以下，尾部は 2.5 cm 以下が正常．膵管の正常値は 3 mm 以下
✓腫大や周囲脂肪織濃度上昇 ➡ s/o 膵炎

腎臓…✓腎盂や Gerota 筋膜の脂肪織濃度上昇，尿路拡張 ➡ s/o 腎盂腎炎
✓1 スライスで 1 椎体よりも小さいもの ➡ s/o 萎縮(CKD)
✓両側の腫大 ➡ 腎炎，白血病や悪性リンパ腫の転移，糖尿病，アミロイドーシスなど

副腎…✓両側の腫大 ➡ 過形成・転移性腫瘍・悪性リンパ腫を考える

血管…急性腹痛なら大動脈壁内石灰化の内在化と上腸間膜動脈(SMA)をチェック
✓腹部大動脈瘤(AAA)は直径 5 cm 以上で手術適応
✓HAC サイン(内腔の淡い不均一な三日月型高吸収域)は，s/o 切迫破裂
✓volume 評価 ➡ 腎静脈が IVC へ合流するスライスでの IVC 径と大きさ(通常その大きさは大動脈の 1.2〜1.5 倍でやや楕円形)

腸管…異常拡張＝小腸 3 cm，結腸 6 m，盲腸 9 cm 以上
✓外ヘルニアの確認(鼠径部，大腿，閉鎖孔，腹壁瘢痕，臍など)
✓造影 CT で 3 層構造が明瞭なのは虚血腸管であり，造影不良ならすでに壊死
✓渦巻サイン，索状物，beak sign ➡ s/o 絞扼性イレウス

膀胱…✓結石，壁肥厚，水腎症，血腫の有無

前立腺…横径 5 cm 以上は腫大

子宮・卵巣…径 5 cm 以上に腫大した卵巣を子宮の頭側に認めたら，s/o 卵巣嚢腫茎捻転．径 5 cm までの腫瘤なら卵胞の可能性あり

腹水…≧30 HU は出血，≧20 HU は膿か出血を考える

椎体・腸腰筋…内部の low density，脂肪織濃度上昇 ➡ s/o 膿瘍

MEMO

腎機能低下患者への造影 CT 施行の注意点

腎障害のある人への造影剤使用は造影剤腎症(contrast-induced nephropathy：CIN)のリスクとなる．実際は造影剤腎症で透析まで至るのは 1% 未満と少ない．

腎機能低下の程度に合わせて対応は変え，eGFR 45〜59 mL/分/1.73 m^2 では基本的には通常通り造影検査を行える．しかし，**30<eGFR<45 では予防策としての補液を行う**．具体的には 0.9% 生理食塩水(等張性補液)を 6 時間前より 1 mL/kg/時で，終了後は 1 mL/kg/時で 6〜12 時間を継続する(Ann Intern Med 148：284-294, 2008)．維持透析患者は予防投与の必要はなく，造影 CT 後に予定の透析を早める必要もない．

また，CT 造影剤(ヨード)を使用するにあたり注意すべき服用中の薬剤としてビグアナイド系糖尿病薬(➡乳酸アシドーシスの発現リスク．一時的に内服を中止する)および β 遮断薬(➡使用は問題ないが，アナフィラキシー反応に対する治療の第一選択であるアドレナリンの効果を減弱する)の 2 種類がある．

近年では，血糖チェックのように 1 滴の血液で腎機能が測定できるクレアチニン迅速測定装置(スタットセンサーエクスプレス i クレアチニン®)も市販されている．造影 CT を急ぐ場合に使用するが コスト高と測定誤差が大きいことがデメリットである．

■ クレアチニン迅速測定装置

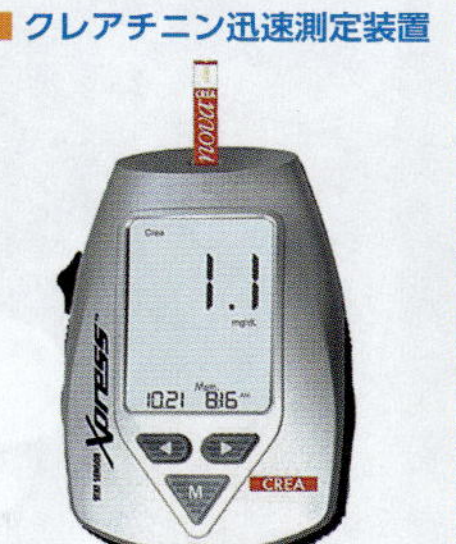

■ 腸炎の場所と鑑別疾患の関係

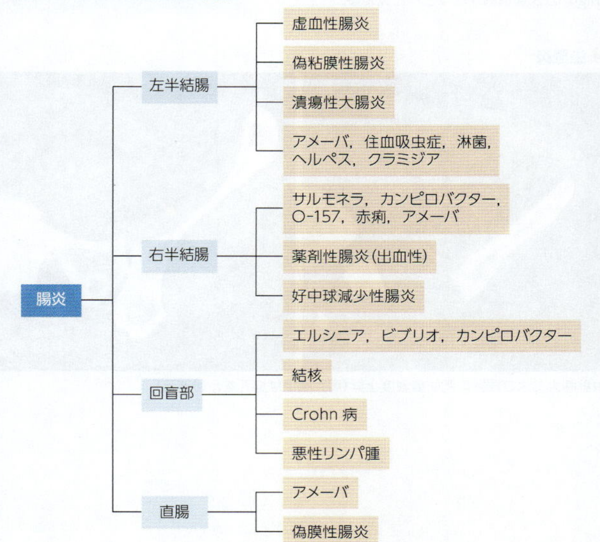

腸管壁肥厚

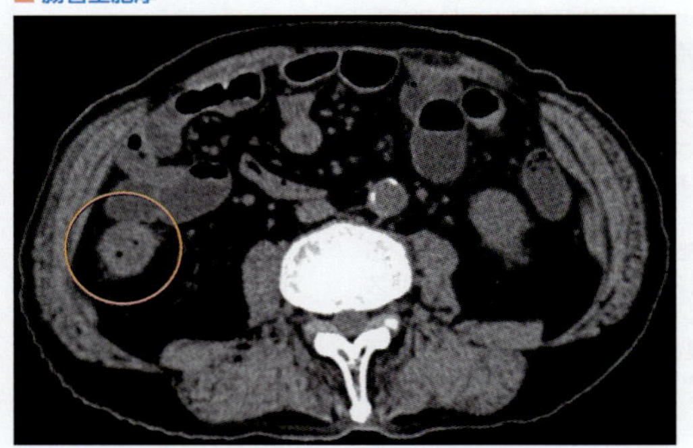

粘膜下層が浮腫状に肥厚しており，粘膜(high)-粘膜下層(low)-筋層(high)の3層構造がはっきりと見える．

虫垂炎

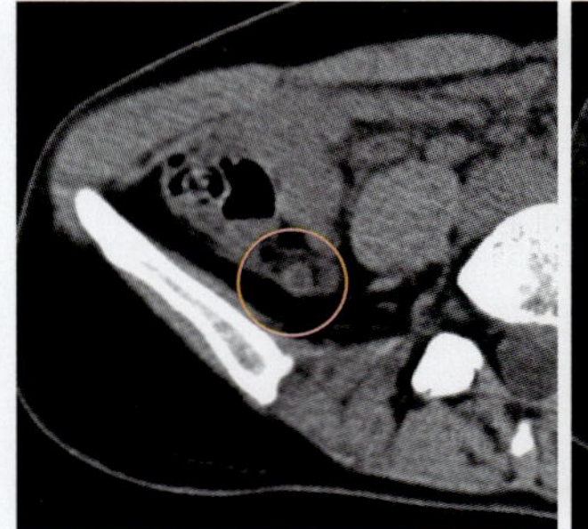

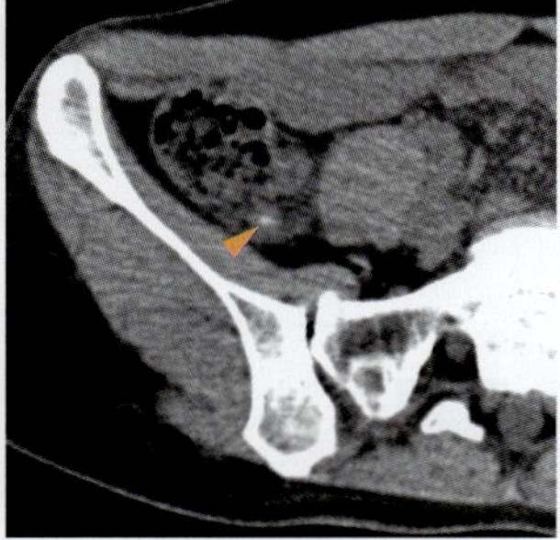

虫垂腫大および周囲の脂肪織濃度上昇(周囲膿瘍は穿孔を示唆する)．

便秘

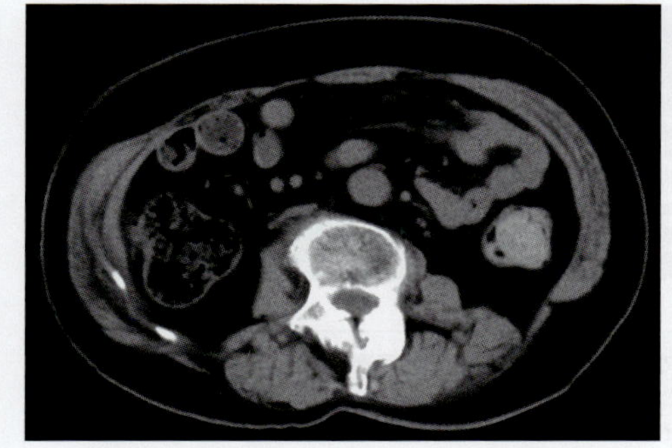

上行結腸内の便は泥状で多くのガスを含む．一方，下行結腸内の硬便は水分が吸収されて Ca，Mg などを含む結晶が析出するため表面が「白く」なり，ガスは少ない．直腸内になるとより「白く」なり，兎糞状の小塊が融合してガスが見えてくる．

急性胆囊炎

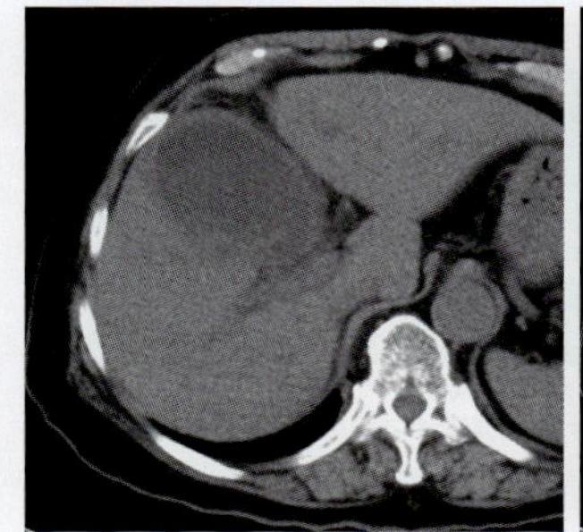

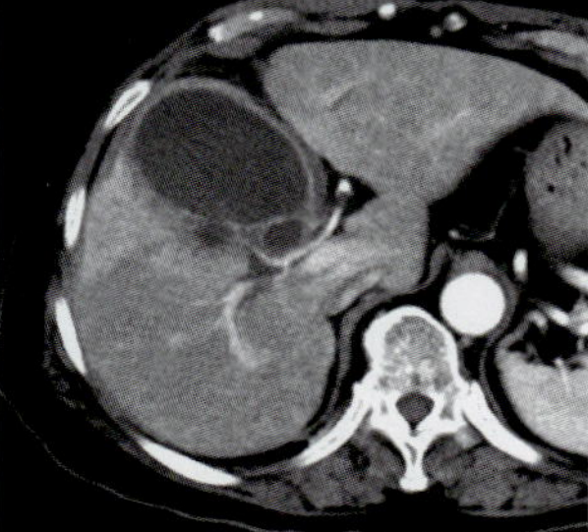

胆囊腫大および壁肥厚を認める（左は単純 CT，右は造影 CT）．造影 CT 動脈相で胆囊床部の早期造影効果を認める．一般的に内圧が上昇していくと胆囊全体が正円形に近づいていく．

腹腔内 free air

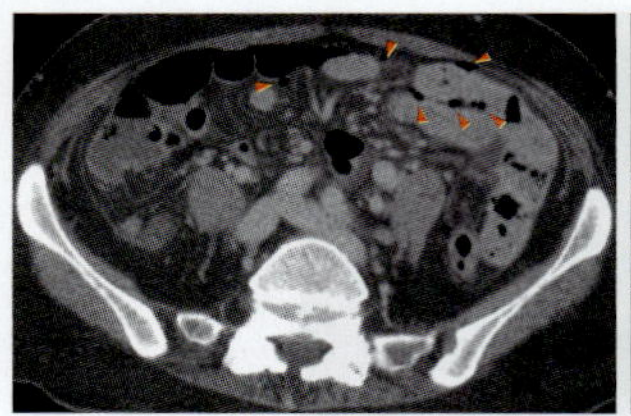
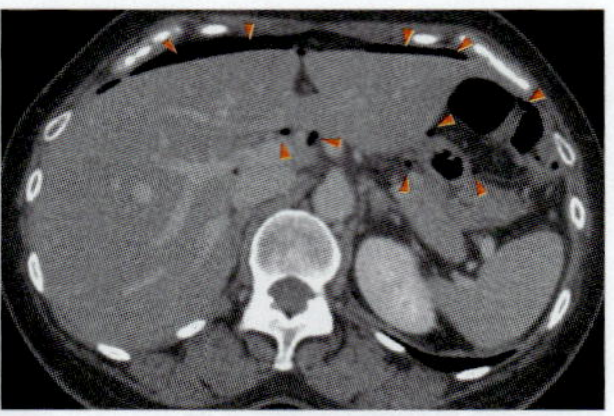

free air の場所で以下のように穿孔位置が予測できる.

- **大量** ➡ 胃十二指腸穿孔，大腸穿孔
- **小網内(lesser sac)** ➡ 胃後壁，十二指腸，腹部食道
- **肝円索，肝鎌状間膜** ➡ 十二指腸球部，胃
- **後腹膜** ➡ 十二指腸下行～水平脚
- **腸間膜内** ➡ 結腸，小腸
- **骨盤内に限局** ➡ 結腸，小腸

急性胆管炎

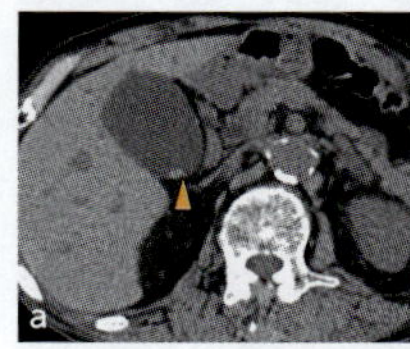

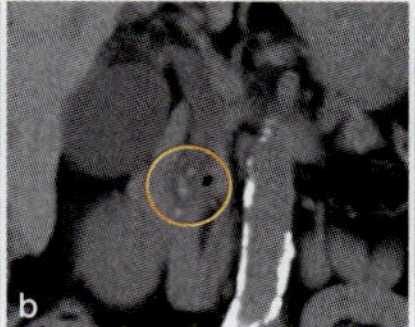

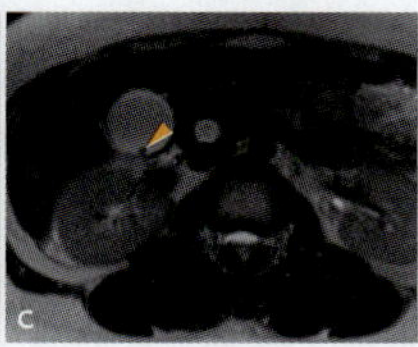

a：単純 CT(水平断像)，b：単純 CT(冠状断像)，c：MRI.
腫大した胆嚢と総胆管結石を認める(▲)(胆汁感染の証明ができないため，画像診断のみで急性胆管炎の診断はできない).
急性胆管炎における画像診断の意義は，主として胆道閉塞の有無やその原因となる胆管結石や胆管狭窄などを証明することである.

■ 急性膵炎

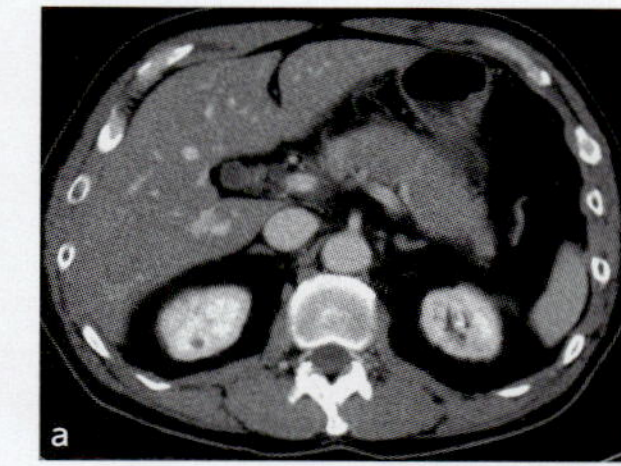

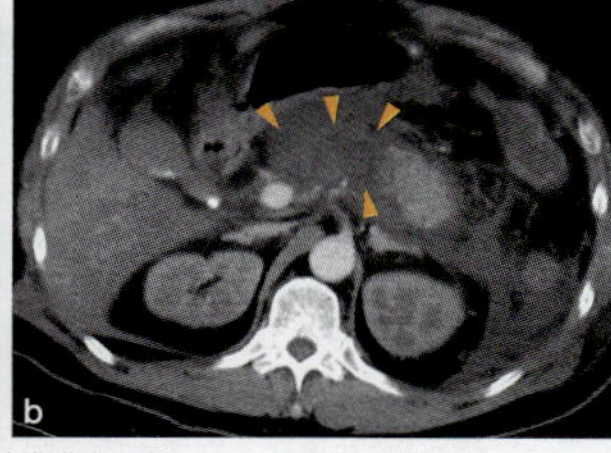

a：動脈相，b：静脈相．膵腫大と周囲の脂肪織濃度上昇．これをみたら造影 CT で Grade 分類を．

■ 急性腎盂腎炎

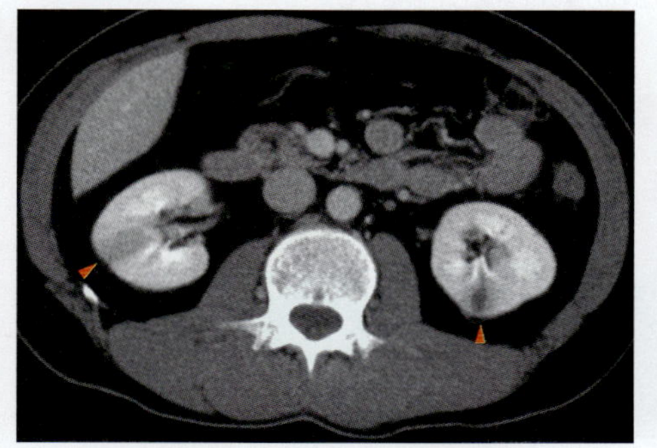

単純 CT で右腎筋膜肥厚，右腎周囲腔脂肪織濃度上昇，
造影 CT では右腎の実質内に楔状〜斑状の造影不良域あり．
ただし，CT で診断するものではない．

腸管虚血の所見

大きく 2 つのタイプに分けられる．

❶ 動脈が流入できなくなる虚血型（腸管壁は薄くなる）

➡ 急性 SMA 閉塞，NOMI（非閉塞性腸管虚血），絞扼性イレウス（closed loop の捻れが強いタイプであり，内腔が腸液で緊満していることが特徴），虚血性腸炎

❷ 静脈が流出できなくなるうっ血型（腸管壁は浮腫のため，厚くなる）

➡ 絞扼性イレウス（closed loop の捻れが弱いタイプ），腸管静脈血栓症

※虚血型絞扼腸管と二次性に拡張した小腸の鑑別は，後者が正常よりも Kerckring ひだが目立ちニボーを伴う

➡ **closed loop を探すにはニボーのない腸管を探す！**

なお，腸管虚血を示唆する CT 所見としては whirl sign や門脈内ガスが有用．NOMI では，通常動脈よりサイズの大きいはずの上腸間膜静脈が小さく見える「smaller SMV sign」も有用になる．門脈内ガスと胆管内ガスは鑑別が異なるため，門脈と胆汁の流れの違いを意識して読影する．

whirl sign

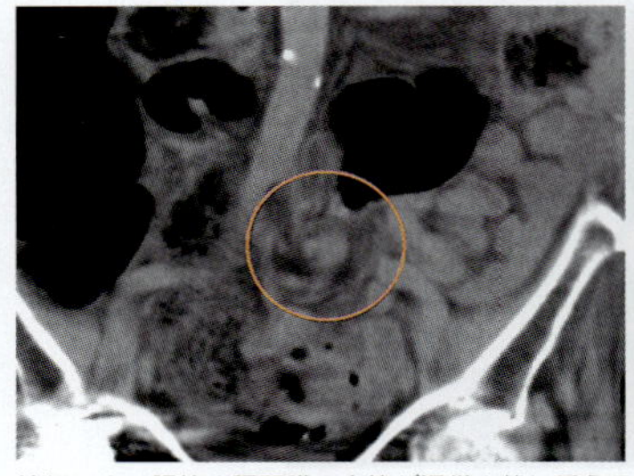

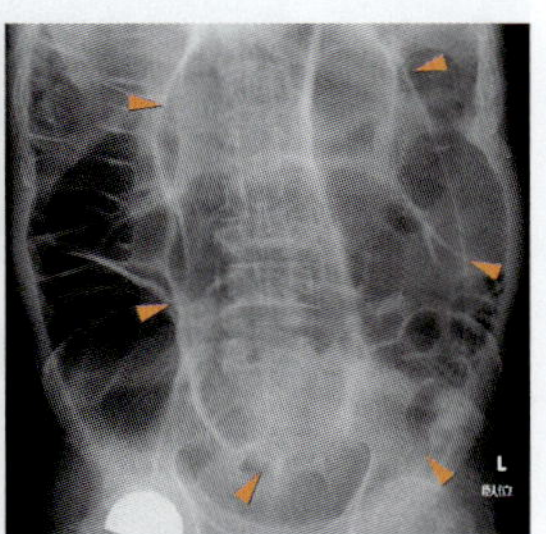

捻転により腸管や腸間膜の血管が渦巻き状に見える．

門脈内ガス

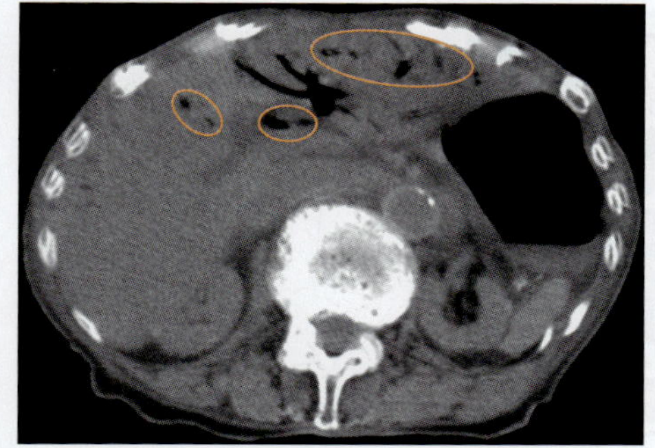

門脈内ガスは肝臓の辺縁周囲に樹枝状に認められる.

➡ 腸管虚血(同時に下腸間膜静脈内ガスと小腸壁内ガスも確認する), 消化管内ガスの移行, 腸管への炎症の波及などを考える.

胆管内ガス

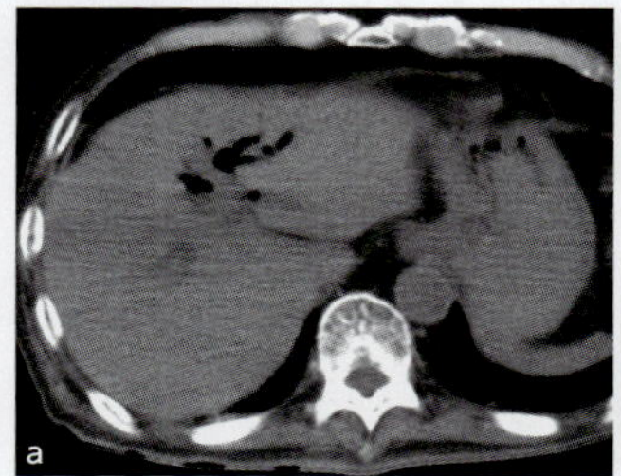

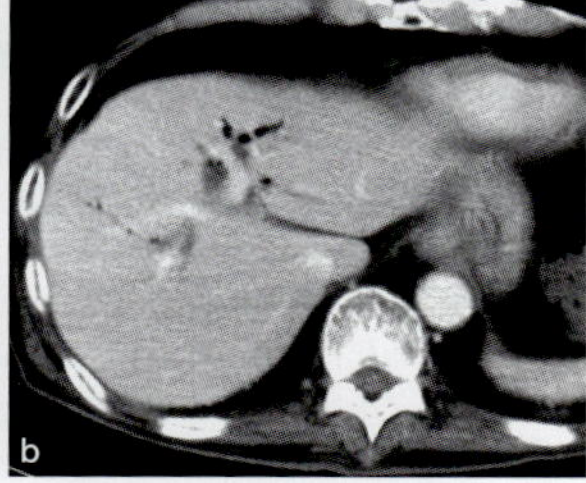

a：単純 CT, b：造影 CT. 胆管内ガス (pneumobilia) は肝門部中心に認められる.

➡ 胆管空腸吻合後, 乳頭切開後, 慢性胆囊炎を考える.

頭部 CT

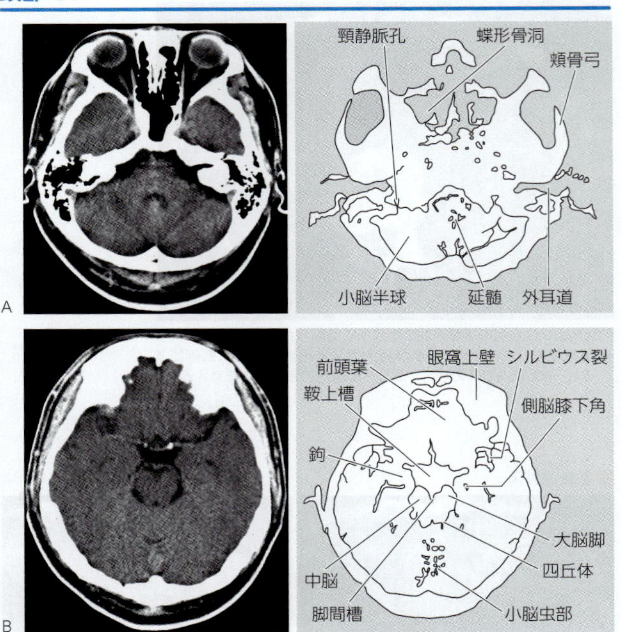

MEMO

くも膜下出血(SAH)探しのポイント

「**くも膜下腔が黒くない＝異常**」という認識をもって黒くないところを探すという習慣をつけるとよい．特に以下の場所に注意しながら読影する．

✓高位脳溝
(鞍上槽レベル)
✓左右のシルビウス裂

✓前方正中の前大脳縦裂
✓左右斜め後方の迂回槽
(さらに下方レベル)
✓小脳橋角部周囲
✓延髄周囲

ダビデの星

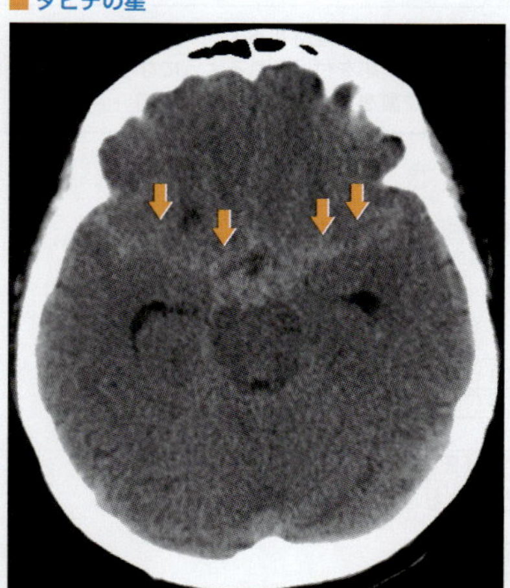

外傷性 SAH

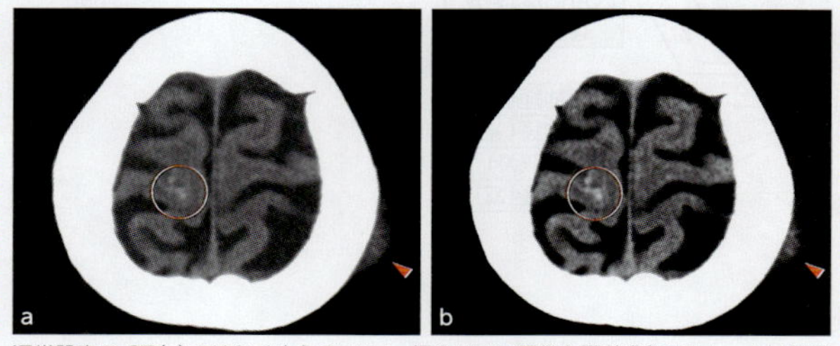

通常設定の CT (a) ではなく中心 35 HU，幅 2 HU に画像を調整 (b) すると，より異常が指摘しやすい．

⑧ 頭部 MRI

❶ 脳梗塞診断に必要な各撮影条件の意味を理解する
❷ 脳梗塞病変の部位と血管支配との対応を付けられるようになろう
❸ 温痛覚路・錐体路・脳神経核の位置を覚えよう

各脳神経の出るレベル

- ラクナ梗塞は，基底核，視床，内包，放線冠，脳幹に多い
- アテローム性梗塞は分水嶺または血管支配域に多い

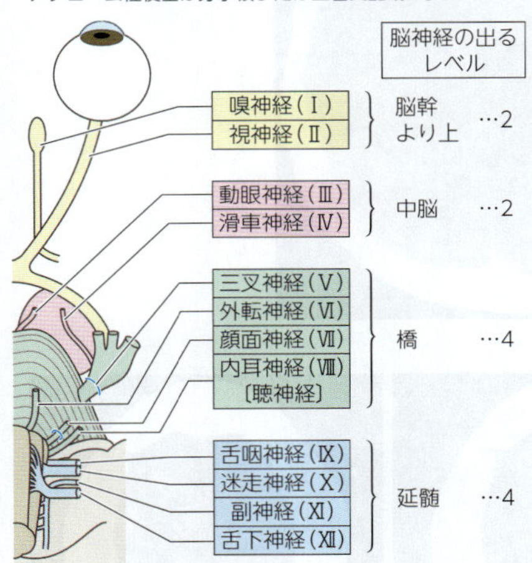

■ 頸部動脈の解剖

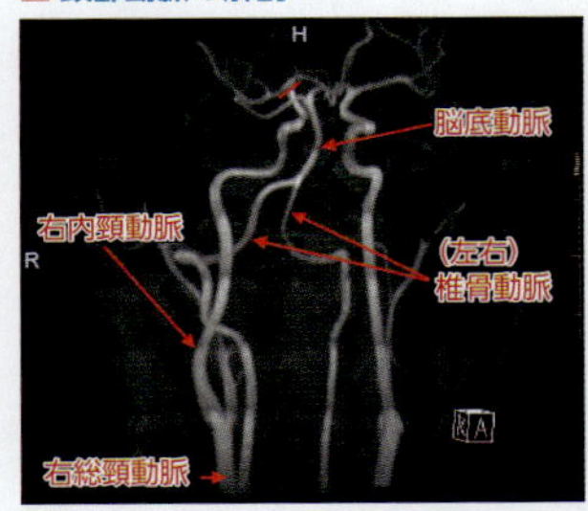

■ 頭蓋内動脈の解剖

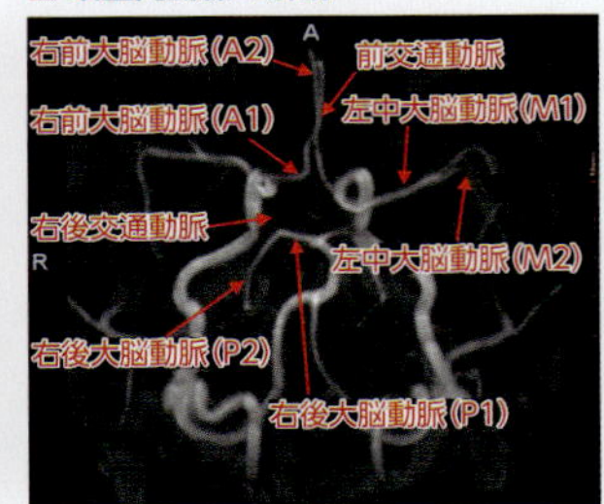

各撮影条件

DWI (diffusion weighted image)

拡散強調画像．**急性期脳梗塞(早ければ発症 30 分程度で)は，DWI で高信号，ADC mapping で低信号に描出**(高信号は数週間～1 か月程度続いてその後多くは等信号になる)．

■ DWI

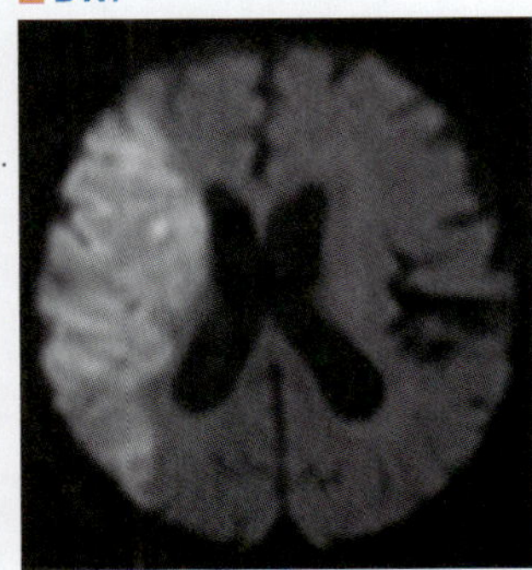

右中大脳動脈領域の急性期脳梗塞．

FLAIR

ものすごく単純に言えば「T2 強調画像から脳脊髄液を抑制した画像」．**急性期(発症から 3 時間以上経過してから)および慢性期脳梗塞は高信号に描出**．

■ ADC マップ

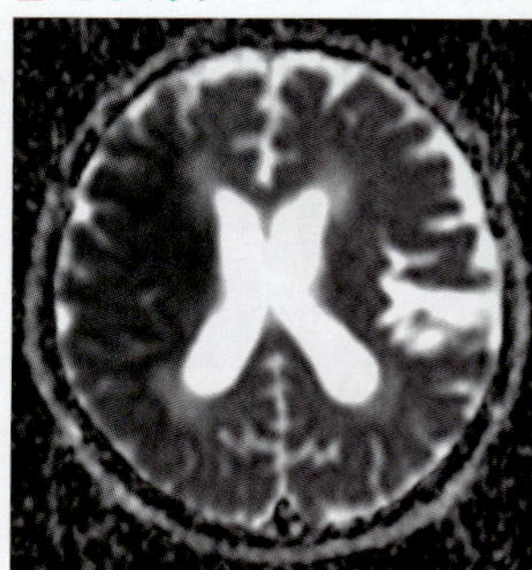

■ T2＊

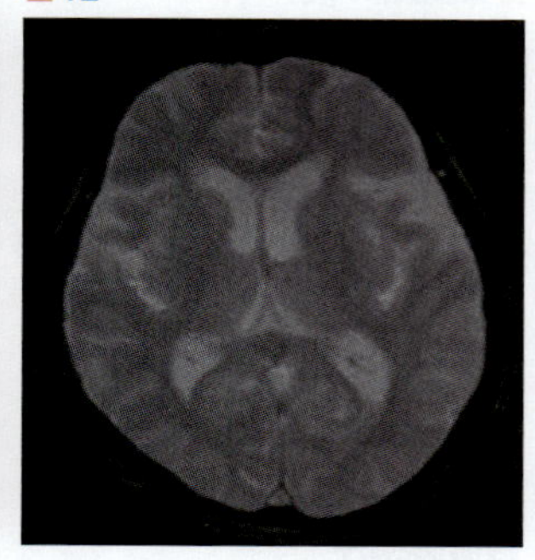

T2＊

鉄をはじめとする常磁性体の沈着部位と石灰化部位が低信号に描出される．**陳旧性の頭蓋内出血(微小出血を含むデオキシヘモグロビン)を評価し，治療に伴う出血リスクを評価する．**ただし，急性期の出血性脳卒中(オキシヘモグロビン)は必ずしも低信号には描出されないので注意

頭部 MRA

閉塞している血管を確認し，DWI，臨床症状と合わせて虚血範囲を評価する．

■ MRA

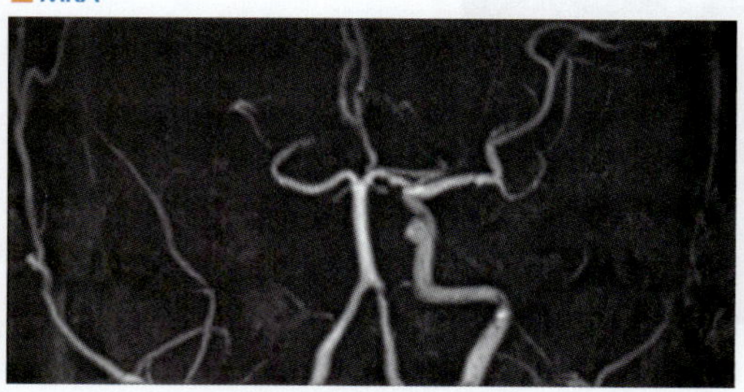

■ 頭部 MRI 横断図と脳神経核・錐体路・温痛覚路の分布

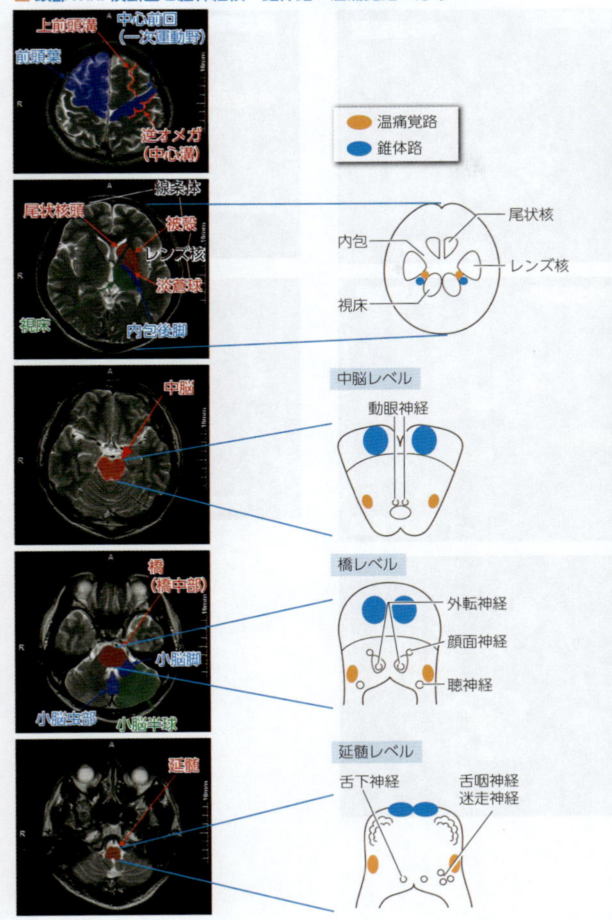

■ 各レベルでの血流支配

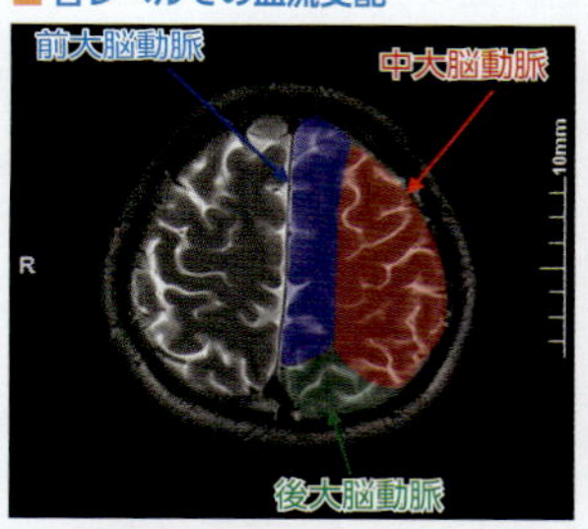
前大脳動脈
中大脳動脈
10mm
R
後大脳動脈

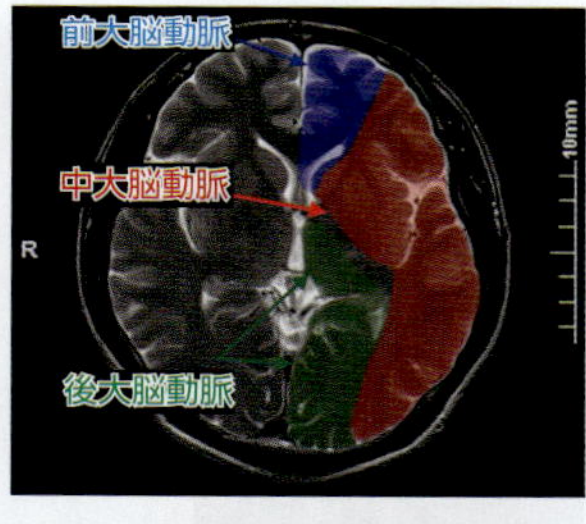
前大脳動脈
中大脳動脈
10mm
R
後大脳動脈

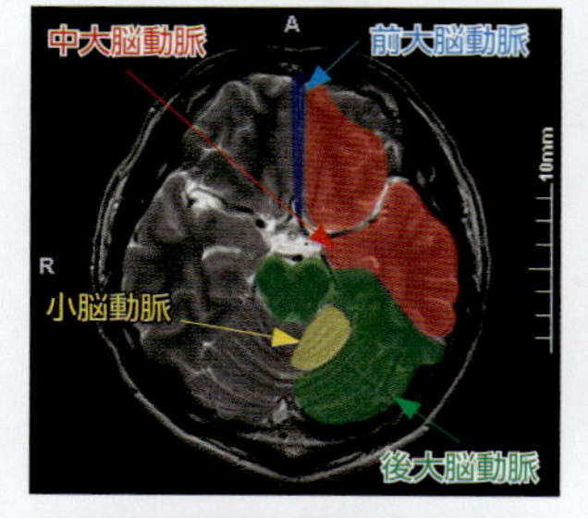
中大脳動脈
A
前大脳動脈
10mm
R
小脳動脈
後大脳動脈

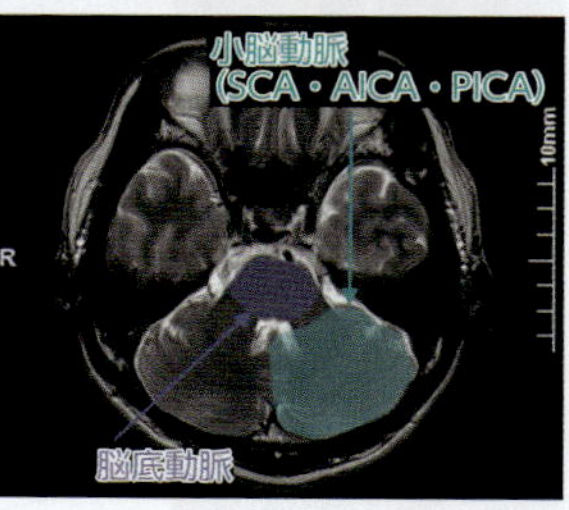
小脳動脈
(SCA・AICA・PICA)
10mm
R
脳底動脈

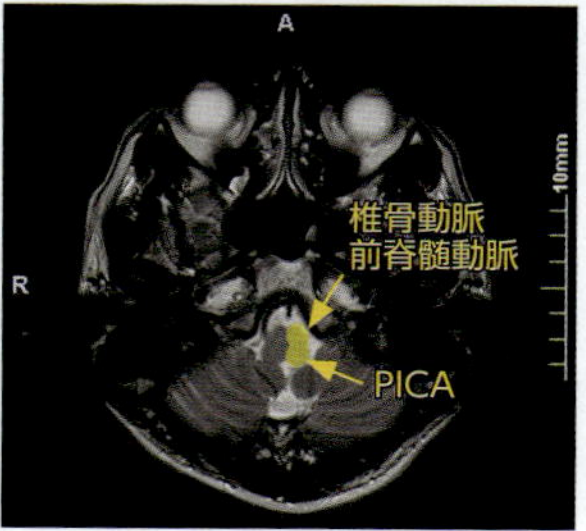
A
10mm
椎骨動脈
前脊髄動脈
R
PICA

COLUMN
脳梗塞局在診断の手引き

Step1. focal sign(脳全体の機能低下では説明できない症状のこと)を見つけ，日単位で発症特定可能なら脳梗塞を疑え！

focal sign とは？

✓**高次脳機能**：失語，半側空間無視など
✓**脳神経**：共同偏視，顔面神経麻痺など
✓**四肢**：片側 or 一肢の筋力低下，感覚障害，失調など
✓**立位と歩行**：体幹失調など

non-focal な症状の例

- 脳幹症状を伴わない意識障害
- 構音障害のみ
- 嚥下障害のみ
- 非回転性のめまいのみ

➡これらの場合は薬物，代謝，感染など全身疾患検索優先！

※ただし，片麻痺，半身感覚障害は必ずしもきれいな半身の形で出てこない
末梢神経障害と根障害パターンと紛らわしいこともある．病歴・経過から脳梗塞が疑わしければ画像確認が必要

Step2. 病歴から etiology を大まかに推定

- 活動時の突然発症や突発での症状完成は「塞栓性機序」を考える．塞栓性とは，artery-to-artery（頸動脈，椎骨動脈，大動脈弓の血栓が飛んで詰まる），心原性，奇異性などがある
- 一方，症状動揺性（よくなったり悪くなったり）や進行性増悪（だんだん悪くなる）の場合は「血栓性機序」を考える．つまり，穿通枝動脈の梗塞であるラクナ梗塞や BAD（branch atheromatous disease），またはアテローム血栓性を考える

Step3. 局在診断：focal signのパターンから，病変の部位，範囲を予測せよ！

原則：病変部は，できるだけ小さく想定し，極力1か所で説明をつけよ．

予測のとっかかりになる3つのcheck point！

❶ 皮質症状の有無

➡皮質症状とは，大脳皮質が障害された場合に起こる症状で，脳の機能の局在化によって典型的な症状が出る．代表的なのは，失語や失行(左大脳皮質障害)，失認(右大脳皮質障害)，意識障害(左右の皮質障害)である

❷ 脳神経症状の有無

✓脳神経症状・所見ある？

➡脳神経核の位置review！

❸ 運動麻痺と顔面神経麻痺・温痛覚障害パターン

✓片麻痺と対側の中枢性顔面神経麻痺

➡橋底部から橋被蓋の障害

✓特徴的な温痛覚障害ある？

・半身温痛覚障害＋その反対側の顔面温痛覚障害(交叉性感覚障害)

➡脳幹(延髄〜橋中部)の障害

・半側手掌，口周囲の温痛覚障害

➡視床の障害(手口症候群)

※ただし，手口症候群同様の症状は他部位でも起こりうる

✓片麻痺＋温痛覚障害の合併

➡脊髄or大脳内包後脚の障害(or MCA領域の比較的広範な梗塞)．錐体路と温痛覚路が近接するから

✓さらに，片麻痺と温痛覚障害が，

対側に出ている➡片麻痺側の脊髄病変の障害

同側に出ている➡片麻痺と反対側の大脳内包後脚の障害(or MCA領域の比較的広範な梗塞)

Step4. 確認：頭部 MRI-MRA で病変を確認し，予想どおりか？

「**Step2**」で示したのはあくまで典型例．予想外の場所にあるかも知れない．いずれにせよ，梗塞巣があるならば，その病変部位で症状の説明がつくかどうか．再度，神経の走行路と病変位置の照合を行う．

画像で，

✓皮質下や脳幹に <1.5 cm の小規模の梗塞像はラクナ
✓皮質，小脳，脳幹，皮質下に 1.5 cm を超える梗塞像ならアテロームか心原性
✓加えて MRA で主幹動脈 <50% の狭窄ならアテローム

Step5. 脳梗塞の背景にある病態にも思いをはせる

✓CRP 高値の脳梗塞➡感染性心内膜炎を想起
✓D ダイマー高値の脳梗塞➡ Trousseau 症候群を想起

MEMO

テント下梗塞疑いに対しては**“DWI coronal と BPAS と頸部 MRA の追加”**をしよう！ テント下梗塞は非常に見逃されやすい．BPAS とは basi-parallel anatomical scanning の略であり，斜台に平行に撮像した 20 mm 厚の heavily T2 強調像で，椎骨動脈～脳底動脈の外観が 1 枚で観察できる．BPAS で血管があるにもかかわらず，MRA で血流を認めなければ，椎骨動脈は解離/閉塞しているとわかる．

また，テント下梗塞は発症後，画像所見として現れるまで 48 時間程度の delay が起こりうる．そのため，症状があり，疑わしい場合は経過観察入院し，MRI を繰り返すことが推奨される．

トリアージで
考える

主訴別アプローチ編

トリアージとは？

患者の重症度に基づいて，治療の優先度を決定して選別を行うこと．

語源はフランス語の trier（分別する，選り分ける）で，ブドウなどの収穫の際に品質別に選り分ける作業に使われた．ナポレオン（Napoléon Bonaparte）の軍医総監 Dominique Jean Larrey がワーテルローの戦いで多くの負傷者を治療する際に治療の順番を決めたのが始まりとも言われている．

救急の場面でのトリアージとは，負傷者を重症度，緊急度などによって分類し，治療や搬送の優先順位を決めることであり，限られた資源を有効活用するために使用される．

通常判定結果は 4 色のマーカー付きカードで表示され，黒（死亡），赤（最優先治療群），黄（待機的治療群），緑（保留群）が標準とされる．

ここでは，**ER の内科救急の主訴別アプローチをトリアージの色（赤，黄，緑）に沿って分類し，解説する．** 各主訴の先頭部分に救急搬送までの 5 分でチェックできるポイントをまとめたので現場で役立ててほしい．

✓トリアージ **赤** ➡ 常に急ぐ主訴
✓トリアージ **黄** ➡ 急ぐこともある主訴
✓トリアージ **緑** ➡ 急がない主訴

心肺停止

何よりも絶え間ない心マと適切な除細動

救急搬送までの5分でCheck! アタマの中

エアロゾル対策を含めて感染防護の徹底を

事前情報でECPRの適応（⇒ p.103）

⬇

あらかじめ循環器＆ICU call

救命のサイクル

コロナ禍では**気道確保**（ビデオ喉頭鏡，ヘパフィルター，人工鼻）優先！

絶え間ない胸骨圧迫

VF/pulseless VT の患者	PEA/asystole の患者
• 迅速な除細動 • アドレナリン，アミオダロン，リドカインの投与を考慮	• アドレナリンの投与

6H6T の検索（⇒ p.102）

カテーテル室

診療のフロー

救急隊から確認すること

情報はホワイトボードに記載し共有する.

✓発見状況, 外傷の有無
✓最終生存確認時間
✓bystander CPR(偶然現場に居合わせた人による CPR)の有無
✓AMPLE(⇒ p.18)
✓家族の同伴有無, 連絡済みか否か, 来院可能か否か
✓搬送までの時間

CPR のフロー

✓感染防護(PPE の着用に関しては, COLUMN「COVID-19」項を参照⇒ p.226)

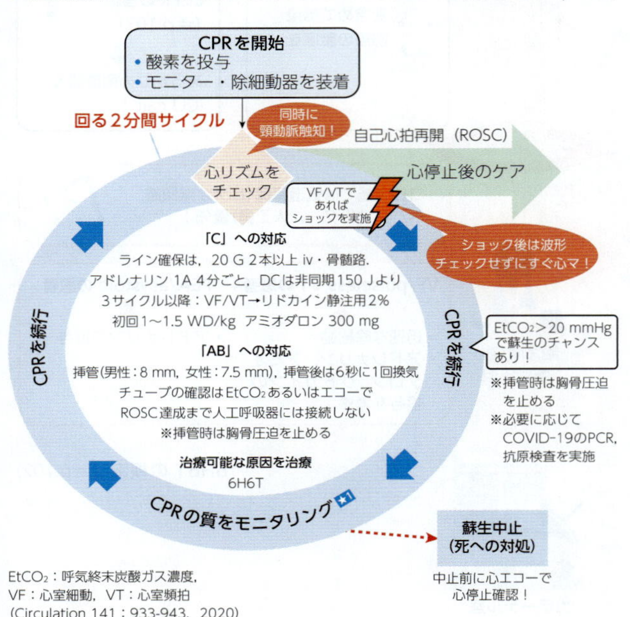

$EtCO_2$:呼気終末炭酸ガス濃度,
VF:心室細動, VT:心室頻拍
(Circulation 141:933-943, 2020)

蘇生現場のイメージ図

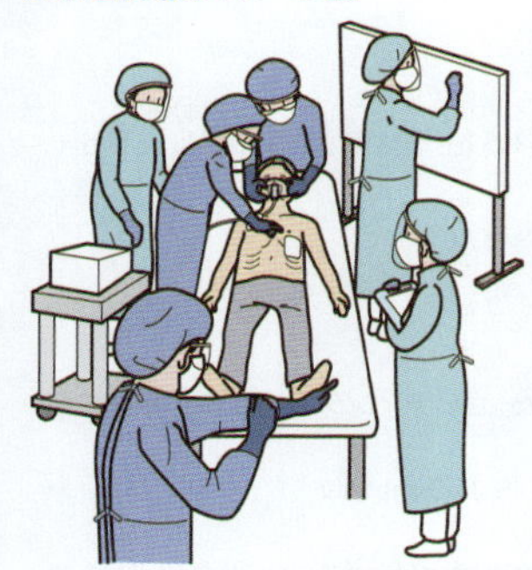

ホワイトボード記載例

時間	波形	DC/薬剤	その他
8：15 覚知			
8：20 現着	PEA		
8：23 現発			
8：30 病着	VF	DC 150J	
8：31			右前腕ルート
8：32	VF	DC 200J	挿管
		Ad 1A	(8 mm, 23 cm固定)
8：34	VF	DC 200J	
		Ami 300 mg	・・

蘇生チームをうまく機能させるために，不在の担当部署を見つけて速やかにサポートせよ！

Ad：アドレナリン，Ami：アミオダロン．

※エアロゾル対策として，挿管後は挿管チューブから人工鼻を決して外さないよう注意する！

★1 high quality CPR とは？

“push fast” ➡ 100〜120/分*
“push hard” ➡ 中断 10 秒以内，5 cm 以上 6 cm 以下
“complete recoil” ➡ 胸郭完全戻す
“avoid excessive ventilation” ➡ 過換気避けよ

＊　100〜120/ 分のテンポの曲：「アンパンマンマーチ」や「世界に 1 つだけの花」など

心拍再開後

ROSC 後ケアを以下に示す (1 分以上持続する自己心拍を確認)．

- □ 心電図測定
- □ 血圧測定
- □ 心エコー施行
- □ 検査提出
- □ 胃管挿入
- □ 人工呼吸器装着
- □ CCU コンサルト (CAG/PCI 適応)
- □ ICU 入室の有無確認
- □ 全身 CT 施行 (頭，胸，腹)
- □ 体温管理療法施行 (34〜36℃で管理)
- □ 胸部 X 線で挿管，胃管の位置確認 (カテーテル室でも可)

ROSC後バイタルサイン不安定時

- □ 薬剤準備
- □ 血圧低値 ➡
  - NA（ノルアドレナリン） 1 mL ＋ NS（生理食塩水） 9 mL（ルート分＋2 mL フラッシュ）
  - ドブタミン塩酸塩（低左心機能時）
- □ 徐脈 ➡
  - 硫酸アトロピン 1 A iv
  - 経皮ペーシング
    （デマンドモード，心拍数 70 回/分セッティング 0 mA より徐々に電流アップしていく）
  - プロタノール®L 注 1 mg 1 A ＋ NS 100 mL div
- □ QT 延長 ➡ マグネゾール® 20 mL iv
- □ 中毒 ➡ 局所麻酔薬や三環系抗うつ薬中毒では，ILE（イントラリポス®輸液 20% 100 mL 1 分かけて全開，その後 18 mL/時で div）

PEA（無脈性電気活動）では治療可能な原因（6H6T）を探せ！

- hypovolemia：循環血液量減少
- hypoxia：低酸素血症
- hypothermia：低体温
- hyper/hypokalemia：高・低 K 血症
- hydrogen ion：アシドーシス
- hypoglycemia：低血糖
- tamponade：心タンポナーデ
- tension px：緊張性気胸
- toxins：薬物中毒
- thrombosis, pul：肺塞栓
- thrombosis, coronary MI：心筋梗塞
- trauma：外傷

Q 「ECPR って何ですか？ 適応についても教えてください」

A わが国の院外心肺停止患者は毎年 10〜11 万人発症し，このうち心原性心停止が約 60%を占めています．心原性心停止患者の社会復帰率は高いとされていますが，それでも目撃者のいるケースで 6〜7% と極めて低いのが現状です．

このような症例に対する専門的な蘇生治療の 1 つに，近年人工心肺装置(V-A ECMO) を用いた体外循環式心肺蘇生(extracorporeal cardiopulmonary resuscitation：ECPR)が行われています．鼠径部の大腿静脈から脱血して大腿動脈に送血するというシンプルな方法ですが，多くの準備と人手が必要なので早期に適応の有無を判断する必要があります．通常の CPR よりも有意に高い神経学的予後良好をもたらします．しかし，2022 年現在では COVID-19 流行を受けて導入基準はかなり制限されている状況です．

■ ECPR の適応

以下の❶〜❼のすべてを満たす場合〔洛和会音羽病院(以下，当院)の例〕

❶ 16〜75 歳未満
❷ 初期波形 VF/PulselessVT
❸ bystander CPR(＋)
❹ 普段の ADL が良好(と考えられる)
❺ 心肺停止時間から病院到着までが 30 分以内
❻ 病院到着時心肺停止状態
❼ 標準的 CPR 開始から 15 分以上心肺停止が持続

■ 除外基準

- □ 外傷，出血性ショック，一次性頭蓋内疾患，診断のついている急性大動脈解離
- □ デバイスのルートがない(両側大腿動脈閉塞，IVC フィルター留置症例など)
- □ 家族・同伴者の同意が得られないもの
- □ DNAR・終末期患者

「小児や妊婦の心肺停止では成人とどの点が異なるのですか？」

A どちらも基本方針は変わりません．**重要なのは絶え間ない胸骨圧迫と迅速な除細動**です．

小児では呼吸要因による心肺停止が多いです．胸骨圧迫の深さが胸の厚さの1/3になります．また，乳児（1歳未満）では1人法なら2本の指で，2人法なら2本の親指を用いる胸郭包み込み法を行います．換気のタイミングは2〜3秒に1回となります．

VF/pulselessVTでの除細動は初回2 J/kg，2回目は4 J/kg，3回目以降はそれ以上で10 J/kgを超えない範囲で増量します．状態の悪い患児で適切な酸素化や換気実施しても脈拍が60回/分未満＋循環不全なら「CPR開始」となるのも注意点です．

妊婦では，

- 子宮が下大静脈と大動脈を圧迫し，静脈還流量と心拍出量を抑制してしまうため**用手的子宮左方転位**や左側臥位を試みる
- **早期に確実な人工呼吸**を行う．挿管チューブは1サイズ小さいものを選択する．基本的に挿管困難（full stomach症例）として輪状軟骨圧迫などの対応を行う
- 子宮によって横隔膜が押し上げられているため**胸骨圧迫部位を通常よりやや頭側**にする
- CPR前から**Mgが投与されている場合は，Mg投与中止とカルチコール® 注（8.5%）30 mL iv**を行う
- **4分間反応がなければ，**母体救命のため**死戦期帝王切開術**を考慮する

などがポイントとなります．

Q 「すぐに気管挿管できないときはどうしたらよいですか？」

A 『JRC 蘇生ガイドライン 2020』（医学書院）では，CPR 中にバッグ・バルブ・マスク（BVM）換気あるいは高度な気道確保を行うことが提案されています．高度な気道確保として声門上気道デバイス（ラリンゲアルチューブ，i-gel®）と気管挿管があります．BVM 換気は気管挿管と比較して神経予後に大きな差はなく（JAMA 319：779-787，2018），気管挿管の成功率が低い場合では声門上気道デバイスのほうが気管挿管と比較して 72 時間生存率が高かったという報告（JAMA 320：769-778，2018）もあります．つまり，気管挿管が仮にすぐできなかったとしても，BVM 換気がしっかりできればよいと言えるでしょう．

BVM 換気のコツは，母指・示指が「C」の形になるよう，患者の鼻と口をしっかり覆うようにマスクをあて，中指・環指・小指が E の形になるよう患者の下顎にかけて，十分に顎を挙上させ，気道確保をする「EC 法」です．正しく換気できているか，1 秒かけて胸が上がる程度に換気し，胸郭が挙上し，SpO_2 が上昇しているかしっかり確認しましょう．

■ **声門上気道デバイス（ラリンゲアルチューブ，i-gel®）使用時の様子**

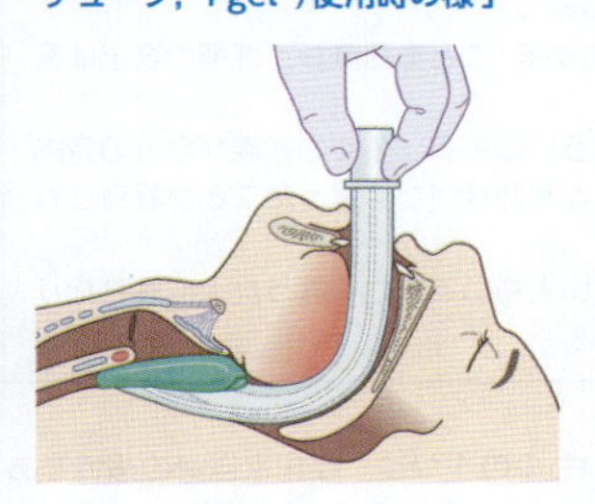

■ **EC 法**

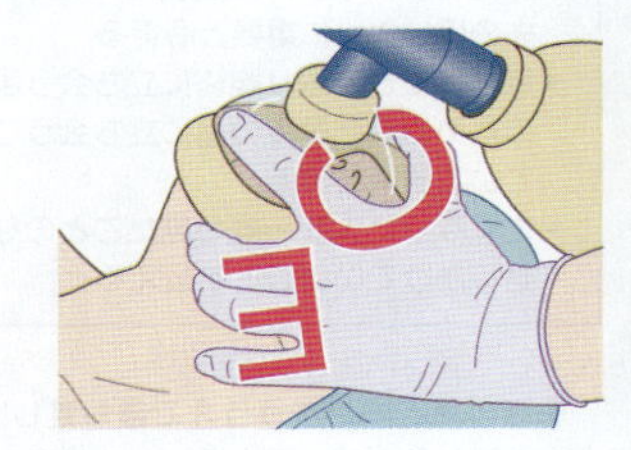

Q 「患者の死亡をうまく家族に伝えるにはどうしたらいいですか？」

A ERでの患者の死の告知は家族との信頼関係を築くことなく突然訪れるため非常に困難を伴います．**どんな症例にも適合する正解などありません**が以下に数点ポイントを記載しておきます．

- 話す前に，伝えることをきっちり決める
- 電話の場合は，家族がすぐに来られそうなら電話越しに死を告げないでまず病院に来てもらう（どうしても病院到着までかなり時間がかかってしまう場合は電話で告げることもある）
- 告知の際は周りの人に聞こえない落ち着いた場所を用意し，携帯電話はできるだけオフにし，しばらく他の患者を診察できないことを伝えておく
- 自己紹介を行い，一緒に椅子に座る．悪い知らせがあることを落ち着いたゆっくりとした口調で伝える
- 家族にどこまで知っているか聞く．すでに死亡を知っている場合は速やかに死亡を告げる．まだ知らない場合は簡単に状況説明から開始する．死亡を伝えるときは「もう帰ってきません」などの間接的な表現ではなく「亡くなった」と明確で直接的な表現を用いる
- 沈黙を恐れない．“悲嘆はプロセスである”ことを認識し，感情の表出は喪失の受け入れに重要と心得る
- 家族にできる限り臨終に立ち会うように勧める．多くの家族が自分の身内のための心肺蘇生の場に立ち会うことをありがたく思ったことが報告されている研究もある
- 亡くなった人を一度も見たことのない人もいる．亡くなった人に触れたり話しかけていいことを伝える

患者の死と向き合ううえで最も難しいものの1つは，臨床家自身の感情であるとも言われます．蘇生チームで症例の振り返りを行うことも重要でしょう．

多発外傷

外傷もやっぱり準備が大事

救急搬送までの5分でCheck! アタマの中

受け入れ準備を整える！

PPE

＋

ポータブル X 線

＋

エコー

＋ 外傷チーム

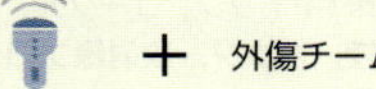

Primary Survey

✓ABC の安定化
✓TAF3X（⇒ p.111）の検出と介入

Secondary Survey

✓頭～爪先までチェック
✓頸椎保護注意！
✓CT は「死（C）のトンネル（T）」

DCR*

☑ 保温
☑ 低血圧許容，輸液制限
☑ トラネキサム酸投与，Ca 補充
☑ 輸血と一時止血

＊ DCR：damage control resuscitation（ダメージコントロール蘇生術）

手術（1 時間以内）

IVR (Interventional Radiology)

診療時のひとことメモ

✓研修医はまず1人でprimary surveyがしっかりできれば合格．“ABC”で異常があればその時点で各処置を行い次に進まない！ 途中でバイタルサインに変化があったらAに戻れ！ ABCが安定するまでCT室へ行かない

診療のフロー

外傷患者の収容の準備

✓リスク受傷機転★1か否か
✓人の招集，モニター，蘇生器具準備（IVRや，opeの適応は？）
✓感染対策（キャップ，ゴーグル，マスク，手袋，ガウン，放射線プロテクター装着）
✓エコー・ポータブルX線・CT準備
✓チームの役割分担
✓輸液を温める（HOTLINE®などの使用）
✓初療室の温度上昇（Warm Touch®などの使用）

★1 リスク受傷機転

✓同乗者の死亡した車両事故
✓車外に放出された車両事故
✓車の高度な損傷をみとめる車両事故
✓車に轢かれた歩行者，自転車事故
✓5 m以上もしくは30 km/時以上の車に跳ね飛ばされた歩行者，自転車事故
✓運転手が離れていたもしくは30 km/時以上のバイク事故
✓高所からの墜落（6 m以上または3階以上を目安）
✓体幹部が挟まれた
✓機械器具に巻き込まれた
※小児：高所からの墜落（身長の2～3倍程度の高さ）

外傷診療のフロー

第一印象 & MIST（mechanism/injury/sign/treatment）を整理
✓頻脈・呼吸の速さ・冷汗をチェック

▼

Primary survey

A（C）BCDE：“とにかくABC安定化させ，TAFな3Xのみ否定”

移動させ，酸素・ルート・モニター．全脊柱固定は頭から外していく（カラーは外さない）！

A（気道）➡**「発語あるか？」**→あれば気道開通OKとして酸素100%（リザーバーマスク15 L）のみ．
ない場合は吸引→気道確保→頸椎固定しつつ挿管（気道閉塞，換気不能，ショック，GCS≦8）．

C（頸椎保護）➡ **頸椎カラー装着**確認（特に意識障害，鎖骨より上の外傷，頸部痛，中毒，高エネルギー外傷）．

B（呼吸）➡ 2人以上で頸椎カラーを外し，気管偏位・皮下気腫・頸静脈怒張の有無を確認してすぐに再固定．胸の動きを見て，側胸部のみ聴診．呼吸数を数え，両手で包み込んで礫音・動揺・皮下気腫を確認．超致死的胸部外傷**「TAF3X」** ★2 **を除外**し，見つけたらすぐに介入せよ！

C（循環）➡ ① ショックの同定：「頻脈＋冷汗，頻呼吸」は**急いでライン確保**（できるだけ上肢≧2本，≧18 G）採血で血算・生化学・血液ガス・血液型・クロス採取．トラネキサム酸1g混注

② 外出血の止血：**圧迫止血**

③ 体内の出血源検索：**ポータブルX線（胸部・骨盤）とFAST**（「腹部エコー」項を参照⇒ p.53）

→ r/o 心タンポナーデ，腹腔内出血，大量血胸，多発肋骨骨折，不安定型骨盤骨折

生理食塩水（NS）で初期輸液開始！ 成人1L，小児20 mL/kg 場合によってはNA併用（FAST陽性：血圧<90 mmHg，心拍数>120回/分，穿通外傷）が2項目以上の場合は輸血考慮．重症例ではRBC（O型）に加え，FFP（AB型）投与や血小板輸血も

※不安定型骨盤骨折 → シーツを回して左右から2人で締め上げコッヘルで固定

D（神経）➡ **3L = Level of consciousness, Light reflex, Laterality（GCS，瞳孔径・対光反射，四肢左右差）チェック**を行う．眼を見て「わかりますか？」と尋ね，両手同時に「握って離して」もらう．脊髄損傷患者は舌の動きで評価する．「切迫するD → GCS≦8（経過中のGCS≦2）or 脳ヘルニア症状＋」なら → ① 気管挿管，② Secondary surveyの初めに頭部CT，③ 脳神経外科call.

E（環境管理）➡ **脱衣，創の確認，体温測定 → 低体温予防．**

Secondary survey

✓「バイタルサイン安定＋切迫するD」あれば，最初に頭部CT（全身CT考慮，頸椎含む）

✓**AMPLE チェック**(アレルギー，薬剤・既往歴・妊娠，最終経口摂取，受傷状況)

✓**頭の先から足先，背中も含めてチェック**→log roll 法，骨盤骨折ありなら log lift 法

頭部➡頭蓋底骨折(頭部の変形・パンダの目，バトルサイン，髄液鼻漏・耳漏，鼓膜内出血)，眼損傷・陥没骨折，顔面骨折(舌圧子噛ませてひねる)を検索.
脳ヘルニア徴候(血圧↑，心拍数↓，瞳孔不同，意識レベル低下，麻痺進行)→頭部 CT 急げ！

頸部➡棘突起圧痛，気管偏位，頸静脈怒張，皮下気腫，血管損傷
脊髄損傷〔四肢対麻痺，paresthesia(正座後のような強いしびれ感)，勃起の有無〕.
※上肢優位麻痺の中心性頸髄損傷を見逃すな！ 非骨傷性のこともある！

胸部➡側胸部のみ聴診．胸の動き見て，胸骨や鎖骨・肋骨も 1 本 1 本しっかり触診→致死的胸部外傷**「PATBED2X」**★3**を除外.**

腹部➡再度**出血**ないか，もう 1 回 FAST.
腹膜炎ないか腹部聴診，腹膜刺激症状(意識障害・中毒・頸髄損傷・精神疾患などでは微妙).
※シートベルト痕の 30%に臓器損傷あり．胃十二指腸損傷，膵損傷，腰椎骨折のリスク．バイタルサイン安定していれば造影 CT，外科コンサルト，IVR call

骨盤/会陰➡

- もう 1 回 X 線で「骨盤輪の破綻，恥骨結合離開≧2.5 cm，仙腸関節離開≧1 cm」確認
- 1 か所骨盤骨折見つけたら対側も確認，**X 線正常なら用手診察 1 回**
- バイタルサイン安定していれば造影 CT
- 必要に応じ創外固定(整形外科)，IVR(放射線科)，後腹膜ガーゼパッキング(外科)
- 尿道口出血の有無，直腸診(肛門トーヌス，前立腺浮動の有無)で会陰損傷と脊髄損傷を確認

四肢➡変形，骨折部の末梢の血行・感覚チェック．関節内骨折，開放骨折のチェック.

神経➡GCS，瞳孔，脳神経，筋力，感覚，腱反射のチェック.

背部 ➡ 頭部保持者の合図で「1，2，3」の掛け声で背面確認．腹側に戻したらバイタルサインとチューブ類を確認する．

✓FIXES

- F (fingers & tubes)：すべての穴に指と管を → 直腸診，耳鏡，胃管，温度センサー付尿バルーン
- I (iv & im)：輸液，輸血，腹部外傷ならセフメタゾール 2 g div，それ以外はセファゾリン 2 g div，破傷風トキソイド im
- X (X 線，CT)：胸部，骨盤，頸椎 3 方向（正面，側面，開口位）＋受傷部位．高エネルギー外傷なら全身 MD-CT
- E (ECG)：12 誘導心電図
- S (splint)：骨折部シーネ固定

※経鼻胃管禁忌 → 前頭蓋底骨折（パンダの目，髄液鼻漏），潰れた顔面外傷

※尿バルーン禁忌 → ① 陰嚢血腫，② 前立腺高位浮動，③ 尿道出血，④ 大きな会陰裂創，⑤ 大きな骨盤骨折

※ Secondary survey 終了後，X 線で異常ないか重篤な受傷機転がなければカラーを除去可能．まず能動的に左右に動かしてもらい次に座位で前後屈し，痛みがないか確認．痛みを伴うようならカラーを継続し CT，MRI

★2 TAF3X：超致死的胸部外傷

以下の外傷は**絶対暗記**！

- □ cardiac Tamponade（心タンポナーデ）
  →心嚢穿刺
- □ Airway obstruction（気道閉塞）
  →気道確保
- □ Flail chest（フレイルチェスト）
  →しっかり鎮痛，ケタミン（ケタラール®）*で鎮静下に挿管
- □ Tension ptX (pneumothorax)（緊張性気胸）
  → X 線まで待てなければ第 2 肋間中央に穿刺．第 5 肋間腋窩中線にドレーン挿入
- □ open ptX（開放性気胸）
  →創部 3 辺テーピング，ドレーン挿入
- □ massive htX (hemothorax)（大量血胸）
  →輸液/輸血とドレーン（28 Fr 以上）挿入

★3 PATBED2X：致死的胸部外傷

- □ Pulmonary contusion（肺挫傷）
- □ Aortic disruption（大動脈損傷）
- □ Tracheo-bronchial disruption（気道気管支断裂）
- □ Blunt cardiac injury（鈍的心外傷）
- □ Esophageal disruption（食道断裂）
- □ Diaphragmatic herniation（外傷性横隔膜ヘルニア）
- □ ptX（気胸）
- □ htX (hemothorax)（血胸）

＊ ケタラール®の使い方：
50mg/5mL のバイアル
onset は 45～60 秒，作業時間は 10～20 分
降圧効果が少ない鎮静薬であり，呼吸抑制も少ない
頻脈や ACS，大血管疾患には禁忌．喉頭けいれんに注意
1～2mg/kg で使用
唾液分泌量が多い場合はアトロピン使用

骨盤 X 線チェックポイント

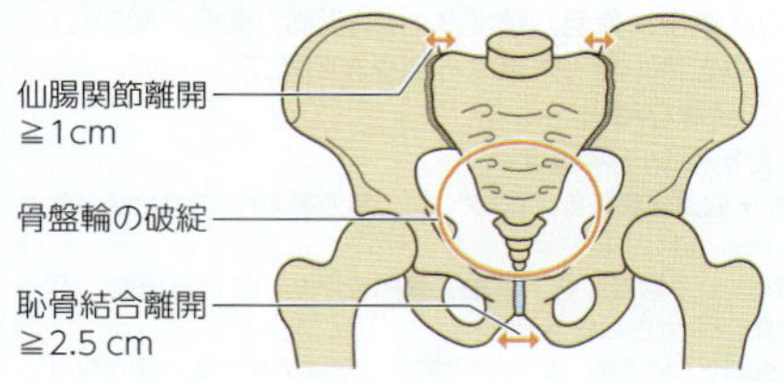

deadly triad（外傷の死の 3 徴）

❶ 低体温 <35℃，❷ 代謝性アシドーシス（pH<7.2, BE<−8 mmol/L），❸ 凝固障害（これが出たら死亡率 85%）

➡ 1 つでもあれば以下の DCR（damage control resuscitation）が必要．

DCR（ダメージコントロール蘇生術）

- ✓ permissive hypotension（収縮期血圧 70～100 mmHg）
- ✓ 輸液制限
- ✓ massive transfusion protocol（RBC：FFP：PC＝1：1：1）
- ✓ 保温（室温，加温輸液，加温ブランケット）
- ✓ トラネキサム酸（トランサミン®）投与（1 g iv → 1 g を 8 時間投与）と Ca 補正
- ✓ damage control surgery（蘇生的止血術）：受傷から 1 時間以内が golden hour

■チームでの外傷ケアのイメージ図

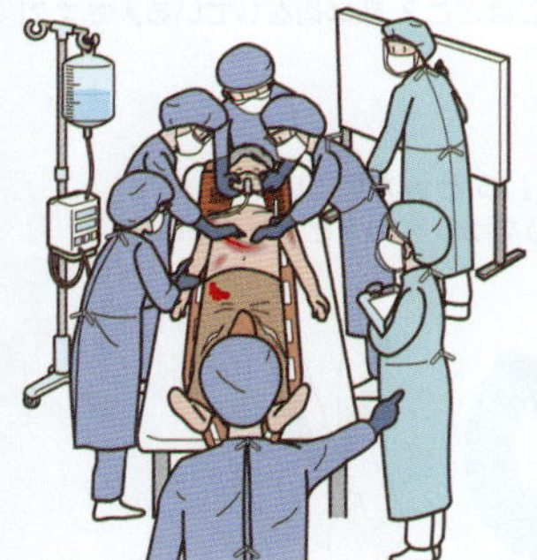

チームをうまく機能させるために，不在の担当部署を見つけて速やかにサポートせよ！

Q&A

Q 「外傷診療での pitfall は何ですか？」

A 頻度順では，気道確保が不十分，ショックへの不十分な対応，頸椎保護が不適切，派手だが生命にはかかわらない外傷に気をとられる，などがあります．

どんなにパッと見で軽症そうであっても，**Primary survey をしっかりやらないと足元をすくわれることがあるので注意**してください．

Q 「GCS（Glasgow Coma Scale ⇒ p.469）が覚えにくいのですが……」

A GCS は JCS（Japan Coma Scale）に比して**重症の意識障害患者の予後を反映する**と言われていますが，スコアリングを覚えにくいのが難点です．イメージを使って覚えるといいでしょう．

Eye：開眼反応

「眼を開けてください」→「痛み刺激」

E4：自発的に開眼

E3：word（言葉）により開眼（**3 と w が似ている**）

E2：痛みにより開眼（**2 ＝痛**）

E1：開眼しない

Verbal：最良の言語反応

「わかりますか？」→「今日はいつ？ ここはどこ？ 私は何をしている人です？」
(挿管中は VT と表記し 1 点に換算)
V5：見当識あり (**time, place, person**)
V4：混乱 (time, place, person が)
V3：不適当な言葉 (word) のみ「ハーイ」(**3 と w が似ている**)
V2：無意味な発声，「うー，うーのような唸り声」(**2 と v が似ている**)
V1：発声なし

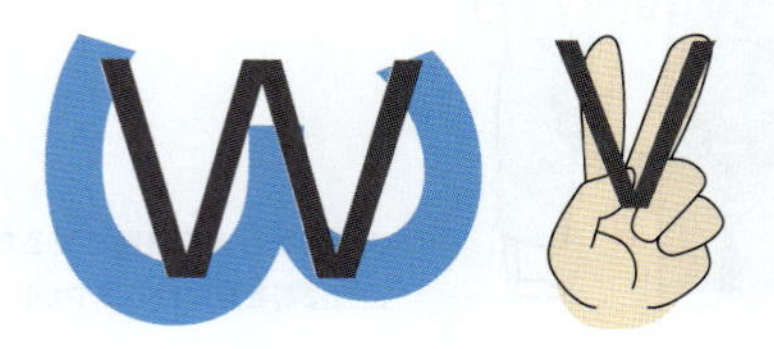

Motor：最良の運動反応

「手を握ってください，離してください」→ 痛み刺激
M6：指示に従う (**OK と指で 6 を作る**)
M5：痛み刺激部位に手をもってくる (**5 本指をもってくる**)
M4：爪を押すと脇をあけて手を引っ込める (**形が 4 に似ている**)
M3：痛み刺激で除皮質肢位 (**両手背を胸の前で合わせて 3 を作る**)
M2：除脳硬直肢位 (**横からみると腕の形が 2 に似ている**)
M1：全く動かない (**全身の形が 1**)

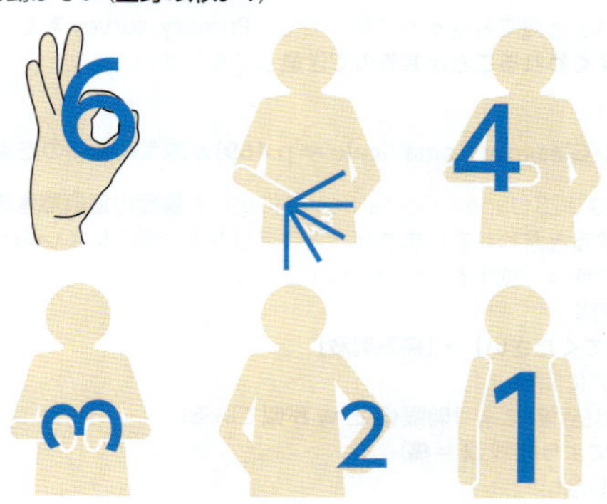

Q「外傷患者の全身 CT の読影のポイントは何ですか？」

A 外傷患者での CT 読影では，今まさに出血しているかどうか，この後に IVR や手術を行う必要があるかどうか，いったん初療室に戻って引き続き評価を継続すべきかの素早い判断のために行われます．

これを 3 分以内，すなわち患者が CT 寝台にいるうちに判断する読影方法が FACT (focused assessment with CT for trauma) です．

読影の手順は以下のとおりです．異常所見を見つけても立ち止まらずに全身を一気に評価していきましょう．

FACT

✓頭部で，**緊急開頭術が必要な頭蓋内出血の有無**を確認．蚊取り線香のように脳表面から深部へとぐるぐる読影する
「頭皮 → 頭蓋骨 → 脳表 → 脳実質 → 脳室 → 脳槽 → 正中偏位の有無」
✓次に肺動脈レベルの高さへ移動して，**大動脈損傷や縦隔血腫の有無**を確認
✓そのまま肺野条件に変更し**広範な肺挫傷**がないか眺めながら肺底部に至る
✓肺底部で**血気胸**の有無を確認
✓その後，一気に下がって**直腸膀胱窩の液体貯留の有無**を確認
✓続いて骨条件に変え，骨盤底部から頭側に向かって観察しながら**骨盤・椎体骨折の有無**を確認
✓上腹部に達したら**脾臓，肝臓，腎臓，膵臓，腸間膜損傷の有無**を確認

ショック

早期認知！ 早期対応！

救急搬送までの
5分でCheck!
アタマの中

ショックの認識
頻脈，頻呼吸，四肢冷感や冷汗，低血圧，網状皮疹など

人を集め，
酸素・ルート・モニター・保温

鑑別は“ショック感電”
(⇒次頁)
SHOC(K)ANDEN

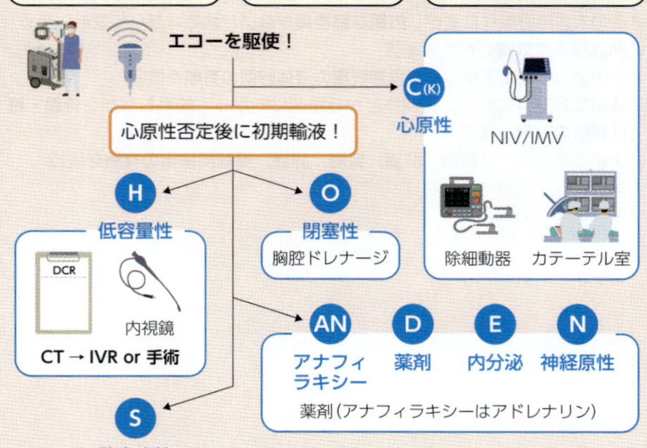

S
敗血症性

ドレナージ目的の手術や内視鏡も検討

血液培養
2セット

薬剤

抗菌薬は
1時間以内に！

診療時のひとことメモ

✓「ショック＝血圧低下」ではない.「臓器低灌流状態で，その結果，細胞機能障害および細胞死を伴うもの」というのが正しい定義．“ABC”の「Cの異常」であり，是正しなければ確実に致命的となる．6時間以内の離脱が死亡率改善につながるので急げ！

診療のフロー

はじめの5分でやることリスト

❶ まず，人を集める！「ショックの人がいます！」
❷ OMI(⇒p.14)と同時に血液ガス，採血，血液培養　尿カテーテル留置し，尿検査・培養
❸ 細胞外液100 mL/時で投与開始とエコー！
r/o 緊張性気胸 ➡ 肺エコー(⇒p.56)でAラインとlung sliding消失ないか？　できる限りX線で確認してから急速脱気(ベースの肺の状態を把握したい)
r/o 心原性ショック，心エコー(⇒p.47)で心嚢水貯留や右心負荷所見ないか．肺塞栓 ➡ 昇圧薬やt-PAなど考慮
❹ 緊張性気胸，心原性ショック，肺塞栓．除外されたら1～2 Lの初期輸液
❺ アナフィラキシーが疑われたらボスミン® 0.3 mgを大腿外側に筋注
❻ 出血が疑われたらRBC，FFP早めに確保

※ショック患者を前にしたとき，まずは「補液で改善しうるもの」と「補液で改善しないもの」に分類していく，と考えるとわかりやすい

鑑別疾患

鑑別は**SHOCK(K)ANDEN(ショック 感電)**で行う.

S：Sepsis(敗血症性)
H：Hypovolemic(低容量性)
O：Obstructive(閉塞性)
C(K)：Cardiogenic(心原性)
AN：ANaphylaxis(アナフィラキシー)
D：Drug(薬剤性)
E：Endocrine(内分泌性)
N：Neurogenic(神経原性)

r/o
心タンポナーデ
肺塞栓
緊張性気胸(→特殊手技や投薬)
心原性ショック(→大量補液がリスク)

→ **特殊手技(心嚢穿刺，急速脱気)や薬剤投与など**

※いずれも頸静脈怒張きたす

▼ 初期輸液

r/o
アナフィラキシーショック
出血を含む低容量性ショック
敗血症性ショック

→ **薬剤投与，輸血，デブリなど**

※透析患者，低左心機能患者など輸液がためらわれる血圧低値患者では passive leg rising test でボリューム負荷が効果があるか推測する

▼

r/o
他の特殊なショック
(副腎不全，電解質異常，薬剤，脊髄損傷など)

「徐脈＆ショック」の患者では鑑別が絞りやすいため「**VF AED ON！**〔心室細動(VF)を見たらすぐに AED でショックせよ！〕」のゴロで覚えておく．

■ 徐脈＆ショックの鑑別：「VF AED ON！」

Vasovagal reflex	迷走神経反射
Freezing	低体温
AMI, **A**dam-stokes, **A**cidosis	右室・下壁梗塞，Adams-Stokes 失神，アシドーシス
Endocrine, **E**lectrolyte	副腎不全，粘液水腫，高 K・Mg 血症
Drug	β遮断薬，Ca 拮抗薬，ジギタリス(「BCD」で覚える！)
Oxygen	低酸素
Neurogenic	脊椎損傷

「敗血症と敗血症性ショックの違いは何でしょうか？ また，敗血症患者の診療のポイントも教えてください」

ERで高頻度に遭遇するショックの原因は敗血症です．まずはしっかり定義を押さえておきましょう．

2022年現在，**「敗血症」**とは，**「感染症に対する患者本人の無調節な免疫反応によって致命的な臓器障害を呈する病態」**と定義されており，臓器障害とは急性のSOFA〔sequential (sepsis-related) organ failure assessment〕≧2点の変化で定義されています(JAMA 315：801-810, 2016)．

ベッドサイドやERでは，SOFAスコアの代わりに簡便な**qSOFA (quick SOFA)で評価するとよい**とされています．

qSOFAとは以下の3項目(各1点)で臓器障害を評価するものです．

① **呼吸数≧22回/分**

② **意識障害(GCS≦14)**

③ **収縮期血圧≦100 mmHg**

これが2点以上で1点以下より死亡率が3〜14倍に跳ね上がると言われています．しかし，残念ながらSn 32%と低い報告(Scand J Trauma Resusc Emerg Med 25：56, 2017)もあったため，敗血症診療国際ガイドライン(SSCG) 2021では“あくまでもスクリーニング利用にとどまるべき”と推奨度が低下しました．

一方，**「敗血症性ショック」**とは，「敗血症の一部であり，敗血症患者において，循環動態，細胞，代謝機能の異常が重度であり，大幅に死亡リスクが上昇する病態」と定義されており，具体的には「敗血症患者で**十分な補液(細胞外液30 mL/kg程度)を行っているのにもかかわらず，MAP〔＝(収縮期血圧－拡張期血圧)/3＋拡張期血圧〕≧65 mmHgが達成できない場合や，乳酸値＞2 mmol/L (18 mg/dL)のままである場合**」を指します．このときは死亡リスクは40%以上まで上がります．

敗血症を疑うもののショックを伴わない場合は，とにかく体に必要な水分を行き届かせて，感染症のコントロールを行いましょう．そして，早期に必要な培養を採取し，**3時間以内に適切な抗菌薬を開始**します．βラクタム系抗菌薬では初回ボーラス投与後に投与時間延長を行います．さらに，場合によっては感染症治療の要であるデブリドマンや手術も考慮します．

上記のように，**初期輸液の後も循環障害が続いていれば「敗血症性ショック」**となるため，輸液だけでなく末梢血管を締める目的で昇圧薬として**ノルアドレナリン(NA)**を使いましょう．初期蘇生の項目として毛細血管再充満時間(CRT)が簡便で利用が推奨されるようになりました．

なお，敗血症のガイドラインは，クリティカルケアの世界で定期的に定義が変更されますのでこまめにチェックしておきましょう．

当院でのクリティカルケア循環管理の流れ（敗血症性ショック）

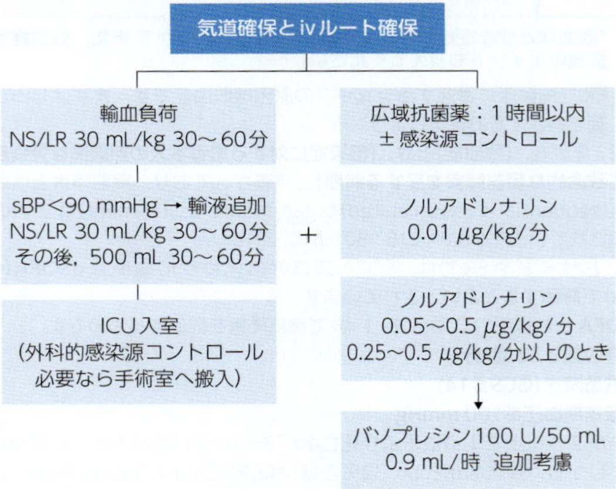

NS：生理食塩水，LR：ラクテック®などの乳酸リンゲル液，sBP：収縮期血圧．

（参考：大野博司：ICU/CCUの急性血液浄化療法の考え方，使い方．中外医学社，2014/
Intensive Care Med 47：1181-1247，2021）

呼吸困難

息苦しさはどこからやってくるのか

救急搬送までの
5分でCheck!
アタマの中

エアロゾル対策を！

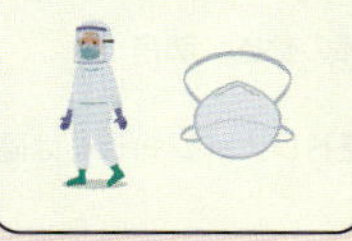

バイタルサイン，
チアノーゼ，喘鳴，
頸静脈怒張，
胸郭の動き，肺音
のチェック！

鑑別は“ABC＋α”
気道系，呼吸器系，
循環器系，その他
治療は脱気か，
陽圧換気か

酸素化が悪ければ
早期介入

検討する検査など

エコー

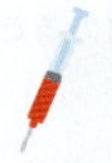

ABG

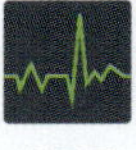

心電図

ポータブルX線

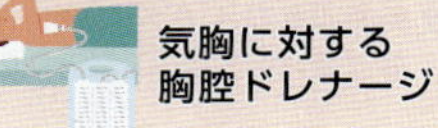

気胸に対する
胸腔ドレナージ

陽圧換気

NIV/HFNC

気管挿管→IMV

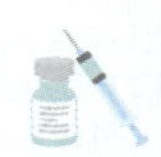

薬剤

診療時のひとことメモ

✓「病歴では onset が重要 → 突然発症なら肺血栓塞栓症，気胸，アナフィラキシーを考慮．喘息やうっ血性心不全では数分〜数時間で増悪してくる．肺炎や胸膜炎なら通常 1 日以上のタイムラグあり

診療のフロー

はじめの 5 分でやることリスト

✓救急要請時に酸素化が悪い場合は，インターベンションを考え N95 着用，エコー準備，NIV 準備，胸腔ドレナージ準備
✓ABC-VOMIT アプローチ(⇒ p.13)
✓チアノーゼ，吸気性・呼気性喘鳴，頸静脈怒張，胸郭の動き，肺音
✓鑑別に有用なのは簡易心エコーと肺エコー
✓酸素化が悪い状態では早期の介入を検討する！ 胸腔ドレナージもしくは陽圧換気
✓病歴では onset が重要

鑑別の進め方

「気道 → 肺 → 心臓 → その他」の順で段階を追っていきながら鑑別に必要な検査を追加する．

検査

Primary survey

上記リストとほぼ同時に行う！

➡ 動脈血液ガス(ABG)分析，血液検査(BNP，心筋酵素，D ダイマーなどを含む)，心エコー，肺エコー，胸部 X 線，心電図

▼

Secondary survey

➡ CT

➡ 呼吸を改善する手段としては 2 つのパラメーターに分けて考える．
酸素化(SpO_2)を改善：F_IO_2 と PEEP
換気($SpCO_2$)を改善 ：呼吸数と 1 回換気量

鑑別疾患

r/o

- 気道異物
- アナフィラキシー
- killer sore throat
- 緊張性気胸
- 気管支喘息大発作
- COPD 急性増悪
- 肺塞栓

▼

r/o

- ACS
- 急性心不全
- 心筋炎
- 肺炎
- 肺癌
- 胸膜炎
- 間質性肺炎　など

▼

r/o

- 扁桃炎
- 貧血
- 中毒
- Guillain-Barré 症候群
- 腹水貯留
- 過換気症候群　など

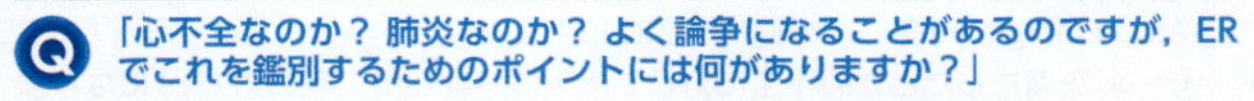

Q 「心不全なのか？ 肺炎なのか？ よく論争になることがあるのですが，ERでこれを鑑別するためのポイントには何がありますか？」

A 心不全とは，「心臓のポンプ機能低下により末梢主要臓器の酸素需要量を供給できていない状態」のことを指します．つまり，その誘因には様々なものがあり，肺炎などの「感染症が誘因で発症する心不全」も当然あるわけです．

呼吸困難を主訴に来院した患者に心不全が存在しているか否かには，様々な判断のポイントがあります．

病歴では，**慢性腎臓病**(LR＋3.4)，**心不全**(LR＋5.8)，**冠動脈疾患**(LR＋2.7)，**心房細動**(LR＋2.1)の既往が有用です．自覚症状で有名な起座呼吸(LR＋1.9)や発作性夜間呼吸困難(LR＋2.6)は意外と尤度比が低いことがわかっています．

身体診察では，**Ⅲ音聴取**(LR＋11)，**頸静脈怒張**(LR＋2.8)，**腹部頸静脈逆流**(LR＋2.2)が有用です．有名な下腿浮腫(Sn 52%，Sp 75%)，肺ラ音(Sn 62%，Sp 68%)などはイマイチで，それだけで「心不全」と決めつけるのは危険です(JAMA 294：1944-1956, 2005)．

ちなみに，腹部頸静脈逆流(abdominojugular reflux)とは，通常の呼吸下で患者の腹部中央を 10 秒間強く圧迫して頸静脈を診る診察方法です．CVP(中心静脈圧)の上昇なし，もしくは 1～2 拍動分上昇後すぐに正常に戻るならば正常と判断されますが，CVP が 4 cm 以上上昇し，圧迫中 10 秒間その上昇が続けば陽性(左房圧上昇≧ 15 mmHg)と判断します.

採血では, CRP は感染がなくても 10 mg/dL 程度までは上昇します. **感染の有無は臨床状況と発熱・白血球増加・左方移動などで判断**するとよいでしょう.

BNP は左室拡張末期壁応力と相関. つまり, 左室の内腔が引き伸ばされた状態で上昇します. **400〜500 pg/mL 程度の上昇では LR+2.1 程度**であり, 500〜600 pg/mL で LR+3.5, 600〜800 pg/mL で LR+4.1, 800〜1,000 pg/mL で LR+5.1, **1,000〜1,500 pg/mL で LR+7.1** となります. 肥満患者や EF が保たれていて左室内腔の小さい, いわゆる拡張性心不全(HFpEF)では BNP 上昇は軽度となることや, 腎不全の患者では上昇が過大になるため注意が必要です.

なお, NT-proBNP は BNP の前駆体である proBNP から切断された生物学的活性をもたないペプチドで, 生化学と同一の採血管で測定できます. おおよそ, BNP 40 pg/mL≒NT-proBNP 125 pg/mL, BNP 200 pg/mL≒NT-proBNP 900 pg/mL に相当します.

エコーでは, 心エコーでの**拘束性パターン**(E/A>2 あるいは 2≧E/A≧1 で DcT<130 msec)は LR+8.3, **EF 低下**も LR+4.1 と有用ですが, 初心者には**肺エコーでの B ライン**(LR+7.3)や胸水(LR+2.0)のほうが簡便です(Acad Emerg Med 23 : 223-242, 2016).

これら総合的な評価で心不全の有無は判断します.

肺疾患と心不全のエコーでの鑑別方法

(Am J Emerg Med 31 : 1208-1214, 2013)

①〜③ を満たしたとき心不全に対して以下の感度(Sn), 特異度(Sp)になります.

① 右図の 8 領域での B ライン総数≧10 本
② EF<45%
③ IVC 呼吸性変動≦20%
両肺野で片側に 2 領域以上

① ➡ Sn 34%, Sp 91%
①+③ ➡ Sn 16%, Sp 97%
①+② ➡ Sn 23%, Sp 100%
①+②+③ ➡ Sn 16%, Sp 100%

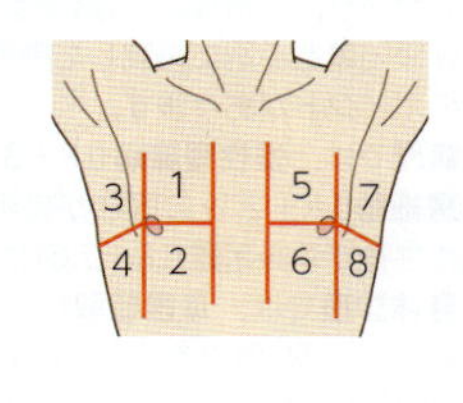

治療の 3 本柱は ❶ 前負荷の軽減, ❷ 心収縮力の増大, ❸ 後負荷の軽減です. ❶ には利尿薬(ラシックス® 注 20 mg iv), 硝酸薬(ニトログリセリン 2 mL/時 div)や NIV. ❷ には強心薬(ドブトレックス® 注射液 100 mg/5 mL/時 div), ❸ には Ca 拮抗薬(ペルジピン® 注射液 2 mg/2 mL/時 div)や NIV があります.

急性心不全の治療選択はCS(クリニカルシナリオ)を参考に行います.CS1は収縮期血圧上昇に伴う肺水腫を呈するため,❸±❶を選択.CS2は収縮期血圧上昇は軽度なものの体液貯留が目立つため,❷+❸が基本戦略です.

また,心不全を起こす原因を**ASPIRATE**を用いて原因検索を行うことを忘れないようにしましょう.

A:Anemia(貧血),Adherence(アドヒアランス不良)
S:Sepsis(敗血症による臓器障害)
P:Pulmonary embolism(肺塞栓症)
I:Ischemia(ACS)
R:Rhythm disturbance(徐脈,頻脈性不整脈)
A:Acute valvular disease(大動脈解離,IE,ACS)
T:Thyroid(甲状腺機能異常)
E:Excess salt/water(水分や塩分過剰摂取)

■急性心不全のCS(クリニカルシナリオ)

〔Crit Care Med 36(1 Suppl):S129-139, 2008より改変〕

分類	CS1	CS2	CS3	CS4	CS5
主病態	肺水腫	全身性浮腫	低灌流	急性冠症候群	右心機能不全
収縮期血圧	>140 mmHg	100~140mmHg	<100 mmHg	―	―
病態生理	• 充満圧上昇による急性発症 • 血管性要因が関与 • 全身性浮腫は軽度 • 体液量が正常または低下している場合もある	• 慢性の充満圧/静脈圧/肺動脈圧上昇による緩徐な発症 • 臓器障害/腎・肝障害/貧血/低アルブミン血症 • 肺水腫は軽度	• 発症様式は急性あるいは緩徐 • 全身性浮腫/肺水腫は軽度 • 低血圧/ショックの有無により2つの病型あり	• 急性心不全の症状・徴候 • トロポニン単独の上昇ではCS4に分類しない	• 発症様式は急性あるいは緩徐 • 肺水腫なし • 右室機能障害 • 全身的静脈うっ血徴候

Q **「気管支喘息やCOPD急性増悪の対応はどのようにしたらいいですか? 両者の対応方法の違いや注意点などはありますか?」**

A 基本的な治療方法は大きく変わりません.気管支喘息とCOPDの重複であるACO(asthma and COPD overlap)という概念も示されており,両者をクリアに分けることは困難です.治療方法は似ているものの酸素の目標値や予後などに差が生じること,治療方法の優先順位が異なることに注意しましょう.

気管支喘息の発作の対応のポイント

まずは重症度(表参照)を評価しましょう. **治療のアプローチは「CAB」**です. すなわち, Corticosteroids(全身性ステロイド), Aminophylline/Adrenaline(アミノフィリン/アドレナリン), Bronchodilator〔気管支拡張薬, 短時間作用性β2刺激薬(SABA)〕の3本柱です. 全身性ステロイドは喘息増悪後の1週間以内の再発抑制があるためほぼ全例で投与を考慮します. メチルプレドニゾロン換算で1日80 mg投与すれば十分な効果が得られます. 糖尿病患者では高血糖に注意しましょう. 目標 SpO_2 は95%以上を目指しますが, 重症喘息の場合は CO_2 貯留に注意してください.

中等度以上あるいは初期治療に効果が乏しい場合は, 今後の吸入薬や生活指導のためにも入院加療を勧めたほうがよいでしょう(重篤の場合はICU管理!).

喘息増悪の強度と治療方法

(一般社団法人日本アレルギー学会喘息ガイドライン専門部会:喘息予防・管理ガイドライン2021. 東京:協和企画;2021より改変)

増悪強度*	呼吸困難	動作	検査値				増悪治療ステップ
			%PEF	SpO_2	PaO_2	$PaCO_2$	
喘鳴/胸苦しい	急ぐと苦しい 動くと苦しい	ほぼ普通	80%以上	96%以上	正常	45mmHg未満	ステップ①
軽度(小発作)	苦しいが横になれる	やや困難					
中等度(中発作)	苦しくて横になれない	かなり困難 かろうじて歩ける	60〜80%	91〜95%	60mmHg超	45mmHg未満	ステップ②
高度(大発作)	苦しくて動けない	歩行不能 会話困難	60%未満	90%以下	60mmHg以下	45mmHg以上	ステップ③
重篤	呼吸減弱 チアノーゼ 呼吸停止	会話不能, 体動不能, 錯乱, 意識障害, 失禁	測定不能	90%以下	60mmHg以下	45mmHg以上	ステップ④

* 発作強度は主に呼吸困難の程度で判定(他の項目は参考事項とする). 異なる増悪強度の症状が混在するときは強いほうをとる

<治療方法>

①ベネトリン® 吸入液(5 mg/mL) 0.5 mL+NS 4 mL 20分おきに2回反復
シムビコート®orブデホル® 追加吸入

②ベネトリン® 吸入液 (5 mg/mL) 0.5 mL+NS 4 mL 20分おきに反復
酸素吸入
リンデロン®8 mg+NS100 mL 30分で投与またはソル・メドロール®40 mg+NS100 mL 60分で投与

③上記治療に加えて,
アミノフィリン250 mgを5〜7時間で投与, 抗コリン薬吸入, ボスミン® 皮下注 0.1〜0.3 mg+20〜30分おきに反復→脈拍＜130/分を保つ

④上記治療継続.
気管挿管・人工呼吸器管理，全身麻酔（イソフルラン，セボフルランによる）

COPD 急性増悪の対応のポイント

「呼吸困難，喀痰量，喀痰の膿性度の増加のいずれかの症状に加えて，咳嗽，喘鳴，発熱，過去 5 日間の上気道感染，ベースラインの 20%を超える呼吸数増加，ベースラインの 20%を超える心拍数増加などがあり，COPD 安定期の治療で安定しない状態」なら COPD 急性増悪として対応します．入院後 3 か月以内に 14%が死亡する進行性疾患で，**喘息発作よりも予後不良**です．誘因は感染症が多いのですが，続発性気胸や心不全，ACS（急性冠症候群），PE（肺塞栓症）の合併に注意しましょう．**治療のアプローチは「ABC」**です．すなわち，Antibacterial drugs（抗菌薬），Bronchodilator（気管支拡張薬，SABA），Corticosteroids（全身性ステロイド）の 3 本柱です．SpO_2 は 88～92%程度を目標にコントロールし，CO_2 貯留に注意してください．ABC の治療内容の詳細を下記に記載しておきます．

- **Antibacterial drugs（抗菌薬）**
  COPD 急性増悪の原因の 70%が呼吸器感染症．経験的治療を行う場合は，肺炎球菌，インフルエンザ桿菌，ブランハメラ・カタラーリスは外さない．さらに，緑膿菌や耐性菌をカバーするかも考えて選択する．
  例：セフトリアキソン 1 g 1 日 1～2 回 div
  ゾシン® 4.5 g 1 日 3 回 div
- **Bronchodilator（気管支拡張薬）**
  例：メプチン® 吸入液ユニット 成人 1 回 30～50 μg（0.3～0.5 mL）を NS 5 mL で希釈するなどしてネブライザー吸入 20 分おきに 1 日 3 回まで．
  あるいは，定量噴霧式吸入器（metered dose inhaler：MDI）を 4～8puff スペーサーを使って噴霧吸入 1 時間おきに
  ベネトリン® 吸入液（5 mg/mL）0.3～0.5 mL ＋ NS 5～8 mL ネブライザー吸入 20 分あけて 3 回まで
- **Corticosteroids（全身性ステロイド）**
  例：ソル・メドロール® 40 mg ＋ NS 100 mL 60 分で投与
  内服例なら，プレドニン® 錠（5 mg）6～8T 分1

「気胸の患者さんで注意することはありますか？ 基本的に全例ドレナージを行うと考えていればいいでしょうか？」

ERで遭遇する気胸には❶ **自然気胸**，❷ **外傷性気胸**，❸ **緊張性気胸**があります．

最も頻度が多いのが，❶の自然気胸です．自然気胸はブラが原因で生じる原発性気胸（PSP）とCOPDや気管支喘息，肺線維症，子宮内膜症などの基礎疾患がある場合に生じる続発性気胸（SSP）に分けられます．PSPは“高身長でやせ型の若年男性が突発発症する胸痛や呼吸困難”の病歴が典型的です．SSPは，肺の予備能が少なく肺の虚脱が進行することで急激に呼吸状態が増悪する可能性があるため，より慎重な対応が必要となります．

画像検査としては，胸部X線より虚脱した肺を認めることで一発診断となりますが，Sn 52%，Sp 100%で除外に使えず，むしろ超音波検査がSn 88～98%，Sp 99%と有用です．COPD既往や再発例，エアリーク持続，手術予定症例ではドレナージ実施の際のメルクマールとして癒着の程度を評価するためにもCT検査が推奨されます．

ドレナージによる治療適応は，PSPとSSPの鑑別および肺虚脱度で決定されます．**全身状態および呼吸状態も安定しているPSPで肺虚脱度がⅠ度（虚脱率<20%）なら2～4週以内で外来フォロー**とするという手もあります．しかし，この辺は各施設ごとの対応が分かれますので，それぞれの専門科とのコンセンサスを確認してください．帰宅例では飛行機の搭乗など急な気圧変化を避けるよう指導し，呼吸困難増悪があれば早朝の再受診を指示してください．

■ 虚脱度と重症度分類

胸部X線検査で確認できる肺虚脱の程度により，以下のように分類される．

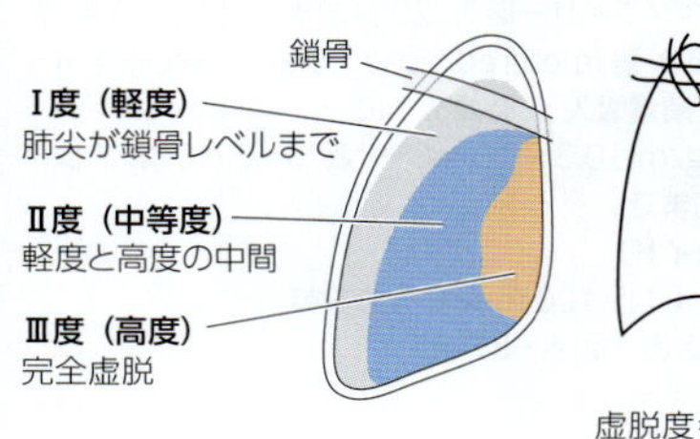

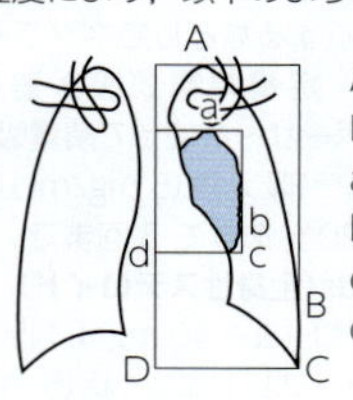

A：第1肋骨下端
B：肋横隔膜角端
a：虚脱肺上縁
b：虚脱肺外側縁
c：虚脱肺下端
d：縦隔中線

$$\text{虚脱度} = \frac{\square ABCD - \square abcd}{\square ABCD} \times 100\,(\%)$$

□ABCD：ABCDを含む長方形の面積

胸痛

見逃すな！ 致死的疾患

救急搬送までの
5分でCheck!
アタマの中

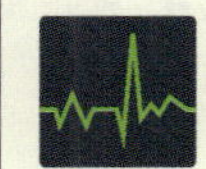

何はともあれ
心電図

下記項目のチェック！

- バイタルサイン
- チアノーゼ
- 頸静脈怒張
- 肺音，心雑音
- 冷汗
- 喘鳴
- 胸郭の動き
- 腹部所見

見逃せない７つの胸痛

✓ACS
✓肺塞栓
✓緊張性気胸
✓胃十二指腸穿孔
✓解離
✓心筋炎
✓食道破裂

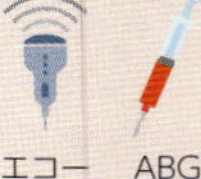
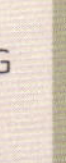

エコー　ABG

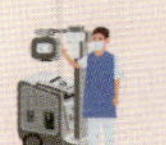

ポータブル X 線

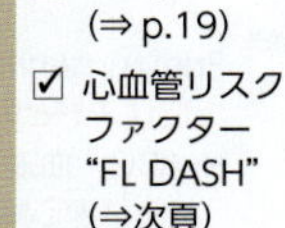

☑ OPQRST
(⇒ p.19)
☑ 心血管リスクファクター
“FL DASH”
(⇒次頁)

カテーテル室へ

✓冠動脈造影（CAG）
✓経皮的冠動脈形成術（PCI）
解離の否定を忘れずに！

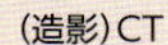

（造影）CT

手術

診療時のひとことメモ

✓最後まで不安定狭心症，肺塞栓，大動脈解離の可能性を繰り返し検討する．否定しきれない場合は安易に帰宅させず，経過観察入院や，心電図，トロポニンのフォロー，造影 CT を厭わない

診療のフロー

はじめの 5 分でやることリスト

段階を追っていきながら鑑別に必要な検査を追加する．

✓ABC-VOMIT アプローチ(⇒ p.13)
✓冷汗，チアノーゼ，頸静脈怒張，胸郭の動き，肺音，心雑音，腹部所見などを評価
✓病歴・心血管リスク★1 が大事
✓鑑別に有用なのは心エコーと肺エコー

★1 心血管系疾患のリスクファクター“FL DASH”

- Family history ➡ 一親等血族に ACS の既往
- Lipid ➡ 脂質代謝異常症
- DM ➡ 糖尿病
- Age ➡ 男性＞45 歳，女性＞55 歳
- Smoking ➡ 喫煙
- HT ➡ 高血圧

検査

Primary survey

上記リストとほぼ同時に行う！

➡ ABG，血液検査(BNP，心筋逸脱酵素，D ダイマーなど含む)，12 誘導心電図，心エコーと肺エコー

※ACS に対する心エコーは特異度が低く施行者の腕に左右され，微妙な所見はわかりにくい！

※最初の心電図が正常でも，胸痛消失等のフォロー心電図で陰性 T 波がみられたときは初回の心電図が T 波上昇による pseudo-normalization (偽正常化)かもしれない．胸痛消失後の心電図フォローは大切である！

▼

Secondary survey

➡ 胸部 X 線，CT (場合によっては造影 CT)

鑑別疾患

r/o
- ACS
- 大動脈解離
- 肺血栓塞栓症
- 心膜・心筋炎
- 緊張性気胸
- 特発性食道破裂
- 胃十二指腸穿孔

▼

r/o
- 肺炎，胸膜炎
- 自然気胸，縦隔気腫
- 逆流性食道炎
- 胃十二指腸潰瘍
- 膵炎
- 胆石・胆嚢炎
- 横隔膜下膿瘍
- 肋骨骨折，肋軟骨炎　など

▼

r/o
その他の非心臓疾患（胸肋症候群，Tietze 症候群，肋間神経痛，Precordial catch 症候群，Mondor 病，帯状疱疹　など）

鑑別診断のポイント

✓来院直後の心電図だけでは見逃すことが多い．酵素やマーカーもあてにならない
✓高齢者，女性，糖尿病では非典型的症状が多い．CCU コンサルトを躊躇しない
✓**不安定狭心症（UAP）は病歴のみ**で決まる！**「安静時，20 分以上で現在も続く，48 時間以内に増悪する胸痛」**などは **ST 変化がなくても，トロポニン陰性でも UAP を考慮して CCU コンサルト**
✓大動脈解離や肺血栓塞栓症は，やはり疑ったらためらうことなく造影 CT を行う
✓特発性食道破裂は中年男性に多い．嘔吐や咳に続発する激しい左胸背部痛で疑う

Q&A

Q 「急性冠症候群と不安定狭心症の違いは何ですか？ また，緊急カテーテルの必要性はどのように考えていけばよいのですか？」

A **急性冠症候群（acute coronary syndrome：ACS）**とは「何らかの冠動脈病変を起因とし，急性心筋虚血を起こす症候群の総称」です．ACS には，心電図変化で ST 上昇がある **ST 上昇型心筋梗塞（STEMI，ステミ）**と **ST 上昇はないものの心筋逸脱酵素上昇を認める非 ST 上昇型心筋梗塞（NSTEMI，エヌステミ）**，それから心電図変化も心筋逸脱酵素上昇も認めない**不安定狭心症（UAP）**，**心臓突然死**などに分けられます．なぜ一括りにされるかというと，**い**

ずれも動脈硬化性プラークの破綻に伴う血栓により発症し，重篤な心血管イベントを起こすからです．

臨床現場で，ACS は 3 つの step(symptoms → ECG → troponin の“**SET**”)で分類されます．

❶ 症候(symptoms)で ACS らしいか？
❷ 心電図(ECG)で ST 上昇あるか否か(あれば STEMI or なければ UAP/NSTEMI)
❸ トロポニン(troponin)上昇があるか否か(あれば NSTEMI or なければ UAP)

STEMI ではすぐに循環器コール → 緊急血行再建となりますが，UAP/NSTEMI での緊急カテーテル適応は，以下の 3 つの側面から ACS の可能性を Low，Intermediate，High の 3 つのグレードに分類して判断されます(J Am Coll Cardiol 57：e215-367, 2011)．

(1) **症状**による pre-test probability
以下の 3 つに分類される(JAMA 294：2623-2629, 2005)．
① 非特異的胸痛〔刺すような痛み(LR+0.3)，胸膜性(LR+0.2)，体位変換性(LR+0.3)の所見がある場合〕
② 非典型的胸痛➡明確な定義ないが，臨床家からみて狭心痛っぽくない項目が多いとき
③ 典型的胸痛〔右腕や肩の放散(LR+4.7)，労作時(LR+2.4)，冷汗(LR+2.1)，両腕の放散痛 LR+7.1)〕

(2) **冠危険因子**(糖尿病，高血圧，喫煙，脂質異常症，冠動脈疾患の家族歴)と**年齢**(Ann Emerg Med 49：142-152, 152.e1, Epub 2006)
- <40 歳 ：リスク因子 1 個(LR+1.4，LR−0.17)
  リスク因子 4〜5 個(LR+7.39，LR−0.88)
- 40〜65 歳：リスク因子 1 個(LR+1.1，LR−0.53)
  リスク因子 4〜5 個(LR+2.13，LR−0.92)
- <65 歳 ：リスク因子 1 個(LR+1.0，LR−0.96)
  リスク因子 4〜5 個(LR+1.09，LR−1.00)

➡若年者ではリスク因子の多さで尤度比が高まるが，**高齢者ではリスク因子は関係ない！**

(3) **心電図変化と血中トロポニン値上昇**
胸痛患者で ST 上昇を認めても実は 51％が心筋梗塞ではなく，上に凸型の ST 上昇もしくは ST/T>25％，R 波減高，鏡像変化があるときに初めて心筋梗塞の疑いが高くなります．

採血でのクレアチンキナーゼ(CK)-MB は発症後 6〜8 時間経たないと感度が低く，CK-MB が CK 値の 5％未満では骨格筋障害，25％以上ならマクロ CK 血症を疑います．発症 3 時間以内でも H-FABP は高頻度に陽性化しますが，腎障

害などで偽陽性となり特異度は低くなります．

トロポニンも腎不全や慢性心不全，敗血症，たこつぼ型心筋症などで偽陽性となりますが，トロポニンⅠではSn 90%，Sp 95%と診断に有用です．上昇までに4〜6時間程度時間がかかりますが，異常値は10日間程度持続します．「**AMIであっても胸痛発症後6時間以内はトロポニンは上昇していない可能性があり，逆に12時間以上経過しても上昇がなければAMIはほぼ否定できる**」(Eur Heart J 32：2999-3054, 2011)ということがわかっています．

以上の3つの要素からLow，Intermediate，Highにリスクを分類し，Low〜Intermediateで心電図変化もなく，酵素の上昇もなければ，**発症から12時間以上の経過観察**が推奨されています．NSTE-ACSでは，来院時の高感度トロポニン，1時間後の高感度トロポニンの変化値を用いると97%以上の確率で除外ができるという報告があります(Eur Heart J 37：267-315, 2016)．

また，UAPなどでは，リスク評価を2週間以内のイベント発生率(ACSかどうかを判断するものではない！)で見積もる「**TIMIスコア**」を利用するとよいです．

■ UAP/NSTEMIの予後判定のための「TIMIスコア」

(Acad Emerg Med 13：13-18, 2006)

項目	点数
❶ 65歳以上	**1点**
❷ coronary risk (“FL DASH”⇒ p.130) ≧3項目	**1点**
❸ 既知の冠動脈狭窄病変≧50%	**1点**
❹ 0.5 mm以上のST変化	**1点**
❺ 24時間以内に2回以上の狭心症発作	**1点**
❻ 過去7日以内のアスピリン内服	**1点**
❼ 心筋酵素上昇	**1点**

	TIMIスコア	14日間の心血管事故発生率
Low	0〜1	4.7%
	2	8.3%
Intermediate	3	13.2%
	4	19.9%
High	5	26.2%
	6〜7	40.9%

スコアが5点以上ならさっさとカテーテル(12〜24時間以内)をしたほうがよいでしょう．特に難治性症状，重症心不全，致死的不整脈，血行動態不安定例などでは迷わずカテーテル適応です．

逆にスコアが低く血行動態などが安定し，心電図変化・自覚症状が来院時は落ち着いている場合は，後日の心臓負荷試験と心機能評価などの精査へ進んでいきます．

ACS と診断したら，CCU コールし，OMI，ニトロ，バイアスピリン®錠(100 mg) 2T とエフィエント®OD 錠(20 mg)1T を内服させましょう． 大動脈解離を除外した後にヘパリン iv します．

Q 「大動脈解離を疑うのはどんなときですか？ pitfall も教えてください．」

A **「ER 最大の地雷疾患」**と言われるのが大動脈解離です．「突然の避けるような重度な胸痛(LR＋1.2〜10.8)でかつ移動する(LR＋1.1〜7.6)」で受診すれば，誰でも鑑別に挙げますが，なんと**痛みやリスクを全く伴わないもの(高齢，Stanford A 型，糖尿病，大動脈瘤，心血管系手術の既往歴で多い)を 4.3%認めた**という報告もあります(Circulation 123：2213-2218, 2011)．また，初診時に診断できるのは 1/3 であり，入院させて 24 時間診断できなかった例が 39%に及ぶという報告もあります(Mayo Clin Proc 68：642-651, 1993/Chest 117：1271-1278, 2000)．

解離の進行により様々な部位で障害を起こし，**脳梗塞，対麻痺，Horner 症候群，失神，心筋梗塞，腸間膜動脈閉塞症，急性の大動脈弁閉鎖不全症(AR)による急性肺水腫**などの合併症が 30〜50% で合併すると言われています．ちなみに神経学的所見を伴う場合は LR＋6.6〜33 と非常に有用です．また，偽膜を介した血流再開によって約半数は神経症状が変化すると言われています(「さっきまで意識障害あったのに改善してきた」「両下肢に電気走ったが今は改善した」など)．

「多臓器の血流障害をきたし，症状が移動する疾患をみたら大動脈解離」を考えましょう．pitfall としてよくあるのは，**Stanford A 型**の解離が進行するにつれ，**大動脈弓の外側 → 右冠動脈のほうを巻き込んで下壁心筋梗塞として発症するパターン**です．これに対して **CAG のためにヘパリンを流すとトドメを刺す**ので注意しましょう！ 専門医もたまに陥る pitfall です．

大動脈解離の可能性を評価するのに **ADD リスクスコア**は有用です．基礎疾患，痛みの性状，身体所見のうち 2 つ以上該当する場合に造影 CT を考えます．さらに**このスコアが 1 項目のみで，D ダイマーが 500 ng/mL 未満なら 99.7%で急性大動脈症候群を除外できます**(Circulation 123：2213-2218, 2011/Circulation 137：250-258, 2018)．

■胸痛の ADD リスクスコア (Circulation 137：250-258, 2018)

ハイリスクな患者背景	ハイリスクな疼痛症状	ハイリスクな身体所見
•Marfan 症候群およびその他の結合織異常 •大静脈疾患の家族歴 •大動脈弁疾患の既往 •胸部大動脈瘤の既往 •最近の大動脈手術歴	•下記のように表現される胸痛・背部痛または腹痛 ・突然発症 ・今まで経験したことがないような強い痛み ・移動する，裂けるような痛み	•灌流障害を示す所見 ・脈拍の消失 ・収縮期血圧の左右差 ・神経学的な局所脱落症状 •大動脈弁拡張期雑音(特に新規で，疼痛を伴う場合) •血圧低下またはショック状態

※患者背景，疼痛症状，身体所見の各カテゴリーにおいて，1 つ以上のリスクマーカーを有する場合は 1 点として計算する

「脳梗塞と心筋梗塞をみたらとりあえず解離を考えよ！」．これも忘れないでください．CT 読影のポイントとしては，大動脈のフラップと真腔/偽腔(リエントリーが小さいので通常真腔よりも偽腔のほうがサイズが大きいです)の存在で診断し，上行大動脈に及ぶかどうかで Stanford A 型か B 型かの分類を行います．CT 撮影では偽腔のコントラストを目立たせるために単純 CT および造影ダイナミック CT も忘れずに撮影しましょう．偽腔の血栓閉塞がないと緊急性が高まります．心臓血管外科 on call に相談し，速やかな陰性変力(オノアクト®で HR<60 回/分を目指す)＋降圧(ニカルジピンで sBP100～120 mmHg を目指す)＋除痛(フェンタニル)を行います．

Q 「肺塞栓を疑うのはどんなときですか？ pitfall も教えてください.」

A **肺血栓塞栓症(pulmonary thromboembolism：PTE)**とは約 90%の症例で下肢や骨盤の深部静脈から血栓が飛んで，肺動脈にひっかかり低酸素や血痰，ショック，肺梗塞をきたす疾患であり，頻度は 1,000 人あたり 1.04～1.43 人/年と比較的稀な疾患です.

症状が多彩であり，非典型例が多いことが ER での診断を難しくしています. 胸痛の頻度は 66～74%と高いですが，末梢の肺梗塞による胸膜痛はたったの 15%にしか認めません. 呼吸困難は Sn 74%, Sp 38%であり，有名な喀血も 7～28%にしか認めません. 失神が 8～35%も認められるのも注意しましょう. なんと，安静時無症状の肺塞栓症(PE)が 16%も報告されています(Lancet 379：1835-1846, 2012).

心電図で，有名な SⅠQⅢTⅢ(Ⅰ誘導で S 波，Ⅲ誘導で Q 波，Ⅲ誘導で陰性 T 波)は Sn 67%，Sp 50%で全くあてにならず，洞性頻脈もたかだか Sn 37%，Sp 83% です. 右心負荷所見である V1 誘導での Qr 波形は Sn 19%，Sp 100%，V2 の陰性 T 波は Sn 26%，Sp 88%，V1 誘導の ST 上昇 Sn 29%，Sp 99%などは陽性なら役立つかもしれません(Eur Heart J 24：1113-1119, 2003)がそもそも心電図で診断する疾患ではありません.

心エコーで，右室壁のみの壁運動低下を認め，心尖部の動きは保たれることが多いですが Sn 77%，Sp 94% で確定はできません(Am J Cardiol 78：469-473, 1996). TR-PG(三尖弁収縮期圧較差)<60 mmHg かつ tacc<60 msec (60/60sign)では，Sn 78%，Sp 81%で急性 PE が疑わしいですが，研修医にはこれを施行すること自体が厳しいです(Ann Emerg Med 63：16-24, 2014). PE 患者の 30～50%に DVT が見つかると言われ，**下肢静脈エコーは有用**です. 大腿静脈と膝窩静脈を圧迫して潰れない，または血栓そのものが見つかれば Sn 100%，Sp 99.4%で DVT と言えます(Ann Emerg Med 56：601-610, 2010). DVT を見つければ，どうせ抗凝固療法を行うので PE の治療と同じになります. しかし，エコーが陰性でも 1.9%に PE を認めたとも言われる(Am J Med 123：158-165, 2010)ため，造影 CT を施行できない重症患者や腎不全・造影剤アレルギー患者などで代用するとよいでしょう.

採血で頻用される **D ダイマーは PE への Sn 99.5%ですが，Sp 30%**であり，そもそも高齢者ではもともと高値だったり**慢性 PE では偽陰性**となることが問題です(JAMA 295：199-207, 2006/Ann Intern Med 154：709-718, 2011). **50 歳以上では，年齢×10 μg/L をカットオフ**に用いることが推奨されています(BMJ 340：c1475, 2010).

以上，単独の症状や検査のみでは捕まえられないので，**疑ったらリスクを見積もりマネジメントを決定することが重要**です.

revised Geneva score (Ann Intern Med 154：709-718, 2011)

❶ 年齢>65 歳	1 点
❷ 深部静脈血栓症(DVT)，PE の既往	3 点
❸ 外科手術，下肢骨折の既往(1 週間以内)	2 点
❹ 活動性の悪性腫瘍	2 点
❺ 片側下肢の疼痛	3 点
❻ 血痰	2 点
❼ 心拍数 75〜94 回/分	3 点
心拍数 ≧95 回/分	5 点
❽ 片側下肢の浮腫，把握痛	4 点

	検査前確率	LR
Low(0〜3 点)	8%	0.3
Moderate(4〜10 点)	28%	NS
High(≧ 11 点)	74%	8.5

※ Simplified version では，全項目を 1 点および「心拍数≧95 /分」のみを 2 点として計算し，≦2 点 ➡ PE unlikely，>2 点 ➡ PE likely と判断

予測した検査前確率に D ダイマーを組み合わせて，画像検査をするとよいでしょう．

✓**低リスク群＋ D ダイマー陰性 ➡ PE は除外**

✓**中〜高リスク群 or D ダイマー陽性 ➡ 造影 CT** を行う

確定診断が行われたら重症度に合わせて治療方針を決めていきます．右室負荷やバイタルサインが不安定な場合は，積極的な治療を行い，経静脈的なカテーテルによる血栓吸引や手術，下大静脈のフィルターを入れることもあります．低リスクや中等度リスクの場合，ヘパリン 5,000 U iv を行い，次いでワルファリンや DOAC(直接経口抗凝固薬)などの抗凝固療法に進むことが多いです．

けいれん

とにかく止めて，そこから鑑別

救急搬送までの 5分でCheck! アタマの中

ABC-VOMIT アプローチ（⇒ p.13），
まずは頸動脈に触れ，
心室細動（VF）でないか確認を

止めてはいけないけいれんはない．
薬剤選択肢を駆使してまず止めてから原因検索を

VF なら「心肺停止」➡ p.99

酸素　ABG　気管挿管

酸素化が悪ければ早期介入

とにかく止める

❶ ジアゼパム（セルシン®）10 mg 0.5～1A iv
or ミダゾラム（ドルミカム®）10 mg 筋注
❷ ダメなら，ホスフェニトイン（ホストイン®）
22.5 mg/kg + NS 100 mL div
or レベチラセタム（イーケプラ®）
500 mg div
❸ これでも止まらなければ SCU や ICU に相談

原因精査

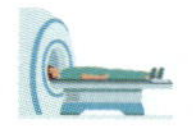

- ✓CT・MRI
- ✓腰椎穿刺
- ✓SCU コンサルト

診療時のひとことメモ

✓「けいれん(convulsion)」とは，不随意に筋肉が激しく収縮すること(症候名)．「てんかん(epilepsy)」とは，大脳ニューロンの過剰な発射に由来する反復性の発作を起こす慢性脳疾患(診断名)．てんかんを思わせる発作1つひとつはseizureと呼ばれ，seizureを2回以上繰り返すとてんかんと診断される．けいれんはてんかんの一症状だが，他の多くの原因で起こりうる．epilepsyの有病率は1％
✓けいれん重積とは，完全に意識回復しないうちに2回以上の全身けいれんを繰り返すもの．5分以内に止めないと不可逆的脳損傷を起こすため，**とにかく早く，けいれんを止める！**
✓けいれんで発症する失神もあるので注意！

診療のフロー

はじめの5分でやることリスト

❶ ABC-VOMITアプローチ(⇒p.13)．頸動脈触知とモニターでVFか確認
❷ ライン確保し，NS(生理食塩水)をつなげる．その際次頁「Primary survey」の採血と血液ガス採取 ➡ r/o低血糖
❸ 低血糖が除外できればまず，ジアゼパム(セルシン®) 10 mg/A iv(5～10 mgずつ，総量20 mgまで)．急速静注は呼吸停止が起こるので慎重に経過観察．確保が難しいときは筋注でもよい
❹ だめならホスフェニトイン(ホストイン®) 22.5 mg/kg＋NS 100 mL div or レベチラセタム(イーケプラ®) 500 mg 15分以上でdiv，けいれん停止まで．精査しながらSCUコンサルト
❺ それでも無効なら，原則として気管挿管用意のうえ：
➡ フェノバルビタール(ノーベルバール®) 250 mg/A 4 mg/kg(体重60 kgで1A)投与後，1～4 mg/kg/時で持続静注
➡ プロポフォール 200 mg/20 mL/A 1～2 mg/kgでゆっくりiv(体重50 kgで5～10 mL)

検査

Primary survey
- ➡ けいれんが止まったら，素早く全身診察．頭部外傷の有無，瞳孔不同，麻痺の有無
- ➡ 血液ガス含めた採血★1(必要に応じて，薬物血中濃度，ビタミン B_1，Mg)，血糖チェック(，妊娠反応)
- ➡ 低血糖なら
  ナイロジン® 注(1 A) iv → 50%ブドウ糖液 40 mL 投与

▼

Secondary survey
- ➡ 初回なら，頭部 CT

▼

Tertiary survey
- ➡ MRI，髄液検査

鑑別疾患

てんかんの**診断のうち20%が偽物と言われている**(Am Fam Physician 75：1342-1347, 2007)．失神や振戦，戦慄が「けいれん」と表現されていることも多い．

r/o
- 失神
- VF
- 低酸素

▼

r/o
- 低血糖，高浸透圧高血糖症候群(HHS)
- 低・高 Na 血症，低 Ca 血症，低 Mg 血症
- 子癇

▼

r/o
- 頭蓋内疾患(脳卒中，髄膜炎，脳炎，脳腫瘍，てんかん，頭部外傷)
- 薬剤性(抗精神病薬，三環系抗うつ薬，リドカイン，テオフィリン，カルバペネム系抗菌薬＋バルプロ酸の併用，ニューキノロン系抗菌薬＋NSAIDs の併用など)
- アルコール離脱
- 心因性非てんかん発作(PNES)

★1 「目撃者なし」なら血液検査が有用！（Epilepsia 52：2043-2049, 2011）

乳酸 ➡ ≧2.5 mmol/L は全般性けいれんで LR+25
NH_3 ➡ てんかん発作の 68% で上昇が認められる．
平均 7.8 時間で 250 μg/dL → 47 μg/dL へ低下
CK ➡ 発作後 3 時間以内では 22% しか上昇しないが，3 時間を超えると 80% で上昇

■ **けいれんの原因**（Arch Neurol 67：931-940, 2010）

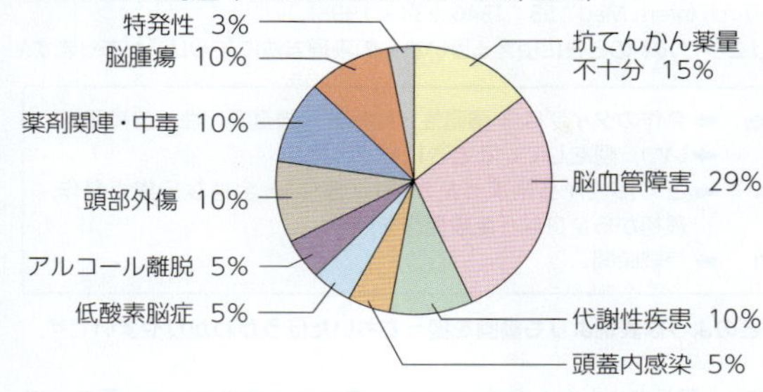

Q&A

Q 「けいれんの発作時の眼や四肢の動きで，てんかんの焦点がわかるというのは本当ですか？」

A 100％ではないですが，ある程度推測ができます．

大原則として，**「右大脳は体の左側を，左大脳は体の右側の動きを支配している」**ことを覚えておきましょう．つまり，右大脳は「両眼を左に向ける働き」があります（具体的には，右大脳が橋にある左 PPRF に命令を出し，そこから両眼に命令がいくという回路です）．例えば，右被殻出血や右視床出血などの破壊性障害が起こると，右大脳の命令が左 PPRF にいかず，結果的に眼は左へ向くことができず，両眼とも右を向くようになります．

一方，電気活動の刺激性障害である右側てんかんでは，意識しなくても刺激が入るため眼が左側を向き，四肢は左側が勝手に動いてしまいます．一方，その後に生じる Todd 麻痺では，てんかん発作後に病巣の神経活動が一時的に低下するため激しく動いていた側と同側に麻痺が出ます．

■ 病態による共同偏視とけいれん発作

	破壊性障害による急性症候性発作	刺激性障害(純粋なてんかん発作)
共同偏視の向き	発作焦点**同側**への共同偏視	発作焦点**対側**への共同偏視
けいれん発作	発作焦点**対側**のけいれん発作	発作焦点**対側**のけいれん発作

ちなみに，症例数は少ないものの舌咬傷の位置も有用です．てんかんモニタリングユニットに入院した 106 人を対象にした研究では舌咬傷の場所は全て舌の側面でした(Arch Intern Med 155：2346-2349, 1995)．

また, SCU コンサルトのときに使えるけいれんの表現方法に“**COLD**”があります.

- **C**haracter ➡ 発作のタイプは？ 強直性・間代性・強直間代性・欠神発作
- **O**nset ➡ いつ，何をしているときに始まったか
- **L**ocation ➡ どの部位から始まったか(特定部位 → 全身なら焦点発作，最初から全身なら全般発作を疑う)
- **D**uration ➡ 持続時間

ですが，**どのような表現よりも動画を撮っておいたほうがわかりやすい**です.

Q 「PNES(心因性非てんかん発作)って何ですか？ 本物のけいれん発作との鑑別はどこでつければよいのでしょうか？」

PNES とは，psychogenic non-epileptic seizure のことを指し，いわゆる心因性による「偽けいれん」です．

器質的異常に伴うけいれんとは異なり，以下の点が鑑別となります(J Neurol Neurosurg Psychiatry 18：719-725, 2010)．

- **両側性けいれんにもかかわらず意識がある**
- **交互運動がある**
- **骨盤運動がある**
- **吃音がある**
- **後弓反張**
- **閉眼している**
- **暗示で誘発可能である**
- **話しかけで返事ができる．従命可能**
- **頸部を左右交互に動かす**

しかし，患者は本当に苦しんだ末に症状を呈しているため，決してその行為を馬鹿にしたり，否定したりすることがないよう注意してかかわりましょう．

喀血

その血は本当に気管や肺から？

救急搬送までの
5分でCheck!
アタマの中

エアロゾル対策を！

ABC-VOMIT アプローチ(⇒ p.13)と窒息，大量出血のリスク評価

本当に喀血か(吐血や鼻出血でないか)？大量喀血なら気管支動脈塞栓術(BAE)考慮

血痰？ ➡ ほとんど経過観察
鼻出血？ ➡ p.408
消化管出血？ ➡ p.147(吐血・下血)

酸素化が悪ければ早期介入

酸素

ポータブル X 線

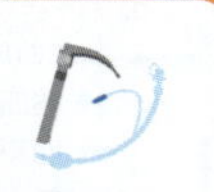

気管挿管
8 mm 以上の太いチューブ

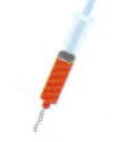

ABG

※ DCR：damage control resuscitation(ダメージコントロール蘇生術)

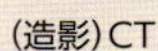

(造影)CT

手術

診療時のひとことメモ

✓大量喀血(massive hemoptysis)の定義はUpToDate®で240 mL/日あるいは100 mL/時とされているが，およそ50 mL以上の喀血があれば入院するのが無難．悪性腫瘍からの大量喀血は死亡率80%に上るというデータもある

診療のフロー

はじめの5分でやることリスト

✓ABC-VOMITアプローチ(⇒p.13)
✓本当に喀血か？ 血痰や吐血や鼻出血ではないか？
✓massive hemoptysisなら気管支動脈塞栓術(BAE)が必要
✓そうでないなら焦らずに ➡ r/o 肺塞栓，心不全，結核，悪性腫瘍

検査

Primary survey
➡ SpO_2悪ければABG！ まずは病歴聴取

▼

Secondary survey
➡ 喀血なら胸部X線2方向撮影(腫瘤，空洞，浸潤影など)
➡ 血算・生化学・凝固の採血をしてルートキープ，尿検査(血管炎など)，抗酸菌も含めた喀痰検査，胸部CT(大量喀血の場合は造影CTも行う)，気管支鏡検査

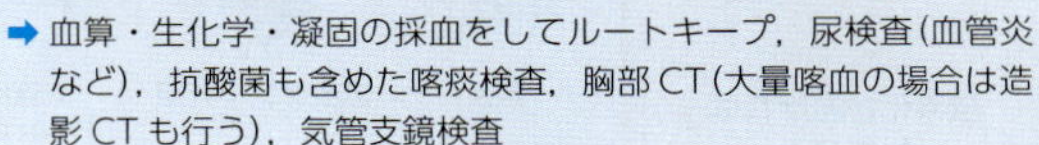

鑑別疾患

喀血の鑑別：「BATTLE CAAAMP」(Am Fam Physician 72：1253-1260, 2005)

- Bronchitis, Bronchiectasis ➡ 気管支炎，気管支拡張症
- Aspergilloma ➡ アスペルギローマ
- Tumor ➡ 肺癌
- Tuberculosis ➡ 結核
- Lung abscess ➡ 肺膿瘍
- Emboli ➡ 肺塞栓
- Coagulopathy ➡ 凝固異常
- Autoimmune disorders ➡ 血管炎
- AVM ➡ 肺動静脈奇形
- Alveolar hemorrhage ➡ 肺胞出血
- Mitral stenosis ➡ 僧帽弁狭窄症
- Pneumonia ➡ 肺炎

- 易出血性と凝固異常の有無は必ずチェック
- バイタルサインや酸素化が保てない場合は挿管，輸血を躊躇しない！
- 肺内の責任病巣が予想できれば**患側を下側にした側臥位**にする
- BAE が必要なら呼吸器科 on call および放射線科 on call に相談
- 少量喀血や血痰のみの場合は緊急に入院させる必要はなし．鎮咳薬処方後，翌日の呼吸器外来の受診を指示
- ただし患者に結核の可能性がある場合，若年者との接触を避けることを指導

処方例

トランサミン® 錠(500 mg) 3T 分3 ＋メジコン® 錠(15 mg) 3T 分3

Q&A

Q 「吐血と喀血はどうやって区別すればよいでしょうか？」

A 「血を吐いています！」と言われたときに，まず慌てず吐血なのか，喀血なのか，血痰なのか，それとも鼻出血がただ口に流れただけなのか素早く判断する必要があります．

以下の所見があれば喀血の可能性高いと考え，緊急度が上がります．

- ✓**咳嗽とともに血が出るか**
- ✓**血が鮮血でアルカリ性**
- ✓**嘔気・嘔吐を伴わない**
- ✓**泡沫状で凝固しにくい**
- ✓**発熱を伴う**

喀血は“A，B”の異常です．すぐに気道確保を行いましょう． また，出血源の90％が気管支動脈由来の出血と言われています(J Clin Imaging Sci 1：62, 2011)．動脈性なので出血の勢いが強いのも特徴です．挿管時は 8 mm 以上の太いチューブを用いてください．

■「動脈塞栓術適応となった喀血」の原因

(Vasc Endovascular Surg 45：258-268, 2011)

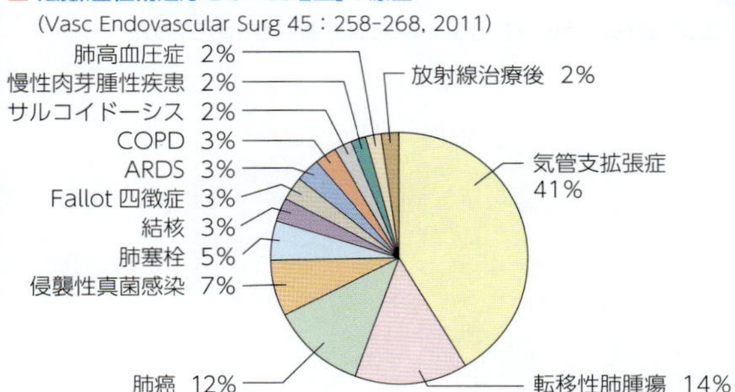

吐血，下血

輸血と緊急内視鏡適応は？

救急搬送までの 5分でCheck! アタマの中

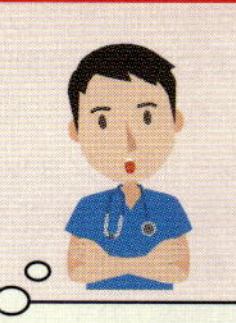

ABC-VOMIT アプローチ（⇒ p.13）と腹部診察

「ただの下痢」「痔からの出血」で来る下部消化管や消化管穿孔に注意

AMPLE 確認！特に抗凝固薬内服中・肝硬変・透析の既往はハイリスク！

酸素化が悪ければ早期介入

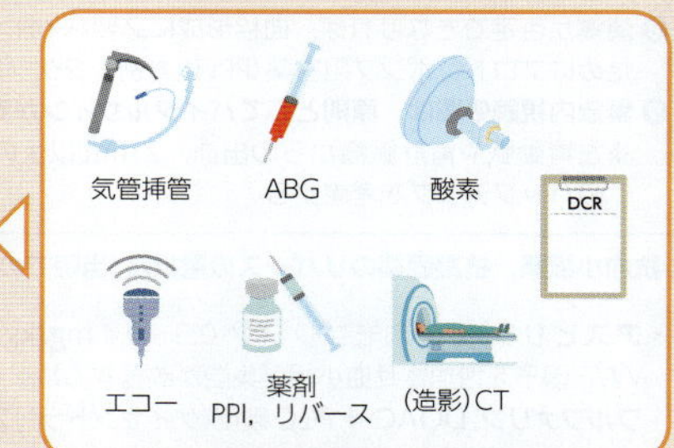

※ DCR：damage control resuscitation（ダメージコントロール蘇生術）

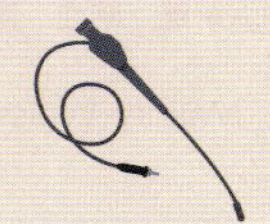

内視鏡的止血術

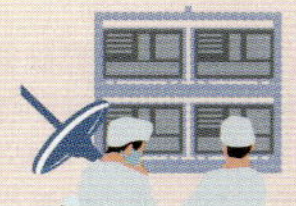

カテーテル室（IVR）

診療のフロー

はじめの5分でやることリスト

❶ ABCチェック．吐血していたら，誤嚥を防ぐため右側臥位に
❷ ショックか？顔色不良，四肢冷感を確認しながらバイタルチェック．バイタルサインが崩れていればDCR（輸液制限，低血圧許容，輸血と一時止血，トラネキサム酸，Ca，保温）
❸ ライン確保（20G以上，2ルート），ショックなら初期輸液開始
❹ 血算＋生化学＋凝固＋血液型を至急で検査！輸血依頼，血液ガス採取
❺ 病歴，既往歴（胃十二指腸潰瘍，肝硬変，痔，脳梗塞など），内服歴（NSAIDs，抗血小板薬，抗凝固薬）のチェック．虚血性心疾患のリスクがある症例では二次性の虚血変化を評価
❻ 血液型判明したら，クロス採血とFFPの依頼を行い，消化器内科on callにコンサルト
❼ 誤嚥防止と出血量のモニターを目的とし胃管留置．合わせて尿バルーンも留置
❽ 潰瘍が否定できなければ，血栓形成に必要なpH＞6.0の状態を達成するためにプロトンポンプ阻害薬（PPI処方例：タケプロン® 30 mg）ivを
❾ **緊急内視鏡処置は，原則としてバイタルサインが安定してから行う**
※左胃動脈や胃静脈瘤からの出血，2 mm以上の血管径などでは，IVRのバックアップを考慮する

抗血小板薬，抗凝固薬のリバースの選択肢（当院での方法）

- **アスピリン** ➡ デスモプレシン 0.3～0.4 mg/kg iv ± PC（血中の第Ⅷ，vWF因子を増加させ血小板凝集能が改善する）
- **ワルファリン，DOAC** ➡ PCC製剤（ケイセントラ®）25～50 U/kg ± FFP（ケイセントラ®）
- **ダビガトラン** ➡ イダルシズマブ（プリズバインド®）投与考慮

鑑別疾患

- **critical** ➡ 食道静脈瘤破裂，腹部大動脈瘤破裂，大動脈解離，喀血，消化管癌，炎症性腸疾患，腸重積，急性腸間膜動静脈閉塞
- **common** ➡ 消化性潰瘍，その他の急性胃粘膜病変，Mallory-Weiss症候群，虚血性腸炎，大腸憩室，痔，感染性腸炎など

- トラネキサム酸は重症消化管出血患者の死亡リスクを減少させず，静脈血栓症のリスクを増加させるため，使用しない(Lancet 395：1927-1936, 2020)
- 食道静脈瘤破裂症例では，Hb>10 g/dL 以上にすると出血合併症が増加する
- 肝硬変症例では，抗菌薬投与を行うことで再出血率と死亡率減少が報告されているため投与する．適切な抗菌薬および使用日数は証明されていないが，セフトリアキソン 1 g 24 時間おき 3〜7 日(日本では保険適応外)が使用されることが多い

■「上部消化管出血」の原因 (BMJ 2：505-509, 1973)

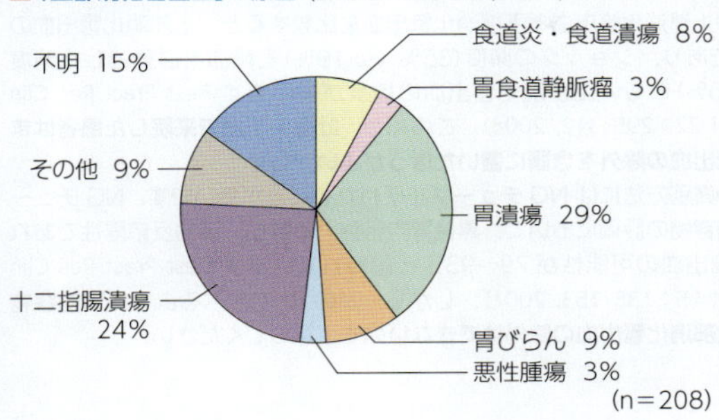

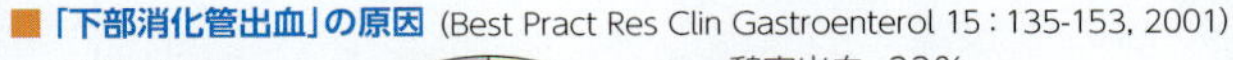
■「下部消化管出血」の原因 (Best Pract Res Clin Gastroenterol 15：135-153, 2001)

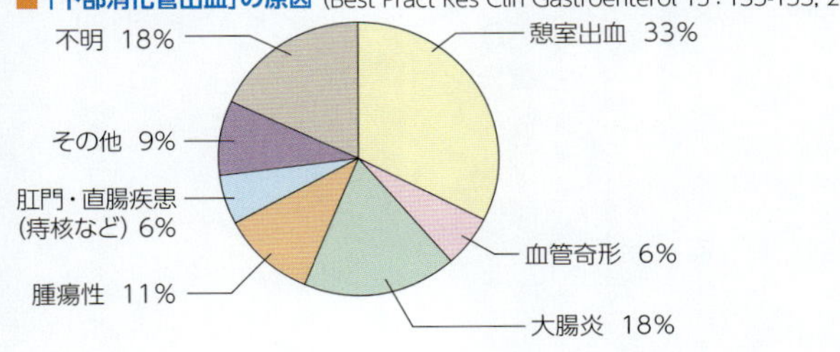

Q&A

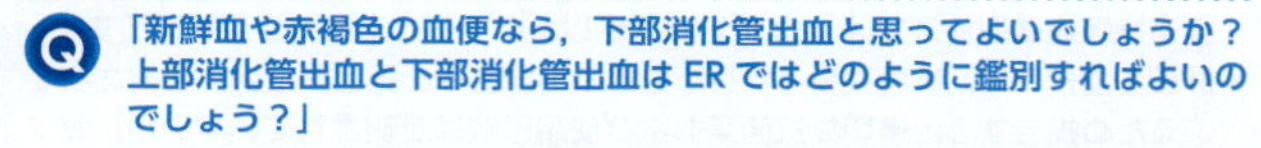

Q 「新鮮血や赤褐色の血便なら，下部消化管出血と思ってよいでしょうか？上部消化管出血と下部消化管出血はERではどのように鑑別すればよいのでしょう？」

A 基本的に，**便の性状のみで上部なのか下部消化管出血かを決め打ちするのは危険**です．下部消化管出血でも17%で黒色便となり，上部消化管出血でも大量出血のような場合では11%が新鮮血だったという報告があります(Best Pract Res Clin Gastroenterol 15：135-153, 2001)．

一般的には上部消化管出血と下部消化管出血を比較すると，上部消化管出血のほうが危険であり，ショックの頻度(35% vs. 19%)と輸血を必要とした頻度(64% vs. 36%)ともに上部消化管出血のほうが多いです(Best Pract Res Clin Gastroenterol 22：295-312, 2008)．このため，**吐血・下血で来院した患者はまず上部消化管出血の除外を念頭に置いたほうがよい**でしょう．

さて，その鑑別方法には**NGチューブ**を使われることが多いです．NGチューブによる胃内容物の評価において，黒色胃内容物，新鮮血，潜血反応陽性であれば上部消化管出血の可能性が79～93%と言われています(Best Pract Res Clin Gastroenterol 15：135-153, 2001)．しかし，次の**A**で述べるように**胃内容物が正常でも上部消化管出血の除外はできない**ので注意してください．

Q 「上部消化管出血の緊急内視鏡適応って何ですか？ 消化器の先生を呼び出すのを躊躇してしまうことがあって……」

A 上部消化管出血のリスク評価はいくつか種類があります．処置の必要性や死亡リスクの評価として有用なのが Glasgow-Blatchford bleeding score です．このスコアが 0 点の上部消化管出血では外来フォローで待機的内視鏡検査としても予後は悪くなりません．

■ **Glasgow-Blatchford bleeding score** (Lancet 356：1318-1321, 2000)

来院時評価	点	来院時評価	点
収縮期血圧		**Hb 値（男性）**	
100～109 mmHg	1	≧12，＜13 g/dL	1
90～99 mmHg	2	≧10，＜12 g/dL	3
＜90 mmHg	3	＜10 g/dL	6
血中尿素窒素（BUN）		**Hb 値（女性）**	
≧18.2，＜22.4 mg/dL	2	≧10，＜12 g/dL	1
≧22.4，＜28 mg/dL	3	＜10 g/dL	6
≧28，＜70 mg/dL	4	**他のリスク因子**	
≧70 mg/dL	6	心拍数＞100 回/分	1
		血便（メレナ）	1
		失神	2
		肝疾患	2
		心不全	2

また，NG チューブによる胃内容物の鮮血，黒色物の評価は Sn 81%，Sp 55%，LR＋2.0，LR－0.40 で実は確実なものではありません．最終的には施設内での適応や患者背景のリスクから総合的に判断し，専門医の指示を仰ぐのがよいでしょう．

Q 「では，下部消化管出血の緊急内視鏡適応とは何でしょうか？」

A 下部消化管出血は死亡率 2.4%と致命的になることは少ないですが，入院後再出血を認められる群では死亡率が 23.1%と高いです (Best Pract Res Clin Gastroenterol 22：295-311, 2008)．

緊急内視鏡適応のスコアリングなどはないですが，入院後の再出血，輸血リスク，外科的止血術リスクを見積もる研究があります．

■ **下部消化管出血入院後の再出血・輸血・外科的止血術のリスク**

(Arch Intern Med 163：838-843, 2003/Gastrointest Endosc 61：46-52, 2005 より作成)

リスク因子	オッズ比
心拍数≧100 回 / 分	3.7(1.8～7.6)
収縮期血圧≦115 mmHg	3.5(1.5～7.7)
失神	2.8(1.1～7.5)
腹部所見で圧痛なし	2.4(1.2～4.9)
最初の 4 時間で下血認められる	2.3(1.3～4.2)
アスピリン使用	2.1(1.1～3.8)
陳旧性心筋梗塞，認知症，糖尿病など併存症*が 3 つ以上	1.9(1.1～3.4)
ポリープ切除後の出血	6.3(1.4～28.0)

* 併存症とは，“Charlson comorbidity index”によって決まる

リスク因子が認められる場合は原則入院とし，なるべく早期の内視鏡処置が望ましいでしょう．

ちなみに，単純 CT と動脈相における造影域の広がりや動脈相と遅延相における造影域の広がりで extravasation を評価できます．造影剤の種類，撮影方法で異なりますが，extravasation の CT 値 144～340(平均 245)HU は使えます(Abdom Imaging 33：285-293, 2008)．また，すぐに大腸内視鏡ができない施設では，CT での造影剤漏出が認められない(CTA negative)の場合，慎重な経過観察を選択肢とすることもできます(Radiology 262：109-116, 2012)．

輸血製剤オーダーのコツ

- ✓Hb<7 g/dL(高齢者，心疾患患者などでは<8 g/dL)で輸血考慮
- ✓RBC：FFP＝2：1 をセットで投与．FFP 10 mL/kg から概算して投与量を計算(RBC 1 パックは 2 単位で 280 mL，FFP は 1 パック 2 単位で 240 mL)
- ✓目標値：Hb≧10 mg/dL，PT/aPTT<1.5，血小板数>10 万/dL，Fib≧150～200 mg/dL

■ 代表的な抗凝固薬の一覧

一般名(薬品名)	ダビガトラン	リバーロキサバン	アピキサバン	エドキサバン	ワルファリン
商品名	プラザキサ®	イグザレルト®	エリキュース®	リクシアナ®	ワーファリン
剤形	75mg/110mg カプセル	10mg/15mg 錠剤	2.5mg/5mg 錠剤	15mg/30mg /60mg 錠剤	0.5mg/1mg /5mg 錠剤
1日あたりの内服量	300mg 減量 220mg	15mg 減量 10mg	10mg 減量 5mg	60mg 減量 30mg	概ね2～5mg (適宜増減) PT-INR値 2.0～3.0
内服回数	2回	1回	2回	1回	1回
標的因子	第Ⅱ因子	第Xa因子	第Xa因子	第Xa因子	第Ⅱ，Ⅶ，Ⅸ，Ⅹ因子
適応疾患	非弁膜症性心房細動のみ	非弁膜症性心房細動，静脈血栓塞栓症	非弁膜症性心房細動，静脈血栓塞栓症	非弁膜症性心房細動，静脈血栓塞栓症	心房細動全般，血栓性静脈炎 肺塞栓，静脈血栓塞栓症など
減量基準	①CCr30～50 mL/分 ②P糖蛋白阻害作用を有する薬剤 ③年齢 70 歳以上 ④消化管出血の既往者 のうち1つ	CCr30～49 mL/分	①年齢 80 歳以上 ②体重 60kg以下 ③Cr=1.5 mg/dL以上 の3項目のうち2つ	①体重 60kg以下 ②CCr30～50 mL/分 ③P糖蛋白阻害作用を有する薬剤 の3項目のうち1つ	(心原性脳塞栓症の予防) ①年齢 70 歳以上 ②PT-INR値 >1.6～2.6

抗凝固薬(OAC)内服患者の出血時対応フローチャート

(J Am Coll Cardiol 70 : 3042-3067, 2017)

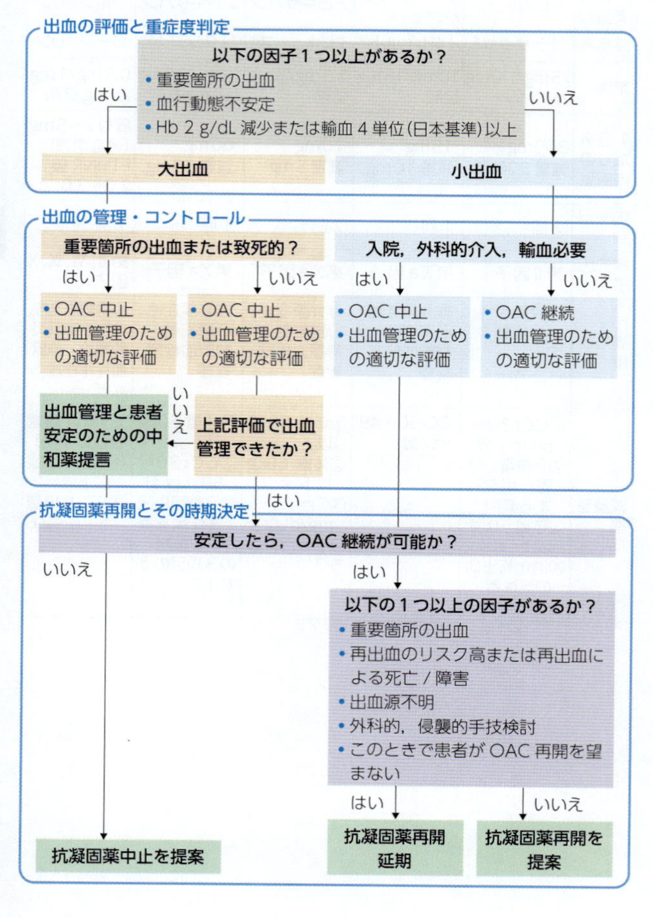

第 1 ステップは出血の重症度を 3 つの質問で確認することです．① **出血は致死的部位か？**，② **血行動態的に不安定か？**，③ **Hb 2 g/dL 以上の出血または 4 単位以上の輸血が必要か**？

➡ もし上記 3 つのいずれかを満たす or 上記 3 つを満たさない小出血でも入院や外科的介入が必要ならば，OAC は止めるべき．

➡ 中和薬使用は致死的出血あるいは重篤部位での大出血（頭蓋内出血，眼内や脊髄内出血，心嚢内，気道内，胸腹腔内，後腹膜，筋肉および関節内出血，後方鼻出血）に限られる．

➡ ビタミン K 阻害薬（ワルファリン）の中和には，ビタミン K（ケイツー® N）10 mg/2 mL を NS 50～100 mL に溶解して 15～30 分で投与が妥当．2～5 mg の経口ビタミン K は入院が必要な小出血に使用．

➡ Xa 阻害薬では 4F-PCC の 50 IU/kg の固定用量が推奨．ダビガトラン服用下の大出血患者はイダルシズマブ 5 g iv またはイダルシズマブ不適合患者では 4F-PCC が勧められる．

➡ 出血コントロールがついたら，対話のもと OAC 再開を考慮．重要部位出血例，再出血高リスク例，再出血時死亡が予想される例，出血源が同定できない例，外科手術が予定されてる例では再開を遅らせる．消化管出血患者では，OAC 再開は出血 7 日以上あとの再開がベター（死亡率減少，血栓塞栓リスク減少），頭蓋内出血患者では再開は約 4 週間遅らせる．

意識障害

それは「覚醒」と「認知」の障害

救急搬送までの5分でCheck! アタマの中

まずはけいれん，失神でないか確認

次に，低血糖・低酸素・低体温を除外

鑑別は(⇒ p.159) AIUEO TIPS

けいれん ➡ p.138
失神 ➡ p.196

低血糖・低酸素・低体温を先に除外

血糖値測定

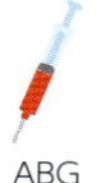

ABG

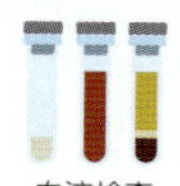

血液検査
ビタミン B_1 は
別スピッツ

原因精査

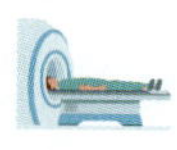

- ✓CT・MRI
- ✓腰椎穿刺
- ✓薬剤

診療時のひとことメモ

✓意識障害の定義は，物事を正しく理解することや，周囲の刺激に対する適切な反応が損なわれている状態

✓「意識障害」という主訴でやってくる患者はいない！「意識レベル低下」「様子が変」「倒れていた」など，まずは主訴が意識障害であることをいち早く認識する！

診療のフロー

はじめの5分でやることリスト

✓失神とけいれんを除外

✓低酸素を除外．血糖値をチェックし低血糖ならビタミン B_1 製剤 iv → 20%ブドウ糖液 40 mL 投与

✓D（神経）の評価（JCS・GCS，瞳孔径，対光反射，眼位，睫毛反射，髄膜刺激徴候，四肢筋緊張，上肢落下試験，自発運動左右差，病的反射）

✓ABC 安定させてから頭部 CT

➡ 段階を追っていきながら鑑別に必要な検査を追加．**いきなり CT，MRI に飛びつくなかれ！**

検査

Primary survey

➡ 簡易血糖検査，血液ガス（CO-Hb 含），血液検査（甲状腺，副腎機能，NH_3，ビタミン B_1），尿検査（尿薬物スクリーニング検査も考慮）

▼

Secondary survey

➡ 胸部 X 線，心電図，心エコー

▼

Tertiary survey

➡ CT，MRI，髄液検査，脳波

鑑別疾患

r/o
- 低血糖
- 低酸素
- 低体温

▼

r/o
- 循環障害(ショック，緊張性気胸，急性冠症候群，肺塞栓症，大動脈解離，高血圧脳症)
- 電解質・代謝系異常(電解質，尿毒症，肝性脳症)

▼

r/o
- 頭蓋内疾患(脳卒中，髄膜炎，脳炎，てんかん)
- 薬剤性，精神疾患

■「自宅居住高齢者」の急性意識障害 (Am J Emerg 14 : 649-653, 1996)

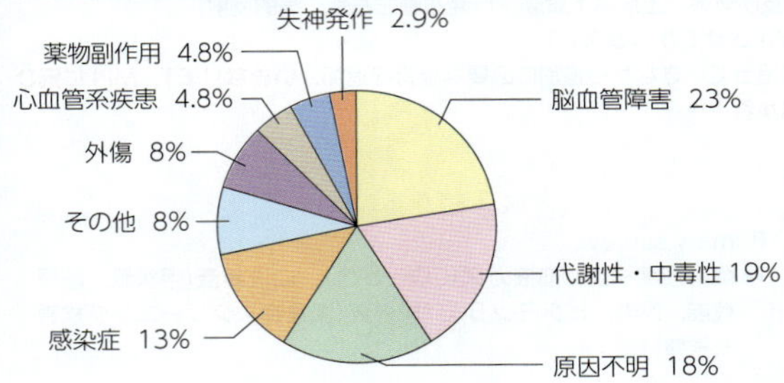

■ **系統的鑑別：AIUEO TIPS**

A	Alcohol, AKI	急性アルコール中毒，急性腎障害(AKI)
I	Insulin	低血糖，DKA，HHS
U	Uremia	尿毒症
E	Encephalopathy	肝性脳症，高血圧脳症
	Endocrinopathy	甲状腺クリーゼ，粘液水腫，副腎クリーゼ
	Electrolytes	Na と Ca，Mg の異常
O	Opiate/Overdose	薬物中毒
	O_2，CO_2	低酸素，CO 中毒，CO_2 ナルコーシス
T	Trauma	脳挫傷，急性硬膜下・外血腫，慢性硬膜下血腫
	Tumor, TMA	脳腫瘍，血栓性微小血管症(TMA)
	Temperature	低体温，高体温
I	Infection	脳炎，髄膜炎，脳膿瘍，敗血症
P	Psychogenic	精神疾患
S	Seizure	てんかん(非けいれん性も含む)
	Stroke	脳梗塞，脳出血，くも膜下出血，大動脈解離
	Shock	各種ショック

Q 「そもそもなぜ意識障害が起こるのですか？」

A **「意識清明」**とは，**「自己を正しく認識し，周囲に対して適切に反応できる状態」**であり，脳幹網様体賦活系と視床下部調節系が重要な役割を果たしています．

何らかの原因によって**広範な大脳皮質障害や脳幹網様体が障害**されたとき，意識の清明度の低下(量的低下)や幻覚・妄想・錯覚などの意識内容の変化(質的変化)が起こります．その原因には脳内病変と脳以外の全身性障害の 2 つに大きく分けて考えるとよいでしょう．

Q 「どうやって意識障害とけいれんや失神を区別すればよいのですか？」

A 基本的には病歴で判断します．「失神」とは大脳皮質全体の脳血流低下によって発症する一過性の意識消失であり，**短時間で意識が完全に回復する**ことです．いつもと様子が異なるのならそれは「意識障害」となります．

また，けいれんと失神の鑑別には，以下のスコアリングも役に立ちます．

■ けいれんと失神の鑑別 (J Am Coll Cardiol 40：142-148, 2002)

項目	点数
❶ 起こった際の咬舌	2点
❷ 異常行動(四肢攣縮，発作前の震え・うわの空・幻覚)	1点
❸ 精神ストレスによる意識消失	1点
❹ postictal confusion(発作後のもうろう状態)	1点
❺ 発作後の錯乱頭部を一側に向ける	1点
❻ 発作前の既視感(デジャブ)	1点
❼ 何らかの前失神状態	－2点
❽ 長時間の立位に伴う意識消失	－2点
❾ 発作前の発汗	－2点

➡ **合計1点以上でけいれんを示唆(Sn 94%，Sp 94%，LR＋16，LR－0.06)．**

ただし，失神により一過性の脳虚血によってけいれんを起こす場合もあるので厳密にはけいれんと失神を区別しきれないことに注意しましょう．

Q 「高齢者の意識障害では，どの点に気をつければよいですか？」

A 自宅生活高齢者では脳血管障害が意識障害の成因として最も多いですが，**施設入所者や寝たきりの高齢者の場合，感染症そして代謝性疾患の可能性をまず考えるべき**です(Am J Emerg Med 14：649-653, 1996)．

血圧が高い場合は頭蓋内病変を考え素早く focal sign(⇒ p.93)を探すとよいでしょう．

また，**高齢者特有の意識障害として注意すべき点は，せん妄と NCSE(non-convulsive status epilepticus：非けいれん性てんかん重積状態)の2つがあります．**

高齢者が「急にぼけた」場合は認知症ではなく重篤疾患によるせん妄と慢性硬膜下血腫を疑いましょう．せん妄の診断には 3D-CAM(3-minute diagnostic interview for delirium using confusion assessment method)が Sn 95%，Sp 94%と有用で ① 意識 or 注意力 or 会話や思考の変動，② こちらが提示した

3つの数字を逆に言わせてみて会話が保たれない，③ 時間や場所の見当識障害，の3項目を確認します．**せん妄の誘発因子は「DELIRIUM」**(drug, electrolyte, lack of drug, infection, reduced sensory, intracranial dis., urinary and fecal, myocardial and pulmonary)の語呂が有用です．

一方，NCSEとは簡単にいうと**けいれんしないてんかん発作**です．主に複雑部分発作あるいは単純部分発作が回復なく5分以上反復する状態であり，明らかなけいれんを認めず，臨床像を説明しうる発作性脳波異常が確認されたときに診断されます．症状として，

- 凝視，目の一方向への小刻みな眼振，振り返るまばたき(瞬目動作)
- ものを飲み込むような動作(嚥下運動)，ものを食べるような動作(咀嚼運動)
- 四肢の震えのような細かなミオクローヌス，意識レベルの変動ないしは低下遷延

などがあります．また，pupillary hippusという，両側の瞳孔が無刺激でも縮瞳/散大を繰り返す所見は診断に有用です(Epileptic Disord 14：310-312, 2012)．NCSEは疑わなければ診断が難しく，生命予後，機能予後に深くかかわります．特に，昏睡状態，過換気後遷延性無呼吸発作，突然死を呈する例は，生命予後にもかかわる重症例です．治療は，ジアゼパム(セルシン®)1A ivあるいは5〜10分後にフェニトイン(アレビアチン®注)通常250 mgを，心電図(ECG)モニターを監視しつつ5分以上かけてivします．

めまい

救急搬送までの5分でCheck! アタマの中

本当にめまい？ 見逃すな，中枢性！

まずは失神でないかを確認

BPPVに特徴的か？

急性前庭障害（AVS）を疑う所見は？

脳幹症状を伴うテント下梗塞を除外せよ！

失神 ➡ p.196

BPPVらしい？
➡ ・supine roll test（⇒ p.166）
・Dix-Hallpike test（⇒ p.166）
を使ったBPPV部位診断と治療へ

「**AVS**らしい？」と思ったら
HINTS＋（⇒ p.171）

フレンツェル眼鏡

前庭神経炎	中枢性らしい？
⬇	⬇
• **薬物治療** 制吐薬・第一世代抗ヒスタミン薬	• **神経所見を確認** 頭痛，複視，眼球運動障害，嚥下障害，しびれ，体幹失調 • **CT・MRI**で正常でも歩けなかったら入院

診療時のひとことメモ

✓めまいを性状によって分類することは難しい(Mayo Clin Proc 82：1329-1340, 2007)！ 持続時間とトリガーを聞け！

診療のフロー

はじめの5分でやることリスト

✓まずはpresyncopeを除外
✓BPPV★1に特徴的かどうか？
✓中枢性を疑う所見(頭痛，複視，眼球運動，障害，嚥下障害，構音障害，しびれ，体幹失調，四肢失調，聴力障害)があるかどうか？
✓HINTS＋(⇒p.171)を行う
✓Red flag★2を意識

★1 BPPV(benign paroxysmal positional vertigo：良性発作性頭位変換性めまい症)の典型例とは？

✓めまい発症まで数秒の潜時で次第に増強し，頭位を完全に静止したら1〜2分で消失する
✓特定の頭位で誘発され，臥位になったときでも誘発される
✓難聴や耳鳴は随伴しない
➡これらがあればほぼBPPV！
➡診断目的に誘発試験，耳石置換法をトライ！

検査

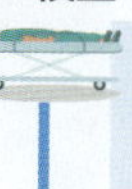

Primary survey

➡まずは問診，眼振，神経診察〔①上下肢筋力低下・顔面麻痺，感覚障害，②構音障害，③複視，眼球運動障害，④運動失調(指鼻指・膝踵試験，回内回外試験)，⑤聴力障害〕

Secondary survey

➡Red flag★2があれば積極的に頭部CT・MRI．椎骨脳底動脈解離などを疑う場合は，頸部エコーやMRIを近位まで撮影

※体幹失調のチェックに救急車に乗るときに歩くことができたかを確認する！

鑑別疾患

- presyncope ➡「失神」の項目の鑑別診断を参照に(⇒ p.198)
- 末梢性めまい ➡ BPPV，前庭神経炎，Ménière 病，突発性難聴，第Ⅷ脳神経障害薬(ゲンタマイシンなど)
- 中枢性めまい ➡ 小脳梗塞・出血，Wallenberg 症候群，椎骨脳底動脈循環不全，多発性硬化症，前庭性片頭痛
- その他 ➡ うつ病，パニック障害，過換気症候群など

■ **“Dizziness”の原因** (South Med J 93：160-167, 2000)

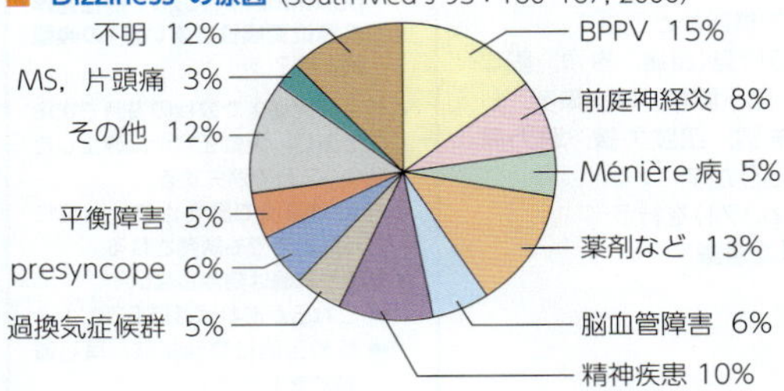

※プライマリ・ケア，ER，専門外来すべてを含めての評価

★2 めまいの Red flag：“初めての氷寿司に歩けないほどのめまい”

初めての ➡ 高齢者の**初回**発作
こ ➡ 安静でも**高**血圧が持続
お ➡ **嘔**吐が持続している
り ➡ 高血圧，糖尿病，脂質異常症，心房細動など**リ**スク
ず ➡ **頭**痛を伴う
し ➡ **神**経脱落症状
歩けない ➡ **歩行困難**のめまい

Q&A

Q 「何だか，めまいって難しいですね……．結局どうしたらいいんでしょうか？」

A 研修医はめまいの専門家である必要はありません．とにかく，**ERでは「失神なのか，めまいなのか」「めまいなら，末梢性なのか中枢性なのか」を鑑別すれば合格**です．

めまいはつらい症状なので時に問診や診察すら困難なこともあります．積極的に対症療法を行いましょう．

- 対症療法例 ➡ NS 100 mL＋アタラックス®-P div，プリンペラン® 1A iv
- 帰宅処方 ➡ メリスロン® 錠 6T 分 3(内耳の血流改善？)，プリンペラン® 錠 1T 頓服

残念ながら，頭部 MRI まで撮影しても中枢性めまいを見逃す確率を 0 にすることはできません．だから，「歩けないめまいは絶対に帰さない」．Red flag に該当するような持続性めまいでは入院させ，神経学的症候と MRI をフォローしましょう．

Q 「末梢性めまいの中での鑑別診断にはどんなポイントがありますか？」

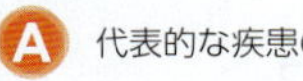

A 代表的な疾患のポイントを記載します．

BPPV

文字どおり，頭位変換に伴うめまい発作で，眼振は水平性一方向性．めまい発症まで数秒の潜時をもって次第に増強し，1〜2 分後に消失します．特定の頭位で誘発され，特に臥位になっても増悪する(オッズ比 12.2)のが特徴です．蝸牛症状(難聴や耳鳴)は随伴しません．

三半規管は posterior(後半規管)，horizontal(外側半規管[水平半規管])，anterior(前半規管)の 3 つがあり，BPPV もそれぞれで生じます．頻度としては 80％以上が posterior であり，次いで 13％前後が horizontal，残りが anterior です．診断から治療までの流れは下記のようになります．

❶ BPPV を疑ったら，まず仰臥位の状態で supine roll test を実施する．

頭位変換により眼振の向きが変わる場合は外側半規管型 BPPV と診断してよい．前庭神経炎なら患側と逆向きの一方向固定性眼振となり，これらの診断には可能な限りフレンツェル眼鏡を用いる．supine roll test 陽性では治療は Gufoni 法をトライするが詳細は成書に譲る．

supine roll test

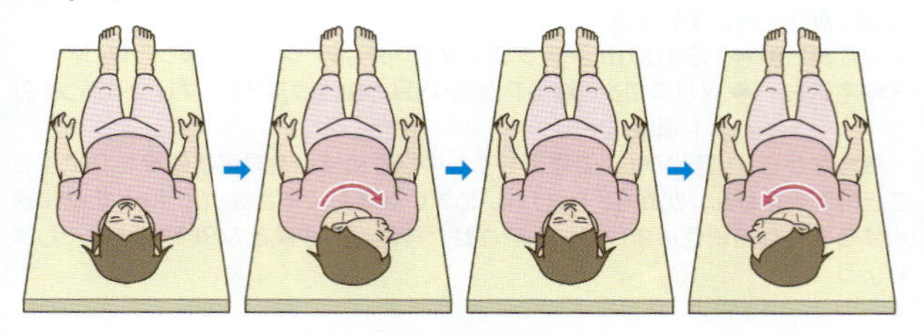

仰臥位で頭を左右に振り，それぞれの頭位での眼振を確認する．

❷ supine roll test で陰性ならば，Dix-Hallpike test を行う．

posterior canal（後半規管型），anterior canal（前半規管型）の BPPV を疑った際に行う誘発方法が Dix-Hallpike test である．倦怠感や嘔気が強い場合は，抗ヒスタミン薬投与後に行うとよい．症状が誘発されることを事前に患者に伝えておく．

Dix-Hallpike test が陽性ならば陽性方向が患側の posterior canal（後半規管型）BPPV であり，そのまま Epley 法での治療に進めていく．すべて陰性ならば BPPV が改善したか，他の疾患を考慮する．

Dix-Hallpike test（右下懸垂頭位にした場合）

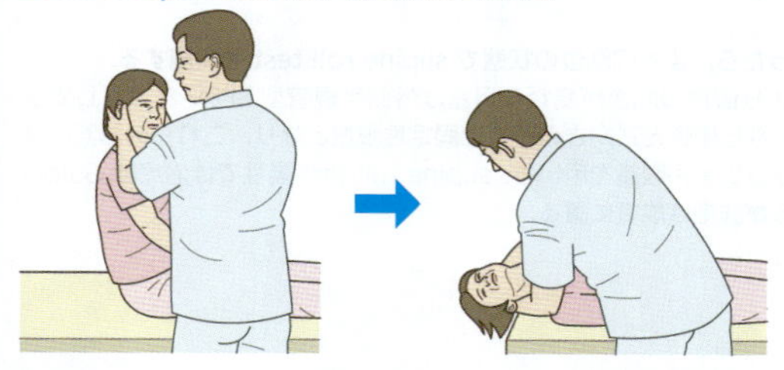

頸部を右 45° に向け，そのまま後方へ倒す．Posterior canal の向きは耳介と一緒であるため，もし右の posterior canal に問題があれば強く刺激され，めまいの症状は増悪し，眼球の上極が患側（下にした耳）方向へ回旋していく眼振を認める．

■ 右後側半規管型 BPPV に対する Epley 法による治療

(J Clin Neurol 6：51-63, 2010)

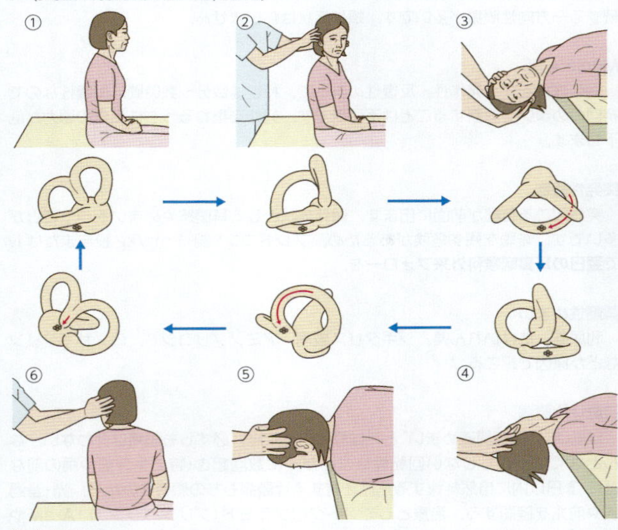

① 座位の状態
②→③　Dix-Hallpike test と同じ要領で行う．③ の状態で 20～30 秒保持する
③→④　頭部を反対側へ 90° 回転し，20～30 秒保持する
④→⑤　さらに頭部を 90° 回転し，20～30 秒保持する
⑤→⑥　頭位はそのままで座位へ戻す

※ Epley 法の NNT (number needed to treat：治療必要数) は 1.43～3.7 と有用．治療後に horizontal, anterior へ変化することもあるので注意
※ Epley 法は，ちょうど耳たぶの位置にたまった耳石を，耳介のふちに沿って後ろから前にもってきて，耳の穴の位置に落とすイメージで行う

前庭神経炎

50% は上気道感染に続発しますがよくわからないことも多いです．数日間持続する一方向性眼振が多いです．蝸牛症状は伴いません．

Ménière 病

蝸牛症状を伴う発作性・反復性めまいで，持続は数分～数時間．反復性なので初回のめまいで診断することは不可能です．発作を重ねるうちに患側の聴力が低下します．

突発性難聴

突然起こる難聴が前面に出ます．随伴症状として耳閉感やめまいを伴うことが多いです．難聴を残す危険があるため，プレドニン® 錠 1 mg/kg 投与または iv で**翌日の耳鼻咽喉科外来フォロー**を．

薬剤性めまい

利尿薬，抗けいれん薬，ジギタリス製剤，アミノグリコシド，ミノサイクリンなどが原因で起こる．

前庭性片頭痛

以前は“片頭痛関連めまい”と呼ばれていた疾患．必ずしも頭痛は伴わない．なんとなくはっきりしない回転性めまいが年に数回起き（特に生理前や雨の前など），3 日以内に自然軽快する病歴を有する片頭痛もちの患者をみたら，光・音過敏や前兆を確認する．治療としてメトクロプラミド（プリンペラン®）1A div やトリプタン製剤が有効．

COLUMN
徹底分析！　中枢性めまい

めまいは前庭神経のみならず，脳幹，小脳片葉小節，側頭葉病変のいずれかの障害で生じる．また，自律神経や精神状態との関連もあり，その神経回路は複雑である．しかも，めまいで来院した**小脳梗塞**の 24 例の検討全例で体幹失調を認めたものの，**16%が独歩可能かつ方向交代性眼振すら認めなかった**という報告がある．(Neurology 70：2378-2385, 2008)．そんな厄介な中枢性めまいを ER でどう除外するべきか徹底分析する．

Step1. まず，眼振を見よ！

一般に中枢性めまいでしか生じない眼振は以下の 3 つである．

❶ 注視誘発方向交代性眼振（右見ても，左見ても眼振が出るタイプ．極側方視での終末位眼振除く）
❷ 座位でも認める純粋な垂直性眼振（上眼瞼向きは延髄や中脳，下眼瞼向きは小脳障害を示唆）
❸ 純粋な定方向性回旋性眼振（右方視，左方視でも同じ方向の回旋性の眼振がみられ，延髄障害を示唆）

以上を認めたら**中枢性めまいを考慮**する．

一方，末梢性めまいでは左右どちらか一方向注視時ないし左右注視時ともに固定の一方向性眼振となる．

❶
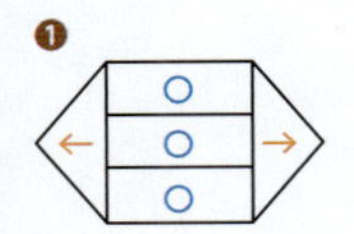

❷
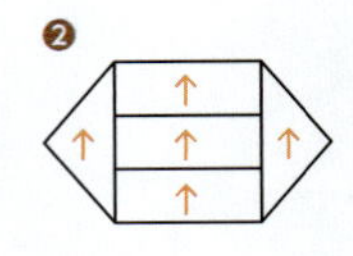

❸ 中枢障害（下部脳幹）
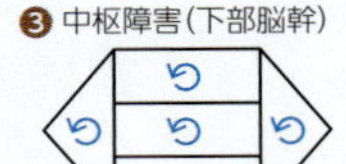

※上図のように，すべての注視方向で眼振が生じるとは限らない

←：右向き眼振，→：左向き眼振，↑：上向き眼振，↓：下向き眼振，○：眼振なし

Step2. 症状から責任血管を想像

頭痛，複視，眼球運動障害，嚥下障害，しびれ，体幹失調，四肢失調，聴力障害の有無は必ずチェック！ しかし，めまい患者の脳梗塞診断の神経学的異常所見は83％にすぎない(Stroke 37：2484-2487, 2006)．

MRIも万能ではない!!

発症24時間以内のMRIのDWIでの偽陰性率は5.8％であり，除外するためには48時間後の確認が必要と言われている(Am J Neuroradiol 21：1434-1440, 2000)．

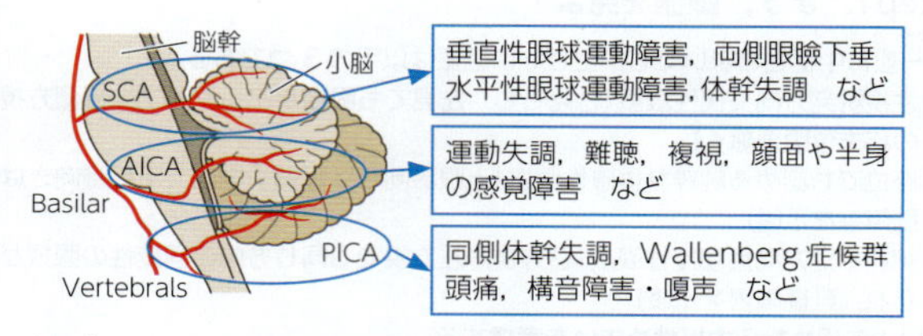

- SCA(superior cerebellar artery)：上小脳動脈 ➡ 橋，中脳症状，対側感覚障害
- AICA(anterior inferior cerebellar artery)：前下小脳動脈 ➡ 運動失調がメイン
- PICA(posterior inferior cerebellar artery)：後下小脳動脈 ➡ 体幹失調がメイン，多彩な症状

CHECK

眼振の向きとカルテ記載

眼振には，眼球がゆっくり正中からずれていく緩徐相と，それを瞬時に戻す急速相に分かれる．たいてい，緩徐相のほうが病的運動で，急速相は，ただずれた眼球を正中に戻しているだけなのだが，**なぜか眼振の向きは「急速相の方向」と決められている**．

また左右の向きに関しては，カルテでは患者側から見た方向で記載して構わないが，注視眼振記録では，**医師から見た方向に矢印を書く**ことになっているので混乱しないようにしたい．

例えば，外側半規管型BPPVでは，右下頭位と左下頭位で方向が逆転する水平性眼振（方向交代性眼振）がみられる．前庭神経炎では，頭位によらない一方向性の水平性眼振が認められる．

眼振の向きの理解には，「**前庭神経が（相対的に）興奮しているほうが急速相**」と覚えておけばよい．例えばBPPVや（ある時期の）Ménière病では，患側の前庭神経が興奮しているため急速相が患側となる．反対に前庭神経炎のように，患側が炎症のダメージを受けている場合は，相対的に健側が興奮度が高くなり，急速相が健側となる．

■ **注視眼振記録**

	上方注視	
右30°注視	正面注視	左30°注視
	下方注視	

■ **頭位変換眼振記録**

右頸捻懸垂位	懸垂位	左頸捻懸垂位
右頸捻座位	座位	左頸捻座位

（頸捻は45°）

Step3. HINTS＋を使う

HINTS＋とは，

① head impulse test
② 方向交代性眼振＋垂直性眼振（nystagmus）
③ skew deviation（test of skew）
④ 指こすりでの聴力障害の有無評価（plus）

➡**これらすべて正常なら脳梗塞はほぼ除外可**（Neurology 83：169-173, 2014）．

① head impulse test (HIT)

前庭眼反射(VOR)を確認する検査．検者の鼻を見るよう指示しながら，素早く頭部を 20° ほど回旋させる．

■ head impulse test (HIT)

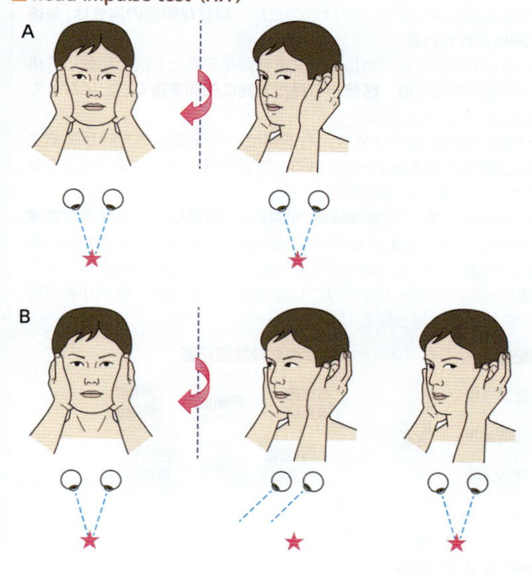

A：正常．患者の目線は検者の鼻から動かない
➡正常ないし前庭障害以外を示唆

B：異常(陽性)．患者の目線が一瞬検者の鼻から外れる
➡前庭障害があり，末梢性めまいを示唆
➡HIT 異常の脳卒中に対する Sn 85%，Sp 95% (CMAJ 183：E571-592, 2011)

② **方向交代性眼振＋垂直性眼振**

⇒ p.169 参照.

③ **skew deviation (test of skew)：斜偏位**

両眼前 50 cm ほどからペンライトを照らし，眼球の位置を確認．片眼ずつ交互に隠し，手を外した瞬間には眼球が縦方向にずれていて，サッと正中方向に眼球が戻ってきたら陽性とする．

■ **skew deviation**

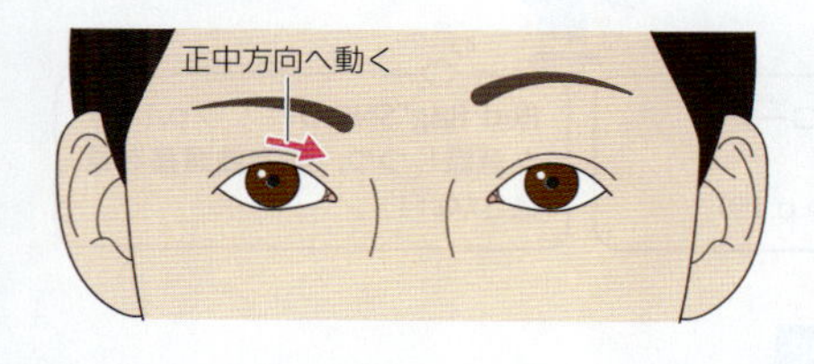

④ **指こすりでの聴力障害の有無評価**

前下小脳動脈 (AICA) は前庭に栄養を送っているため，AICA 領域の梗塞では HIT の Sn 62%，LR＋ 0.40 (CMAJ 183：E571-592, 2011)．ただし，AICA 梗塞では難聴が特徴的なため，必ず聴力を確認．

➡それでも自分の所見を 100%信じすぎない．やはり Red flag があれば専門医コンサルトする！

頭痛

診るほうも頭が痛くなる？

救急搬送までの5分でCheck! アタマの中

ABC-VOMIT アプローチ（⇒ p.13）と，
痛みの OPQRST（⇒ p.19）

Red flag"SNOOP"（⇒ p.176）
を意識しつつ，**二次性頭痛**を見逃さない！

原因精査

✓CT・MRI
✓腰椎穿刺

診療時のひとことメモ

✓「頭が重い」や「目の奥が痛い」と表現されることもある
✓血圧↑と，心拍数↓があれば Cushing 現象として頭蓋内圧亢進を疑う
✓意識障害を伴い，収縮期血圧＞170 mmHg なら頭蓋内病変を疑う

診療のフロー

はじめの5分でやることリスト

✓何よりもバイタルサイン
✓Red flag の確認！「SNOOP」(⇒次頁) で覚えよう．
　➡ 異常があれば頭部画像検査
✓二次性頭痛を見逃さない！

■ **救急外来における頭痛の原因** (日本頭痛学会誌 28：4, 2008)

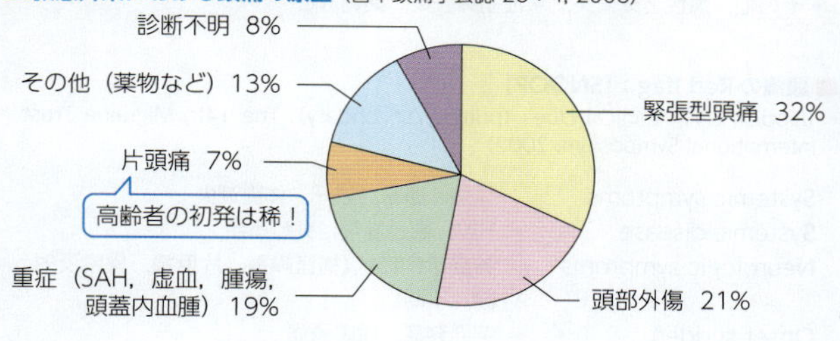

III 主訴別アプローチ編

検査

Primary survey

➡ 病歴聴取，診察(頭皮の視診・触診，頸部筋肉の圧痛・緊張，jolt accentuation，項部硬直，眼球診察，副鼻腔圧痛，神経診察)

Secondary survey

➡ 鑑別疾患に応じて採血(血糖，赤沈)，各種培養，頭部 CT，頭部 MRI など

鑑別疾患

r/o
- 二次性頭痛〔SAH，脳卒中，椎骨動脈・内頸動脈解離，静脈洞血栓症，髄膜炎・脳炎，低血糖，緑内障，側頭動脈炎，一酸化炭素中毒，大動脈解離，可逆性脳血管攣縮症候群(RCVS)，可逆性後頭葉白質脳症(PRES)，下垂体卒中，子癇〕

▼

- 一次性頭痛(慢性＋再発性)：緊張型頭痛，片頭痛，群発頭痛
- その他，急性上気道炎，急性副鼻腔炎，薬物など

頭痛の Red flag：「SNOOP」

〔Dodick DW：Clinical clues (primary/secondary). The 14th Migraine Trust International Symposium, 2002〕

Systemic symptoms	発熱，悪寒，盗汗，体重減少
Systemic disease	HIV，悪性腫瘍，免疫不全
Neurologic symptoms	神経学的症状(構音障害，片麻痺，異常反射，瞳孔不同)
Onset sudden	突発発症，雷鳴頭痛
Onset age	50歳以上の，これまでに経験したことのない頭痛
Pattern change	いつもと異なる性状，時間進行性に悪化する頭痛

※“SNOOP”とは英語で「探る」という意味

Q **「頭痛患者ではどんなときに頭部CTを撮ればよいのですか？　とにかく，クモ膜下出血が怖いです……」**

A **ERにおける頭痛診療で最も気を使うのは，いつ頭部CTなどの画像撮影をすればよいか，という判断**だと思います．いくつかの基準はありますが，完璧なものはありません．明らかに不要なCTを少し減らせる意義は重要です．

次頁に，**問診でSAHを除外**するためのOttawa SAH ruleを示します．

Ottawa SAH rule (JAMA 310：1248-1255, 2013)

❶ 40歳以上か？
❷ 頸部痛や項部硬直はあるか？
❸ 意識障害や失神はあるか？
❹ 労作中か？
❺ 雷鳴頭痛か？

➡ すべて"No"の場合，Sn 100%　Sp 8.8%

やはり，**基本は問診でのOPQRST(⇒ p.19)を漏れなく聴取すること**です．

onsetが「トイレでいきんだ瞬間だったり，ドアノブに手をかけた瞬間」のようにsuddenの**「雷鳴頭痛」は頭部画像検査適応**となりますが，**くも膜下出血(SAH)**ではおよそ半分のみが雷鳴頭痛で**残りは数秒〜数分単位で増悪しうる**(Brain 124：249-278, 2001)ので注意が必要です．「人生で感じたことのない」ような，「バットで殴られた」ような雷鳴頭痛であるケースは比較的少なく，NRS 7〜8/10程度の頭痛が多いと言われます．

発熱や嘔吐(LR+1.8)，精神症状や神経学的症候(LR+3.1〜3.6)，Valsalva法で増悪する頭痛(LR+2.3)などの病歴はSAHの確率を上げます(JAMA 296：1274-1283, 2006)．

軽度の頭痛で発症してから10日前後で本物のSAHとなる「sentinel breeding」はSAHのおよそ40%でみられ，半数が医療機関を受診しますが，**16〜60%ほどは見逃されている**という報告があります(J Neurol Neurosurg 38：575-580, 1973/Brain 27：1558-1563, 1996)．**つまり，「前にも同じような頭痛がありましたよ」という発言は危険！**と考えましょう．

SAHを疑って頭部CT撮影したときは見逃しが多いため注意して読影しましょう(第Ⅱ編「頭部CT」項を参照⇒ p.86)．疑わしいときはMRIもお勧めです．FLAIRでの脳溝などの高信号域，T2*強調画像で低信号域は時間が経過してもSn，Spともに90%近くで，発症3か月経過してもSn 72%という報告があります(Stroke 34：1693-1698, 2003)．腰椎穿刺は議論が分かれるところであり，施行に関しては所属施設の脳外科医との取り決めを確認しましょう．

SAHを診断したら急いでSCUコンサルト！ **再破裂予防に努め，専門医と相談しながらを降圧しつつ，静かな暗い部屋でベッド上安静を保ち，不用意な刺激を与えない**ようにしましょう(尿道カテーテル挿入には要注意)．

Q 「一次性頭痛の鑑別のポイントにはどんなものがありますか？ 片側で拍動性なら片頭痛でよいですよね？」

A 国際頭痛分類によると，一次性頭痛は「緊張型頭痛，片頭痛，三叉神経・自律神経性頭痛（その中で一番有名なのが群発頭痛），その他」に分けられています．代表的な3疾患の鑑別はできるようにしましょう．

緊張型頭痛

生涯有病率は30〜78％で，国内に2000万人の患者数と一次性頭痛の最多を占めます．近年，片頭痛の前段階としての認識もされており，ストレスが頭蓋頸部筋の収縮を引き起こし，さらにストレスを増す悪循環に入った状態と考えられています．

一般に両側性，圧迫感，締めつけられるような頭痛であることが多いですが例外も多く，**一見片頭痛のような片側性のこともあります**．片頭痛との鑑別ポイントは，**片頭痛では通常増悪しうる「入浴中や起床後，運動後」で痛みが改善する点や嘔気・嘔吐を伴いにくい点**です．

治療は前述のように温熱・運動療法を優先し，程度が強い場合はアセトアミノフェン（カロナール®）500 mgやイブプロフェン（ブルフェン®）200 mg頓用で対応しましょう．

片頭痛

有病率8.4％であり女性に多いです．経済的損失年間3000億円という見積もりがあるくらいQOLを障害しうる頭痛です．**家族歴（LR+5.0）**も半数近くに認めており，もともと脳の過興奮性の遺伝的素因があり，三叉神経終末から硬膜動静脈に神経ペプチドが放出→血管拡張と炎症が惹起された病態と考えられており，**頭痛だけでなく，自律神経，感覚・行動の異常**を伴います．

前兆（aura）とは，頭痛に前駆するか，あるいは頭痛と同時に起こる視覚，感覚，言語症状であり，光過敏（LR+5.8），閃輝暗点や顔面などのチクチク覚，失語などが起こります．5分以上かけて徐々に進展し，5〜60分ほど持続するのが特徴です．

また，**予兆（premonitory symptoms）**とは前兆の有無を問わず頭痛発作の数時間〜数日前に起こる肩や頸部のこり，抑うつ，情緒不安定，**嘔気（LR+19.2）**，空腹感や眠気などの症状を指します．このため緊張型頭痛と誤診されやすくなります（Arch Intern Med 160：2729-2737, 2000）．

ERでの診断では，**（① 嘔気，② 羞明，③ 日常生活妨げるような頭痛）のうち，2つ以上該当でSn 81％，Sp 75％**であり有用です．

前兆にはトリプタン系（イミグラン® 2T，マクサルト® 1T）は無効であり，ロメリジン，スタチン，バルプロ酸が有効と言われています．しかし，軽症ならNSAIDsが推奨です．

群発頭痛

有病率は 0.01% と稀な疾患です．「一側性の重度の頭痛が，眼窩部，眼窩上部または側頭部のいずれか 1 つの場所に 1 日数回，数時間程度持続」が典型的で，あまりの痛さに成人でもあたかも狂ったように痛がります．

前駆症状や嘔気・嘔吐はなく，**流涙，鼻漏，眼瞼浮腫，Horner 症候群**が合併します．**下垂体病変や頸動脈解離なども同様の症状が起こるので画像検索は必須**です．

予防薬はベラパミル（ワソラン® 40 mg 分2 3 日おきに），発作時の治療はスマトリプタン筋注（イミグラン® キット皮下注 1 回 3 mg 1 日 2 回まで）＋フェイスマスクで酸素を毎分 7 L 以上，15 分間吸入です．また，飲酒は誘因となるので禁酒を勧めましょう．

Q 「髄膜炎ってどういう風に診断すれば良いですか？ 腰椎穿刺をするかどうかのタイミングに悩むのですが……」

A ER において髄膜炎，特に細菌性髄膜炎は絶対に見逃せない疾患です．頭痛，発熱，項部硬直，意識障害など，典型的症状が伴えば診断は容易ですが，頭痛に加えて軽度の嘔気や若干の意識障害を認める程度の症例では見逃しがちです．また，頸部の回旋に伴って頭痛が増悪する jolt accentuation test は Sn 21～70.7%なので除外に使えません（Headache 57：586-592，2017）．

経過が SAH とは異なり，数日前から何らかの感染徴候を認めることが多いですが，高齢者の髄膜炎では発熱を伴わないことも多く，意識障害のみを呈するのが半分以上です．最も多い起因菌である肺炎球菌による髄膜炎は，副鼻腔炎や中耳炎，肺炎が先行することが多いので注意して病歴を聴取しましょう．

腰椎穿刺施行のタイミングは一言で言うと「**迷ったら瞬間が腰椎穿刺をするタイミング**」です．特に，**頭痛に加えてわずかでも意識障害や髄膜刺激徴候を認める場合は腰椎穿刺を躊躇しない**ようにしましょう．

髄液検査は髄液初圧，細胞数と分画，髄液糖/血糖比，髄液蛋白量，グラム染色，髄液細菌培養，肺炎球菌抗原が必須項目です．ウイルス性髄膜炎や脳炎を疑うときは PCR 法での原因ウイルス検査，結核性髄膜炎（6 日以上の経過＋脳神経症状をきたす場合）を疑うときは ADA や結核菌培養，真菌性髄膜炎（HIV などの免疫不全患者の無気力，人格変化，記憶障害などの亜急性変化の場合）を疑うときは各種真菌抗原や墨汁染色を追加します．

腹痛

walk in 患者に隠れる致死的疾患に注意

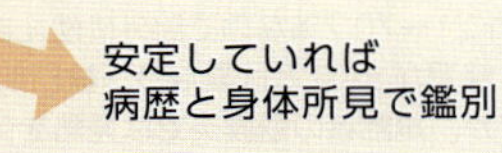

まずは消化管以外の腹痛(心臓大血管，産婦人科疾患)から除外

バイタルサイン，OPQRST(⇒ p.19)，腹膜刺激徴候，手術歴などを Check

鎮痛のタイミング？

ACS を除外

安定していれば病歴と身体所見で鑑別

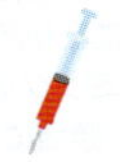

エコー　ポータブル X 線　血液ガス

妊孕性がある場合，妊娠反応を確認してから(造影)CT

外科的腹症と判明したら，(造影)CT を優先後，手術を行う

診療時のひとことメモ

✓診断がつかないことを恐れない．ERでは21％の腹痛は診断がつかない(Ann J Emerg Med 29：711-706, 2011)．時間を味方につけ，再受診のタイミングを指導する

✓「便秘症」や「胃腸炎」と診断したくなったらいったん立ち止まる．それは，誤診への第一歩と考えよ

✓ERでは，癌の検査を対象にしていないことをきちんと説明する

診療のフロー

はじめの5分でやることリスト

✓ABC評価

✓鑑別は解剖学的部位と病歴・診察★1から絞る

★1 病歴聴取のポイント

①痛みのOPQRST(⇒p.19)は基本的に全例漏れなく聴取

②最終排便(その便の性状)，最終排ガス，下痢・嘔吐の有無，最終経口摂取，月経歴，性交歴も漏れなく聴取

③手術歴は癒着性腸閉塞のリスク．喫煙，高血圧・糖尿病，心房細動，心血管疾患の既往は血管疾患のリスク

検査

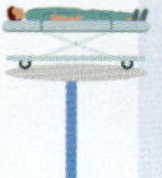

Primary survey

➡病歴聴取・診察が大事

➡外科的腹痛と思ったら術前セット採血＋血液ガス＋ルートキープ

Secondary survey

➡鑑別疾患に応じて，妊娠反応，腹部X線，腹部・心エコー，心電図，胸部X線，CTなど

高齢者の初発の腹痛，6時間以上続く腹痛，突然発症の腹痛ならCT考慮！
※単純＋造影(腹部ダイナミック)

鑑別疾患

critical
- 心血管系 ➡ 心筋梗塞，腹部大動脈瘤破裂，大動脈解離
- 急性腹症 ➡ 消化管穿孔，絞扼性腸閉塞，腸間膜動脈閉塞症，虫垂炎，急性膵炎，胆管炎，急性虫垂炎
- 産婦人科泌尿器疾患 ➡ 異所性妊娠，精巣・卵巣捻転
- 代謝系 ➡ 糖尿病性ケトアシドーシス(DKA)，高 Ca 血症

一口に"お腹が痛い"といっても「内臓痛」「体性痛」「関連痛」の 3 種類がある．「内臓痛」は求心性内臓神経が刺激されて生じる鈍い痛みであり，腹部膨満感などの不快感として感じることもある．疼痛の範囲は広く局在性に乏しく，体動による増悪はない．一方，「体性痛」は壁側腹膜の知覚神経が刺激されて生じる鋭く持続性の痛みで範囲は限局しており，体動により増悪する．「関連痛」は内臓の痛みを皮膚の痛みとして誤認することで起こり，一般に性状は鋭い．神経に伴走する栄養血管領域と関係があり，腹腔動脈(T5～9) → 心窩部，上腸間膜動脈 → 心窩部～臍周囲(T10)，下腸間膜動脈 → 鼠径部(L1)となる．例えば，虫垂炎の初期症状で関連痛として臍中央部分が痛くなるのは，虫垂を栄養する虫垂動脈が上腸間膜動脈の分枝だからである．

common
- 胃腸炎
- 憩室炎
- 便秘
- 胃十二指腸潰瘍
- 総胆管結石
- 胆嚢炎
- 尿路結石
- 虚血性腸炎
- 帯状疱疹　など

■ 急性腹症の原因 (J Clin Gastroenterol 19：331-335, 1994)

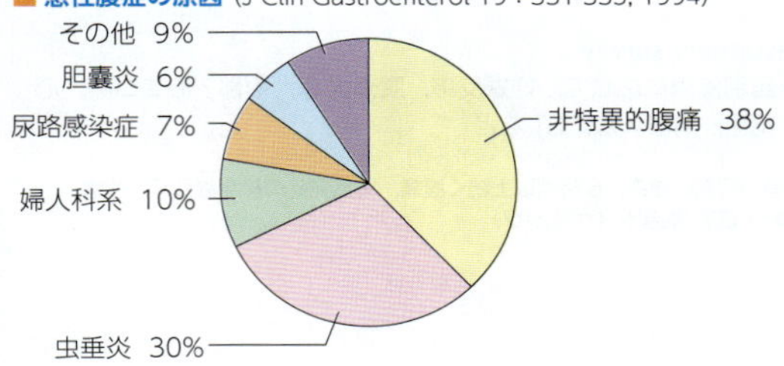

腹痛診療の Tips

- ✓「胃腸炎」のゴミ箱診断に注意！ 繰り返す水様下痢と嘔吐は確認できたか？
- ✓成人の腹痛に浣腸は禁忌！ 医原性消化管穿孔を作らない
- ✓腹の硬くない激痛では腸間膜動脈閉塞症と絞扼性イレウス，大動脈解離を忘れない！
- ✓しつこい便意では骨盤腔内出血〔腹部大動脈瘤(AAA)破裂，異所性妊娠〕を忘れない！
- ✓麻薬を安易に使用しない(使用が必要な腹痛は外科的腹症の可能性が高い)！
- ✓夜間に緊急対応が必要な外科的腹痛は，腸管壊死や穿孔のある腸閉塞．一方で次の日の準緊急手術となるのが closed loop のある腸閉塞，大腿ヘルニア嵌頓，安定した大腸閉塞．安定した癒着性腸閉塞は保存治療となることが多い

Q 「腹痛患者の身体診察のポイントは何ですか？」

A 時間との戦いである ER では，速やかに手術加療が必要な急性腹症か否かの見極めが重要です．問診や身体診察で得られた情報を解剖学(次頁図も参照)と生理学の知識をミックスしながら鑑別疾患を挙げていきましょう．

流れを意識しながら以下のように進めていきます．

❶ 強い痛みやバイタルサインの異常があれば，ストレッチャーへ移動し，臥位のままルート確保，採血(血液ガス，術前検査セット)し補液開始．その後，問診，診察，腹部エコーへと進んでいく

❷ 診察は，視診 → 聴診 → 打診 → 触診の順
- 視診では，腹部膨満と手術痕を確認，下着もぬがして，大腿・鼠径ヘルニア，精巣捻転などがないか確認
- 聴診では，消化管蠕動音の亢進と低下を確認．聴診器を当てるとすぐ聴取され，かつ激しく続くときは「亢進」．1 分間でやっと聴取されたら「低下」と考える
- 触診では，痛みの部位から離れた場所から始め，最後に痛い部分を触診する．McBurney 圧痛点，反跳痛も確認するが，踵落とし試験や腸腰筋徴候がより有用．Carnett 徴候，Murphy sign，肝脾臓叩打痛も忘れない

❸ 疼痛に対して，ブチルスコポラミン臭化物(ブスコパン®) 1A iv で効けば疝痛の可能性が高い．ペンタゾシンは拮抗性麻薬であり，手術になった際の鎮痛効果低下につながるため，ルーチンでの使用は望ましくない

部位からの鑑別

基本は解剖学的位置です．

心窩部
初期の虫垂炎，心筋梗塞，心外膜炎，胃潰瘍，胆嚢炎，腹部大動脈瘤・解離

左上腹部
膵炎，脾梗塞，横隔膜下膿瘍，大動脈解離

右上腹部
総胆管結石，胆嚢炎，十二指腸潰瘍，肝癌破裂，横隔膜下膿瘍，Fitz-Hugh-Curtis症候群

右下腹部
虫垂炎，憩室炎．腸間膜リンパ節炎，尿路結石，卵巣出血，大腿ヘルニア嵌頓，閉鎖孔ヘルニア，異所性妊娠，精巣・卵巣捻転

左下腹部
虚血性腸炎，大腸癌，尿路結石，卵巣出血（稀），大腿ヘルニア嵌頓，閉鎖孔ヘルニア，異所性妊娠，憩室炎，便秘，精巣・卵巣捻転，大動脈瘤

腹部全体
胃腸炎，便秘症，糖尿病性ケトアシドーシス（DKA），副腎不全，消化管穿孔，上腸間膜動脈閉塞症

※肺炎や胸膜炎，膿胸も腹痛をきたしうる！

「よくある腹痛疾患のポイントを教えてください．」

代表的な急性腹症の疾患に関して簡単にまとめます．

急性虫垂炎

典型的経過は腹部全体の痛み（**P**ain）→ 食欲不振（**A**norexia）→ 徐々に右下腹部に限局していく腹痛（**T**enderness）→ 発熱（**F**ever）→ 採血で白血球上昇（**L**eukocyte）だが CRP 上昇は軽度（**「PAT FL」と覚えよう！**）．しかし，いずれの所見も決定打にはならない．エコーは LR＋ 9.24，LR－ 0.17 で有用（Ann Emerg Med 70：797-798, 2017）．

➡ 帰宅患者にも「上記のような経過をたどったら必ず再受診すること」と伝えておく．

虚血性大腸炎

急な絞られるような左下腹部痛（頻度 78%），下痢（頻度 38%）便後の下血（頻度 62%）という病歴が典型的．年齢 65 歳以上，高血圧，脂質異常症，糖尿病，

心血管疾患などがリスク．主に下腸間膜動脈領域の可逆的な虚血によって大腸の細胞が壊死してしまうことが病態生理．治療は絶食による腸管安静と補液がメインで入院適応となる(Hosp Med Clin 4：216-229, 2015)．

異所性妊娠

「女性をみたら妊娠と思え！」．典型的な3大症状である(腹痛・性器出血・無月経)すべてがそろっている人は全体の15%のみ．妊娠可能な女性の腹痛では必ず(断りを入れて)妊娠反応検査(妊娠4週から診断可能)を行う．疾患名に「異所性妊娠疑い」と記載すれば保険適用．

卵巣出血

大多数が黄体期中期(最終月経から20日付近)の黄体嚢胞破裂により起こる．性交や内診，外傷などの物理的刺激が発症の成因となる．罹患側は右側に多い(左側ではS状結腸が左付属器のクッションとなるため)．診断は子宮付属器周辺の凝血塊，血液貯留を証明し妊娠を否定できればいい．大多数が自然止血を期待できるのでバイタルサインが安定していれば保存的治療が原則．

急性腸間膜虚血

「心房細動，脳梗塞，最近の心筋梗塞や心不全の既往がある人の突然発症の腹痛」「痛みのわりに弱い腹部所見」では必ず考慮．血栓症およびNOMI(非閉塞性腸管虚血)に分かれる．NOMIとは腸間膜動静脈に閉塞が認められない腸管虚血のこと．動脈硬化や透析などがベースにある人に心不全，ショックなど全身の低灌流が引き金となり腸間膜末梢動脈が攣縮することで起こる．造影CTで上腸間膜動脈(SMA)分枝起始部の狭小化や不整，腸管壁内血管の造影不良で診断され通常，上腸間膜静脈(SMV)＞SMAの径が逆転する「smaller SMV sign」が有効だが，NOMIでは腸管壁の造影効果は保たれる．診断後は外科およびICUコンサルト．血管拡張薬や抗凝固薬を考慮．

腹部大動脈瘤破裂

大動脈瘤とは「大動脈の一部の壁が，全周性，または局所性に(径)拡大または突出した状態」と定義され，直径が正常径の1.5倍(胸部で45 mm，腹部で30 mm)を超えて拡大した場合に「瘤(aneurysm)」と称される．一方，大動脈解離において径拡大をきたし瘤を形成した場合は，解離性大動脈瘤(dissecting aneurysm of the aorta)と呼ぶ．大動脈は内膜，中膜，外膜の3つの層に分かれており，大動脈瘤では3つの層がそのまま膨らむ．大動脈解離とは，内膜にできた傷(エントリー)から中膜の中に血液が流れ込んで裂けてしまい，大動脈の薄い壁の中に血液が流れ込むことで2つの血液の流れる道(真腔と偽腔)ができる状態である．腹部大動脈瘤破裂では腹部，鼠径部，背部の疼痛が80〜100%，便秘，排尿障害はそれぞれ22%，失神は26%で経験される．腹部の拍動性腫瘤を認めるのは40～60%のみで，低血圧は50～70%，腹部圧痛が70～90%と病歴や身体所見で完全に評価するのは困難である．**腹痛＋AAAの既往(+)では造影CTを撮ることを考慮する**．もともとある壁在血栓に隣接する新鮮血栓が三日月状のCT高値を認める場合は「crescent sign」と呼ばれ，「切迫破裂」を示唆する．破裂した場合，死亡率は80～90%におよぶ(JAMA 302：2015-2022, 2009)．治療は直視下の人工血管置換術か，経皮的ステントグラフト内挿術(TEVAR)のどちらかで病変を人工血管で置換するため，心臓血管外科にコンサルトを行う．

閉鎖孔ヘルニア

小柄の痩せた高齢女性が転んだ覚えもないのに股関節の体動時痛，下肢痛を訴えたら典型的．Howship Romberg徴候(大腿内側の痺れ)を確認しつつ，CTで閉鎖孔の周囲を確認する．癒着以外の小腸閉塞の原因としても頻度が高いため，小腸閉塞を認めたら，癒着以外の原因がないか探すようにする．腸管壊死のリスクと緊急手術となる可能性が高いため外科にコンサルトを行う．

S状結腸捻転

高齢者の大腸閉塞の原因として最多で，慢性便秘や抗精神病薬内服歴のある高齢者はリスク．多くが潜行性で徐々に増悪する腹痛と嘔気，腹部膨満，便秘を訴え，突然発症する激症型もある．嘔吐は腹痛出現の2～3日後に生じることが多い．最終的に腸管虚血→壊死を伴っている場合の死亡率が25～80%(Gastrointest Endosc 71：669-679, 2010)．治療は，壊死，虚血，穿孔の所見があれば外科治療．そうでなければ，まず内視鏡的整復となる．内視鏡的整復は一般的に成功率が60～90%，再発率は60%とされる(Dig Surg 19：223-229, 2002/World J Gastroenterol 13：921-924, 2007)．

便秘症

典型的な便秘症の腹痛とは，「間欠的な腹痛であり，腹痛発作時に腸蠕動は亢進し，自発痛は下腹部正中で，圧痛は左下腹部であることが多い」．これを原則としてすべて満たさないときは安易に診断を急ぐべきではない．

胃腸炎

間欠的な腹痛であり，腹痛発作時に腸蠕動は亢進する．よくある急性腸炎は，他人の便中の原因微生物を口から取り込むことで発症する．腸蠕動運動が亢進すると副交感神経を刺激し，嘔吐反射を起こす．胃の内容物は数十cm口側に移動するだけで吐物となるが，水様便が形成されるには少し時間がかかる．つまり，**小腸炎であれば原則「嘔吐→下痢」の順番が多い**．一方で，腸閉塞や尿路結石症のように管腔臓器の閉塞があるときは「腹痛が嘔吐に先行する」病歴となり鑑別に有用である.

腹部エコーの Tips

基本は FAST (⇒ p.53) + α と痛いところ！

✓Morison 窩, 脾周囲, 骨盤腔への腹水貯留, 大動脈瘤
✓胆囊腫大・壁肥厚, 胆石, 胆管拡張, 膵腫大・周囲液体貯留, 主膵管拡張
✓腸管の浮腫・拡張, 運動状態, to & fro sign
✓腎盂拡張, 付属器腫大, 尿管結石の存在
✓膀胱内尿貯留が顕著でないか

Q 「当直で診る機会の多い胆囊炎 / 胆管炎患者で注意することはありますか？」

A 胆囊炎とは「何らかの原因で胆囊管が閉塞し, 内圧の上昇が起こり細菌感染や膵液逆流により二次的に胆囊内に炎症が起きた病態」を指します. その約 90%は結石による胆囊管の閉塞を原因とする機械的・化学的炎症です. 胆囊炎の 5〜10%を占める無石胆囊炎は, 胆汁うっ滞をきたす絶食や重症患者, 血管炎, セフトリアキソン投与, 寄生虫感染などで起こります. 胆道感染からの分離菌のうち, 好気性菌では腸球菌の分離頻度が最も高く, 次いで大腸菌, クレブシエラ属, エンテロバクター属, 緑膿菌の順となります. 高齢者は非特異的症状となりがちであり, 60 歳以上では 8.8%で胆囊癌が合併すると言われます. **病歴では右上腹部痛, 嘔吐, 発熱の 3 つが重要で, 胆囊に限局した炎症から肝臓実質や周囲脂肪組織への波及が起こり最終的に腹膜炎まで進行**します.

Murphy sign は Sn 75%, Sp 87% (LR+2.8, LR-0.5) で実は身体所見のみで胆囊炎を否定するのは難しいです (Am Fam Physician 89 : 795-802, 2014). **肝叩打痛 (Sn 100%) のほうが感度は高いので省略せず, 認めたら, 左右差を比べることも重要**です. WBC 上昇の感度はさほど高くないので, 1 回の診察や血液検査のみで否定はできないことに注意しましょう. 肝逸脱酵素や胆道系酵素の上昇が認められることもありますが, 胆囊炎に至っていない胆石発作との鑑別はできません. また, 胸痛, 心電図変化, CPK 上昇, トロポニン上昇は胆囊炎でも起こるので ACS との鑑別にも注意しましょう (J Ultrasound 18 : 317-320, 2015).

腹部エコーでの胆囊腫大 ≧ 8 cm × 4 cm, 胆囊壁肥厚 ≧ 3.5 mm (Sn 80%, Sp 99%), 胆泥/胆石の有無, 胆囊周囲の液体貯留の有無を確認することも重要ですが (Clin Gastroenterol Hepatol 8 : 15-22, 2010/J Ultrasound 18 : 317-320, 2015), **「プローブによる胆囊圧迫時の疼痛」を指す sonographic Murphy sign は, NSAIDs で除痛しても感度と特異度 (Sn 86%, Sp 93%) が不変なため有用で**

す(Eur J Emerg Med 17：80-83, 2010)．

また，早期胆嚢炎の CT 所見として，胆嚢底が前腹壁によって平低化するのに逆らって尖って見える「Tensile Gallbladder Fundus Sign(通称：ツンツンサイン)」は Sn 74.1%, Sp 96.9%という報告もあり有用です(AJR Am J Roentgenol 201：340-346, 2013)．ただし，炎症が進むと壁の虚血ダメージや胆汁濃縮で胆嚢が張らなくなるため，このサインはわかりにくくなります．造影ダイナミック CT は炎症所見が把握しやすいですが，胆嚢内結石は CT で描出されない非石灰化結石が多いので注意しましょう．『Tokyo guideline 2018』(TG18)による診断基準で診断しますが，**根本的治療は「胆嚢摘出術＝外科の疾患」**です．絶飲食の上，重症度に合わせて抗菌薬と全身管理を行います．重症例では，胆汁への移行は低いですがカルバペネム系薬が選ばれることが多いです．**緊急手術適応は壊疽性胆嚢炎**(CT での胆嚢壁内や胆嚢内の気腫，胆嚢壁の不整肥厚や断裂像，胆嚢内腔の膜様構造)，**胆嚢周囲膿瘍，気腫性胆嚢炎，胆嚢穿孔**(CT で周囲に炎症波及が高度の割に胆嚢が萎縮)，**胆嚢捻転症**(高齢女性の発熱なしの強い痛み，造影 CT で胆嚢が正中・下方偏位や造影不良域)ですので，これらがある場合は早急に外科にコンサルトします．

一方，**胆管炎とは「胆管閉塞により胆道内圧が上昇した後に，細菌感染による炎症が起こった状態」**です．胆汁中の細菌やエンドトキシン，エキソトキシンなどが関与し，最終的には細菌性ショックを呈し敗血症から多臓器不全となります．胆嚢結石症と異なり，Amy 上昇(Sn 11%，Sp 95%)，エコーで総胆管拡張 ≧ 10 mm(Sn 95%，Sp 85%)を認めますが，閉塞機転不明なら CT や MRCP (磁気共鳴胆管膵管造影)の追加を検討します．**治療は，「胆道減圧＝消化器内科の疾患」**です．経皮経肝胆道ドレナージなど確実な方法で胆道内圧を減圧することがポイントです．抗菌薬の選択は急性胆嚢炎に準じます．高齢者，急性閉塞性化膿性胆管炎，胆管空腸吻合術後などの場合は嫌気性菌のカバーも考慮しましょう．

腰背部痛

救急搬送までの 5分でCheck! アタマの中

整形外科的腰痛かそうでないか，それが問題だ

腰痛か？

整形外科的腰痛（体動時に増悪）か？ そうではないなら，尿路結石・胆管結石か？

胸背部痛か？

大動脈解離か？
大動脈瘤破裂か？

整形外科的腰痛なら……

馬尾症候群？	椎体炎？	破裂骨折？	知覚障害を伴っていて帰宅不能！
↓	↓	↓	↓
緊急性大	CT・MRI 炎症反応/赤沈	CT・MRI	入院後，翌日MRI フォロー
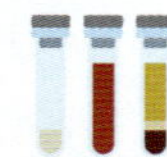			

診療のポイント

✓腰痛と胸背部痛をしっかり分ける！
✓整形外科的腰痛（体動時の明らかな増悪）か，そうでないか？ 整形外科的腰痛以外の腰痛では，必ず大動脈解離と大動脈瘤破裂を除外！
✓整形外科的腰痛なら，緊急性があるかどうかの判断を！

診療のフロー

はじめの 5 分でやることリスト

✓腰痛か，胸背部痛か？
✓整形外科的腰痛（体動時の明らかな増悪や外傷機転）か？ 非整形疾患か？
✓整形外科的腰痛なら，馬尾症候群★1や知覚障害を伴っていないか？

> **★1 馬尾症候群とは**
>
> 坐骨神経痛＋膀胱直腸障害，会陰部の感覚低下，肛門弛緩などを伴う．診断は難しく，専門医でも43％は偽陽性と言われる（BMJ 338：b936, 2009）．

腰痛か，胸背部痛か？

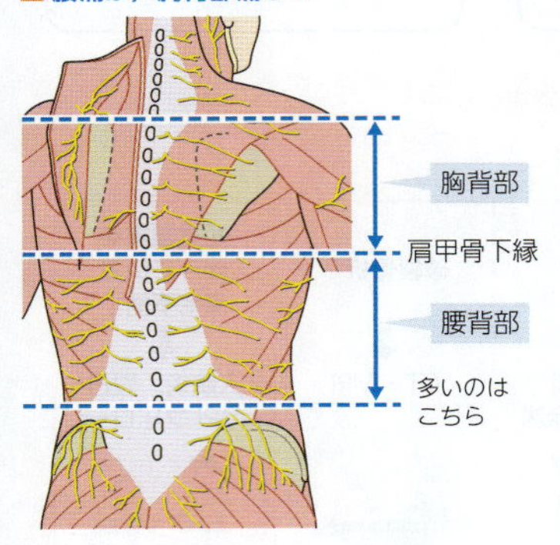

検査

Primary survey
- 整形外科的腰痛＋Red flag に該当なら ➡ 腰部単純 X 線
- 他疾患疑うなら ➡ 採血，ルートキープ
- 鑑別疾患によって ➡ 血液培養，腹部エコー，CT

Secondary survey
➡ 根症状があれば MRI 考慮（STIR 像含む）

鑑別疾患

critical
- 大動脈解離
- 大動脈瘤破裂
- 腎梗塞
- 脾梗塞
- 急性膵炎/膀胱癌
- 腎盂腎炎
- 化膿性脊椎炎
- 椎間板炎
- 硬膜外膿瘍/硬膜外血腫
- 腸腰筋膿瘍
- 癌の転移
- 多発性骨髄腫の病的骨折

見逃せない腰痛疾患：「FACET（椎間関節）」

Fracture	骨折
Aorta	大動脈解離・瘤破裂
Compression	脊髄圧迫症候群
Epidural abscess	膿瘍・感染
Tumor	腫瘍

common
- 急性腰痛症
- 椎間板ヘルニア
- 脊柱管狭窄症
- 脊椎すべり症
- 圧迫骨折
- 尿路結石

■ **プライマリ・ケアでの腰痛の原因** (Ann Intern Med 137 : 586-597, 2002)

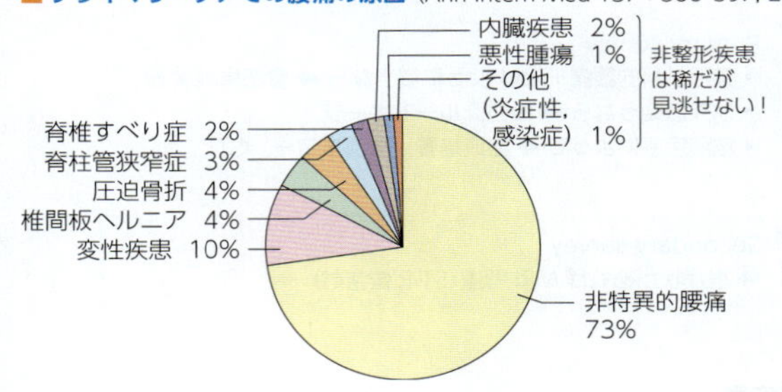

■ **腰痛の Red flag:「TUNA FISH(ツナフィッシュ)」**

Trauma	外傷歴
Unexplained weight loss	体重減少
Neurological signs	神経症状(馬尾症状)
Age ≧ 50	50 歳以上
Fever	発熱
Intravenous drug use	薬物使用
Steroids	副腎皮質ステロイド使用など
History of cancer	癌の既往

 **「整形外科的な腰痛は,どのように鑑別したらよいのでしょうか?」**

 代表的な疾患に関して以下にまとめます.

急性腰痛症

いわゆる「ぎっくり腰」です.重いものを持ち上げたときに発症する強い腰痛で,多くは筋肉や靱帯などの損傷で起こります.まずは消炎鎮痛薬や湿布+安静としますが,痛みが少しでも改善すれば,できるだけ動くように助言します(安静にすると回復が遅くなるため).90% は自然軽快するものの,1 か月程度かかることがあることも説明しておきます.基本的にこの疾患を考えたときは,前述の Red flag に該当していなければ腰椎 X 線を撮影する必要もありません.予後に変わりがないこと，X線所見と腰痛の原因疾患が一致しないことが多いからです(Lancet 373：463-472, 2009).

椎間板ヘルニア

20〜40歳代に多いです．椎間板が変性し，髄核が背側に飛び出して，神経根を圧迫します．腰痛，L5とS1の圧迫が90%と最多で該当する神経支配領域の痛み，しびれが出現します．膀胱直腸障害など馬尾症候群の疑いがあれば入院適応です．

脊柱管狭窄症

加齢による椎骨や椎間板の変性が原因となり，脊柱管が細くなり，神経を圧迫することで痛みが出ます．特に伸展で痛みは増悪し，間欠性跛行を認めます．これも馬尾症候群あれば入院適応です．

圧迫骨折

高齢者の転倒で非常に多いですが，外傷歴のないものもあります．側臥位にして，すべての棘突起の圧痛と叩打痛を確認します．文献的な裏づけはありませんが，ギャッチアップで増悪する腰痛ではかなりの確率でこの疾患の可能性が高いと思われます．

腰椎より胸椎(T8〜12)に多く，腰椎2方向では見逃すことがあるため胸腰椎2方向X線撮影も併用しましょう．以前のX線写真があれば，比較して椎体の変形が20%以上進行した場合に新規骨折と診断されます．T4より上での骨折なら単純な骨粗鬆症よりも悪性腫瘍の骨転移を考えましょう．後方成分の骨折は「破裂骨折」と呼び，神経症状のリスクが高まります．これも脊髄圧迫症候群や馬尾症候群あれば入院適応です．

「結局，腰痛患者の身体診察では何を診ればよいのですか？」

A 整形外科的腰痛と非整形疾患をともに意識した診察を行いましょう．

- ✓バイタルサイン
- ✓腹部診察，両側 CVA 叩打痛
- ✓股関節屈曲(L1〜3)，膝伸展(L3〜4)，母趾背屈(L5)(LR＋1.6)，膝蓋腱反射(L3〜4)(LR＋8.7，LR－0.6)，アキレス腱反射(S1)(LR＋2.7)，つま先立ち(S1)(LR－0.7)，肛門括約筋収縮(S2〜4)の有無
- ✓デルマトームの感覚障害：鼠径靱帯直下(L1)，大腿外側(L2)，大腿内側(L3)，下腿内側(L4)，下腿外側(L5)，足の裏(S1)，肛門周囲(S2〜5)
- ✓FNST(femoral nerve stretch test)(L1〜3)
- ✓SLR(straight leg raising)試験(LR＋1.3，LR－0.3)(坐骨神経，L5〜S1)
- ✓膝窩動脈，足背動脈触知

※尤度比(LR)は，JAMA 268：760-765, 1992 より

Q **「化膿性脊椎炎を疑う場合とはどのような場合ですか？」**

A 明らかな外傷機転のない腰痛で，透析患者やアトピー性皮膚炎など菌血症のリスクの高い方の場合，鑑別に挙げます．一過性の菌血症後に患部に感染巣を作るため，本人の全身状態が比較的よかったり，微熱のみだったりすることも多いので注意が必要です．

脊柱起立筋の緊張や安静時でも身の置き所のない痛みが特徴的で，身体に捻るような力を加えると痛みが誘発されます．赤沈が 85〜95 mm/時と延長がみられることが多く(Scand J Infect Dis 30：147-151, 1998)，MRI で椎間板を挟んだ STIR での高信号が特徴的ですが，病初期での感度は落ちます(Semin Arthritis Rheum 39：10-17, 2009)．

S. aureus が起因菌で多く，診断がついた場合は感染性心内膜炎の検索と，整形外科的ドレナージの適応を相談します．

SLR 試験

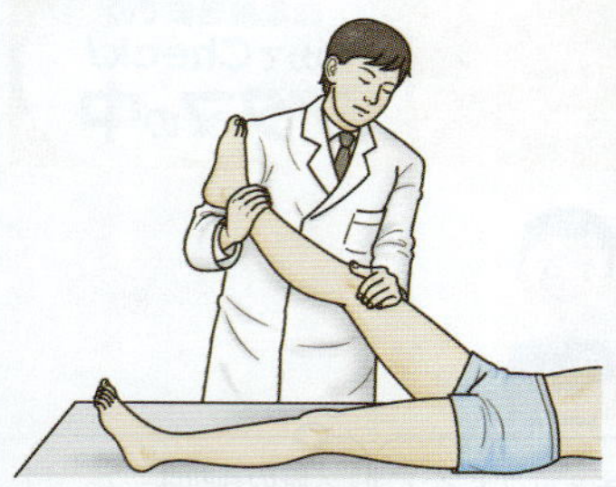

臥位の患者の下腿を，伸展位のまま上方に引き上げたとき坐骨神経に沿った疼痛が痛発された場合を陽性とする．
（標準整形外科学，第 14 版．医学書院，2020 より）

FNST

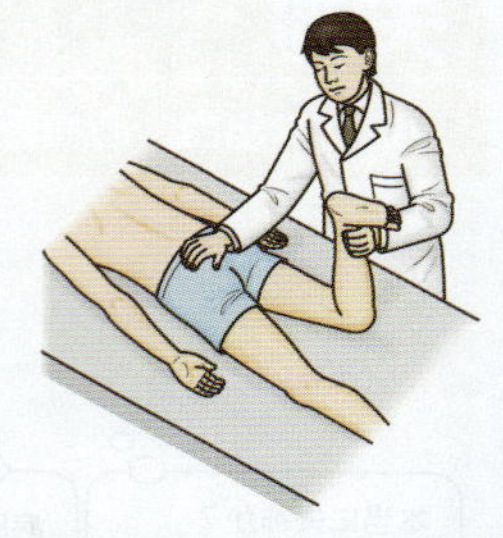

腹臥位の患者の下腿を，膝関節を 90° 屈曲位のまま上方に引き上げたときに大腿神経に沿った疼痛が痛発された場合を陽性とする．上位腰椎間板ヘルニアを示唆．
（標準整形外科学，第 14 版．医学書院，2020 より）

神経根症状の高位診断

	L4 神経根	L5 神経根	S1 神経根
責任椎間高位	L3/4	L4/5（好発）	L5/S1（好発）
腱反射	膝蓋腱反射	――	アキレス腱反射
感覚領域	内側	親指から小指の間	くるぶし下
支配筋	大腿四頭筋	前脛骨筋 長母趾伸筋 長趾伸筋	下腿三頭筋 長母趾屈筋 長趾屈筋

失神

見逃すな出血，心血管性失神！

救急搬送までの5分でCheck! アタマの中

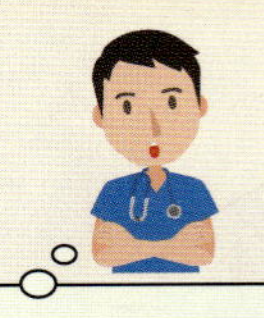

本当に失神か？意識障害やけいれんではないか？

病歴のチェックポイントは Do 3P CT (⇒次頁)

入院の判断は CSRS (⇒次頁)

意識障害 ➡ p.156
けいれん ➡ p.138

エコー

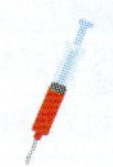

ABG (VBG)

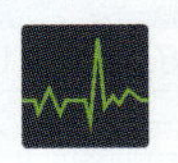

心電図

神経調節性失神？ (35〜62%)	起立性低血圧失神？ (4〜24%)	心血管性失神？ (5〜21%)
⬇	⬇	⬇
• Schellong 試験 (⇒次頁)	   (造影) CT	• CSRS などでリスク層別化 • CCU コンサルト

診療時のひとことメモ

✓Schellong 試験とは，「立位 1〜5 分後の血圧・心拍数が臥位安静時測定と比較して収縮期血圧≧20 mmHg ないし心拍数≧21 回/分のとき循環血漿量低下あり」と考える

診療のフロー

はじめの 5 分でやることリスト

✓意識障害，けいれんを除外
✓病歴のチェックポイント「Do 3P CT」★1！
✓初期評価は病歴，身体所見，Schellong 試験，血液検査，心電図*，心エコーを！
✓“CSRS★2”＋病歴の Red flag★3 でリスク層別化

★1 病歴聴取の覚え方「Do 3P CT」

Doing ➡ 何をしているときに発症？
Position/Precursor/Past history
➡ 発症時の体位，前駆症状，既往歴・突然死の家族歴
Concomitant
➡ 随伴症状（頭痛，胸痛，腹痛，背部痛，下血，息切れ）
Time/Timing
➡ 意識消失時間，疼痛・排尿・排便時・嘔吐時

★2 Canadian Syncope Risk Score “CSRS“

＜臨床評価＞
－1　迷走神経反射を起こす素因
＋1　心疾患の既往
＋2　sBP≦90 or ≧180 mmHg
＜検査＞
＋2　トロポニン上昇
－1　QRS 軸≦−30° or ≧100°
＋1　QRS 幅≧0.13 秒
＋2　QTc≧0.48 秒
＜ER での診断＞
－2　神経調節性失神
＋2　心原性失神

0 点以下：低リスク
4 点以上：高リスク
全項目の合計が−1 点のとき
Sn 97.8%，Sp 44.3%
(JAMA Intern Med 180：1-8, 2020)

★3 病歴の Red Flag

✓心疾患の既往
✓突然死の家族歴
✓45 歳以上
✓仰臥位発症
✓前駆症状ない失神
✓ミオクローヌス様けいれん
✓動作中の失神
(Am J Cardiol 96：1431-1435, 2005 より)

＊ **心電図異常**の内容を以下に示す

- 薬剤や運動習慣がないのに徐脈(< 50 回/分)
- 2 枝ブロック，Mobitz Ⅱ型房室ブロック
- PR 間隔 ≧0.24 秒
- QRS 間隔 ≧0.12 秒(以前からの完全右脚ブロック除く)
- PVC 3 連発，非持続性心室頻拍
- Brugada 型心電図，J 波症候群，不整脈原性右室心筋症
- WPW 症候群

(Eur Heart J 30：2631-2671，2009 より改変)

検査

Primary survey

➡ バイタルサイン測定，モニター，病歴(薬剤歴を含む)，身体診察(神経学的診察を含む)，心電図，ルートキープして血液検査(妊娠可能年齢の女性では妊娠反応)

Secondary survey

➡ 心エコー

➡ 頭蓋内疾患を疑えば CT，MRI

鑑別疾患

r/o

- 心血管性 ➡ 不整脈(SVT，VT，Adams-Stokes 症候群，薬剤性)，ACS，大動脈弁狭窄症(AS)，PE など
- 起立性低血圧 ➡ 消化管出血や腹腔内出血，自律神経失調，薬剤性
- 神経調節性 ➡ 迷走神経性，状況性，頸動脈洞症候群
- その他 ➡ てんかん，subclavian steal 症候群，椎骨脳底動脈系の一過性脳虚血発作(TIA)

※妊娠可能年齢の女性の失神をみたら異所性妊娠を忘れない！

■ **一過性意識消失発作の原因** (N Engl J Med 347：878-885, 2002)

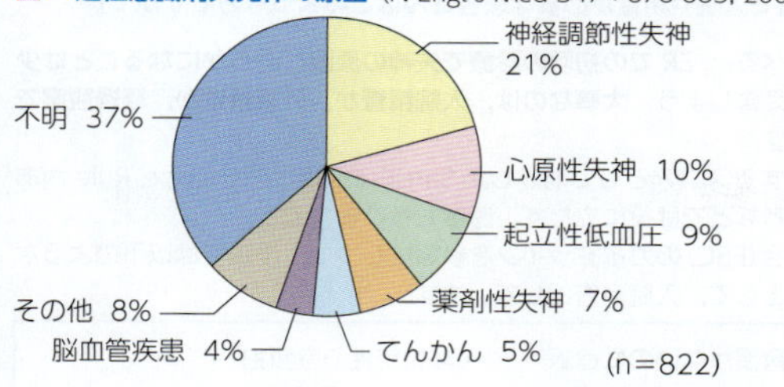

Q 「迷走神経反射の失神はどのように診断すればよいのですか？」

A 神経介在性失神は，迷走神経性(感情ストレス，起立性ストレス)，状況性失神(咳嗽，排便後，排尿後，食後など)，頸動脈洞症候群(頸動脈マッサージ)などが含まれますが，最も多いのが迷走神経性失神です．

迷走神経性失神を評価する臨床スコアがありますが，バリデーションがされていない報告のため注意して使うことを勧めます．

❶ 二束ブロック，心静止，SVT，糖尿病の 1 項目以上	−5 点
❷ 発見時顔面蒼白	−4 点
❸ 初回発作が 35 歳以上	−3 点
❹ 発作時に何かしら覚えている	−2 点
❺ 長時間の座位，立位時の (pre) syncope	1 点
❻ 発作前に発汗，温感あり	2 点
❼ 疼痛，医療行為中の (pre) syncope	3 点

➡ **−2 点で Sn 89%，Sp 91%** で迷走神経性を示唆．
(Eur Heart J 27：344-350, 2006 より)

Q 「失神患者で入院や精査が必要な患者さんはどのような方ですか？」

極論を述べると，**ERでの初回の診療で失神の原因が明らかになることは少ない**と考えましょう．**大事なのは，入院精査か，外来精査か，経過観察でよいかの判断**です．

これらを評価するスコアとして前述したSan Francisco Syncope Ruleがありますが，高齢者などでは役に立たず，感度も今ひとつです．

欧州循環器学会(ESC)のガイドラインを参照にしつつ，当院では以下のような患者は高リスクとして，入院精査としています．

- 薬剤や運動習慣がないのに徐脈(< 50回/分)
- 2枝ブロック
- Mobitz Ⅱ型房室ブロック
- PR間隔≧0.24秒
- QRS間隔≧0.12秒(以前からの完全右脚ブロック除く)
- PVC 3連発
- 非持続性心室頻拍
- Brugada型心電図
- J波症候群
- 不整脈原性右室心筋症
- WPW症候群
- ペースメーカ不全
- 肥大型心筋症
- 弁膜症(中等度以上)

また，頻繁に繰り返す神経調節性失神も循環器科での外来精査とします．その後の精査方法としてはHolter心電図，tilt試験，ループレコーダー，電気生理学検査(EPS)などがあります．

最後に，意外と多い薬剤性失神に関する知識も押さえておきましょう．

✓**「血管拡張作用による起立性低血圧」** ➡ α遮断薬，ニトロ製剤，利尿薬，降圧薬，抗パーキンソン病薬，睡眠薬，抗うつ薬，アルコール

✓**「QT延長」** ➡ Ⅰa抗不整脈薬，マクロライド，三環系抗うつ薬，ハロペリドール

✓**「徐脈」** ➡ ジゴキシン，β遮断薬，Ca拮抗薬(非ジヒドロピリジン系)

失神＋高リスクの心電図所見まとめ (Eur Heart J 30：2631-2671, 2009)

Wenckebach型 2度房室ブロック

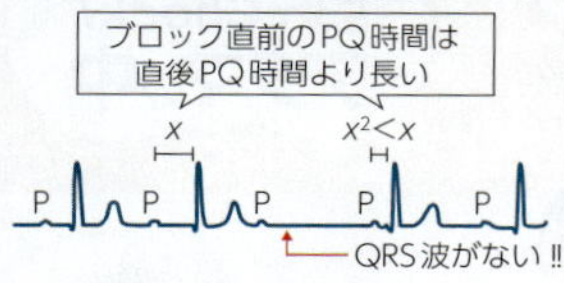

①正常で規則的なP波
②PQ 時間は徐々に延長
③QRSが間欠的に欠落

3度房室ブロック

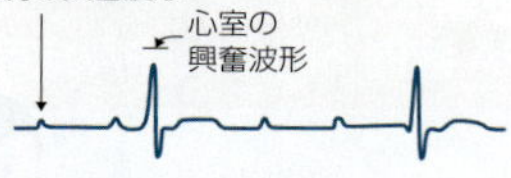

①P波とQ波の連続性なし
②P波とQ波が独立
③PP間隔<RR 間隔

QT延長症候群

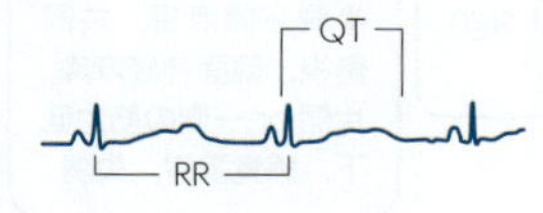

①QTc＝QT/√RR
(0.35〜0.44秒が正常)
②T波終点がRRの1/2を超えていればQT延長

Brugada症候群

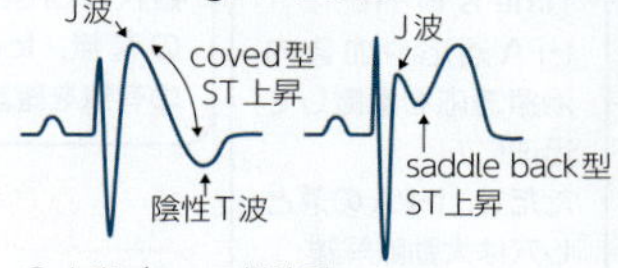

①右脚ブロック様波形
②V1-3でST上昇，saddle back型とcoved型(こちらが特に有害！)

ARVD・ARVC

V1 V3

V2

①V1-3でQRS終点にε波
(小さな上向きのこぶ)
②V1-3でT波陰転化

WPW症候群

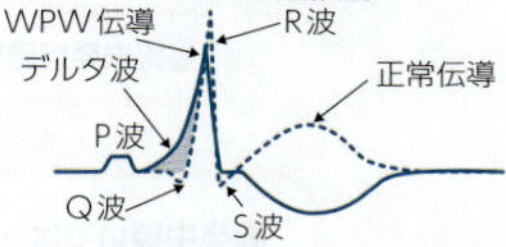

①PQ間隔短縮 ≦3 mm
②デルタ波
③QRS wide ≦3 mm

麻痺，脱力，しびれ

救急搬送までの5分でCheck! アタマの中

脳梗塞？
t-PA症例 or not t-PA症例？

Time is Brain!
t-PA適応や血管内治療適応を意識して迅速に！
ただし，t-PAの落とし穴は大動脈解離

症状のonsetと痛みの有無，focal signの有無を確認

focal signとは失語，半側空間無視，共同偏視，顔面神経麻痺，片側 or 一側の筋力低下，感覚障害，失調

エコー　VBG

大動脈解離？
※特に血圧低下時

低血糖？ ➡ p.266

最終未発症時間を確認！

脳卒中疑いでは
CT・MRIを考慮！

超急性期脳梗塞

カテーテル室
(IVR)

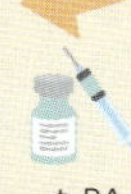

t-PA
or その他の薬剤

脳出血
➡ 降圧開始

診療時のひとことメモ

✓発症から 4 時間 30 分以内＋NIHSS 5〜23 点なら t-PA 適応！ 発症 4 時間 30 分〜24 時間でも t-PA 除外ないし反応不良の主幹動脈（内頸・中大脳・椎骨・脳底動脈）閉塞では血管内治療適応！

✓脳幹症状を伴わない意識障害や構音障害のみ，嚥下障害のみ，非回転性のめまいのみは non-focal で積極的に脳梗塞を疑うものではない

診療のフロー

はじめの 5 分でやることリスト

✓症状の onset と focal sign の有無

✓最終未発症時間，家族の有無と血管系リスクの有無，NIHSS スコア（⇒ p.471）

➡ ここまでで t-PA 適応か判断

検査

Primary survey

➡ まずは問診とバイタルサイン（血圧左右差），簡易神経診察（① 瞳孔・偏視・視野・複視・顔面神経麻痺，② Barré 徴候 & Mingazzini 徴候，③ 構音障害，④ 小脳徴候，⑤ 腱反射）

Secondary survey

➡ エコーで大動脈基部および頸動脈の解離がないかの確認を（特に左片麻痺，血圧が低い，D ダイマー高値では必ず解離のチェック!!）

➡ 脳梗塞疑わしければルート採血〔血算，生化学（アミラーゼ，リパーゼ含む），凝固（D ダイマー含む）〕，血糖値チェック

➡ 頭部 CT で出血なければ SCU コンサルト

しびれのアプローチ：「6 分類」

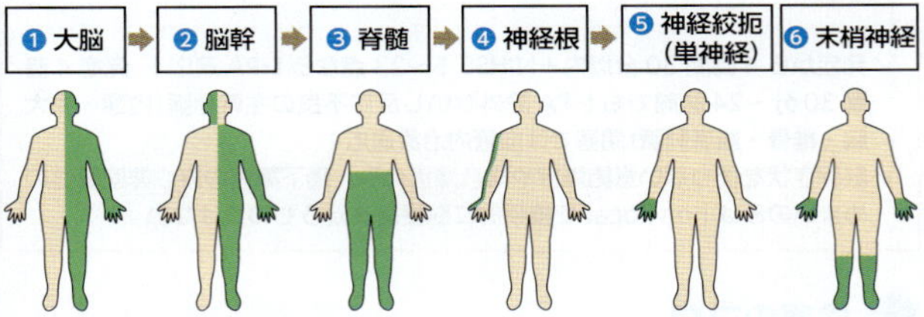

❶ 大脳	❷ 脳幹	❸ 脊髄	❹ 神経根	❺ 神経絞扼（単神経）	❻ 末梢神経
対側半身や感覚野の領域	障害側顔面と対側頸部以下	障害レベル以下	デルマトームに一致	限局性障害	手袋靴下型

MEMO

部位で判断！ ERでのしびれ診療の“極論”

✓**半身のしびれ** ➡ **大脳病変**か**脳幹病変**を考慮（てんかん，変性疾患などもあるが，まずは，r/o 低血糖 → 脳卒中）

✓**手のみのしびれ** ➡ **頸椎病変（神経根）**か**神経絞扼障害**（特に手根管症候群）を考慮

✓**足のみのしびれ** ➡ **脊椎病変（神経根）**か**末梢神経障害**を考慮

✓**片側の口のしびれ** ➡ pure sensory stroke 考慮．脳梗塞の 4.7％を占め，ラクナ梗塞最多．視床が半数以上

Q&A

Q **「TIA ってよくわからないのですが，結局何なのですか？ ER ではどう対応すればよいのでしょうか？」**

A TIA（transient ischemic attacks：一過性脳虚血発作）は，**「脳局所または網膜の虚血に起因する神経機能障害の一過性のエピソードであり，急性梗塞の所見がないもの．神経障害のエピソードは，長くとも 24 時間以内に消失する」**と定義されます．基本的には病態として脳梗塞急性期と連続しており，**脳梗塞に準じたリスク評価と治療が推奨**されます．

TIA で認める局所神経症候とは以下のようなものです．

- 運動障害 ➡ 一側半身全部または一部の運動麻痺，同時に出現する両側性の運動麻痺
- 会話・言語の障害 ➡ 言語理解，言語表出の障害，読字，書字障害，言語緩慢，失算
- 知覚障害 ➡ 一側半身全部または一部の感覚変化，片眼の視野全部または一部の視力喪失，同名半盲，複視

逆に以下のものは非局所神経症候で TIA を疑いにくいです．

- **全身性の脱力，知覚障害，失神感，単独あるいは両眼の視力障害を伴う意識障害，尿あるいは便失禁，単独のめまい・嚥下困難・言語緩慢・複視**

病歴から疑ったときは ABCD2 スコアを考え，脳梗塞発症率を見積もります．

■ ABCD2 スコア (Lancet 369：283-292, 2007)

TIA を評価する ABCD2 スコアと脳梗塞発症リスク．

項目	点数
Age (年齢) ＞ 60 歳	1
BP (収縮期血圧＞ 140 mmHg，拡張期血圧＞ 90 mmHg)	1
Clinical (臨床症状)：片麻痺 構音障害	2 1
Duration (持続期間)：10〜60 分 ＞60 分	1 2
Diabetes (糖尿病)：あり	1

TIA 後 2 日以内の脳梗塞発症率

0〜3 点：1.0%
4〜5 点：4.1%
6〜7 点：8.1%

7 日以内，90 日以内の追跡でも，点数が大きいほど脳梗塞発症率は上昇する．

➡ **4 点以上は原則入院**で，3 点以下でも注意は必要．また **TIA 後の脳梗塞発症は 24 時間以内が最も多く，約 1 週間前後までリスクは高いと言われている．疑った段階で SCU コンサルトが望ましい．**

スコアが低くても，再発を繰り返す TIA や，頭蓋内動脈・頸動脈狭窄，心房細動を認める患者は高リスク群として注意です．実は，TIA を疑って MRI を撮影すると DWI で高信号を認めることがあり，transient symptoms with infarction (TSI) と呼ばれます．TSI は脳梗塞への移行リスクが高く，治療も脳梗塞に準じて行われます．TSI 特定のためにも MRI へのアクセスがよい場合は DWI で陰性であることを確保しましょう．入院を希望しない患者には，リスクを説明し，止むを得ない場合はアスピリン処方と外来フォローを行うことが多いです．

Q「精神疾患患者で偽の麻痺で受診する人をどうやって本物と見極めればよいのですか？」

A「drop test」や「Hoover test」などが有用です．

drop test とは顔面の上に四肢を他動的に持ち上げて離したときに，顔面を避けるような形で腕が落ちた場合(arm drop test 陰性)にヒステリーによる麻痺と考えます．

Hoover test とは被検者に仰臥位で両下肢を伸展してもらい，両踵の下に検者の手を入れます．麻痺側と訴えていないほうの下肢を挙上してもらったとき，麻痺側と訴えている踵にかかる力に左右差が認められない場合は陰性となり，「偽の麻痺」ということがわかります．

Q「全身脱力を主訴にきた人ではどのような鑑別をすればよいでしょうか？」

A 以下に代表的な鑑別疾患の要点を記載します．

Guillain-Barré 症候群

数日の経過で両下肢遠位部から進行する筋力低下と手袋靴下型の感覚障害が典型的．呼吸障害が急速に進行することがあり，60% が 3 週間以内の先行感染を伴っている．

先行感染がなくても腱反射の消失や低下や，比較的対称性の症候，脳神経障害，特に両側の顔面神経麻痺，自律神経障害，四肢の疼痛，嚥下障害，呼吸障害などがあったらすぐにこの疾患を疑って専門医コンサルトする．

周期性四肢麻痺

若年男性の繰り返す四肢の脱力．甲状腺機能亢進症を伴うことが多い．運動後に夕食摂取 → 低 K で朝動けないパターンが多い．低 K 血症あれば K 製剤の内服を勧める．

重症筋無力症

10〜20 歳代女性に多い．四肢脱力，構音嚥下障害．眼瞼下垂，複視などを伴い症状は日内変動する．呼吸筋麻痺もきたしうる．

「しびれ患者の鑑別のポイントは何ですか？」

以下に要点を記載します．

脳卒中

視床・放線冠・橋などの脳卒中では，しびれのみを主訴とする pure sensory stroke があります．ほとんどが突発発症であり，しびれは片側半身，片側上下肢，あるいは片側の手足口周囲に分布します．これをみたら MRI 撮影を行います．

頸椎症性神経根症

40〜60 歳での発症が多く，C7>C6>C8>C5 の発症頻度です（Brain 117：325-335, 1994）．**初発は頸部痛が先行しその後上肢痛やしびれが生じるのが頸椎症性脊髄症との鑑別点**です．感覚障害はデルマトームに一致します．神経根に応じた運動障害が出現します（⇒ p.209 図参照）．単純 X 線上で C5 椎体の脊柱管の前後径が 13 mm 以下のときや，脊柱管と椎体の前後径の比≦75％のときは脊柱管狭窄症と言えます．

頸椎症性脊髄症

50 歳代の発症が多いです．**初期症状は両手指のしびれ（64％）と歩行障害（16％）**が多く，障害側から末梢のレベルで両側性に**運動障害**（巧緻運動障害，書字やボタン掛けなどが不能に）と感覚障害を認めます（脊椎脊髄 18：408-415, 2005）．

手根管症候群

20〜50 歳代の女性に多く，正中神経領域に限られ，手首を越えないジンジンしたしびれが典型的です．Phalen test〔手関節で両手を 90° 屈曲し，手背部を 1 分間合わせるとしびれが出現（LR＋1.3，LR－0.8）〕や Tinel 徴候〔手根管部を叩いて正中神経領域にしびれ（LR＋0.7，LR－1.1）〕より，hand diagram（LR＋2.4，LR－0.2）のほうが診断に有用ですが，自覚症状の曖昧さを診察で照合するのが重要です（JAMA 283：3110-3117, 2000）．

■ 手根管症候群の hand diagram

しびれの分布	解説
掌側　背側	**典型的なパターン** • 第 1〜3 指のうち 2 指以上に症状あり • 典型的には第 4・5 指や近位にも症状あり • 手掌や手背に症状を認めてはならない **おそらく手根管症候群** • 手掌や手背に症状を認めてもいいが，尺側の第 4・5 指には限局しない • 第 1〜3 指の 1 つを含むなら possible pattern（not shown）となる

その他，よくあるパターン

- 「うずくような胸部，背部，頸部，肩の痛みと上肢の脱力やしびれ．3 分間の上肢の挙上で手がしびれる」➡ s/o 胸郭出口症候群
- 「シェーグレン症候群（Sjögren syndrome：SjS）や SLE 患者の知覚過敏＋四肢しびれ・脱力」➡ s/o 横断性脊髄炎
- 「片側の顔面と対側の体幹・四肢の障害側のしびれ」➡ s/o 延髄梗塞
- 「四肢の末梢優位のしびれ（手袋靴下型）」➡ s/o 多発神経炎（糖尿病，尿毒症，ビタミン B_{12} 欠乏，多発性骨髄腫など）．初期は下肢だけが多い
- 「左右の一方で温痛覚障害，もう一方で深部感覚障害」➡ s/o 脊髄半側障害
- 「心房細動や心原性脳塞栓症の既往がある突然の痛みを伴うしびれ」➡ s/o 急性動脈閉塞症

デルマトーム

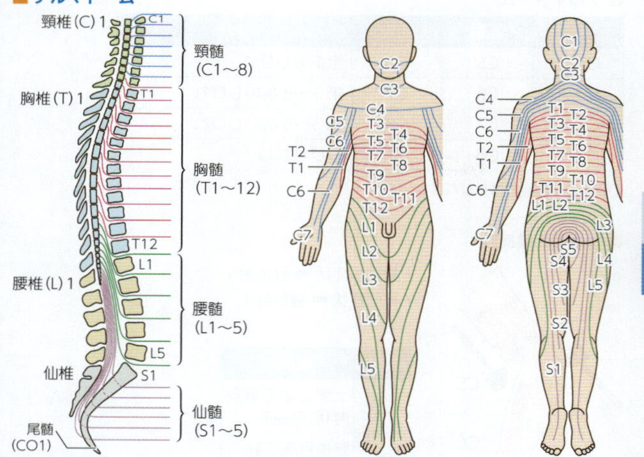

※覚えておくべきデルマトーム
✓T4　：乳頭
✓T6(7)：剣状突起
✓T10　：臍
✓L4　：膝

神経根と運動の関係(単純化すると)

- C3 ➡ 横隔膜
- C5 ➡ 肩関節外転
- C6 ➡ 手の背屈
- C7 ➡ 肘を伸ばす，手の屈曲
- C8 ➡ 指を曲げる
- T1 ➡ 指を開いたり閉じたりする
- L1～3 ➡ 臀部屈曲
- L3～4 ➡ 膝伸展，膝蓋腱反射
- L5 ➡ 母趾背屈
- S1 ➡ つま先立ち，アキレス腱反射
- S2～4 ➡ 肛門括約筋

デルマトーム

	運動	知覚	症状
C3/4	C5	C6	全指のしびれ
C4/5	C6	C7	第 1〜3 指のしびれ
C5/6	C7	C8	第 3〜5 指のしびれ
C6/7	C8	T1	しびれなし

C6/7 の脊髄症ではしびれはない.

神経根と腱反射

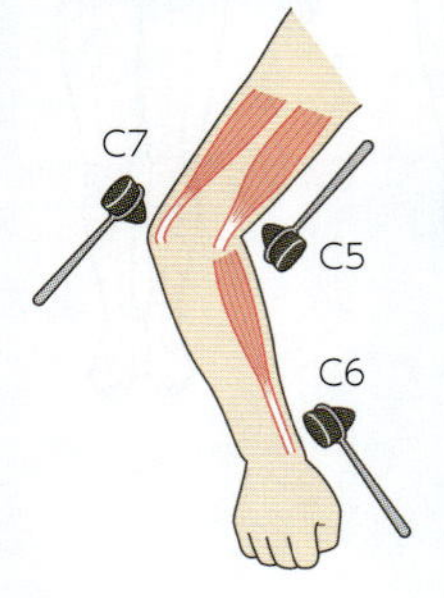

- 神経根症状 ➡ 腱反射↓
- 脊髄症状 ➡ 腱反射↑

神経根	腱反射
C5	上腕二頭筋腱反射(肘の屈曲)
C6	腕橈骨筋反射(手関節背屈)
C7	上腕三頭筋反射(肘伸展)

嘔気・嘔吐

実は隠れ重症疾患の多い主訴

救急搬送までの5分でCheck! アタマの中

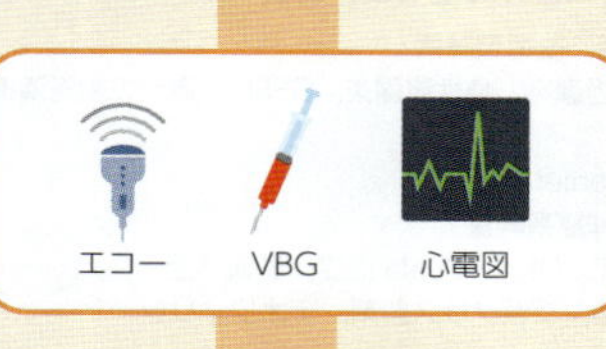

鑑別は NAVSEA (⇒次頁)

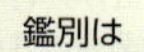

妊娠(関連疾患)？
腹部疾患？　心疾患？

原因は……

神経？	前庭？	薬剤？	電解質，副腎？
⬇	⬇	⬇	⬇
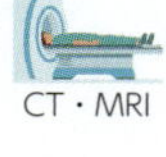 CT・MRI	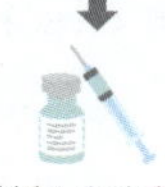 対応した治療薬	 対応した治療薬	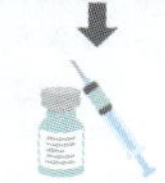 対応した治療薬

診療のフロー

はじめの５分でやることリスト

✓ABC-VOMIT アプローチ（⇒p.13）
✓「NAVSEA」★1 を意識して，＋αの随伴症状を探る

鑑別のポイント

✓女性をみたら妊娠と思え！ 妊娠早期の空腹時のひどい嘔気・嘔吐，食後に改善すれば，s/o 妊娠悪阻
✓意識障害，片麻痺，構音障害，高血圧があれば脳血管障害を考えよ！
✓腹痛より嘔気・嘔吐が先行するときは急性虫垂炎は否定的
✓心血管系リスクのある人は必ず心電図を！

★1 嘔気・嘔吐の鑑別「NAVSEA（嘔気：nausea をもじって）」

Neuro ➡ 中枢神経障害，頭蓋内圧亢進，脳循環障害
Abdominal ➡ 腸閉塞，肝炎，膵炎，胆嚢炎，急性胃腸炎，GERD，胃十二指腸潰瘍，異所性妊娠，妊娠悪阻
Vestibular ➡ BPPV，前庭神経炎，Ménière 病
Sympathetic ➡ 心筋梗塞（MI），交感神経系興奮
Electrolyte，Endocrine ➡ 高 Ca 血症，DKA，低 Na 血症，副腎不全
Adverse effect ➡ オピオイド，抗癌薬，ジギタリス製剤，テオフィリン

検査

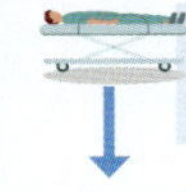

Primary survey
➡ ＋αの症状が大事（頭痛，胸痛，腹痛，下痢，めまいなど）

Secondary survey
➡ 鑑別疾患に応じて採血，血液ガス（VBG），各種培養，心電図，心エコー，CT など

鑑別疾患

critical

- くも膜下出血(SAH)
- 小脳出血
- 小脳梗塞
- 髄膜炎
- 急性冠症候群
- 大動脈解離
- 虫垂炎
- 腸閉塞
- 胆管炎
- 急性膵炎
- 甲状腺クリーゼ
- 副腎不全
- 劇症 1 型糖尿病

common

- 肝炎
- 胆石症
- 消化性潰瘍
- 胃腸炎
- 腎盂腎炎
- 尿毒症
- 緑内障
- 末梢性めまい

発熱

丁寧な熱源探しが鍵．「発熱＝抗菌薬」投与は×

救急搬送までの5分でCheck! アタマの中

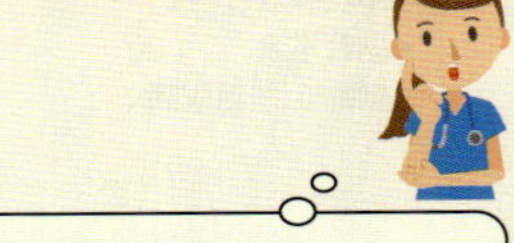

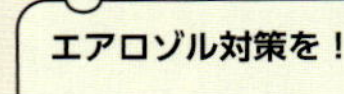

敗血症か，そうでないか？
高体温の要素（甲状腺・精神疾患の既往，薬剤歴，環境要因）がないか？

エアロゾル対策を！

高体温 ➡ p.278

エコー

ABG (VBG)

＋ **top-to-bottom の身体診察** （⇒ p.217）

血液培養2セット

ポータブルX線

尿培養

fever work up

敗血症であれば……

（造影）CT，補液，抗菌薬（1時間以内に！），昇圧薬
➡ 手術やドナレージを考慮

診療時のひとことメモ

✓基本的には病歴，ROS の有無，top-to-bottom approach の身体診察から感染の熱源を絞る．敗血症と見逃しやすい感染症(心内膜炎，胆管炎，骨髄炎，前立腺炎，褥瘡)に注意する！

診療のフロー

はじめの 5 分でやることリスト

✓ABC-VOMIT アプローチ(⇒ p.13)
✓発熱 or 高体温(熱中症，悪性症候群，中毒，甲状腺クリーゼなど)？
✓発熱なら，敗血症かそうでないか
✓top-to-bottom approach の身体診察！ 全身性疾患も考慮する

全身性の発熱疾患

関節炎	化膿性関節炎，リウマチ疾患
内分泌疾患	亜急性甲状腺炎，急性副腎不全
膠原病	SLE，成人 Still 病など
悪性腫瘍	悪性リンパ腫，腎細胞癌など

熱源精査

熱源精査とは次頁で示した16の感染症を,「その臓器に感染していたらどのような症状を訴えるか」「どのような身体所見があるか」「どのような検査異常が出るか」を頭に浮かべながら探していく. 可能な限り毎回決まった形でシステマティックに病歴・身体所見を確認していく.

頭4つ+胸2つ+腹7つ+四肢・体幹3つ=16の感染症を確認!

ちなみに, 在宅コホート研究によると, 65歳以上の在宅患者における発熱の発生率は2.5回/1,000人日であり, 発熱の原因は肺炎/気管支炎が最も多く, 皮膚/軟部組織感染症, 尿路感染症が続いた(BMJ open 4:e004998, 2014). 38℃以上の発熱は感染症の可能性が高い(LR+5.15〜18.10)が, 発熱がなくても感染症を否定することができない(LR−0.79〜0.92) (J Am Geriatr Soc 65:1802-1809, 2017).

例えば, 高齢者の尿路感染症では, 尿路症状があるのは26%, 意識変容が26%, 体温正常は83%. また, 肺炎は1/3が発熱なし, 咳嗽なし. 1/2は意識変容で来院する(Emerg Med Clin North Am 26:319-43, 2008).

高齢者の感染症は「**非典型的が典型的**」と心得よう!

また, 高齢者の発熱の鑑別として医原性に関連した3項目(**D**evice, **D**rug, **D**ifficile:*Clostridioides difficile*感染症)と, 寝たきりに関連した3項目の**D**VT, **D**ecubitus(褥瘡), CPP**D**(偽痛風)の6Dを忘れないようにしよう.

発熱の top-to-bottom approach

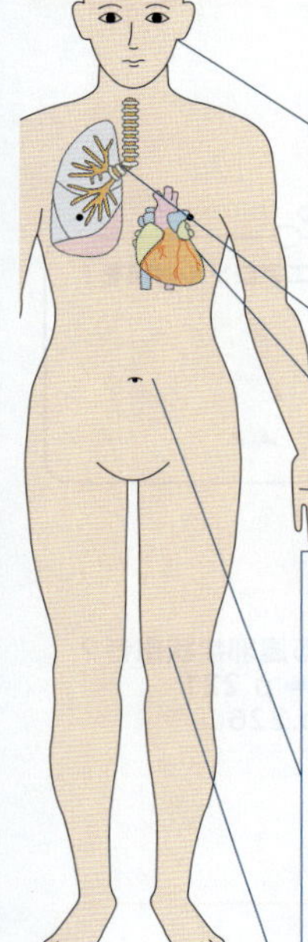

中枢神経（髄膜炎, 脳炎, 脳膿瘍） 頭痛, 項部強直, 光過敏, 記憶障害, 神経学的所見, 筋力・知覚低下

副鼻腔炎 7日間以上持続する感冒, 軽快した後に再増悪する感冒, 感冒にしては普段よりも症状が重篤, 下を向くと増悪する頭痛, 副鼻腔上の顔面圧痛, 上顎洞の圧痛, 上顎歯痛

中耳炎, 外耳道炎 耳痛, 聴力低下, 鼓膜の発赤・腫脹, 鼓膜内滲出液（外耳の発赤・耳瘻では外耳炎）

上気道炎, 咽頭炎, 歯肉炎 咽頭痛, 嚥下痛, 滲出性扁桃炎, 頸部リンパ節腫脹, 歯肉腫脹 **（HIVに注意！）**

気管支炎, 肺炎 咳, 呼吸困難, 痰, 吸気時の胸痛増悪, 聴診でラ音 **（結核に注意！）**

心内膜炎, 心筋心膜炎 胸痛, 動悸, 呼吸困難, 浮腫, 心雑音, 歯科治療歴, 皮疹（爪下線状出血斑, 結膜出血斑など）, 不整脈, 胸膜摩擦音

腸管感染症 嘔気・嘔吐, 腹部圧痛, 水様性下痢・粘血便

腹腔内感染症 腹部圧痛, 便秘・下痢, 嘔気・嘔吐, 腹膜刺激症状（筋性防御, 反跳痛）

肝胆道系感染症 黄疸, 右季肋部痛, Murphy sign

尿路感染症, 腎盂腎炎 尿意切迫, 頻尿, 排尿時痛, 恥骨上部圧痛, CVA叩打痛

PID, 子宮内膿瘍 異常・悪臭帯下, 排尿障害（頻尿, 排尿時痛, 尿意切迫）, 子宮頸部圧痛

前立腺炎 下腹部痛, 直腸診にて前立腺圧痛

肛門周囲膿瘍 排便時疼痛, 圧痛, 腫脹

皮膚感染症 （四肢・背部・頭部も含めて）発赤, 疼痛, 腫脹

関節炎 疼痛, 熱感, 腫脹, 関節可動域制限

デバイス感染 ライン刺入部分の発赤, 腫脹, 熱感, 疼痛

風邪

本当に風邪と診断してよいですか？

救急搬送までの5分でCheck! アタマの中

メインの症状でカテゴリー分類し，Red flagがないか確認する

COVID-19を含めた周囲の感染症の流行状況を意識した診療を

エアロゾル対策を！

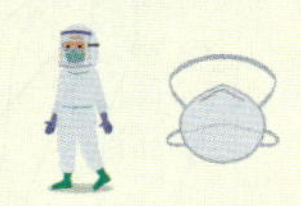

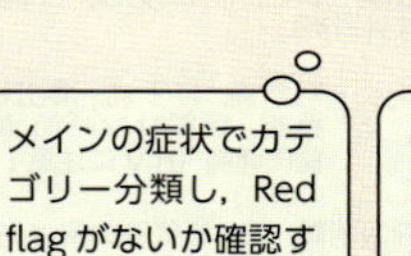

ウイルス感染症らしいか？

死ぬ可能性のある風邪症状患者？
インフルエンザ ➡ p.221
COVID-19 ➡ p.226

メインの症状でカテゴリー分類

✓**咽頭痛**： 5 killer sore throat(⇒ p.235)，急性喉頭蓋炎，扁桃周囲膿瘍を除外
✓**鼻汁**：副鼻腔炎を除外
✓**咳**：肺炎を除外
✓**高熱**：敗血症を除外
✓**微熱と倦怠感**：ウイルス性脳炎や心筋炎を除外
✓**頭痛**：髄膜炎を除外
✓**消化器症状**：細菌性腸炎を除外

診療時のひとことメモ

✓「咳・鼻汁・咽頭痛など多領域の症状が急性かつほぼ同時に発症」していればほとんどウイルス感染症．細菌感染では局所症状が目立つのと対照的
✓免疫力低下状態，顆粒球減少症（抗甲状腺薬，抗てんかん薬，サルファ含有薬，NSAIDs，抗癌薬使用者）では風邪でも死ぬ可能性あり

診療のフロー

はじめの5分でやることリスト

✓本当に風邪か？
✓＋α症状でタイプ分類

検査

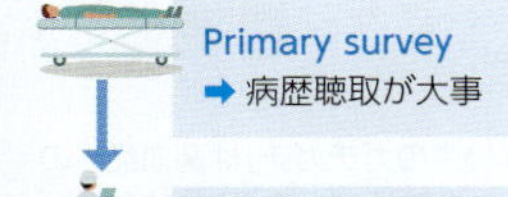

Primary survey
➡ 病歴聴取が大事

Secondary survey
➡ 必要に応じて採血，尿検査，各種培養，心電図，胸部X線など

鑑別疾患

- 5 killer sore throat
- 副鼻腔炎
- 肺炎
- 敗血症
- 髄膜炎
- 脳炎
- 急性心筋炎
- 細菌性腸炎

症状でタイプ分類し，その中で見逃してはいけない疾患を除外していく姿勢で診療にあたる．

✓**のどの痛み**

➡ 5 killer sore throat（「咽頭痛」項を参照⇒ p.235）を必ず除外

■ **処方例**

アセトアミノフェン（カロナール®）錠（200 mg） 6T 分3 or 頓服
急性喉頭蓋炎を示唆する症状が出現した際は再度受診を．

✓鼻汁

➡ 副鼻腔炎を除外．感冒症状軽快後に再燃する発熱，片側性症状，頭痛，副鼻腔の圧痛，膿性鼻汁，頭を傾けて増悪する頭痛などで診断．ほぼウイルス性が原因であり，ERで初回から抗菌薬処方することはほとんどない．症状が重篤である場合や1週間以上持続している場合は抗菌薬考慮する

■処方例

ロラタジン錠(10 mg) 1T 分1 (夕方)
抗菌薬投与適応の条件を説明．必要なら外来フォローを．

✓咳

➡ 気管支炎になりかかっている状態．肺炎は除外する．悪寒戦慄を伴う場合や二峰性発熱のエピソードがある場合は胸部X線考慮(ただし7%の肺炎はX線正常)

■処方例

デキストロメトルファン(メジコン®)錠(15 mg) 3T 分3．咳嗽症状は10～20日程度持続する可能性を説明する．

✓高熱

➡ 敗血症を除外．「止めようと思っても止まらない歯のガチガチ」は菌血症へのSn 90%．基本的に風邪で3日以上38℃以上の発熱が出るのは稀であり，インフルエンザ，アデノウイルス，ヘルペス科ウイルス，麻疹などを考える

✓倦怠感

➡ ウイルス性脳炎や急性心筋炎を除外．「風邪にしてはひどくだるく胸も痛い」や「食事のにおいが気になり食欲がない」などの発言には注意！

✓頭痛

➡ 何といっても髄膜炎を除外．「頭痛」項を参照(⇒p.174)

✓消化器症状

➡ 細菌性腸炎を除外．「下痢」項を参照(⇒p.290)．ウイルス性腸炎のnatural courseとは，最初に軽度の腹痛があり，その後，嘔気・嘔吐症状が出現．24時間以内にピークに達し，その後頻回の水様下痢である

COLUMN

インフルエンザ

診断のポイント

とにかく，**正しく臨床診断**しましょう．

次項に記載するように迅速検査には常に偽陰性の問題が絡みます．

そして，**インフルエンザ以外の発熱の原因が隠れていないか，常に注意して診療**しましょう．インフルエンザと思ったら腎盂腎炎だった，などの失敗例はよくあります．

潜伏期間が1〜4日と短く，典型的には，急性の高熱，頭痛，筋肉痛，下肢脱力などで発症します．咽頭痛，鼻汁，咳嗽などの呼吸器症状を伴うことが多いですが，時に嘔気・嘔吐，下痢などの消化器症状も伴います．

実は症状の頻度分析では，咳(92%)，痰(88%)，倦怠感(83%)，鼻汁(76%)の次に「発熱または悪寒」(71%)がきており，**必ずしも「主訴＝発熱」でERに受診するとは限りません**(Fam Pract 32：408-414, 2015)．

周囲の流行やsick contactは事前確率の見積もりや潜伏期間推定に重要です．高齢者では発熱しないこともあり，「いつもと様子が違う」でも疑いましょう．

■ **典型的な臨床経過** (JAMA 283：1016-1024, 2000)

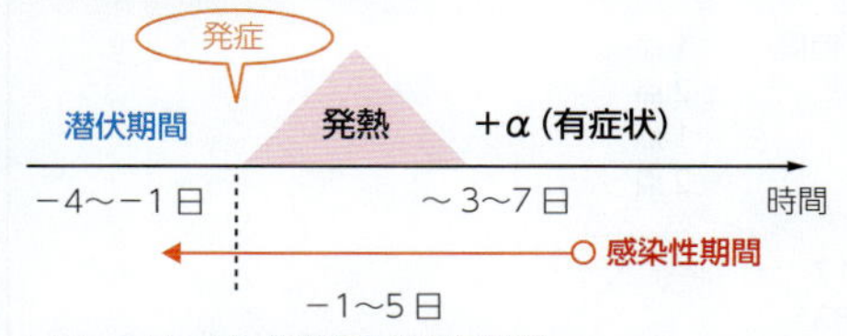

✓sick contactは潜伏期間推定に重要
✓3日で解熱傾向にならないインフルエンザは変かも

身体所見では，咽頭後壁に認められる正円〜楕円形で周囲組織が白く，境界がはっきりとした**「イクラ様リンパ濾胞」**が有効ではないかと言われています．

■ **イクラ様リンパ濾胞**

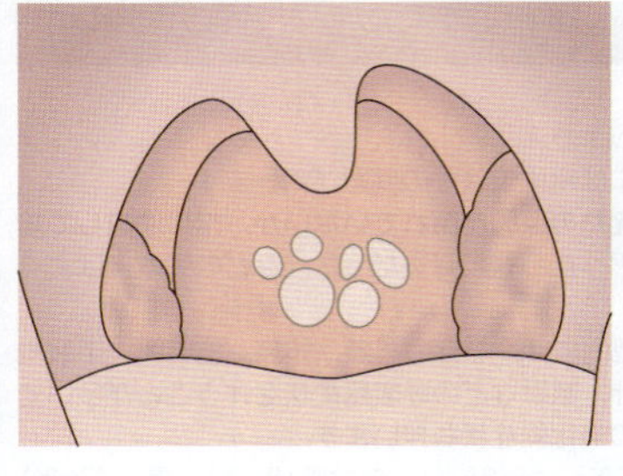

後咽頭壁に 1~2 mm 大の小型，半球状，境界明瞭な濾胞．

⬇

Sn，Sp ともに 95% 以上という報告もある (Gen Med 12 : 51-60, 2011)．

また，急性発症の呼吸器症状を呈した患者に適用可能な**インフルエンザ予測スコア「Flu score3」**も有効です．

■ **インフルエンザ予測ルール：「Flu score3」**

(J Am Board Fam Med 25 : 55-62, 2012)

流行期において，

- 急性発症(< 48 時間)　1 点
- 筋肉痛　2 点
- 悪寒または発汗　1 点
- 発熱と咳　2 点

0~2 点：LR +0.17

3 点：LR +0.83

➡ 検査するのは中リスクのみで(ただし case by case)！

4~6 点：LR +2.72

➡ 高リスクは検査なしで診断！

通常 4~5 日で快方に向かいますが，自覚症状すべての改善には 1 ~ 2 週間以上かかることもあります．

検査のポイント

■インフルエンザ迅速キット

✓メタアナリシスでは，
小児：Sn **66.6**%，Sp **98.2**%
成人：Sn **53.9**%，Sp **98.6**%
(Ann Intern Med 156：500-511, 2012)

救急外来で施行するインフルエンザ迅速キットは免疫法を原理として，A型あるいはB型いずれかのウイルス量の存在を目視で判定する試験です．

ウイルス量が一定量以上の場合に陽性反応を得るため，量が少ない場合は偽陰性となるので感度が低いです．一般に検出率が低くなりがちなのは，A型よりB型，小児より成人です．さらに，鼻咽頭検体より咽頭検体，発症6～12時間以内の病初期，あるいは5日以降，鼻汁が少ない場合，ワクチン接種者などでは感度がより下がります．

2022年現在では，迅速キットの検査代と抗インフルエンザ薬の値段がほぼ一緒のため適応をよく考えるべきでしょう．

■スワブの挿入方法

スワブは後方に向けてまっすぐ挿入し，前後の動きや回転を加え，鼻汁を浸み込ませるのがコツ

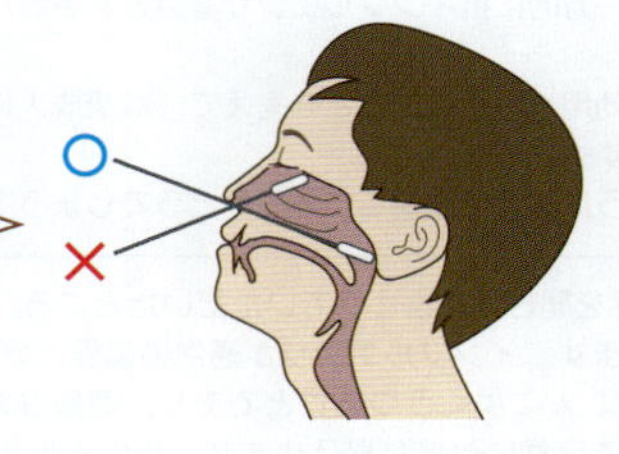

処方と説明のポイント

■ハイリスク患者

以下の患者には抗インフルエンザ薬推奨.

- ✓喘息
- ✓神経変性疾患
- ✓鎌状赤血球症などの血液疾患
- ✓COPD, 嚢胞性線維症
- ✓心疾患(先天性, うっ血性心不全, 冠動脈疾患)
- ✓腎障害
- ✓肝障害
- ✓代謝障害
- ✓病的肥満(BMI≧40)
- ✓19歳未満の長期アスピリン使用者
- ✓免疫不全
- ✓65歳以上
- ✓5歳未満(特に2歳未満)
- ✓妊婦(産後2週目まで)

周囲のリスクも聴取!

※最大の予防はワクチン!

※ NSAIDs はライ症候群や脳症との関連性があり処方しない!

抗インフルエンザ薬は発症後48時間以内の投与開始が原則です. 日本の医療機関へのアクセスのしやすさから, 患者が早期受診し, 迅速検査が役に立たなかったり, 一方的に抗インフルエンザ薬処方を患者から要求されることもしばしばあります.

耐性化と効用や副作用のことも考えて, 健康成人に対する抗インフルエンザ薬処方は配慮すべきです.

以下のように患者に説明してみてはどうでしょう?

「今回お話を聞き, 診察させていただいたところ, やはりインフルエンザを強く疑います. インフルエンザが通常の風邪と異なる点は, ① 症状が激烈なこと, ② 人によくうつることであり, 健康な方は基本的に風邪と同様, 対症療法で自然に改善が見込めます. 抗ウイルス薬であるタミフル®などは, 発症後の48時間以内に投与しなければ有効性が低く, 内服しても有熱期間を半日程度短縮する効果しかないと言われています. 内服による吐き気や10歳代の若者での異常行動も問題となっています. 基本的には耐性などの問題があるため, 心臓や呼吸器に大きな問題のある方を中心とした投与が勧められています. 皆さんにはまずは解熱薬や咳止めなどを使用することをお勧めしていますが, いかがなされますか? また, 一般に解熱してから2日間は自宅療養をお勧めします」

■主要な抗インフルエンザ薬

一般名	オセルタミビル	バロキサビル マルボキシル	ザナミビル	ラニナミビル	ペラミビル
商品名	タミフル®	ゾフルーザ®	リレンザ®	イナビル®	ラピアクタ®
投与経路	内服 (プロドラッグ)	内服	吸入	吸入 (プロドラッグ)	点滴 iv
用法	1日2回, 5日間	単回経口投与	1日2回, 5日間	単回吸入	単回点滴 (複数回可)
用量	1回75 mg (1カプセル) 小児ドライシロップ:1回 2 mg/kg (75 mgまで)	(成人・12歳以上の小児) 80 kg以上: 1回80 mg 80 kg未満: 1回40 mg (12歳未満の小児) 40 kg以上: 1回40 mg 20〜40 kg: 1回20 mg 10〜20 kg: 1回10 mg	1回10 mg (2ブリスター)	40 mg(2容器) 10歳未満 20 mg (1容器)	300 mg 小児10 mg/kg (600 mgまで増量可能)
予防投薬 (保険適用外)	(成人・小児) 1日1回 成人は75 mgを7〜10日間, 小児は 2 mg/kg (最大75 mgまで)を 10日間	(成人・12歳以上の小児) 80 kg以上: 1回80 mg 80 kg未満: 1回40 mg (12歳未満の小児) 40 kg以上: 1回40 mg 20〜40 kg: 1回20 mg	(成人・小児) 1日1回 10 mgを 10日間	(成人・10歳以上の小児) 1日1回 20 mgを 2日間吸入	未承認

COLUMN
COVID-19

COVID-19 流行期の ER 診療の心構え

王冠を意味する"コロナ"ウイルスには感冒の原因になる 4 種類に加え，SARS-CoV，MERS-CoV が知られていました．新しく見つかった 7 つ目のコロナウイルス「SARS-CoV-2」による感染症が「COVID-19」です．日本の感染症法では「新型コロナウイルス感染症」で統一されています．2019 年末に中国各地で発生し，その後日本，韓国，イタリア，イラン，欧州，米国など各地に感染拡大し，WHO もパンデミックと認定しました．

ほぼ無症状に近い陽性者もおり，感染性は症状出現の 2 日前からあります(Nat Med 26：672-675, 2020)．外傷症例に隠れていた COVID-19 患者や ACS に隠れていた想定外の陽性患者との接触などがいつでも起こりうる状態です．

自分自身が感染しないこと，濃厚接触者とならないことを第一に行動しましょう．そのためには ER での患者接触時には基本的に常にマスクとアイシールドを着用し，手指消毒を行い，適切な PPE(個人防護具)着用を心がけます．エアロゾル産生手技を行うときには N95 を着用する感染予防策を徹底しましょう．

国内の最新情報は，厚生労働省のウェブサイトより「新型コロナウイルス感染症診療の手引き」が公開されています(2022 年 12 月現在 第 8.1 版)．また，実臨床での感染予防策に関しては，日本環境感染学会の「医療機関における新型コロナウイルス感染症への対応ガイド」(2022 年 12 月現在 第 4 版)を参考にするとよいです．

エアロゾル産生手技とは？

気管挿管・抜管，気道吸引，NPPV 装着，気管切開術，心肺蘇生，用手換気，上部消化管内視鏡，気管支鏡検査，ネブライザー療法，誘発採痰など．

■ COVID-19 確定患者に対する様々な状況における PPE の選択

（日本環境感染学会：医療機関における新型コロナウイルス感染症への対応ガイド，第 4 版．2021）

	手袋	サージカルマスク	N95マスク	ガウン	眼の防護
診察（飛沫曝露リスク大*1）	△	○	△	△	○
診察（飛沫曝露リスク小*2）	△	○	△	△	△
呼吸器検体採取	○	○	△	○	○
エアロゾル産生手技	○		○	○	○
環境整備	○	○	△	△	△
リネン交換	○	○	△	○	○
患者搬送*3	△	○	△	△	△

○：必ず使用する　△：状況により使用する

＊1　患者がマスクの着用ができない，近い距離での処置が必要など，顔面への飛沫曝露のリスクが高い場合

＊2　患者はマスクを着用し，顔面への飛沫曝露のリスクが高くない場合

＊3　直接患者に触れない業務（ドライバーなど）ではタイベック®を含むガウンは不要

■ PPE の着用（前表と同様の文献を参考に作成）

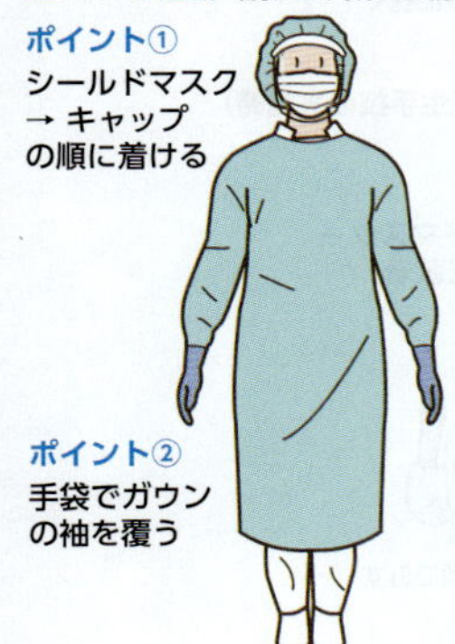

PPE の脱衣（前頁の表と同様の文献を参考に作成）

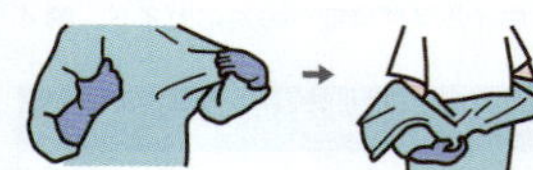

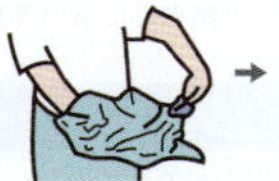

ガウンの表面をつかみ → 首のうしろ部分をちぎる → 裏が表になるように →

ガウンと手袋は一緒に，裏返しながら脱ぐ．

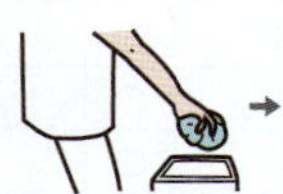

素手で表にふれないように → 小さくまとめて → 捨てる →

手指衛生 → キャップ→シールドマスクの順に顔に触れないように外す → 手指衛生

手指衛生忘れずに！ 顔に触れない！ 丁寧に手順通りに脱ぐ！

N95 マスクの着用を要する場面（エアロゾル産生手技の実施時）

（前頁の表と同様の文献を参考に作成）

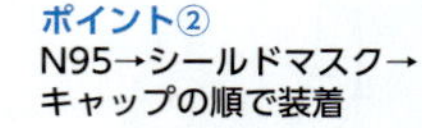

ポイント①

N95 装着後はユーザーシールチェック

1. 両手でマスクを覆う
2. 息を強く吐き出す
3. マスクと顔に隙間から空気が漏れないことを確認する

ポイント②

N95→シールドマスク→キャップの順で装着

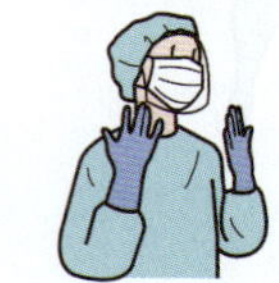

※脱衣時は逆の順で外す

症状

発熱，咽頭痛，咳嗽，味覚・嗅覚障害，消化器症状などが典型的ですが，症状では普通の風邪と区別がつきません．さらに，ワクチン接種や変異株の出現により症状が変化しうるため，その都度の流行株と症状についてupdateする必要があります．無症状でも感染力のあるウイルス保持者がいるため，市中の感染状況によってはすべての患者が対象となりうると考え行動しましょう．

重症度分類および重症化リスク

65歳以上の高齢者，基礎疾患(高血圧，糖尿病，慢性腎臓病，肥満，慢性呼吸器疾患，心血管疾患)，免疫不全，HIV感染，喫煙，妊婦，悪性腫瘍が重症化のリスクですが，ワクチン接種によって大きく変化してきています．

■ 重症度分類(医療従事者が評価する基準)

(厚生労働省，新型コロナウイルス感染症診療の手引き第8.1版，2022)

重症度	酸素飽和度	臨床状態	診察のポイント
軽症	$SpO_2 \geq 96\%$	呼吸器症状なし or 咳のみで呼吸困難なし いずれの場合であっても肺炎所見を認めない	• 多くが自然軽快するが，急速に病状が進行することもある
中等症Ⅰ 呼吸不全なし	$93\% < SpO_2 < 96\%$	呼吸困難，肺炎所見	• 入院の上で慎重に観察が望ましい • 低酸素血症があっても呼吸困難を訴えないことがある • 患者の不安に対処することも重要
中等症Ⅱ 呼吸不全あり	$SpO_2 \leq 93\%$	酸素投与が必要	• 呼吸不全の原因を推定 • 高度な医療を行える施設へ転院を検討
重症		ICUに入室 or 人工呼吸器が必要	• 人工呼吸器管理に基づく重症肺炎の2分類（L型，H型）が提唱 • L型：肺はやわらかく，換気量が増加 • H型：肺水腫で，ECMOの導入を検討 • L型からH型への移行は判定が困難

注

・COVID-19の死因は，呼吸不全が多いため，重症度は呼吸器症状(特に呼吸困難)と酸素化を中心に分類されている

・SpO_2を測定し酸素化の状態を客観的に判断することが望ましい

- 呼吸不全の定義は PaO_2 ≦ 60 mmHg であり SpO_2 ≦ 90%に相当するが，SpO_2 は 3%の誤差が予測されるので SpO_2 ≦ 93%とされている
- 肺炎の有無を確認するために，院内感染対策を行い，可能な範囲で胸部 CT を撮影することが望ましい
- 酸素飽和度と臨床状態で重症度に差がある場合，重症度の高いほうに分類する
- 重症の定義は厚生労働省の事務連絡に従っている．ここに示す重症度は中国や米国 NIH の重症度とは異なることに留意すること

検査

感度や特異度，検体採取時に必要な PPE 着用レベルが検査によって異なるため下記の表のように使い分ける必要があります．発症から 10 日以降の唾液検査の検出力は低いので使用しません．発症 3 日目は最も偽陰性が少ないですが，ER での検査実施のタイミングによっては偽陰性の場合も多いことに注意しましょう．

また，有症状の COVID-19 患者に対する胸部 CT は Sn 94%，Sp 37% で PCR より感度が高い（Radiology 297：E236-E237, 2020）ですが，無症候者＋ CT 異常陰影のほとんどで重篤にはならず，すべての症例で回復しているため，闇雲に CT 撮影するのではなく，**有症状/濃厚曝露歴あり/重症な状態での緊急手術時で症状や曝露歴が不明/地域の有病率が高い場合**のみに考慮しましょう．

感染症法の指定感染症（新型インフルエンザなどの感染症が含まれる）である COVID-19 は，陽性判明次第速やかに届出作成が必要です．発症日を 0 日として計算することに注意しましょう．

■ 新型コロナウイルス感染症の検査法

（厚生労働省，新型コロナウイルス感染症診療の手引き第 8.1 版，2022）

検査の対象者		核酸検出検査			抗原検査（定量）			抗原検査（定性）		
		鼻咽頭	鼻腔	唾液	鼻咽頭	鼻腔	唾液	鼻咽頭	鼻腔	唾液
有症状者（症状消退者を含む）	発症から9日目以内	○	○	○	○	○	○	○	○	○
	発症から10日目以降	○	○	−	○	○	−	△	△	−
無症状者		○	○	○	○	−	○	−	−	−

治療

COVID-19 の治療は ① 酸素療法，② COVID-19 そのものへの治療，③ 合併症予防の 3 本柱に分かれており，**発症日からの日数，重症化リスク，重症度評価，ワクチン接種の有無など**で選択が分かれていきます．

重症化リスク因子の BMI 計算のため身長体重は聞き忘れないようにしましょう．中和抗体療法の適応は，重症化リスクがあり，かつ発症日を 1 日目と計算

して7日以内という条件があり，発症日と計算方法が違うので注意します．2022年11月にゾコーバ®が緊急承認されたように，今後も新薬の追加の可能性があるためエビデンスのupdateを続けましょう．

重症度別マネジメントのまとめ

（厚生労働省，新型コロナウイルス感染症診療の手引き第8.1版，2022）

	軽症	中等症Ⅰ	中等症Ⅱ	重症
呼吸療法			酸素療法 HFNCを含む 必要時，フィルター付CPAP，NPPV	挿管人工呼吸/ECMO
			腹臥位療法を含む積極的な体位変換	腹臥位療法を含む積極的な体位変換
抗ウイルス薬	レムデシビル*1	レムデシビル*1	レムデシビル*1	レムデシビル*1
	モルヌピラビル*2			
	ニルマトレルビル/リトナビル*2			
中和抗体薬*2 *3	ソトロビマブ			
	カシリビマブ/イムデビマブ			
免疫抑制・調節薬			ステロイド（デキサメタゾンなど）	ステロイド（デキサメタゾンなど）
			バリシチニブ	バリシチニブ
			トシリズマブ*4	トシリズマブ*4
抗凝固薬			ヘパリン	ヘパリン

＊1　軽症患者への投与は重症化リスク因子のある患者が対象
＊2　重症化リスク因子のある患者が対象
＊3　抗ウイルス薬が使用できない場合に本剤を検討（オミクロン株に対する効果減弱のおそれ）
＊4　ステロイドと併用する

- 重症度は発症からの日数，ワクチン接種歴，重症化リスク因子，合併症などを考慮して，繰り返し評価を行うことが重要である
- 個々の患者の治療は，基礎疾患や患者の意思，地域の医療体制などを加味した上で個別に判断する
- 薬物療法はCOVID-19やその合併症を適応症として日本国内で承認されている薬剤のみが記載されている．詳細な使用法は，添付文書などを参照すること

呼吸療法のアルゴリズム

(厚生労働省，新型コロナウイルス感染症診療の手引き第 8.1 版，2022)

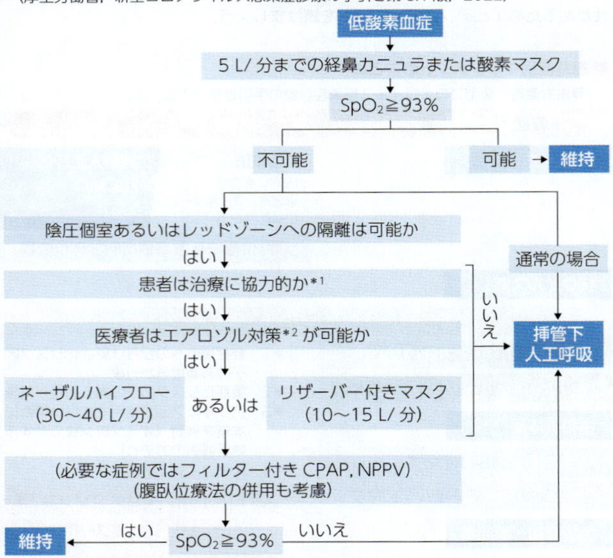

*1 サージカルマスク装着など呼吸療法実施のための条件を受け入れていること
*2 ゴーグル，N95マスク，ガウン，手袋などの完全個人防護具が使用可能で，かつ，医療スタッフは十分な訓練を受けていること

咽頭痛

Airway の問題なので時に急ぎます

救急搬送までの
5分でCheck!
アタマの中

Red flag を確認しつつ **5 killer sore throat**(⇒ p.235) を除外する！

ウイルス性咽頭炎か，溶連菌感染性咽頭炎か？
抗菌薬処方の是非を考える.

気管挿管

呼吸状態・酸素化が悪ければ早期介入

喘鳴など気道閉塞のサインがあれば**喉頭ファイバーで評価依頼**

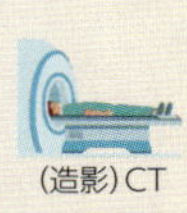
(造影) CT

腫瘍？　大動脈解離？

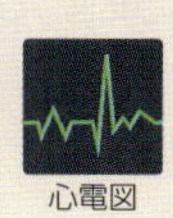
心電図

ACS？

Centor criteria (⇒ p.236) を用いて，
細菌性扁桃炎 or その他 を鑑別！

診療時のひとことメモ

✓咽頭炎の原因がA群β溶連菌となるのは10〜20%程度であると言われている．Centor criteriaをうまく利用し抗菌薬適応を考える

診療のフロー

はじめの5分でやることリスト

✓ABC評価
✓Red flag★1がないことを確認しながら5 killer sore throat＋αを除外

★1 咽頭痛のRed flag

✓**高熱を伴う咽頭の激痛で唾も飲み込めない**
✓**咽頭所見が軽度にもかかわらずsick**
✓**開口障害**（指が縦に2本入ればOK）
✓**muffed voice**（こもった声），**嗄声**
✓**前頸部に著明な圧痛，斜頸**
✓**今までの感じたことのないようなのどの痛み**

検査

Primary survey
➡病歴聴取が大事
➡喘鳴・呼吸困難があれば気道確保！

Secondary survey
➡鑑別疾患に応じて簡易迅速検査，採血，各種培養，心電図，心エコー，胸部X線，CTなど

鑑別疾患

critical

- 5 killer sore throat
- 顆粒球減少症（抗甲状腺薬，抗てんかん薬，サルファ含有薬，NSAIDs，抗癌薬などの使用者）
- HIV 感染の疑われる患者の上気道炎
- 急性心筋梗塞
- 大動脈解離

common

- ウイルス性咽頭炎
- A 群 β 溶連菌感染性咽頭炎
- 伝染性単核球症（Epstein-Barr ウイルス）
- 逆流性食道炎
- 亜急性甲状腺炎（稀）

5 killer sore throat とは？

咽頭痛を主訴で来院する以下の **5 つの致死的疾患**

1. 急性喉頭蓋炎
2. 扁桃周囲膿瘍
3. 咽後膿瘍
4. Lemierre 症候群
5. Ludwig's angina

「5 killer sore throat とは何ですか？ どうやって鑑別すればよいのでしょうか？」

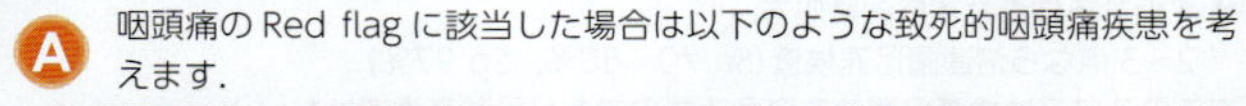

咽頭痛の Red flag に該当した場合は以下のような致死的咽頭痛疾患を考えます．

✓**急性喉頭蓋炎** ➡ 咽頭痛と飲み込みにくさが特徴．頸部 X 線で thumb sign（親指で押すような喉頭蓋腫脹）や vallecula sign〔喉頭蓋谷の消失 Sn 98.2% Sp 99.5%（Ann Emerg Med 30：1-6, 1997）〕をみたら CT を撮らない！ **臥位にすると気道閉塞の危険がある**．診断困難の場合は，喉頭ファイバーを施行．ファイバースコープで挿管し，嫌気性菌や BLNAR を含めてカバーする抗菌薬＋ベタメタゾン 4 mg ＋ NS 100 mL div を

✓**扁桃周囲膿瘍，咽後膿瘍** ➡ 扁桃周囲膿瘍では，片側の扁桃腫大と発赤，口蓋垂偏移がある．咽後膿瘍では咽頭後壁の片側腫脹を認める．頸部エコーやCTと耳鼻咽喉科コンサルト
✓**Lemierre 症候群** ➡ 感染性血栓性頸静脈炎であり，左右非対称な頸部の圧痛がある．頭頸部造影CTを行う
✓**Ludwig's angina** ➡ 口底蜂窩織炎．下顎～オトガイ舌下を含む口腔内軟部組織の広範囲炎症

Q 「ウイルス性咽頭炎か溶連菌性扁桃炎かの鑑別はどのように行うのですか？」

A 有名なのはよく用いられるCentor criteriaやMcIsaac scoreなどです．年齢や咽頭所見，咳がないこと，発熱，前頸部リンパ節腫脹などを加味して臨床的な溶連菌感染「らしさ」を見積もるスコアで確定診断のためのものではありません．Centor criteriaが0点でも7%にA群溶連菌(GAS)感染があり，逆にスコアが満点でも実際にGASの咽頭炎があるのは半数程度という報告もあります(Arch Intern Med 172：847-852, 2012)．

咽頭炎に関する限り，病歴と身体診察だけでは診断には不十分であり，検査が必要なことが多いです．Centor criteriaで高スコアの細菌性咽頭炎なのに咽頭培養が陰性のときは，*Fusobacterium*属による細菌性咽頭炎を考慮しなければならないですが，治療は溶連菌と一緒です．

■ modified Centor criteria (Am Fam Physician 94：24-31, 2016)

項目	点数
❶ 扁桃の白帯	1点
❷ 前頸部リンパ節腫脹，圧痛	1点
❸ 38℃以上の発熱	1点
❹ 咳の欠如	1点
❺ 15歳未満	1点
❻ 45歳以上	－1点

➡ 4点なら検査せず抗菌薬処方．
2～3点なら溶連菌迅速検査(Sn 70～80%，Sp 97%)．
※このスコアは検査の閾値を変えるものであり診断基準ではない！

処方の目的は化膿性合併症やリウマチ熱予防であり，10日間内服が望ましいです．10～14日後に起こる急性糸球体腎炎は，ほとんどが軽症で，軽度な顕微鏡的血尿や蛋白尿では経過観察で改善します．万が一，コーラのような茶色い尿や浮腫が出たら再受診と指示しておきましょう．

ただし，伝染性単核球症〔後頸部リンパ節腫脹，軟口蓋の出血性粘膜疹，肝脾腫，眼瞼浮腫，肝酵素上昇，異型リンパ球出現が特徴．EBNA 陰性で VCA-IgM (+)，VCA-IgG 4 倍以上 or EBNA IgM (+) で EBNA IgG (−) で診断〕らしい場合は，皮疹のリスクがあるためペニシリン系は処方しない．皮疹はペニシリンに対する抗体産生が原因なので，投与後 5〜8 日後に出るのが特徴．

■ 処方例

投与目的は，リウマチ熱と二次感染予防，症状の軽減と短縮．

- アモキシシリン（サワシリン®）750 mg 分3 10 日間
- ペニシリンアレルギーがあればクラリスロマイシン（クラリシッド®）400 mg 分2 10 日間

陰嚢痛

急がないとタマが死んじゃう！ かも

救急搬送までの5分でCheck! アタマの中

精巣捻転を除外！

陰嚢内病変，陰嚢包病変，陰嚢外病変に分けて鑑別

精巣捻転？ ➡ 手術
※発症から6時間以上経過してたら，より急いでコンサルト！

精巣上体炎などその他の鑑別

診療時のひとことメモ

- ✓精巣捻転は**「精巣の急性心筋梗塞」**と心得よ！ 発症4時間で虚血が始まり，6時間以内に整復できれば90%回復，12時間経過で50%，24時間経過すると10%の機能温存率になってしまう！ 基本は手術治療(Eur J Emerg Med 22：2-9, 2015)
- ✓**男性の下腹部痛は陰部を見ろ！** ➡ 陰嚢痛を訴えないこともある(Scand J Surg 96：62-66, 2007)
- ✓精巣捻転の特徴 ➡ 精巣の長軸が横，精巣上体垂が前に触る，精巣挙筋反射低下(オッズ比 27.8)，嘔気・嘔吐(オッズ比 8.9)，精巣の高位置(オッズ比 58.8) (Am J Emerg Med 28：786-789, 2010)

診療のフロー

はじめの5分でやることリスト

✓精巣挙筋反射を確認して精巣捻転を除外！
✓陰嚢内病変，陰嚢包病変，陰嚢外病変に分けて鑑別
✓発症から6時間以上ならさっさと泌尿器科コンサルトを！

病歴聴取のポイント

年齢，発症時間，性交歴，外傷歴．
発熱や嘔気・嘔吐，泌尿器症状，尿道からの排膿，関節痛の有無など．

診察のポイント

腹部診察，陰嚢の視診・触診，精巣挙筋反射の有無，紫斑．

鑑別疾患

- 陰嚢内病変 ➡ 精巣捻転，精巣垂捻転，精巣上体炎，血管炎，精索静脈瘤，精巣腫瘍など
- 陰嚢包病変 ➡ 早期の Fournier 壊疽，外傷，特発性陰嚢浮腫，性的虐待など
- 陰嚢外病変 ➡ ヘルニア嵌頓，陰嚢水腫，腹部大動脈瘤，虫垂炎，尿路感染症，前立腺炎など

■ **小児の急性陰嚢痛の原因** (Am J Emerg Med 28 : 786-789, 2010)

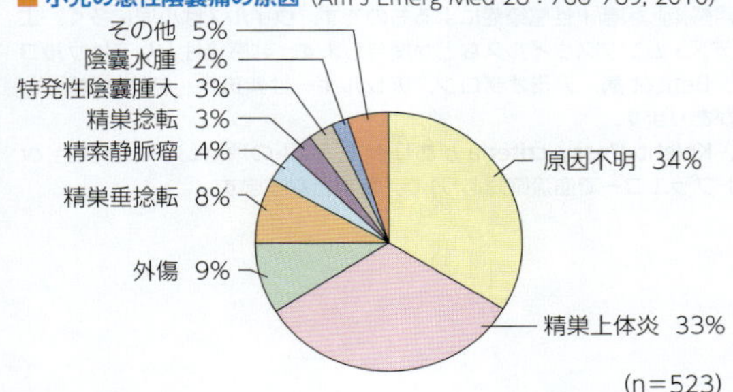

■ 精巣挙筋反射（cremasteric reflex）

（Am Fam Physician 74：1739-1743, 2006）

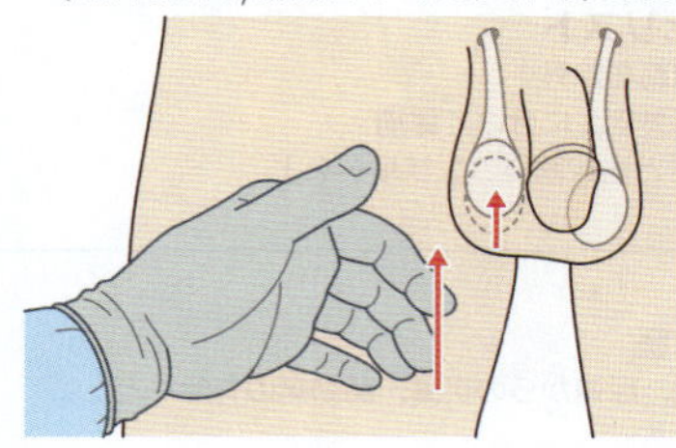

大腿内側を尖ったもので軽く引っかくと同側の精巣が挙上する反射．正常では 0.5 cm 以上の挙上を認める．
精巣捻転ではこの反射が陰性となる．しかし，高齢者では低下するので特異的ではない．

Sn 99%，陰性的中率 94%
で精巣捻転を示唆！

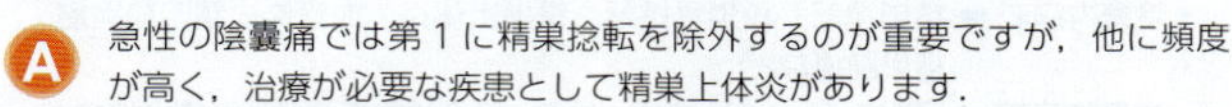

「精巣上体炎はどのように診断すればよいのでしょうか？」

急性の陰嚢痛では第 1 に精巣捻転を除外するのが重要ですが，他に頻度が高く，治療が必要な疾患として精巣上体炎があります．

精巣上体炎の発症年齢は乳児～90 歳代までと幅広いものの，年齢によって背景や代表的な原因疾患が様々です．小児では奇形や構造異常の合併を，成人では性感染症を，高齢者では尿閉機転（前立腺肥大や前立腺癌など）の合併を疑います．

感染性，非感染性に分けられ，感染性では細菌性が 80％を占めます．起因菌は通常の尿路感染起因菌＋性感染症によるものです．ウイルスは小児に多く，エンテロ・アデノ・ムンプスウイルスなどが関与します．非感染性としてはサルコイドーシス，Behçet 病，アミオダロン，アレルギー性紫斑病，結節性動脈炎，外傷後などがあります．

診断には，**Knight-Vassy criteria** があります．以下の項目（3 つ以上該当 or 2 つ該当＋ドプラエコーで血流確認あり）で，診断となります．

Knight-Vassy criteria (Ann Surg 200：664-673, 1984)

❶ 緩徐な発症
❷ 排尿痛，尿道分泌物
❸ 既往歴：尿路感染，尿道裂手術，肛門閉鎖，神経因性膀胱，前立腺肥大
❹ 38.3℃ 以上の発熱
❺ 精巣上体限局の圧痛，硬結
❻ 尿沈渣で白血球数≧10/HPF または赤血球数≧10/HPF

20～40% に精巣炎を合併し，エコー上精巣の腫大を認めます．尿検査は正常でも否定できません．

治療の大半が外来フォロー可能で，安静と陰部の挙上，鎮痛薬の対症療法を行います．性感染症が疑われる場合は尿道分泌物のグラム染色，培養検査，PCR 検査を行い，セフトリアキソン 1 g＋ドキシサイクリン 100 mg 内服 1 日 2 回，10 日間で治療を行います．35 歳以上で性感染症のリスクがない場合はレボフロキサシン 500 mg 内服 10 日間で治療します．淋菌が疑われる場合は，耐性化の問題からニューキノロン単独投与は推奨されないので注意が必要です．

Q 「精巣エコーはどう評価すればよいのですか？」

A 精巣捻転，精巣上体炎が疑わしいが身体所見で確定困難な場合，精巣エコーは Sn 95%，Sp 94% という報告もあり有用です(Acad Emerg Med 8：90-93, 2001)．

リニア型プローブを用いて，仰臥位で陰嚢の下にタオルなどを置いて検査を行いましょう．まず健側でカラードプラの調整をしておくこと，硬結や圧痛部分を確認することがポイントです(Emerg Med Clin North Am 22：723-748, 2004)．

精巣捻転では健側と比較しドプラエコーで血流低下が認められ，壊死が生じると斑状の低エコー像として描出されることもあります．精巣上体炎では精巣上体の腫大と血流増加が認めますが，Sn 62% なので正常像でも否定できません(Urol Clin North Am 35：101-108, 2008)．

血尿

赤い尿はどこからきたの？

救急搬送までの5分でCheck! アタマの中

全身性疾患由来か，腎由来か，尿路由来かで鑑別

腹部動脈瘤，腎梗塞，悪性腫瘍

✓大量血尿＋尿閉 ➡ 膀胱タンポナーデを考えて **泌尿器科コンサルト！**
✓蛋白尿＋急性腎障害 ➡ **腎臓内科コンサルト！**
✓上記以外

診療のフロー

はじめの 5 分でやることリスト

✓尿路結石，糖尿病，癌の既往，薬剤歴(抗菌薬 → 間質性腎炎，シクロホスファミド → 出血性膀胱炎)
✓随伴症状(腹痛，腰痛，背部痛，発熱，下痢，発疹，関節痛)，先行感染の有無
✓まず尿検査を
✓痛みの合併，出血多量や尿路閉塞があるか？

検査

Primary survey

➡ まず尿検査〔一般，沈渣，必要なら培養，尿 Cr・尿蛋白(随時)〕
➡ 鑑別疾患によって採血，腹部エコー

Secondary survey

➡ 鑑別疾患によって，KUB(腎尿管膀胱単純 X 線)，腹部 CT

鑑別疾患

critical

- 腹部大動脈瘤
- 感染性心内膜炎
- 腎損傷
- 腎梗塞
- 急性糸球体腎炎
- 急速進行性糸球体腎炎
- IgA 腎症
- 出血性膀胱炎による膀胱タンポナーデ

common

- 膀胱炎
- 尿路感染症
- 尿路結石

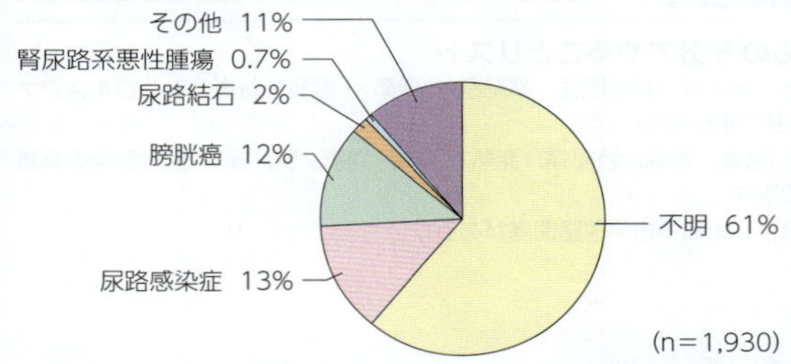

腎梗塞のポイント

✓心房細動，腎動脈狭窄，外傷がリスク
✓LDH ↑（**ほぼ全例**），AST/ALT ↑，Cr ↑
✓血尿は必発ではないがリスクがあれば造影 CT 施行 ➡ 腎盂の楔状陰影欠損

「ER で出会う血尿患者の鑑別はどうすればよいですか？」

A 以下に代表的な鑑別疾患の要点をまとめます．

尿路結石

典型的病歴は，突然出現した側腹部痛，鼠径部への痛みの放散，CVA 叩打痛陽性で疑います．過去の既往があることが多く，50 歳以上の初発は滅多にないので，必ず腹部大動脈瘤と腎梗塞は否定しましょう．

CT は Sn 100%，Sp 97%と有用です．敗血症や無尿，急性腎障害がある場合は入院適応です．結石が 5 mm 以上の場合は自然排出困難であるため，泌尿器科外来フォローが望まれます．今後のフォローのために初回診察時に KUB 撮影も行いましょう．

尿路感染症

「血尿や膿尿＝尿路感染症」ではない！ 腎周囲の炎症の波及(消化管穿孔など)の可能性があることを忘れないようにしましょう．

横紋筋融解症

尿検査で潜血(＋)だが，尿沈渣では赤血球がほとんど認められない場合に横紋筋融解症(ミオグロビン尿)，溶血性貧血(ヘモグロビン尿)を考えます．原因として脱水，熱中症，悪性症候群，スタチン，外傷，壊死性筋膜炎など．CK が 6,000 IU/L を超えると腎障害の危険があるとされ，心機能に問題がなければ，尿量 200 mL/時以上を目標に，1,000 mL/時程度の初期輸液を開始します．透析による除去は無効ですが，腎機能によって透析導入となることもあります．

急性糸球体腎炎

スポット尿でも尿蛋白＞2.0 g/gCr ならネフローゼ症候群の可能性があります．高血圧やもともとの腎機能障害，血尿を伴う腎炎症候群は腎予後が悪いので，腎臓内科 on call コンサルトします．

出血性膀胱炎

細菌性膀胱炎以外に，原因としてアデノウイルスや抗癌薬，免疫抑制薬，抗アレルギー薬がありえます．「尿量減少，下腹部膨満感，肉眼的血尿」などのエピソードがあれば，膀胱タンポナーデによる尿閉の可能性があるため泌尿器科コンサルトのうえ，膀胱洗浄(20 Fr 以上の太めのバルーン留置後，膀胱内凝血塊除去)を考慮します．

尿閉

1にも2にも，腹部エコー！

救急搬送までの
5分でCheck!
アタマの中

強い尿意を伴う頻脈，血圧上昇，頻呼吸を認めたら腹部エコーで膀胱チェック

尿閉と診断したら禁忌(直近の前立腺摘出術，尿道再建術，外傷合併)がない限り経尿道的に導尿を試みる

残尿量
=(前後径×長径×短径[cm])÷2
400 mL以上はカテーテル留置考慮

禁忌なければ導尿Try！

導尿禁忌の場合は泌尿器科コンサルト！

下記では入院考慮！
- ✓原因疾患の治療必要
- ✓腎後性腎不全の合併
- ✓膀胱内出血コントロール不良

診療時のひとことメモ

✓経尿道的に膀胱にアプローチする際，一時的な導尿を行うならネラトンカテーテル，持続的なカテーテル留置を行うならバルーンカテーテルを用いる

✓カテーテル挿入後，反射による一過性血圧低下に注意

診療のフロー

はじめの 5 分でやることリスト

✓**強い尿意に伴う頻脈，血圧上昇，頻呼吸**を認めたら，腹部エコーで膀胱をみよ！

✓薬剤歴を確認しつつ，急性腰痛・頭痛・発熱・皮疹・直腸診異常・肛門周囲感覚異常・下肢筋力低下の合併に注意

➡ 腰仙髄の支配領域の帯状疱疹に伴う尿閉や，脊髄炎/神経根炎を伴う場合は Elsberg 症候群と呼ばれる．帯状疱疹に伴う尿閉のうち約 50%は皮疹出現後に排尿障害が出現し，約 35%は皮疹と同時に尿閉が生じるのが大半だが，残りの約 15%は尿閉が皮疹に先行する

➡「頭痛と発熱」を伴う尿閉では，無菌性髄膜炎に伴って生じる髄膜炎尿閉症候群(meningitis-retention syndrome：MRS)や急性散在性脳脊髄炎(acute disseminated encephalomyelitis：ADEM)に伴う尿閉を考える

➡ **急性腰痛や膀胱直腸障害，対麻痺を伴う尿閉は緊急性の高い疾患が隠れている可能性がある**．脊柱管狭窄症や正中ヘルニア，Guillain-Barré 症候群，全身性エリテマトーデスやウイルスによる横断性脊髄炎などを考慮する

検査

Primary survey

➡ 大至急，腹部エコー

▼

Secondary survey

➡ 導尿後に 24 時間で 3 L 以上の利尿がある場合には腎機能障害や電解質異常が生じる可能性があるため血算，生化学，尿一般検査と尿沈渣を考慮せよ

治療

✓まずは経尿道的に膀胱にアプローチする際，一時的な導尿を行うならネラトンカテーテル，持続的なカテーテル留置を行うならバルーンカテーテルを用いる．**成人の場合ではネラトンカテーテルは 12〜14 Fr，バルーンカテーテルは 16 Fr が一般的**である．結晶析出によるバルーン収縮不能を防ぐため，バルーンの固定水には真水を使用する

■ カテーテルの形状

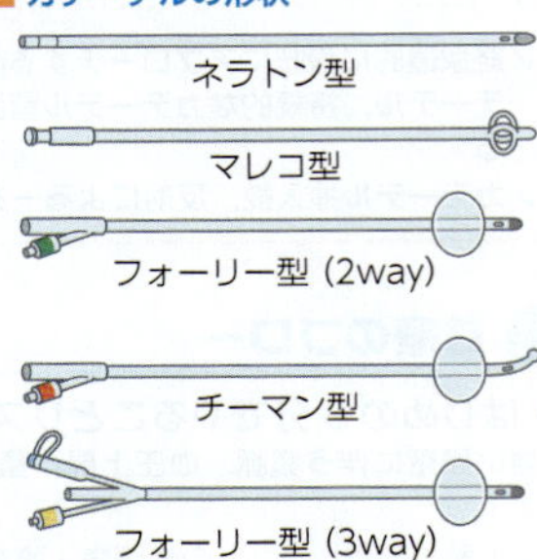

✓前立腺肥大による尿閉解除では，平均で 15 mmHg の血圧低下が認められたとする報告がある．一過性の血圧低下であるため尿がすべて排泄されるまではベッド上で安静にしておく．閉塞時間が長い場合は，閉塞解除後利尿に伴う急性腎不全にならないように経口の水分補給か 1 号液点滴も考慮する

✓カテーテル挿入困難な場合で前立腺肥大に伴う尿閉ならサイズアップ，経尿道的手術や放射線加療の既往など，尿道狭窄を疑う病歴があればサイズダウンを考慮する（https://www.uptodate.com/contents/acute-urinary-retention）．挿入に関しては先当たりする部分まで進めたのち，カテーテルをしっかり把持して均一に圧力をかけたままゆっくり待つとスムーズに挿入できることが多い

鑑別疾患

入院を要した男性の急性尿閉の原因としては前立腺肥大症が53%，便秘症7.5%，前立腺癌7.0%と続く．

純粋な薬剤性は2.0%だが，抗コリン作用を有する薬剤〔麻薬，アトロピン，チオトロピウム(スピリーバ®)，ヒドロキシジン(アタラックス®-P)，アミトリプチリン(トリプタノール®)などの三環系抗うつ薬〕，α刺激作用を要するエフェドリン関連物質を含む総合感冒薬，麻黄を含む漢方薬(麻黄湯，葛根湯，小青竜湯など)の使用がリスクとなるため確認する．

■ **入院を要した男性の急性尿閉の原因** (BJU Int 85：186-201, 2000)

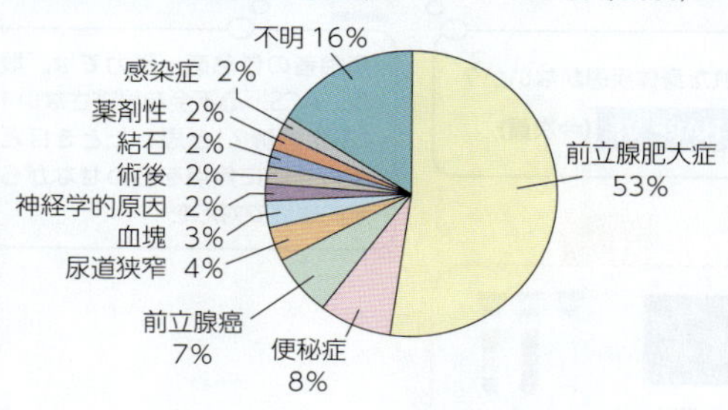

分類困難愁訴

精神疾患患者と決めつけない！

救急搬送までの
5分でCheck!
アタマの中

隠れた身体疾患がないか？
HARP VF (⇒次頁)

高齢者の倦怠感・脱力では，敗血症，ACS，心不全を見逃さない！
「不定愁訴？」と思ったときほど相手の希望に焦点を合わせながら共感的態度で対応を

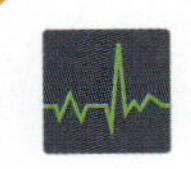

心電図

血液検査

ACS，肺塞栓，中枢神経系疾患，敗血症は必ず除外

低血糖
高血糖
甲状腺機能異常
副腎不全
電解質異常

薬剤

緊急性が低くても
共感的態度でしっかり対応を！

診療のフロー

はじめの 5 分でやることリスト

✓身体疾患がないか？
Red flag「HARP VF」★1 を意識
✓相手の希望に焦点を合わしながら共感的態度で診療を

> **★1 精神科疾患の Red flag：「HARP VF」**
>
> Hallucination：幻覚，幻聴
> Age：40 歳以上，12 歳以下
> Recently onset：最近発症の意識障害
> Past history：精神科疾患の既往なし
> Vital signs：バイタルサインの異常
> Fever：発熱
> ➡ **身体疾患に起因する精神症状の可能性あり**

検査

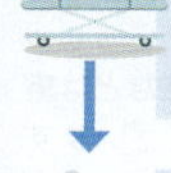

Primary survey
➡ 病歴聴取（過去に同様の症状があったか），診察

Secondary survey
➡ 鑑別疾患に応じて採血，血液ガス，心電図，胸部 X 線，頭部 CT・MRI など

鑑別疾患

ABCDEF アプローチ

- Airway and Breathing（気道・呼吸の異常）：肺塞栓，COPD 急性増悪，肺炎
- Central nervous system（中枢神経系の異常）：頭部外傷，脳腫瘍，髄膜炎脳炎，血栓性血小板減少性紫斑病（TTP），全身性エリテマトーデス（SLE）
- Cardiovascular（循環動態の異常）：うっ血性心不全，ACS
- Drugs（薬剤）：アルコール，ステロイド，睡眠薬，抗不安薬，抗うつ薬，抗ヒスタミン薬，β 遮断薬など多くの薬剤
- Electrolytes and Endocrinology（電解質・内分泌異常）：血糖異常，低 Na・K，高 Ca，甲状腺・副腎不全
- Fever（発熱疾患）：敗血症，悪性症候群

Q 「夜中眠いときに，重症でもないのにあれこれ訴える人がいると正直イライラしてしまうことがあります．どうしたらよいですか？」

A 夜中不眠で働いている中で，walk in 患者にあれこれ体の症状を訴えられるのって確かに辛いですよね．でも，**こういうときこそ注意が必要**です．意外な落とし穴にはまり，医療訴訟となるケースもありえますので注意しましょう．

「何この人，不定愁訴？」と思ったらモードを切り替えよう！

✓自分（医師）の**感情（陰性感情など）を意識**する
✓主訴の優先順序を整理してみる
✓緊急性のある疾患の鑑別を試みる
✓身体表現性障害が疑われる患者が訴える症状は，実際に患者を苦しめているので，仮病扱いをしない
✓短時間でも，**必ず患者の訴える領域を中心とした身体診察を行う**
✓共感的に傾聴しつつ，緊急性が低いことを判断した後，「少なくとも命にかかわる重大な病気ではないので安心してよいと思います」「最近感じていらっしゃるストレス関連の症状の可能性がありそうですが，その診断や治療法などは継続的にかかわる医療機関が必要だと思います．かかりつけ医はございますか？」などと対応したい
✓問診の最後に BATHE 法〔background（背景），affect（感情），trouble（問題），handling（対処），empathy（共感）〕を試すのもあり

■ **BATHE 法**（Fan Med 40：407-411，2008）

Background	「最近，生活の様子はいかがですか？」
Affect	「その状況に関してどういうお気持ちですか？」
Trouble	「一番困っていることは何ですか？」
Handling	「それにどう対処されていますか？」
Empathy	「そんな大変ななか，頑張ってこられましたね」

「家族が『急にボケた！』といって連れてきた高齢者がいるのですが，認知症でよいですよね？」

A よく陥るpitfallですが，認知症は**「緩徐に」**進行する記憶障害，見当識障害，理解・判断力の障害，段取り実行能の障害のため日常生活や社会生活に問題をきたした状態です．

「急速に進行する認知機能障害」では，以下の鑑別を考慮します．特に「HARP VF」に引っかかる患者は必ず精査が必要です．

✓脳外科的治療の対象疾患 ➡ 慢性硬膜下血腫，正常圧水頭症，脳腫瘍
✓中枢神経系の炎症疾患 ➡ 脳炎（免疫介在性を含む），髄膜炎，Creutzfeldt-Jakob病（CJD），神経梅毒
✓その他の頭蓋内疾患 ➡ 脳卒中，てんかん，一過性全健忘（TGA）
✓代謝・内分泌疾患 ➡ ビタミン欠乏症，甲状腺機能低下症，副甲状腺機能異常，血糖異常，電解質異常
✓全身疾患 ➡ 肝性脳症，尿毒症，透析脳症，SLE，神経Behçet病，うつ病，せん妄

ERでの電解質異常対応 ①
低K血症

救急搬送までの5分でCheck! アタマの中

絶対値と心電図変化が鍵！

1. 「吐き下し，アルコール依存，薬剤歴，ダイエット，過換気などに伴う筋力低下，倦怠感，しびれ，嘔気」で疑え！

↓

2. 疑ったら心電図と血液ガスを優先！ 重症度に合わせてなるべくゆっくり補正．できれば経口>経静脈投与！

↓

3. 補正と同時に原因検索！ 病歴であたりをつけ，血清Mg・P濃度，尿K・Cl濃度，甲状腺機能のチェックを

診療時のひとことメモ

- ✓低K血症の定義は「K<3.5 mEq/L」．この状態でも実際に症状が出るのはたった4～5%で，特に急いで治療すべきはK<2.5 mEq/L！
- ✓典型的心電図変化はU波増高とQT延長（実はT波とU波がくっついてそのように見える）
- ✓低K血症をみたら低Mg血症合併を考えよ
- ✓塩化カリウム（KCL注）投与を安全に施行する方法をしっかり押さえよう！

診療のフロー

はじめの5分でやることリスト

✓「吐き下し，アルコール依存，薬剤歴，ダイエット，過換気などに伴う筋力低下，倦怠感，しびれ，嘔気」で疑え！

✓疑ったら心電図と血液ガスを優先！ 重症度に合わせてなるべくゆっくり補正．できれば経口＞末梢静脈＞中心静脈投与で！

✓補正と同時に原因検索！ 病歴であたりをつけて，血清Mg・P濃度，尿K・Cl濃度，甲状腺機能の提出を

検査

Primary survey

➡ さっさと心電図と血液ガス

▼

Secondary survey

➡ 根本的治療の補正前には必ず尿バルーン留置して，尿中K(Kクリアランス計算のため)を提出しておく

治療 (Am J Kidney Dis 60：492-497, 2012)

❶ 不整脈・筋力低下・呼吸不全がある or K＜2.5 mEq/L

➡ 末梢からソルデム® 3A 500 mL(K 10 mEq含有)＋KCL 20 mEqを3時間で投与(末梢ルートでは，速度≦20 mEq/時，濃度＜40 mEq/Lなので)

※中心静脈なら，KCL 20 mEq＋NS 80 mLを2時間で投与だが催不整脈のリスクも上がる

❷ 致命的症状がないけれど，K＜3.5 mEq/L

➡ K製剤(塩化カリウム徐放錠600 mgまたはK.C.L.® エリキシル 1.34 mEq/L)を1日2～4回 分割で経口投与

※Kの総欠乏量は「0.3 mEq/L低下ごとに100 mEqの欠乏」から概算する

※それぞれ，低Mg血症があればMg補充を，低P血症があればリン酸二カリウムを使用する

低K血症の原因（BMJ 347：f5137, 2013）

- **摂取不足**
- **細胞内移行** ➡ β刺激薬，インスリン，アルカローシス，周期性四肢麻痺
- **体外排泄** ➡ 利尿薬，下痢，発汗，アルドステロン作用亢進，偽性アルドステロン症，尿細管性アシドーシス

※鑑別の詳細は成書参照のこと

ER での電解質異常対応 ② 高 K 血症

救急搬送までの 5分でCheck! アタマの中

絶対値と心電図変化が鍵！

1. 「ACE 阻害薬や ARB，NSAIDs などの投薬歴のある腎機能障害，高齢者の筋力低下，倦怠感，しびれ，味覚異常」で疑え！

↓

2. 疑ったら心電図と血液ガスを優先！ グルコン酸カルシウム（カルチコール®）10%/20 mL（2A）をゆっくり iv して致死的不整脈を予防！

↓

3. 原因は摂取増加，細胞内からの移動，排泄障害の 3 つの側面から鑑別

診療時のひとことメモ

✓ 高 K 血症の定義は「K>5.5 mEq/L」．しかし，**治療介入の基準は「心電図変化 or K>6.5 mEq/L」と心得よ！**

✓ **典型的心電図変化はテント T 波，P 波消失，wide QRS などだが，**軽度の高 K 血症は心電図のみで否定できないことに注意！心電図は，Sn 30～40%，Sp 85～86%（Tex Heart Inst J 33：40-47, 2006）

✓ **急場しのぎの治療と根本的治療の 2 本立てでアプローチせよ！**

診療のフロー

はじめの5分でやることリスト

✓「ACE(アンジオテンシン変換酵素)阻害薬やARB(アンジオテンシンⅡ受容体拮抗薬), NSAIDsなどの投薬＋腎機能障害や高齢者の筋力低下, 倦怠感, しびれ, 味覚異常」で疑え！

✓疑ったら心電図と血液ガス！
「心電図変化を伴うK≧6.5 /mEq/L」ならさっさとカルチコール® 2A 10分程度かけてiv！

✓急場しのぎの治療 → 根本的治療の流れを意識！

検査

Primary survey
➡大至急, 血液ガスと心電図

▼

Secondary survey
➡根本的治療の補正前には必ず尿バルーン留置して, 尿中Cr, 尿中K(Kクリアランスを計算するため)を提出しておく

治療

急場しのぎ治療

❶カルチコール® 投与
➡カルチコール® 2A(10 mL)を5分程度かけてiv. 心電図モニタリングしながら, 効果なければ15分後に再投与(細胞膜電位安定化による不整脈予防. ジゴキシン投与患者では禁忌. 即効性はあるが20分程度で失効)

❷グルコース・インスリン(GI)療法
➡ヒトインスリン(ヒューマリン®R) 10 U＋50%ブドウ糖液(20 mL) 3A
※50%ブドウ糖液を3回投与する中で, 2回目にヒューマリン®R 10 Uを混入すればivできる. 20分程度で効果出るが, 低血糖に注意！

❸SABA療法
➡サルブタモール(ベネトリン®)吸入薬0.5% 0.5 mL＋NS 3.5 mL吸入. GI療法と併用しないと効果不良

▼

根本的治療(Crit Care Med 36：3246-3251, 2008)

❶ フロセミド 20～40 mg iv

➡ 腎不全患者では効果期待できない

❷ カリウム吸着

1) ポリスチレン(ポリマー)

カリメート® 散 15～30 g を水 50 mL に懸濁し 2～3 回に分けて投与．腸管内器質的病変では禁忌．効果が出るまで 4～6 時間必要

2) ジルコニウム(非ポリマー)

ロケルマ® 10 g を水で懸濁し，1 日 3 回 2 日間投与する

❸ 血液透析

➡ 乏尿性急性腎不全，急性肺水腫，心電図変化, pH<7.2，意識障害で考慮．腎臓内科コンサルト

高 K 血症の原因 (BMJ 339：b4114, 2009)

- **体内量の増加** ➡ 食事内容(生野菜，果物)，輸血，腫瘍崩壊症候群
- **細胞内からの移動** ➡ β遮断薬，ジゴキシン，高血糖
- **体外排泄低下** ➡ 腎不全悪化，アルドステロン作用低下(Addison 病，先天性副腎過形成，Ⅳ型 RTA)，SLE，NSAIDs，RAS 系阻害薬，ST 合剤，ヘパリン，スピロノラクトン

※鑑別の詳細は成書参照のこと

ERでの電解質異常対応③
低Na血症

救急搬送までの5分でCheck! アタマの中

ゆっくり補正してね！

1. 緊急補正が必要なのは神経症状(けいれん，意識障害，錯乱，神経局在所見)＋Na＜120 mEq/Lのとき！

↓

2. 急激な補正は脳がとろける(浸透圧性脱髄症候群)ので注意！
1日に＋6～8 mEq/L程度で

↓

3. 補正と同時に原因検索！ 病歴であたりをつけて検査提出：血糖，血漿浸透圧，尿浸透圧，尿中Na濃度，尿中UN濃度，尿中Cr濃度(鑑別によってはACTH，コルチゾール，ADH，TSH)

診療時のひとことメモ

- ✓低Na血症の定義は「Na＜135 mEq/L」だが，実際は水の調整が重要で，**Naそのものを補正すべきは神経症状あり＋Na＜120 mEq/Lのとき！**
- ✓急速なNa補正は，**浸透圧性脱髄症候群**(osmotic demyelination syndrome：ODS)を引き起こすので，せいぜいNa 120 mEq/L程度を目標に，1日＋6～8 mEq/L程度にしておく
- ✓安全な電解質補正には，やはり**頻繁に採血を行い微調整**することが大事！

診療のフロー

はじめの 5 分でやることリスト

✓緊急補正が必要なのは神経症状(けいれん，意識障害，錯乱，神経局在所見)＋Na<120 mEq/L

✓補正と同時に原因検索！ 病歴であたりをつけて，検査提出．血糖，血漿浸透圧，尿浸透圧，尿中 Na 濃度，尿中尿素窒素(UN)濃度，尿中 Cr 濃度(鑑別によっては ACTH，コルチゾール，ADH，TSH)

✓無症候性で Na<120 mEq/L でもなければ，慌てずに原因検索しながら急性・慢性の評価を行いゆっくり補正していく

治療 (Eur J Endocrinol 170：G1-47, 2014)

❶ 急性変化(≦48 時間)なら

3% 食塩水〔500 mL の生理食塩水(NS)のうち 100 mL を捨てて，10% NaCl 1A = 20 mL を 6A 足す〕100 mL を 20 分かけて投与してから採血フォロー．

ΔNa = 5 mEq/L 程度で症状改善したら，3% 食塩水はやめて NS に変更．次に 6 時間後に採血フォロー．症状改善しない場合は，再度 3% 食塩水を継続するが，1～4 時間ごとに採血フォロー．

※なぜ 3% 食塩水か？ ➡ これを用いるとだいたい，1 mg/kg/時の投与で Na 0.5～1 mEq/L/時上昇する

❷ 慢性変化(>48 時間)なら

NS で症状が回復するまで補正．1 日の補正は＋ 6～8 mEq/L 程度で．

鑑別アプローチ (BMJ 342：d1118, 2011)

❶ **血漿浸透圧＞295 mOsm/L** では，s/o 高血糖(血糖が 100 mg/dL 上昇するとNa は見かけ上およそ 2 mEq/L 低下)，D-マンニトールやグリセロール

❷ **尿浸透圧＜100 mOsm/L** なら，s/o 水中毒か beer potomania(ビール多飲による低 Na 血症)

※ BUN が一桁をみたら水中毒を疑う

※簡単には「尿比重 1.003 ⇔尿浸透圧 100(＋ 0.001 ⇔＋ 30〜40) mOsm/L」を用いて尿比重から概算できる

❸ **体液評価と尿中 Na で鑑別**

- 体液量↓で，尿中 Na＞20 mEq/L なら腎性喪失，尿中 Na＜10〜20 mEq/L なら嘔吐，下痢，副腎不全(血中 K，尿素，Cr 上昇など)，鉱質コルチコイド反応性低 Na 血症(MRHE)
- 体液量↑で，尿中 Na＞20 mEq/L なら腎不全，尿中 Na＜20 mEq/L なら肝硬変，心不全，ネフローゼ
- 体液量→なら，甲状腺機能低下症，下垂体機能不全，SIADH(入院患者で最多，悪性腫瘍・肺病変・中枢神経疾患・薬剤性の 4 つが主)

ERでの電解質異常対応 ④ 高Ca血症

救急搬送までの5分でCheck! アタマの中

ミイラ化するクリーゼに注意

1. 緊急補正が必要なのはCa＞14 mg/dLあるいはCa＞12 mg/dL＋脱水，意識障害，腎不全のとき！

↓

2. とにかく生理食塩水(NS) 2～4 L/日で脱水補正！
心不全・腎不全で施行不能なら透析考慮！

↓

3. 補正と同時に原因検索！ 病歴であたりをつけて検査提出：尿中Ca，intact PTH，PTHrP．悪性腫瘍検索

診療時のひとことメモ

- ✓高Ca血症の定義は，血清Ca≧10.5 mg/dL，イオン化Ca≧1.3 mmol/L(血清÷8と覚えればよい)
  補正Ca＝血清Ca値＋(4－血清Alb値)の計算のためにAlb値が必要！
- ✓クリーゼ症状では「脱水，意識障害，腎不全」が大事(“だ・い・じ”と覚えよう)
- ✓治療はABCDESだが，NS大量投与による脱水補正が重要
- ✓原因は副甲状腺機能亢進症，悪性腫瘍が90％を占める．近年は骨粗鬆症に対する活性型ビタミンD製剤(アルファロール® など)による医原性も多い

診療のフロー

はじめの 5 分でやることリスト

✓緊急補正が必要なのは Ca＞14 mg/dL あるいは Ca＞12 mg/dL ＋脱水，意識障害，腎不全のとき！

✓とにかく NS 2～4 L/日で脱水補正．心不全・腎不全で施行不能なら透析考慮！

✓補正と同時に原因検索．病歴であたりをつけて以下の検査を提出：尿中 Ca，intact PTH（副甲状腺ホルモン），PTHrP．悪性腫瘍も考慮

検査

Primary survey

➡疑ったらさっさと血液ガス

▼

Secondary survey

➡根本的治療の補正前には必ず尿バルーン留置して，尿中の電解質を提出しておく

治療 (Am Fam Physician 67：1959-1966, 2003 を参照)

治療は「ABCDES」：しかし何よりも脱水補正が重要！

- **A** lot of saline
  - ➡ NS 2〜4 L/日× 3〜4 日．NS 500 mL/時から開始し，適宜減量する．尿量は＞200 mL/時は確保を．効果発現まで 48〜72 時間．4〜6 時間以内に－1〜2 mg/dL 程度を目指す．ただし，心不全・腎不全で施行不能であれば透析を行う
- **B**isphosphonate
  - ➡ ゾレドロン酸(ゾメタ®) 1 回 4 mg/100 mL (ワンボトルを 15 分以上かけて)iv．効果発現に 1〜3 日かかる 効果持続は 1 週間程度
- **C**alcitonin
  - ➡ エルカトニン(エルシトニン®) 40 単位 筋注 1 日 2 回(3 日間)．4〜6 時間以内に破骨細胞に直接作用して Ca 濃度を 1〜2 mg/dL 下げる．24 時間後にリバウンドする患者あり．「escape 現象」ありで注意
- **D**ialysis (Diuretics)
  - ➡ 現在はあまり利尿薬は推奨されない．脱水時は利尿薬禁忌
- **E**xpert consult ➡ 血液透析
- **S**teroid
  - ➡ ヒドロコルチゾン 200 mg/日 iv．ビタミン D 中毒，血液悪性疾患，肉芽腫疾患で行う

原因 (鑑別の詳細は成書参照)

✓PTH ↓

1) PTHrP 産生腫瘍(扁平上皮癌，泌尿器癌，乳癌，子宮癌，成人 T 細胞白血病)
2) ビタミン D 過剰，肉芽腫性病変(サルコイドーシス，結核)
3) 骨由来，骨転移〔多発性骨髄腫(MM)，乳癌，前立腺癌〕，長期臥床，甲状腺機能亢進，副腎不全

✓PTH ↑〜→

- 副甲状腺機能亢進症
- 尿 Ca 低下あれば家族性低 Ca 尿性高 Ca 血症(本来抑制されるべきなので)

低血糖

治療と同時に原因検索を

救急搬送までの
5分でCheck!
アタマの中

1. 血糖値にかかわらず低血糖症状（動悸，発汗，脱力，不穏，意識レベル低下など）がある場合は低血糖として対応！

↓

2. 意識が保持され，経口摂取可能な場合にはブドウ糖 10～20 g を経口摂取．困難な場合はビタミン B_1 100 mg＋50%ブドウ糖を成人 20～40 mL，小児 10 mL iv 補正．その後はビーフリード® 500 mL などで血糖値を 100～200 mg/dL に保つ．

↓

3. 何よりも原因検索（Hypoglycemia **IS ABCDE**）
   ➡ 症候性の原因の多くは薬剤性．偶発的に見つかる「無」症候性低血糖では，敗血症，急性副腎不全，AKA など重症疾患を考える！

診療時のひとことメモ

✓血糖値と意識障害の重症度は必ずしも相関しないので注意！

✓低血糖の原因の多くは薬剤性であり，長時間作用型インスリンやスルホニル尿素薬を内服している場合は低血糖が遷延し，数時間後に再度低血糖になる可能性もあるため，入院させて十分な管理を行う必要がある

✓原因不明の低血糖は「1 に敗血症，2 に敗血症を疑い，血液培養 2 セットを採取！」

✓「スルホニル尿素薬以外の内服糖尿病薬や短時間作用型インスリンなどの被疑薬を使用しており，かつ合併疾患のない患者」は，患者・家族と相談の上で帰宅考慮となるが，**通常量の食事摂取をすること，翌日の処方医への再診，被疑薬をいったん再診まで休薬とすることを指示し，記録に残す**

診療のフロー

はじめの 5 分でやることリスト

✓低血糖症状を認識したらデキスターチェックか血液ガスを採取

✓重症低血糖(血糖値が 50 mg/dL 以下で意識障害あり)の 90 日後の死亡率は 20%と予後不良のため治療を急ぐ！ (Acta Diabetol 52：307-314, 2015)

✓補正と同時に原因検索

注意すべき病歴は

- 内服中の薬剤やアルコールの摂取歴
- 敗血症を起こす感染症を示唆する症状や身体所見
- 肝硬変や肝炎の既往，胃の手術歴
- 直近の食事内容

■ 低血糖症状

	交感神経症状	中枢神経症状
自覚症状	不安，神経質，心悸亢進	頭痛，かすみ目，一過性複視，異常知覚，空腹感，嘔気，倦怠感，眠気
他覚所見	顔面蒼白，冷や汗，低体温，振戦，頻脈，高血圧，瞳孔拡大	意識障害，錯乱，奇異行動，発語困難，興奮，せん妄，嘔吐，傾眠，失語，失調，眼振，麻痺，けいれん，昏睡，浅呼吸，徐脈

■ 血糖低下と生体反応の関係

血糖値(mg/dL)	生体反応
110	
100	
90	
80	← インスリン分泌の抑制
70	← グルカゴン・アドレナリン分泌
60	← 成長ホルモン・コルチゾール分泌
50	← 低血糖症状
40	← 傾眠
30	← 痙攣・脳障害
20	
10	← 脳死

※夜間睡眠中の低血糖では交感神経症状が現れず，悪夢や起床時の頭痛などがその発現を疑わせる．また，高齢者では低血糖の際の交感神経症状が現れにくく，先に中枢神経症状が現れることもある

検査

Primary survey

➡ 大至急，デキスターチェックか血液ガス

Secondary survey

➡ 保存血清を残し，インスリンと CPR の後日提出は鑑別に有用

➡ 「敗血症」を疑う場合，血液培養 2 セット，胸部 X 線写真，尿(一般，培養)検査，肝機能の評価のためのアルブミン，PT/APTT 検査をオーダーも考慮

治療

経口摂取可能な場合にはブドウ糖 10〜20 g を経口摂取．経口摂取困難ならビタミン B_1 100 mg + 50%ブドウ糖を成人 20〜40 mL，小児 10 mL iv 補正．その後はビーフリード® 500 mL などで血糖値を 100〜200 mg/dL に保つ．

通常 20 分程度で反応がある． ビタミン B_1 欠乏の高リスク群に対してはさらにビタミン B_1 200〜300 mg iv を考慮する．

30 分後と 60 分後に再測定し，血糖値 100 mg/dL 以上になるまで繰り返し投与する．**ブドウ糖補充に反応がない場合は，必ず血液培養採取を考慮！**

ビタミン B_1 欠乏の高リスク群

- アルコール多飲歴
- 妊娠悪阻
- 栄養不全
- 悪性腫瘍
- 利尿薬

（悪性腫瘍・利尿薬）➡ **食事をしているのにビタミン B_1 欠乏群** (半減期 10〜20 日)

鑑別疾患

低血糖の原因は「Hypoglycemia IS ABCDE」で！

- I ➡ Insulin：インスリン〔インスリン デグルデク(トレシーバ®)，インスリン デテミル(レベミル®)，インスリン グラルギン(ランタス®)など〕，インスリノーマ
- S ➡ Starvation：飢餓
- A ➡ Adrenal insufficiency：副腎不全
- B ➡ Bacteremia：菌血症
- C ➡ Cirrhosis：肝硬変
- D ➡ Dumping syndrome，Drug：後期ダンピング症候群，薬剤性〔スルホニル尿素薬(グリベンクラミド，グリメピリド[アマリール®])，抗不整脈薬(シベンゾリン[シベノール®])，抗うつ薬，抗精神病薬(リチウム，ハロペリドール)，抗菌薬(ニューキノロン，ST 合剤)，ARB 薬，β遮断薬，NSAIDs，ワルファリン〕
- E ➡ Ethanol：アルコール

■ 低血糖の原因検索

インスリンと CPR(C ペプチド)は下記のように鑑別に有用.

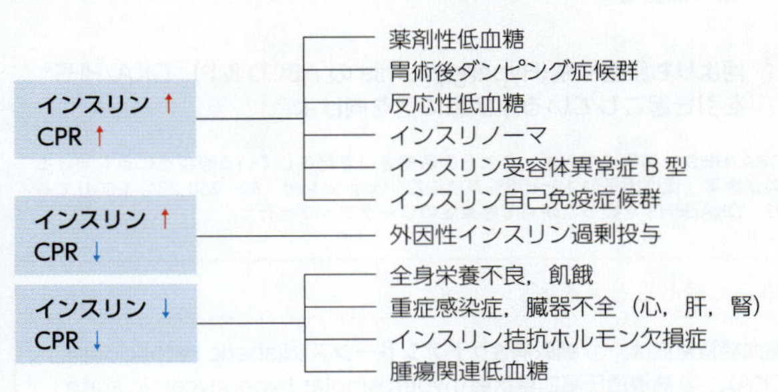

高血糖

DKA/HHS を考えて治療と同時に原因検索を！

1. 糖尿病患者の高血糖(>250 mg/dL)あるいは過換気，消化器症状，全身倦怠感，意識障害，片麻痺やけいれん，振戦など神経学的症状，または原因不明の代謝性アシドーシスを認めた場合は高血糖緊急症(DKA/HHS)を鑑別に挙げて対応！

2. まずは脱水補正から！ 1時間でNS 500〜1000 mLを投与し，体液量とNa値を見ながらフォロー．次にインスリン治療とK補正を

3. 何よりも原因検索(Hyperglycemia の ABCD & P)．DKA/HHS* を引き起こしている原疾患に目を向けよ

※ DKA/HHS は病態にすぎず，これらの病態を引き起こしている原疾患に目を向けるのが大事．促進因子の 19〜56%が感染症(Postgrad Med J 80：253-261，2004)であり，DKA/HHS を疑った時点で感染症のワークアップを行う

診療時のひとことメモ

✓高血糖緊急症は，① 糖尿病性ケトアシドーシス(diabetic ketoacidosis：DKA)，② 高浸透圧高血糖状態(hyperosmolar hyperglycemic state：HHS)に分類される

✓DKA の 20〜30%，HHS の 50%が糖尿病の既往がないとされ，さらに高齢者では非典型例が多い

✓DKA と HHS は血糖値，HCO_3^-，ケトンから鑑別ができるが，およそ 1/3 の患者においてオーバーラップしており鑑別に至らない場合もある．しかし初期治療は概ね同じなので鑑別できなくても臨床的に困らない

診療のフロー

はじめの5分でやることリスト

✓患者が「私，高血糖緊急症です」と申告し来院してくれることはない！ 糖尿病患者の高血糖（>250 mg/dL）あるいは過換気*1，消化器症状（嘔気・嘔吐・腹痛*2），全身倦怠感，意識障害，片麻痺やけいれん，振戦など神経学的症状，または原因不明の代謝性アシドーシスを認めた場合は高血糖緊急症（DKA/HHS）*3 を鑑別に挙げて対応！

✓一方で**血糖が 400 mg/dL 以下でバイタルサインが正常なら DKA/HHS の可能性はかなり低い**という報告（Diabetes Res Clin Pract 87：366-371, 2010）もある

✓稀な合併症だが，**SGLT2 阻害薬使用患者では血糖上昇の乏しい DKA（euglycemic DKA：euDKA）が存在**する．**SGLT2 阻害薬関連の DKA の 71％が euDKA**（Diabetes Metab Res Rev 33, 2017）という報告もあり，1 型糖尿病での SGLT2 阻害薬使用や内因性インスリン分泌不全，インスリンの中止・減量，極端な糖質制限がリスクとなるため注意する

✓DKA/HHS を疑ったら，血糖値，血液ガス分析，採血（電解質，肝腎機能，膵アミラーゼ/リパーゼ，CBC，CRP，HbA1c，血漿浸透圧，血中ケトン体，ケトン体分画），尿検査（一般：尿中ケトン，尿電解質）を採取

✓補正と同時に原因検索．誘因となる感染症や虚血性心疾患の有無をチェックするため，胸部 X 線と心電図は必ず施行

＊1　「Kussmaul の大呼吸」と名付けられた“深くて速い規則的な呼吸”は，まさに“過換気”そのものに見えるため呼吸様式に注意する．“過換気”なのに血液ガス分析で，**アルカローシスではなくアシドーシス**というのが特徴的

＊2　DKA で腹痛が認められるのは，代謝性アシドーシスや電解質異常による胃の排出遅延と腸蠕動低下によると考えられている

＊3　DKA は絶対的インスリン欠乏性を背景とし，解糖系が回らず脂肪が壊れることでケトンが蓄積しケトアシドーシスになる．一方 HHS はインスリン抵抗性を背景に相対的インスリン欠乏となり，高血糖による浸透圧利用が続き高度脱水となるのが典型的

検査

Primary survey

➡ 大至急，血液ガス，採血，尿検査を．ケトン体測定は尿だけではなくできるだけ血清で行う．尿試験紙で測定しているケトン体はアセトンとアセト酢酸であり，DKA で産生されるケトン体の多くを占めるβヒドロキシ酪酸ではないため，**理論上は DKA があっても初期は尿中ケトン体陰性のことがある．**

➡ **血清ケトン 3,000 μmol/L 以上は積極的に DKA を疑う**

Secondary survey

➡ 根本的治療の補正前には必ず尿バルーン留置して，尿中電解質フォローできるようにしておく

➡ 保存血清を残し，インスリンと CRP，抗 GAD 抗体の検査を後日提出すると鑑別に有用

➡ 著明な脱水が関与するので，エコーでの IVC 評価は継続的フォロー

➡「敗血症」を疑う場合，血液培養 2 セット，胸部 X 線写真，尿(一般，培養)検査，肝機能の評価のためのアルブミン，PT/APTT 検査をオーダーも考慮

➡ **平日なら眼科による糖尿病性網膜症の評価も考慮する(急な血糖降下は網膜出血のリスクとなるため)**

DKA と HHS の定義

(Diabetes Care 32：1335-1343, 2009 を参考に作成)

	DKA			HHS
	Mild (軽度)	Moderate (中等度)	Severe (重度)	
血糖 (mg/dL)	＞250	＞250	＞250	＞600
pH	7.25〜7.30	7.00〜＜7.24	＜7.00	＞7.30
HCO_3^- (mEq/L)	15〜18	10〜＜15	＜10	＞18
尿ケトン	陽性	陽性	陽性	陰性〜弱陽性
血清ケトン	陽性	陽性	陽性	陰性〜弱陽性
有効血漿浸透圧 (mOsm/kg)	不定	不定	不定	＞320
アニオンギャップ	＞10	＞12	＞12	様々
意識	清明	清明 / 混濁	昏迷 / 昏睡	昏迷 / 昏睡

DKA と HHS の病態の違い

(Diabetes Care 32：1335-1343, 2009 を参考に作成)

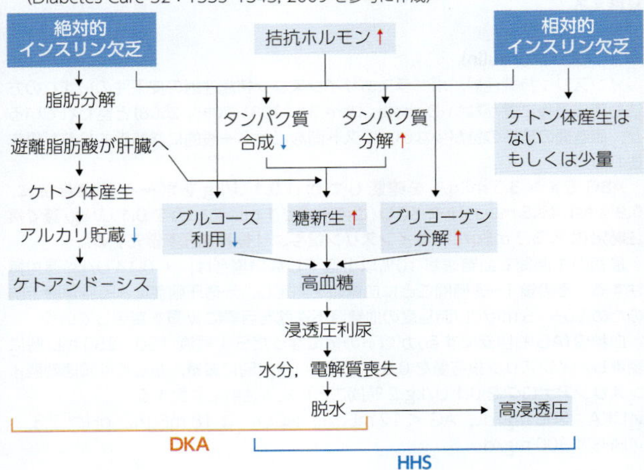

治療 (Diabetes Care 32：1335-1343, 2009)

治療は誘因に対する治療を除けば大きく分けて❶補液(infusion)，❷インスリン(insulin)，❸電解質(ion)補正の「3 I」に分けられる． 改善するまでは血糖は1時間おき，電解質(Na，K，P)，pH，アニオンギャップ(AG)，腎機能などのチェックのため採血は2～4時間おきに行う．

DKAの寛解は「血糖200 mg/dL以下に加えて，HCO_3^- ≧ 15 mEq/L，静脈pH 7.3，AG ≦ 12の2つ以上を満たす場合」，HHSの寛解は「浸透圧と意識の正常化」である．ただし，大量輸液によってDKA回復期にはAG非開大性高Cl性代謝性アシドーシスとなりやすいため，DKAではpHやHCO_3^-よりもAGの正常化が血清ケトン体消失の目安として優先されることを覚えておく．

❶ 補液(infusion)

DKAでは5～7 L，HHSでは9～12 Lの体液の欠乏があると推定されている．急な補正は脳浮腫のリスクとなるため，治療開始後24時間かけてゆっくり推定水分欠乏量〔水分欠乏量＝健常時体重－現体重 or (1 － 45/Ht) × 体重(kg) × 0.6〕を目安に補正する．その後，低Naになりうるので，補正Na＝実測Na＋1.6 ×(血糖値－100)/100(著明な高血糖状態ではNa濃度が低めに測定されるので！)の数値を見ながら補液量を調整していく．血糖値がDKA：200 mg/dL，HHS：300 mg/dL以下の値になったら1号液 or 3号液 150～250 mL/時に切り替える．

❷ インスリン(insulin)

インスリン持続注射，ボーラスありインスリン持続注射の皮下注のいずれの方法も臨床予後に差がない(Diabetes Care 31：2081-2085, 2008)と言われているが，患者間の反応の差が少ない，コスト面などから一般的に経静脈的投与が優先される．

ABGでK ＞ 3.3 mEq/Lを確認してから0.1 U/kgをボーラス投与後に，0.9% NS 49.5 mL＋HuR 50 U(この組成で1 mL＝1 U)を0.1 U/kg/時で持注開始(K ＜ 3.3 mEq/Lではインスリン投与よりもK補充を優先する)．

最初の1時間で血糖値が10%以上低下しない場合は，＋0.14 U/kg追加持注する．その後1～3時間ごとに血糖値を測定し，浸透圧脳症による脳浮腫予防のため50～75 mg/dL/時程度の血糖降下速度を目標にiv量を変更していく．

血糖値(AGも目安にする)が以下の値になったら1号液 150～250 mL/時に変更し，インスリン投与量を0.02～0.05 U/kg/時に減量，もしくは超速効型インスリンアナログを0.1 U/kg 2時間ごとに皮下注射に変更する．

✓DKA：200 mg/dL，AG ＜ 12 mEq/L，HCO_3^- ≧ 18 mEq/L，pH ＞ 7.3
✓HHS ：300 mg/dL

DKA の治療の流れ (Diabetes Care 32：1335-1343, 2009)

初期評価を行う．高血糖，ケトン血症 / ケトン尿症を確認するため，血糖値，血中 / 尿中ケトンをチェック．代謝状態の確認のため採血実施．0.9%NaCl を 1L/ 時で点滴開始．

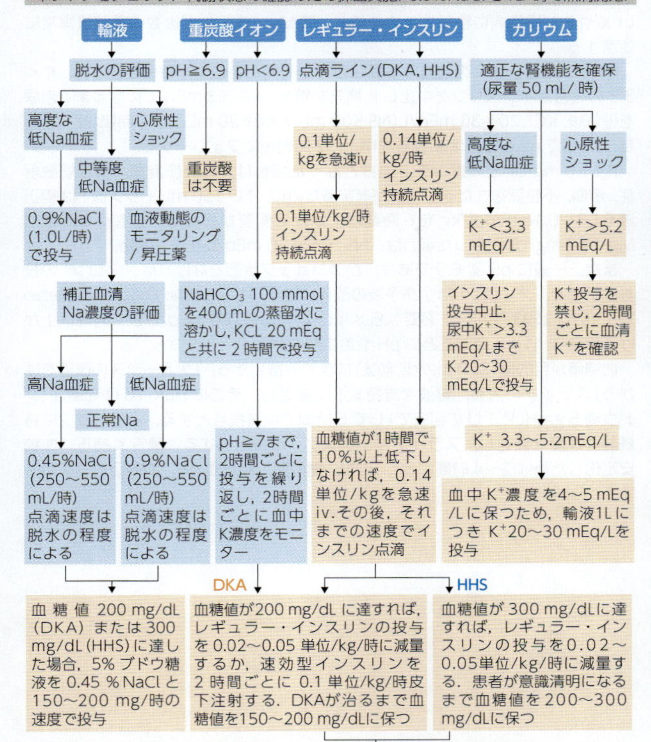

状態が安定するまで，電解質，BUN/Cre，静脈血 pH，血糖値を 2〜4 時間ごとに確認する．DKA，HHS を脱して患者が食事摂取可能なら，レジメンに従ってインスリン皮下注射を開始．点滴から皮下注射に移行するため，皮下注射したインスリンが適正な血中濃度を確保し始めた後に，1〜2 時間のインスリン持続点滴を行う．インスリン感受性の強い患者では，0.5〜0.8 単位 /kg/ 日で投与開始．必要に応じてインスリンを調整する

❸ 電解質(ion)補正

尿量が 50 mL/時以上となるように尿道カテーテル管理を行う．DKA の 5.6% が低 K 血症を伴い(Am J Emerg Med 30：481-484, 2012)，インスリン使用に伴い K や P が細胞内に移行するので低 K，低 Mg，低 P など複数の電解質異常に注意する．

K>5.2 の場合は K の補充は不要なので 2 時間ごとのフォローを続ける．K<3.3 の場合はインスリンを中止し K 補充を優先．K>3.3 mEq/L になるまで自尿を確認後，KCL 20～30 mEq/L(NS 500 mL ＋ KCL 20 mEq を 1 時間かけて)投与．K>5.2 mEq/L では K 投与を中止，2 時間後にフォローする．

P<1.0 mg/dL と高度な低 P 血症となった場合は，呼吸筋麻痺，横紋筋融解症，溶血，不整脈をきたすリスクが高まるために，NS 250 mL ＋リン酸 Na 補正液 0.08～0.16 mmol/kg を 6 時間以上かけて側管から投与．低 Mg も同様で Mg<1.2 mg/dL となった場合は，NS ＋ Mg 20 mEq/L を投与開始．

また，一般に pH ≧ 6.9 であり，かつショック状態でなければメイロン® の投与は不要で，メイロン® は生命予後の改善に寄与しない(J Clin Endocrinol Metab 27：2690-2693, 1996)．必要ならメイロン® 50～100 mEq/L を 1 時間以上かけて投与し，1～3 時間ごとに pH や重炭酸を測定．

血糖値が目的値(200 mg/dL 前後)にまで改善したら，「ケトーシスの改善をはかる」ステップに入る．輸液を維持輸液に変更し，そこに HuR 10 U を混注(ブドウ糖 5 g=HuR 1 U の目安で)して 6 時間で点滴投与とする．インスリンは持続静注速度を減速し，スライディングスケール併用とする．適宜 K 補正．血糖安定化した後は 2～4 時間ごとに BUN，電解質，静脈血 pH，血糖値をフォローする．

鑑別疾患

ABCD & P を考える．しかし，DKA の 2〜10%は誘因不明である．

A：acute myocardial infarction（急性心筋梗塞），alcohol（アルコール）
B：bacterial infection（感染症，敗血症 ※細菌性とは限らない！）
C：cerebrovascular disease（脳血管障害）
D：deficiency of insulin（sick day などのインスリン中止，新規発症の 1 型糖尿病）
P：pancreatitis（膵炎）

糖尿病患者では痛みのない心筋梗塞のこともある（無痛性心筋梗塞）．必ず心電図で急性心筋梗塞をチェックする．

また，DKA の 29%でリパーゼ上昇，21%でアミラーゼ上昇を認めたという報告がある．しかし，画像で膵炎所見を認めたのは DKA の 11%のみであり，必ずしも膵炎を合併しているわけではない（Am J gastroenterol 95：2795-2800, 2000）．一方で DKA 患者の 10〜15%に急性膵炎を伴うとも報告されている．急性膵炎は DKA の誘因となるだけなく，結果として生じることもある（DKA で脂肪分解 → 高脂血症 → 膵炎）．したがって DKA 単独でも腹痛や血清アミラーゼ上昇を認めるが，急性膵炎の除外のために用心深く着実に腹部 CT をとることも必要になる．

高体温

救急搬送までの5分でCheck! アタマの中

とにかく冷やせ！ 熱中症は除外診断

1. まずは脱衣させて，ABC-VOMIT アプローチ(⇒ p.13)．表面温ではなく必ず直腸温などの深部体温を測定

↓

2. 深部体温が 38℃台になるまでの冷却時間が長いと後遺症群が増えるので，とにかく冷やせ！ 霧吹きと扇風機，10℃以下の冷水，体外循環

↓

3. 熱中症は除外診断．中枢神経障害，横紋筋融解症と腎不全，肝不全，循環障害，DIC があれば ICU 管理へ

診療時のひとことメモ

- ✓熱中症とは，体内での熱の算出と熱の放散のバランスが崩れて，体温が著しく上昇した状態
- ✓日本救急医学学会は，**熱中症を 1 つの"症候群"として捉えたうえで，診断基準および分類を明確化した**．めまい，立ちくらみ，失神，筋肉痛，筋ひきつれ，こむら返り，生あくび，大量の発汗のうちどれか 1 つ以上あるが意識障害がないのが重症度Ⅰ度，(Ⅰ度の症状に加えて)＋頭痛，嘔吐，倦怠感，脱力感，集中力や判断力の低下のうちどれか 1 つ以上あるのが重症度Ⅱ度，中枢神経症状，肝腎機能障害，血液凝固異常のどれかがあれば重症度Ⅲ度となる．**Ⅲ度は絶対入院適応**
- ✓ER では体温管理をしつつ，高体温の鑑別疾患の検索を忘れない

診療のフロー

はじめの5分でやることリスト

✓暑熱環境や身体活動への曝露で熱中症を疑え！

✓暑熱環境下では，身体の体温調節機能によって，①多量の発汗に伴う水分と塩分の喪失(脱水)，②末梢血管拡張によって循環血液量が相対的に不足し，その結果，③主要臓器の循環障害が生じる．さらに，体温調節機能が破綻することで，高体温(うつ熱)を生じ，④蛋白変性や炎症性サイトカインの産生により臓器障害が生じてしまう

✓まずは ABC-VOMIT アプローチ(⇒ p.13)と深部体温(直腸や膀胱温度)の測定

✓まずは1時間以内に深部体温が38℃台くらいになるよう積極的な冷却処置を！ 38℃台に下降しても昏睡状態を脱しない場合は低体温療法を考慮

✓冷却と同時に高体温の除外診断を行う．感染症，てんかん，薬物中毒，悪性症候群，甲状腺クリーゼ，セロトニン症候群などの除外を！

検査

Primary survey

➡ **大至急，脱衣させて深部体温チェック．ルート確保**

▼

Secondary survey

➡ 血算，生化学(肝/腎機能)，甲状腺，CK，CK-MB，ミオグロビン，トロポニン，CRP，胸部X線，心電図，血液培養

➡ DIC では血小板，フィブリノゲン，PT/APTT なども考慮

➡ 冷却しても意識悪ければ薬物中毒，髄膜炎，脳出血，視床下部卒中などを考え尿中薬物スクリーニング，頭部 CT や髄液検査を考慮

熱中症による身体所見のまとめ

神経系	熱中症では易刺激性，興奮，混乱，奇怪な行動，失調，昏睡，けいれんなどが認められるが，腱反射亢進や明らかな麻痺は他の疾患を疑わせる
循環器系	通常は脱水から頻脈と低血圧になる．ただし内服薬の効果で頻脈とならない場合もあるので注意が必要 悪性症候群，抗コリン薬の大量服用，セロトニン症候群，甲状腺クリーゼの場合，高熱に頻脈を合併するが，通常セロトニン症候群や甲状腺クリーゼでは高血圧と頻脈になる
呼吸器系	特徴的な所見なし．何か所見があれば肺炎など疑うきっかけになる
皮膚	一般的に古典的熱中症では発汗がなくなり乾燥し，労作性の場合は汗で湿潤する傾向にある
その他	尿量を見る意味で尿カテーテル留置が勧められるが，明らかな尿閉がある場合には抗コリン薬の中毒を考える

治療

治療の 2 本柱は ① 体温管理と ② 積極的支持療法である．重症度に応じて治療内容が少しずつ異なる．

❶ **Ⅰ度(従来分類の熱失神，熱けいれん) JCS=0**
治療は，安静，冷却，電解質と糖質の配合飲料(OS-1® など)の経口摂取である．

❷ **Ⅱ度(従来分類の熱疲労) JCS=0 or 1(なんとなく変)**
治療は，より積極的な冷却と十分な水分と塩分の補充である．輸液を行う場合は細胞外液を用いて，尿排出量を見ながら常温で成人 1 L，小児 20 mL/kg 投与し，尿排出量の目安は ≧ 0.5 mL/kg/時．

❸ **Ⅲ度(従来分類の熱射病) JCS ≧ 2(見当識障害)**
治療は，身体冷却に加え，電解質異常・低血糖補正・腎代替療法(CHDF など)，人工肝補助療法(血漿交換，輸血など)，DIC 療法(AT-Ⅲおよびトロンボモジュリンなどの投与はエビデンスなし)．冷却は医原性低体温を起こさないよう深部体温 38～39℃で中止する．解熱薬はエビデンスはなく，低血圧に対するノルアドレナリンは血管収縮して熱放散を妨げるので使用しない．CK が高度高値であるときは横紋筋融解症を考える．治療の方略は，CK>5,000 IU/L では NS 1～2 L/時，尿 200～300 mL/時を確保する．尿は 8.4% メイロン® 150 mL を 5% ブドウ糖液 1 L に混ぜて 200 mL/時，尿 Ph>6.5 を保つようにする．

鑑別疾患

超高熱の鑑別(CNS MED)

CNS lesion ➡ (最多原因)中枢神経病変(脳血管による障害，てんかん，脳炎，髄膜炎，脳腫瘍)
Neuroleptic malignant syndrome
➡ 神経遮断薬による悪性症候群，セロトニン症候群
Sepsis ➡ 敗血症，COVID-19 などウイルス疾患
Malignant hyperthermia ➡ 悪性高熱
Endocrine ➡ 内分泌(褐色細胞腫，甲状腺クリーゼ)
Drugs ➡ 薬剤性(抗コリン薬，抗ヒスタミン薬，抗てんかん薬，三環系抗うつ薬，リチウム，アルコール，覚醒剤)

Ⅲ 主訴別アプローチ編

低体温

温めながら原因検索せよ！

救急搬送までの 5分でCheck! アタマの中

1. 低体温症（＝深部体温＜35℃）と認識したら，ABC-VOMITアプローチ（⇒p.13）．
表面温ではなく必ず直腸温などの中枢温をモニタリング．冷たいので心肺停止のバイタルサインチェックに1分はかける

↓

2. 中枢温が30℃台に改善するまでERで復温！ 外加温と内加温を組み合わせて

↓

3. 重度の低体温症では，不要な身体刺激で心室細動をきたすので身体診察やケアは愛護的に！ 傍らに除細動器を！

↓

4. 復温と同時に原因検索．敗血症，甲状腺機能低下症，低血糖，副腎不全，ビタミンB_1欠乏，アルコール中毒，薬物中毒？

診療時のひとことメモ

✓低体温症は「深部体温＜35℃」で定義される．偶発性低体温症よりも敗血症などの原疾患に伴う二次性低体温症の頻度が高いため，原因検索が必須である

✓低体温症の重症度分類は3段階で，①HT Ⅰ（軽度）が深部体温35〜32℃で意識清明，震えがある状態．②HT Ⅱ（中等度）が深部体温32〜28℃で意識障害をきたし，震えが消失している．③HT Ⅲ（重度）は深部体温が28℃未満で深部腱反射や対光反射も鈍化/消失し，心室細動のリスクがアップし，致死的な状態．診察やケアは受護的に行うこと！

診療のフロー

はじめの5分でやることリスト

✓体表の著明な冷感や寒冷環境への曝露で疑え！

✓まずはABC-VOMITアプローチ(⇒p.13)と深部体温(直腸や膀胱の温度)の測定．重度の低体温症では不要な身体刺激で心室細動をきたすので身体診察やケアは愛護的に行う．体位変換や検査室移動は中枢温が30℃以上に達するまで控える！

✓最初に低血糖があれば速やかに補正．可能であればブドウ糖10～20gを経口摂取．経口摂取困難ならビタミンB_1 100 mg＋50％ブドウ糖を20～40 mL iv

✓復温と同時に原因検索を行う．敗血症，甲状腺機能低下症，低血糖，副腎不全，ビタミンB_1欠乏，アルコール中毒，薬物中毒は？

✓体温中枢は視床下部にあるが，寒冷への曝露によりmuscle toneが上昇すると熱産生2倍になる．しかし，直腸温＜32℃となると，中枢抑制，熱産生能の限界を突破するため熱産生能が低下してきてしまう

✓低体温による各臓器の影響としては，腎臓，心血管系，中枢神経の3つがポイント．末梢血管収縮による腎血流の増加とADH分泌の低下によるcold-induced diuresis(利尿)によってvolume低下，急性腎不全，低K血症をきたす．また，深部体温が28℃になると50％の患者でペースメーカ細胞の機能低下のため徐脈をきたす．アトロピンやペーシングでは効果がない．また，代謝低下に伴う脳血流低下によって意識障害，構音障害なども起こる

検査

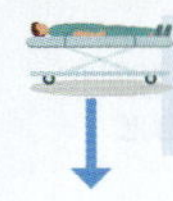

Primary survey

➡ **大至急，深部体温チェック．血糖値，血液ガスと心電図を確認**

▼

Secondary survey

➡ 血算，生化学(肝/腎機能)，甲状腺，CK，CRP，胸部X線，心電図，血液培養

➡ 冷却しても改善乏しい場合は薬物中毒や副腎不全などを考え尿中薬物スクリーニングやランダムコルチゾール値の評価も考慮

心電図所見

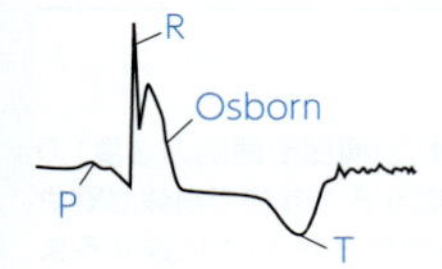

心電図初期変化としては PQ，QRS，QT の延長だが，32℃を下回ると **Osborn wave**〔QRS 波が T 波に接合（join）する J 点に重なるノッチ〕が認められるようになる．

治療 (N Engl J Med 367：1930-1938, 2012)

✓次頁のアルゴリズムに沿って治療を進める
✓復温方法は大きく分けて 3 つで，❶ **受動的外加温**，❷ **能動的外加温**，❸ **能動的内加温**である

❶ **受動的外加温** ➡ すべての重症度で第一選択となる．濡れた衣服，水分を除去する．ブランケットを用いて復温など．復温は 0.25～0.5℃/時程度でゆっくり．軽度ならこれだけで復温が完了することも多い
❷ **能動的外加温** ➡ 中等度～重度で選択．電気毛布，加温ブランケット，ホットパックを腋窩，頸動脈，鼠径部，腹部，胸部に置く（低温熱傷が生じるため，ホットパックは直接皮膚に乗せないこと）など
❸ **能動的内加温** ➡ 重度あるいは❷で改善しない場合に選択．40～42℃に加温した輸液，膀胱灌流，体外循環装置（VA-ECMO）による加温など

※ after drop：全身を暖めると末梢血管が拡張し，冷えた血液の流入，熱放散拡大が生じ，復温後に体温が低下する可能性がある（エビデンスは議論がある）
※ rewarming shock：中等度以上の低体温症においては，復温の途中で，寒冷刺激による利尿や復温に伴う末梢血管拡張で血圧低下をきたすことがある．その場合は加温した細胞外液による輸液負荷を行う

低体温症の治療のアルゴリズム (N Engl J Med 367：1930-1938, 2012)

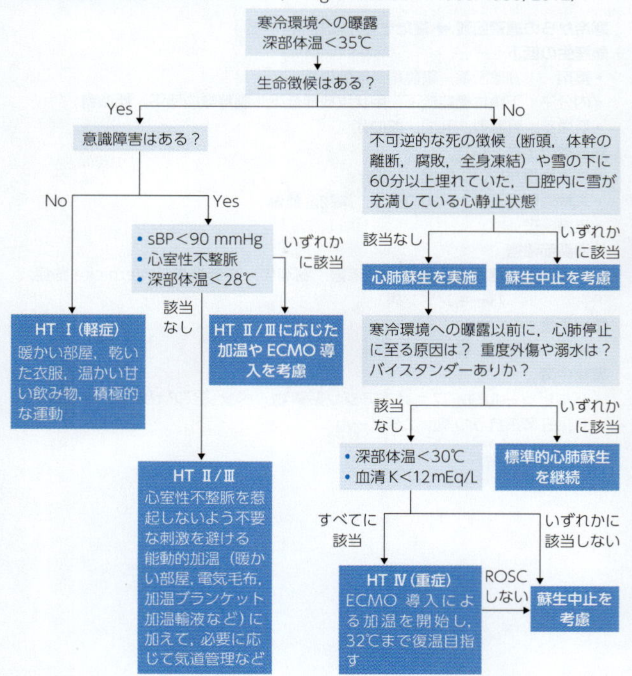

鑑別疾患

寒冷からの退避困難 ➡ 寝たきり，意識障害など

熱産生の低下

- 薬剤　：β遮断薬，鎮静剤，筋弛緩薬
- 内分泌：下垂体機能低下，甲状腺機能低下，副腎機能低下，低血糖
- 低栄養，高齢者，乳児，敗血症

熱放散の上昇

- 体表面積が広い：乳児，小児
- 末梢血管拡張　：アルコール，薬物，熱傷
- 皮膚疾患

体温調節障害

- 神経障害：糖尿病，末梢神経障害，脳卒中，脊髄損傷，Wernicke 脳症，パーキンソン病

循環不全

- 脱水，糖尿病，喫煙など

薬物中毒

- バルビツール酸，フェノチアジン系薬物，ベンゾジアゼピン，オピオイド，三環系抗うつ薬，エタノール

咳

外来受診理由の頻度 No.1 の主訴

救急搬送までの
5分でCheck!
アタマの中

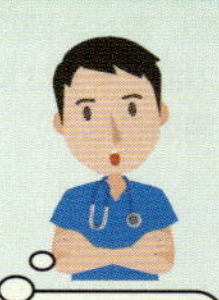

鑑別は，発症からの時間で分類して想起

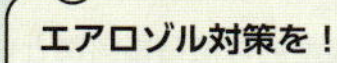

エアロゾル対策を！

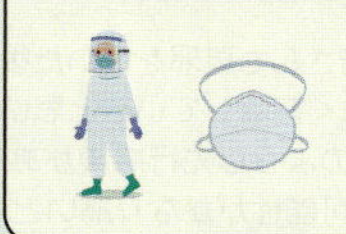

胸部X線撮影

急性 (3 週間未満)	亜急性 (3〜8 週間)	慢性 (8 週間以上)
感冒後咳嗽 肺炎 肺塞栓 心不全 気胸　など	咳喘息 後鼻漏 百日咳 マイコプラズマ 逆流性食道炎 ACE 阻害　など	喫煙 肺癌 COPD 結核 間質性肺炎　など

診療のフロー

はじめの 5 分でやることリスト

✓ABC-VOMIT アプローチ(⇒ p.13)
✓ほとんど病歴聴取が決め手！
✓急性咳嗽なら典型的な感冒後咳嗽に寄せる問診を(「風邪」項を参照⇒ p.218)
✓症状がピークを過ぎていなければ，まずは胸部 X 線撮影(特に高齢者，糖尿病，免疫抑制，腎不全，悪性腫瘍患者など)

Q&A

Q 「典型的な感冒後咳嗽とはどのようなものですか？」

A 皆さんも風邪をひいた後，熱は下がっているのに咳だけ長続きすることはよく経験していると思います．

「感冒のような先行感染があり，全体の症状は自然軽快傾向」であれば「感冒後咳嗽」の可能性がかなり高いと考えてよいでしょう．必要があれば胸部 X 線を確認し，帰宅．1 か月以上持続する可能性を説明しつつ，「遷延性咳嗽」になるのであれば呼吸器外来受診を指示します．

■ 処方例

メジコン® 錠(15 mg) 6T 分3 or 当院では咳水(オピセゾール®A 液 5 mL ＋オピセゾール® コデイン液 5 mL ＋セネガシロップ 10 mL)．気管支炎だとしても抗菌薬投与は不要．

「遷延性咳嗽は鑑別が多くて大変です．ポイントは何ですか？」

遷延性咳嗽ならば，咳がどのタイミングで悪くなるかを尋ねるとよいでしょう．そのうえで以下のような典型的エピソードがあるか確認していきます．

- 「就寝時時間がたってから，深夜〜早朝にかけて，風邪をひくといつも，冷気で誘発」➡ s/o 咳喘息，アトピー咳嗽
- 「鼻炎，副鼻腔炎もちで咽頭部のイガイガや違和感や鼻汁のたれこみで誘発」➡ s/o 上気道咳症候群（副鼻腔炎など）
- 「2 週間以上ずっと発作的な咳込みがあって，咳のしすぎで吐いた．その際の吸気で笛のような音がする」➡ s/o 百日咳
- 「初めは乾性咳嗽で不眠．そのうち 3 週間ほどで湿性咳嗽．周りに咳している子どもがいた」➡ s/o マイコプラズマ肺炎
- 「胸焼けや呑酸があり，咳が食後や起床直後に悪くなる」➡ s/o 逆流性食道炎

「具体的な処方例やフォローのタイミングなどを教えてください．」

当院の処方を以下に示します．

■ 処方例

- 咳喘息：メプチン® エアー 10 μg 吸入 1 キット＋必ず近日中に呼吸器科受診
- 逆流性食道炎：タケプロン® 30 mg/日＋近日中に消化器内科受診
- 上気道咳症候群：*d*-クロルフェニラミンマレイン酸塩錠（6 mg） 2T 分2 ＋耳鼻咽喉科受診
- 百日咳：クラリスロマイシン 400 mg 分2 ＋近日中に呼吸器科受診．
  発症後 2 週間程度経過していても，感染性が持続していることもあり，感染拡大を防ぐ目的で投与する．
  また内服後も毒素のせいで咳嗽は持続することを説明しておく．発症から 4 週間経過していたら採血で百日咳 PT-IgG 抗体をチェックしておく

下痢

抗菌薬・点滴適応と下血に注意

救急搬送までの
5分でCheck!
アタマの中

ウイルス性胃腸炎っぽさと
そうでない点に注意

除外すべきは，
死の下痢？ DEATH (⇒ p.292)

急性下痢 (2 週間未満)	**慢性下痢** (2 週間以上)
✓「急性発症の軽度の腹痛，最初に嘔気・嘔吐．その後に水様下痢」ならウイルス性胃腸炎らしい ✓抗菌薬処方は限定的． 重篤疾患がなければ整腸剤と脱水補正がメイン	 ✓過敏性腸症候群，炎症性腸疾患，大腸癌，薬剤性，内分泌疾患

診療のフロー

はじめの5分でやることリスト

✓ABC-VOMITアプローチ(⇒p.13)
✓ほとんど病歴聴取が決め手！
✓どんな下痢か？ 水様か，軟便か？
1日の回数は何回か？ 具体的に尋ねる．
下血は必ずr/o
✓Red flag ★1 に該当したら検査考慮

★1 下痢のRed flag

✓>38.5℃の発熱
✓血便
✓脱水
✓ひどい腹痛や渋り腹
✓免疫力低下患者者

「下痢患者の問診で注意する点は何ですか？」

以下の点に注意しましょう．

✓「急性発症の嘔気・嘔吐，水様下痢」であれば，小腸型腸炎の原因のほとんどを占める「ウイルス性胃腸炎」の可能性がかなり高いです
✓身体所見では意識障害，腹膜刺激症状(s/o 腹膜炎)や皮疹(s/o アナフィラキシー)や大量の汗(s/o セロトニン症候群，甲状腺クリーゼなど)の有無などを確認しておきましょう
✓海外渡航歴(特に帰国後1週間以内は注意)，食事歴(最近1週間程度含めて)，最近3か月以内の抗菌薬使用(s/o *Clostridioides difficile* 感染症)，家族内での流行は必ず尋ねましょう
✓Red flagを認めた場合は，脱水による二次的な臓器障害や大腸型腸炎，偽膜性腸炎などを疑って採血(血算，生化学)，血液培養，便グラム染色(多形核白血球なら赤痢，サルモネラ，カンピロバクター，エルシニア，ビブリオなどを考える)，便培養，*Clostridioides difficile* toxinなどの提出を考えましょう
✓細菌性腸炎でも，O-157では溶血性尿毒症症候群(HUS)のリスクを上昇させるため抗菌薬投与は推奨されず，サルモネラ腸炎も細胞性免疫低下患者などのリスクがなければ抗菌薬投与による排菌期間延長の報告もあるため，基本的に整腸薬などの対症療法を行います
※胃腸炎を起こす代表的な病原体の潜伏期間を知っておくことは問診の診断率向上につながります

潜伏期間

- 黄色ブドウ球菌 ➡ 1〜6 時間
- ウェルシュ菌 ➡ 8〜16 時間
- ビブリオ ➡ 2〜48 時間
- サルモネラ ➡ 1〜3 日
- 大腸菌 ➡ 1〜3 日
- ノロウイルス ➡ 1〜2 日
- ロタウイルス ➡ 1〜3 日
- カンピロバクター ➡ 2〜7 日

Q 「ひどい脱水以外で，下痢患者で致命的な疾患ってあるのですか？」

A 稀ですがあります．実は「下痢」の鑑別の挙げ方として「下痢は腸管外から考えよ」という教えがあり，以下の疾患はすべて致死的疾患になりえます．鑑別は少ないので「**死の下痢（DEATH）**」のゴロで覚えておきましょう！

Drug	セロトニン症候群（三環系抗うつ薬，SSRI）
Endocrine	副腎不全（背景に隠れた敗血症）
Anaphylaxis	アナフィラキシー
Toxic shock syndrome	トキシックショック症候群
Thyroid storm	甲状腺クリーゼ

Q 「冬場の胃腸炎患者は数が多く，点滴希望の方がとても多いですよね．どのように患者に説明すればよいのでしょうか？」

A 典型的なウイルス性腸炎で経口摂取可能なら点滴不要ですが，冬場の点滴希望の患者は実際多いですよね．正解はないのですが，このような説明はどうでしょう？

> 「お話と診察からウイルス性腸炎が最も疑わしいです．基本的には自力でよくなるタイプの病気であり，バイ菌を殺す薬は効かないだけでなく，かえってお腹の調子を崩す原因になります．気をつけるべきは下痢による脱水と体内イオンバランスの乱れです．もし，口から水分補給できない場合や重度の脱水が疑われる場合は点滴を考慮しますが，本日は不要と思います．体に吸収のよい経口補水液などを少しずつ飲んでいただくことを勧めます．また，家族などに感染を広げないために，手洗い・うがいの徹底をお願いします．ロタウイルス性下痢症では，下痢が消退するまでは保育施設へ出席をしないようにお願いします．下痢は，腸管腔内に貯留した有害物質を洗い流すという生体防御反応としての機能があるため，基本的に下痢止めの薬の使用は勧めません．血便，発熱，著明な腹痛などが出たときは抗菌薬を飲む必要が出てくるため，再度受診ください」

処方例

ビオフェルミン® 錠 3T 分3 ±ブスコパン® 錠(10 mg) 1T 頓服

下腿浮腫

いつから始まり，どこにあるのか

救急搬送までの5分でCheck! アタマの中

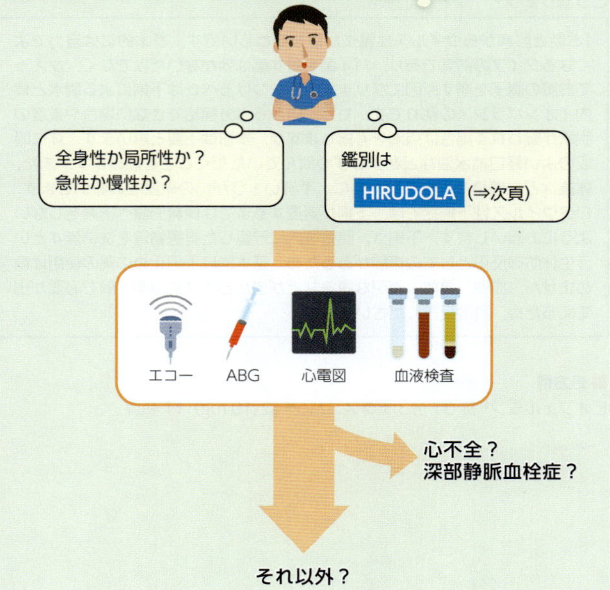

全身性か局所性か？
急性か慢性か？

鑑別は HIRUDOLA (⇒次頁)

エコー　ABG　心電図　血液検査

心不全？
深部静脈血栓症？

それ以外？

診療時のひとことメモ

- ✓鑑別は，座ってダラダラ観ている「昼ドラ(HIRUDOLA)」のイメージを使ったゴロで考えよう！
- ✓入院適応となるのは，うっ血性心不全，腎性浮腫，深部静脈血栓症(DVT)，感染合併例

診療のフロー

はじめの 5 分でやることリスト

✓片側か両側なのか？
✓急性か慢性発症か？
✓鑑別は「昼ドラ(HIRUDOLA)★1」で考えよう！

★1 下腿浮腫の鑑別：「昼ドラ(HIRUDOLA)」

Heart, **H**ypo
➡ うっ血心不全，甲状腺機能低下
Infection ➡ 蜂窩織炎
Renal ➡ 腎性浮腫(急性糸球体腎炎など)
Upstand ➡ 過度な起立
Drug ➡ NSAIDs，ステロイド，Ca 拮抗薬
Obstruction ➡ 急性動脈閉塞，DVT
Liver, **L**ymph
➡ 肝硬変，リンパ浮腫(術後・圧迫)
Anemia ➡ 貧血

検査

Primary survey
➡ 基本的は病歴聴取，血算，生化学(アルブミン，甲状腺含む)，尿検査(尿蛋白陰性の腎性浮腫は稀)．SpO_2 低下や痛みがあれば動脈血液ガス(ABG)採取

▼

Secondary survey
➡ 胸部 X 線，心電図，心エコー，下肢静脈エコー，造影 CT

「下腿浮腫患者の問診や診察で注意する点は何ですか？」

A これも病歴が重要です．薬剤歴や他の症状(呼吸困難，下肢痛の有無，尿の泡立ちなど)に注意しましょう．片側下肢の浮腫は通常，血管やリンパの流れが悪くなることより起こるため，蜂窩織炎，DVT を疑って精査を行いましょう．一方，両側下肢の浮腫は，右心不全，肝硬変，腎性浮腫，低 Alb 血症，骨盤内腫瘍などで起こります．

診察では pit recovery time を意識した浮腫の性状のチェックや，甲状腺腫大などの確認を忘れずに行いましょう．

IV

治療編

ER での気管挿管

気管挿管でのチェックリスト

❶ 挿管決定

□医学的適応

✓NIV (noninvasive ventilation) で改善しないⅠ・Ⅱ型呼吸不全

✓気道防御機構の破綻 (咳嗽反射消失，舌根沈下，“切迫する D”)

□家族への説明　✓家族の同意，DNAR の有無確認

□患者情報収集　✓体重，入れ歯，アレルギーなど

❷ ABC プランニング

• Assessment (評価)：

MOANS に則り筋弛緩薬の使用可否を評価する．また，LEMON で挿管困難事例かの評価も行う．

MOANS ＝“うめき声” (換気困難予測)

□ Mask seal (マスクの密着困難，ヒゲ，顔面外傷，出血)
□ Obesity/Obstruction (肥満，気道閉塞)
□ Aged (高齢者＞55 歳)
□ No teeth (入れ歯)
□ Stiff/Snoring (項部硬直，いびき，肺が硬い＝ COPD や重症喘息)

➡ **1 つでも該当すれば筋弛緩なしの挿管を考慮**.

LEMON (喉頭鏡での声門確認が困難)

□ Look externally：頭頸部の外観 (肥満，小顎，突出歯，先天性奇形)
□ Evaluate 3-3-4：3 横指分未満の開口，顎先〜舌骨の距離が 3 横指未満，顎下〜咽頭隆起の距離が 2 横指未満
□ Mallampati score：Mallampati 分類＞class Ⅲ
□ Obstruction：気道閉塞 (窒息)
□ Neck mobility：頸部が硬い (関節リウマチ，強直性脊椎炎，外傷時の頸部固定など)

Mallampati 分類

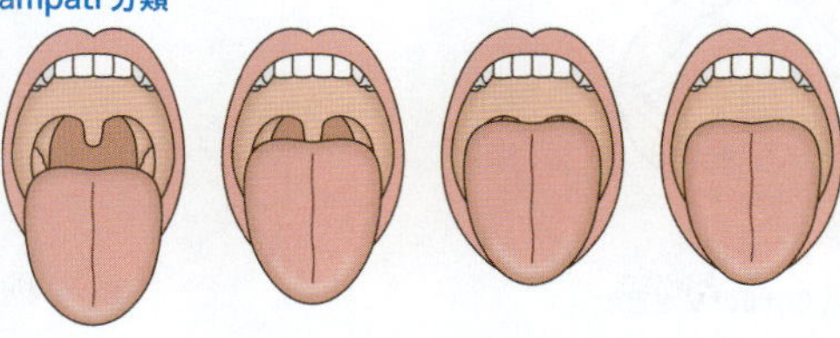

患者を座位にし，舌を突出させて，発声はさせない状態で咽頭を観察した所見で分類.
class Ⅰ：口蓋弓，軟口蓋，口蓋垂の 3 つが観察できる
class Ⅱ：口蓋弓と軟口蓋は見えるが，口蓋垂は舌根部に隠れて一部しか見えない
class Ⅲ：軟口蓋だけが観察できる
class Ⅳ：軟口蓋も観察できない
➡ この分類で，class Ⅱ以上であると，咽頭展開が困難な症例の頻度が高くなる.

- **Back up plan（代替案準備）：**
  - □エアウェイスコープ®（チューブ<7.5 mm で）
  - □ファイバースコープ
  - □声門上デバイス
  - □ McGRATH® や C-MAC® などのビデオ咽頭鏡
  - □輪状甲状靱帯切開
  - □麻酔科 call

- **Call for help！ Cooperate as a Team**
  （助けを呼べ！ チームプレー！）

❸ 必要資材準備

SOAP MD

□ Suction	✓吸引器具（ヤンカー）
□ Oxygen	✓BVM 準備，nasal 5 L/分（3 分間を目標に）
□ Airway Equipment	✓チューブ 男性：8.0 mm，女性：7.0 mm 喉頭鏡サイズ 3 → 4
□ Position	✓口腔軸，咽頭軸，喉頭軸が一直線になるように*
□ Monitor	✓心電図，SpO_2，カプノメータ
□ Drugs, Denture	✓薬剤および用量確認，入れ歯を外す

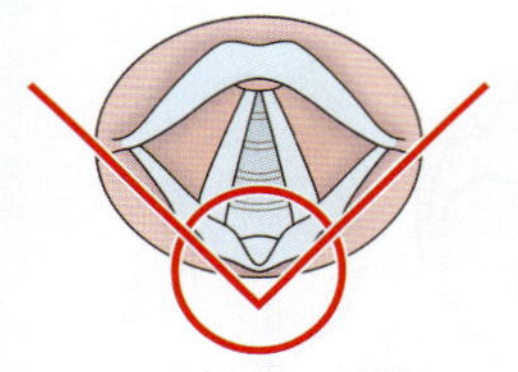

＊ Victory(勝利)の V を狙え

薬剤使用量

鎮静

- 血圧低下時：ミダゾラム(10 mg/2 mL/1A) 1/2～1A(作用発現 1～3 分，作用持続 15～30 分)
- 血圧正常～高値時：プロポフォール(10 mg/1 mL) 5～10 mL(作用発現 20 秒～1 分，作用持続 5～15 分)

鎮痛

- ブプレノルフィン(レペタン®) (0.2 mg/1 mL/1A) 1/2～1A
- フェンタニル(0.1 mg/2 mL/1A) 1/2～1A(作用発現 1～2 分，作用持続 30～60 分)

筋弛緩

- ロクロニウム(エスラックス®) (50 mg/5 mL) 0.6～1 mg/kg(作用発現 1～2 分，作用持続 30～40 分)

❹ 挿管後

確認

□聴診 ✓5 点聴診
□胸部 X 線 ✓気管分岐部上 2～3 cm

その他

□人工呼吸器(パラパック®，Savina®)
□持続鎮静，鎮痛
□カルテ記載

rapid sequence intubation (RSI) の手順の流れ

RSIとは？

ERでは最終飲食時間が不明であることが多く，フルストマックのリスクが高い．そのため，筋弛緩薬を用いた短時間での迅速導入気管挿管(RSI)が選択されることが多い．

❶ **挿管前酸素投与：nasal 5 L/分で3〜5分間**

肺の機能的残気量を酸素に置き換えることで，気管挿管の手技の最中の SpO_2 を維持．

❷ **体位**

口腔軸，咽頭軸，喉頭軸が一直線になるように，頭の下にタオルを入れる．

❸ **薬剤投与**

前頁「薬剤使用量」を参照．

❹ **挿管手技**

睫毛反射消失を確認後，クロスフィンガー法か下顎引き上げ法で開口して，喉頭鏡を挿入．上口唇を挟まないように舌を左側に避けながら力をかけずに喉頭蓋谷まで喉頭鏡の先端を進める．右手でBURP手技(backward, upward, rightward, pressure)を行い，そのまま助手に保持してもらった状態で，右口角も下げてもらうと視野確保によい〔ELM(external laryngeal manipulation)という〕(Ann Emerg Med 47：548-555, 2006)．

挿管チューブを口角からチューブの弯曲に沿うような形で入れる．抵抗を感じたら無理はしない．チューブ挿入後すぐにブレードは抜かず，バイトブロックを挿入．スタイレット抜いてもらい，カフに空気を入れる．チューブの深さは，**歯茎から男性：約23 cm，女性：約21 cm** で固定．X線ではチューブの**先端が気管分岐部の2〜3 cm上**が理想的．さらに5点聴診と頸部エコーで食道挿管の有無を確認する．

頚部エコー(tracheal エコー)による評価方法：4 Step 法

Sn 96.4%，Sp 100%で食道挿管の有無が判断可能である(West J Emerg Med 15：834-839, 2014)．

1) 頚部を伸展させて甲状軟骨下部にプローブを当てると，甲状腺と気管が描出される
2) そのまま左にスライドすれば，甲状腺の後ろに食道が見える
3) 食道から空気のアーチファクトを引く場合は食道挿管疑い
4) さらに描出したまま気管チューブを動かしてみて，スライディングを確認する．気管でスライディングがなく，左側で食道が認めない場合は右側を探す(10%に右側に食道あり)

※3回以上気管挿管を失敗すると，合併症が跳ね上がるという報告がある(Ann Emerg Med 60：749-754, 2012)．場合によってはさっさとうまい人に変わるのが吉である

※喉頭鏡で声門がばっちり見えるのは35%ほどしかない．ビデオスコープでは85%でCormack分類grade1に見え，喉頭鏡よりもよい視野を得られる(Can J Anaesth 59：1032-1039, 2012)

食道挿管のエコーの模式図

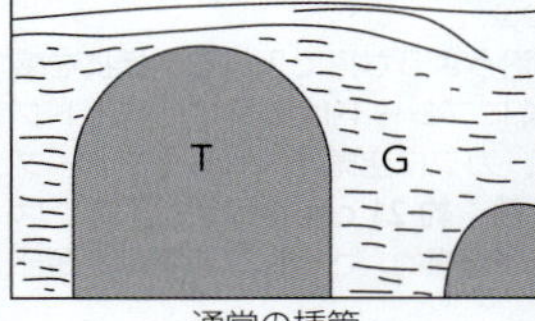

通常の挿管

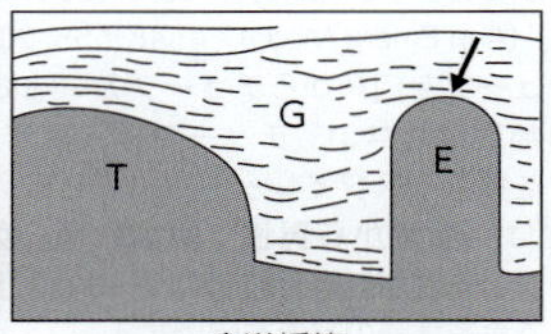

食道挿管

食道挿管では食道後方に空気のアーチファクトを引く．気管チューブを動かしても気管でスライディングを認めない．

T：気管(trachea)
G：甲状腺(thyroid gland)
E：食道(esophagus)

ERでの酸素療法と人工呼吸器管理

人工呼吸器の代表的なモード

機械による**強制呼気の入れ方での分類を「モード」**と呼ぶ．人工呼吸器の**モードは全部で3つしか存在しない**．

すべての自発呼吸に同調して決められたVT，Pinspで強制換気を行い(assist)，自発呼吸がなければ設定した呼吸回数(f)のタイミングで強制呼気を送り込む(control)のが，① **A/C(assist/control)**モードである．すべて機械任せなので自発呼吸が頻回な場合は呼吸性アルカローシスのリスクがあるが，いつも決まったサポートのため負担は少ない．

一方，決められた回数のみ強制換気をするが，それを超えた自発呼吸に対しては同調しないモードが，② **SIMV(synchronized intermittent mandatory ventilation：同期式間欠的強制換気)**である．多くは強制換気されない自発呼吸に対してPSというサポート圧が併用される．サポートが各呼吸でバラバラになるので患者の呼吸仕事量が増加するが，A/Cよりも自発呼吸は温存できる．

強制換気は行わないものの，すべての自発呼吸に対して設定したサポート圧をかけるのが，③ **PSV(pressure support ventilation)あるいはCPAP(continuous positive airway pressure)**である．SIMVは，A/CとPSVの中間に位置づけられる．

また，それぞれの「モード」に対しての**吸気方法は圧換気ないし量換気の2通りに分かれる．**量換気は気道内圧のモニタリングが容易であるが，圧換気のほうが吸気流量の非同調が少ないというメリットがあり，どちらの管理でも予後には差がないと言われている．

■ 呼吸様式と換気モード

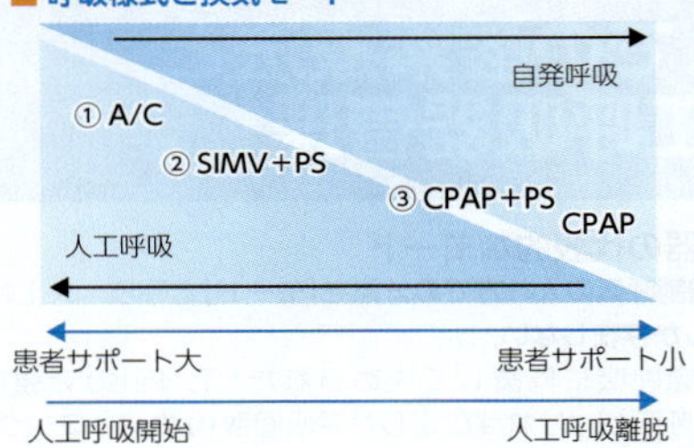

■ **無難な初期設定**（Ann Emerg Med 68：614-617, 2016 を参照）

❶ モードの設定 ➡ **強制換気 A/C**（Savina® では圧での A/C は「BiPAP」，量での A/C は「IPPV」）
❷ 酸素濃度（F_IO_2）➡ **100%**（48〜72 時間以内に 50%以下を目指す）
❸ 1 回換気量（VT）➡ **6 mL/kg（IBW）**
体重は理想体重（IBW）を使用
　男性：50＋0.9×〔身長（cm）－152〕
　女性：45.5＋0.9 ×〔身長（cm）－152〕
〔圧管理では 1 回吸気圧（Pinsp）をこの VT が得られる 10〜15 cmH_2O 程度で設定．プラトー圧≧30 cmH_2O にならないように管理〕
❹ 吸気時間（Tinsp）➡ **1.0〜1.5 秒**，呼吸回数（f）➡ **8〜12 秒**
〔「分時換気量＝ 1 回換気量（VT）×呼吸回数（f）」で 6〜8 L/分を目指す〕
❺ 呼気終末陽圧（PEEP）➡ **3〜5 cm H_2O**
（閉塞性肺障害の呼吸器管理においては PEEP は低めでよい）

また, ER での呼吸管理のデバイスには，従来の酸素療法（conventional oxygen therapy：COT）のほか，① 侵襲的機械的人工呼吸（invasive mechanical ventilation：IMV），② 非侵襲的人工呼吸（noninvasive ventilation：NIV），③ 高流量鼻カニューラ（high-flow nasal cannula：HFNC）の計 4 つがある．ここでは ①〜③ について説明していく．

侵襲的機械的人工呼吸(IMV)

IMVの目的

① 酸素化改善
② 換気補助
③ 呼吸仕事量の軽減
④ 気道確保
➡ 抜管の判断基準にもなる.

IMV管理の適応

① 自発呼吸不能患者(脳死や心停止・鎮静や鎮痛による呼吸抑制, 神経筋疾患, 気道閉塞)
② NIVで改善しない・NIV不適応の呼吸不全患者

非侵襲的人工呼吸(NIV)

NIVとは, 気管挿管や気管切開を行わない人工呼吸器管理を指す. NIVの利点としては, 挿管に伴う危険の回避, 人工呼吸器関連肺炎(VAP)の予防, 開始・離脱が比較的容易, 食事や会話が可能であることが挙げられる. 欠点としては, 気道分泌の多い患者では使用困難, 誤嚥のリスク, マスク圧迫による発赤・潰瘍の形成, 患者の協力が必要不可欠であることがある.

NIVの導入基準

① 高度呼吸困難
② 酸素投与無効の呼吸不全
③ 吸気補助筋の激しい活動
④ ABGで $pH<7.35$, $PaCO_2>45$ mmHg

NIVが推奨される適応疾患

COPD急性増悪, 心原性肺水腫, 結核後遺症, 人工呼吸器からの離脱後, 免疫不全患者の呼吸不全

NIVの禁忌

呼吸停止, 循環不安定, 意識障害, 口腔内・気道分泌多量, 超肥満, 気胸

NIVの無難な初期設定

① モードの設定：目的で使い分ける
　酸素化改善 ➡ CPAP，S/T（spontaneous/timed）
　換気も改善 ➡ S/T
② **酸素濃度**（F_IO_2）➡ 100％（48〜72時間以内に50％以下を目指す）
③ IPAP ➡ 8 cmH_2O，EPAP ➡ 4 cmH_2O
　（$PaCO_2$ 改善のためにはIPAPを上げる，トリガー不良や低酸素ではEPAPを上げる）
④ **吸気時間**（Tinsp）➡ 1.0〜1.5秒　**呼吸回数**（f）➡ 10秒
〔⑤ Rise time ➡ 0.05〜0.10秒（閉塞性障害），0.1〜0.2秒（拘束性障害）〕

※ CPAPは，自発呼吸全般で気道に一定の圧をかけた状態を維持するモードで，強制換気はない
※ S/Tは，自発呼吸を補助しながら，一定時間自発呼吸がない場合，設定回数のバックアップ呼吸が入るモード

➡ • 導入してすぐにVT（1回換気量）<10 mL/kg前後，リーク<60 mL/分を確認
• 1時間後に血液ガス分析をフォローする
• （P/F比≧200，呼吸数20回/分以下，頻脈の消失）を6時間以内に達成することを目標
　→ 導入後48〜72時間で呼吸状態改善しなければ積極的に挿管による人工呼吸器管理を考える

NPPVのフェイスマスクの装着のポイント

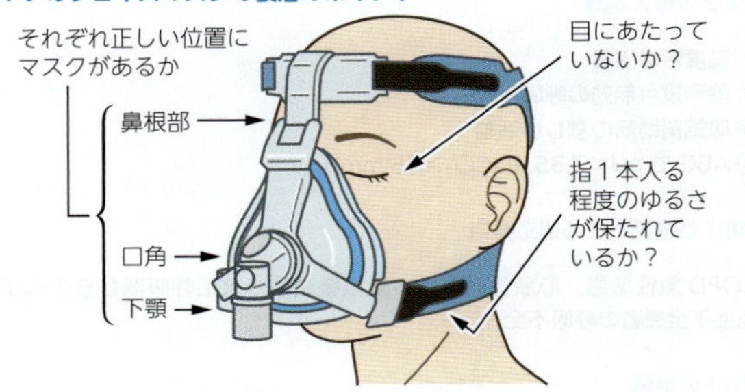

✓ 適切なマスクか？（サイズ・種類）
✓ 最初マスクはきつく当てず，呼吸が同調してからバンドで固定する（下→上の順で固定するとよい）

高流量鼻カニューラ(HFNC)

HFNCとは，鼻カニューラと人工呼吸器用加温加湿器を組み合わせたものであり，一般にネーザルハイフローと呼ばれる．鼻腔という狭く，かつある程度容積がある部位に30〜60 L/分という高流量のエアを押し込むことで，① 呼吸仕事量の軽減と ② 解剖学的死腔の洗い流しによるCO_2の再吸収低下の2つが達成できる．通常の酸素療法では酸素化が保てない場合に考慮される．

HFNCが推奨される適応疾患

急性呼吸不全，心臓外科やCOPD患者の術後，気管支鏡や上部消化管内視鏡の処置時

HFNCの禁忌

意識障害，上気道閉塞，呼吸停止，ショック

開始流量30〜50 L/分，吸入酸素濃度21〜100%で設定し，SpO_2 92〜95%前後となるようにF_IO_2と流量を調整していく．導入1時間後に評価し効果がないと判断すれば速やかに中断しIMVへ移行する．

COVID-19患者に対する酸素療法としてもHFNCは安全に使用できる(Eur Respir J 55：2000892, 2020).

高流量鼻カニューラ(HFNC)

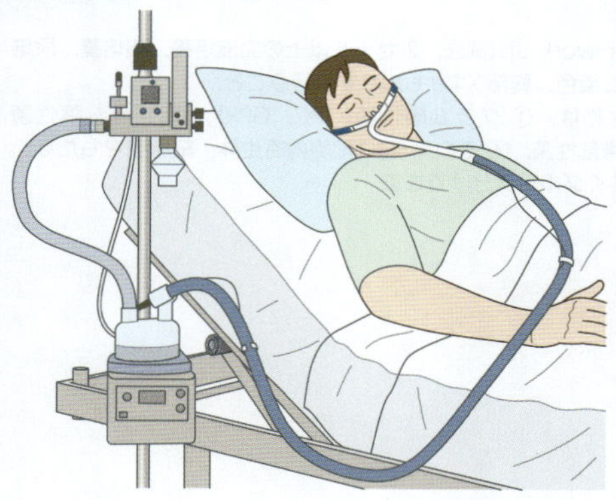

ERでの抗菌薬

感染症診療では，**「一体どのような免疫状態の患者に」「どの部位に」「どのような微生物による」**感染症が起こっているか（いわゆる**「感染症のトライアングル」**）を把握することが大事である．それを踏まえたうえで，「この抗菌薬が歴史的に第一選択薬で，用量はこの量で，この期間投与する」というプランになる．

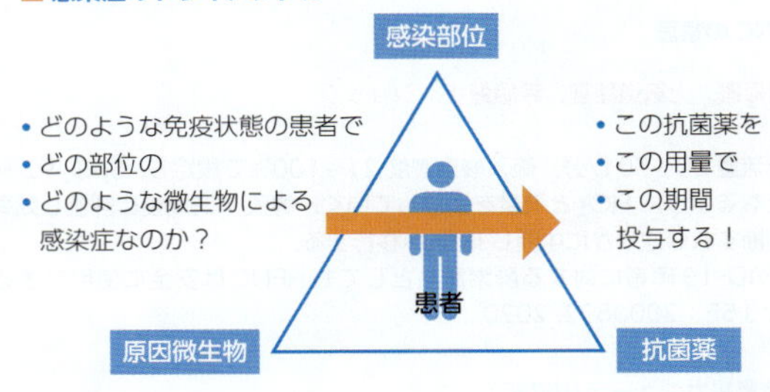

なお，適切なfever work up（採血，2セット以上の血液培養，痰培養，尿培養および検体のグラム染色，胸部X線）も忘れずに行うこと．

臨床で重要な微生物は，① グラム陽性菌（GPC，GPR），② グラム陰性菌（GNC，GNR），③ 嫌気性菌，④ その他（特に細胞内寄生体，細胞壁をもたない微生物）の4つに大きくグループ分けできる．

■グラム染色による細菌の大雑把な分類

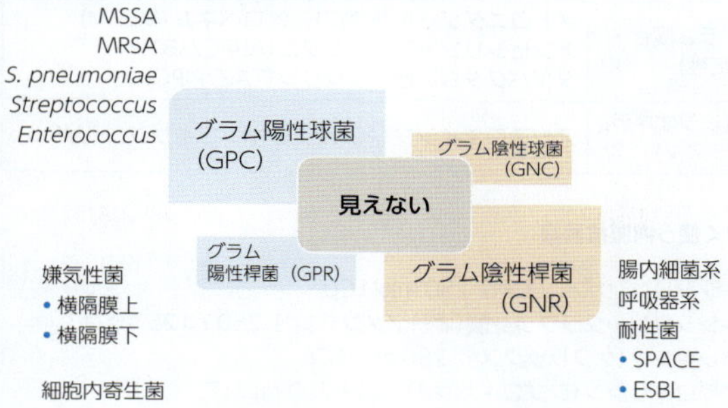

MSSA
MRSA
S. pneumoniae
Streptococcus
Enterococcus

グラム陽性球菌(GPC)
グラム陰性球菌(GNC)
見えない
グラム陽性桿菌(GPR)
グラム陰性桿菌(GNR)

嫌気性菌
- 横隔膜上
- 横隔膜下

細胞内寄生菌

腸内細菌系
呼吸器系
耐性菌
- SPACE
- ESBL

ERでの抗菌薬選択のポイントは以下の4つである.

❶ **グラム陰性桿菌**カバーをどこまでするか?
➡ 院内感染症で問題となる"SPACE*"をどこまでカバーするか?
* SPACE:*Serratia, Pseudomonas, Acinetobacter, Citrobacter, Enterobacter*
➡ ESBL(基質拡張型βラクタマーゼ)産生菌をカバーするか?

❷ **嫌気性菌**カバーをどこまでするか?
➡ 複数菌感染症(腹腔内感染症, 誤嚥性肺炎, 糖尿病性足病変からの重症皮膚・皮膚軟部感染症など)を疑うか?

❸ **耐性グラム陽性菌**(特にMRSAやVRE)をカバーすべきか?

❹ **その他の真菌, ウイルス, 結核**などをカバーすべきか?

■ERでよく使う静注抗菌薬(スペクトラムを考慮して)

グラム陽性菌	セファゾリン(CEZ)
グラム陰性菌	セフトリアキソン(CTRX)
緑膿菌	セフェピム(CFPM), メロペネム(MEPM), タゾバクタム・ピペラシリン(TAZ/PIPC), アミカシン(AMK), レボフロキサシン(LVFX)
MRSA, 腸球菌(*E. faecium*)	バンコマイシン(VCM)

(次頁に続く)

(前頁より続く)

多菌種(グラム陽性・陰性，嫌気性)	メトロニダゾール(MNZ)，メロペネム(MEPM) アンピシリン・スルバクタム(ABPC/SBT) タゾバクタム・ピペラシリン(TAZ/PIPC)
非定型菌(レジオネラ，マイコプラズマ)	アジスロマイシン(AZM)，レボフロキサシン(LVFX)

■ ERでよく使う内服抗菌薬

- アモキシシリン(サワシリン®) 250 mg/1Cp
- アモキシシリン・クラブラン酸(オーグメンチン®) 250・125 mg/1T
- セファレキシン(ケフレックス®) 250 mg/1Cp
- シプロフロキサシン(シプロキサン®) 100・200 mg/1T

■ 代表的な市中感染症と想定される起因微生物

市中感染症	想定される起因微生物
市中肺炎	GPC：肺炎球菌，GNC：モラキセラ GNR：インフルエンザ菌， その他：肺炎クラミジア，マイコプラズマ，レジオネラ
腹腔内感染症(憩室炎，虫垂炎)	GNR：大腸菌，クレブシエラ，プロテウス 嫌気性菌：バクテロイデス
腹腔内感染症(胆道系感染症)	GPC：腸球菌 GNR：大腸菌，クレブシエラ，プロテウス
尿路感染症	GPC：腸球菌，腐性ブドウ球菌 GNR：大腸菌，クレブシエラ，プロテウス
丹毒・蜂窩織炎	GPC：黄色ブドウ球菌，A群溶連菌
糖尿病性足病変	GPC：黄色ブドウ球菌，A群溶連菌 GNR：大腸菌，クレブシエラ，プロテウス 嫌気性菌：バクテロイデス

GPC：グラム陽性球菌，GNR：グラム陰性桿菌，GNC：グラム陰性球菌．

京都ER流！ empiric therapyで考えること

- 患者背景は？（→ 生来健康な女子）
- 感染臓器は？（→ 肺）
- 病原体は何だと思いますか？— Probable，Possible，Less likely
〔→ GPDC：*S. pneumoniae*，*S. aureus*，*Moraxella*（染色失敗？），PRSP，MRSA〕
- どこまでカバーしますか？
- どの抗菌薬を使用しますか？〔→ ABPCもしくはベンジルペニシリン（PCG）〕
—スペクトラムは確認できましたか？
—アンチバイオグラムはみましたか？
- empiric therapy開始前に何の検査が必要ですか？（→ 血液培養，痰培養，妊娠検査？）
- 何日間治療をしますか？（→ 5～7日間）
- 抗菌薬の変更・中止基準は？（→ 全身状態・呼吸状態の悪化）
- 何をパラメーターにみていきますか？〔→ 呼吸状態（SpO_2，呼吸数），翌日のグラム染色〕
- 次の一手はどうしますか？（→ CTRX）

カッコ内は一例.

抗菌薬の投与量，投与時間

種類	薬剤名（略語）	腎機能正常時の投与量*	腎機能正常時の間隔	調節方法	CCrと薬剤投与量，間隔	
					CCr 50～10 mL/分	CCr 10～0 mL/分
ペニシリン	PCG	50～400万単位	4～6時間	投与量	75%	25～50%
	ABPC	1～2 g	6時間	投与間隔	6～12時間	12～24時間
	ABPC/SBT	1.5～3 g	6時間	投与間隔	12時間	24時間
	PIPC	3～4 g	4～6時間	投与量，間隔	6～8時間	50%8時間
	TAZ/PIPC	3.375～4.5 g	6～8時間	投与量，間隔	8時間	50%8時間
	AMPC	250～500 mg	6～8時間	投与間隔	8～12時間	24時間
	AMPC/CVA	250 mg	6～8時間	投与間隔	8～12時間	12～24時間

（次頁に続く）

(前頁より続く)

種類	薬剤名(略語)	腎機能正常時の投与量*	腎機能正常時の間隔	調節方法	CCr と薬剤投与量，間隔	
					CCr 50～10 mL/分	CCr 10～0 mL/分
セフェム	CEX	1～2 g	12 時間	投与間隔	24 時間	48 時間
	CEZ	1～2 g	8 時間	投与間隔	12 時間	24～48 時間
	CTM	1～2 g	6 時間	投与間隔	12 時間	24 時間
	CMZ	1～2 g	6～ 8 時間	投与間隔	12～24 時間	24～48 時間
	CTRX	1～2 g	12～24 時間	投与間隔	12～24 時間	24 時間
	CAZ	1～2 g	8 時間	投与間隔	24～48 時間	48 時間
	CFPM	1～2 g	8 時間	投与量，間隔	12～24 時間	50%24 時間
モノバクタム	AZT	1～2 g	8 時間	投与量	50～75%	25%
カルバペネム	MEPM	0.5～1 g	8 時間	投与量，間隔	50%12 時間	50%24 時間
マクロライド	EM	250～500 mg	6 時間	投与量	100%	50～75%
	CAM	200～400 mg	12 時間	投与量	75%	50%
	AZM	500 mg	24 時間	—	100%	100%
テトラサイクリン	MINO	100 mg	12 時間	—	100%	100%
リンコマイシン	CLDM	300～900 mg	6～8 時間	—	100%	100%
ST 合剤	ST	S：1600 mg T：320 mg	12 時間	投与量	50%	推奨しない
メトロニダゾール	metronidazole	250～750 mg	6～8 時間	投与量	100%	50%
ニューキノロン	LVFX	500 mg	24 時間	投与量，間隔	50%24 時間	50%48 時間
	CPFX	800 mg	12 時間	投与間隔	12～24 時間	24 時間

＊ CCr：50～100 mL /分の場合

V

特殊分野編

薬物中毒

総論

ERでは，**原因不明の意識障害をみたら，必ず急性中毒も念頭に入れて対応**することが重要である．

急性中毒の**全身管理の基本は「AB & 3Cs」**．

✓A：airwayの確保
✓B：breathingの管理 ➡ 酸素投与，PCPS
✓C：circulationの管理 ➡ 静脈ライン，モニター管理
けいれんがあればジアゼパム(ホリゾン®) 5 mg iv，不穏あればハロペリドール(セレネース®) 5 mg
✓C：中枢神経系異常の管理 CTや髄液検査など
✓C：complications(合併症)の予防➡ **中毒の3大合併症は誤嚥性肺炎，高・低体温，非外傷性挫滅症候群！** 適宜保温，血液透析などを行う

また，**病歴聴取**で必ず押さえるべきは**MATTERS**．

✓M：materials(何を飲んだか)
✓A：amount(どれだけ飲んだか)
✓TT：time taken(いつ飲んだか)
✓E：emesis(嘔吐の有無)
✓R：reason(理由)
✓S：signs and symptoms(症状と所見)

特にMとA,「何をどれだけ飲んだか」を明らかにするために，**家族や救急隊員の助けを借りて空の薬剤ケースを全部持ってきてもらったり，かかりつけの担当医への電話連絡をとったり**して，しつこいくらいに情報収集することが大事．

S「症状と所見」では，**何かよくわからないが，薬物中毒を考えたときは「意識レベル，バイタルサイン，瞳孔所見，皮膚所見，匂い，神経学的所見」**をチェックする．

抗コリン作用と交感神経作用は似ているが，**皮膚が乾燥するのが抗コリン薬の特徴**である．各論は「トキシドローム」項(⇒ p.317)で後述する．

また，合併している精神障害によって，患者の「死へのエネルギー」は異なる．**一般的に，アルコール依存症や統合失調症，重症うつ病などを合併している患者の死へのエネルギーは比較的高い．**一方，軽症うつや適応障害，境界性パーソナリティ障害では死へのエネルギーは比較的低く，患者は処方薬や市販薬などの毒性が弱い薬毒物を摂取する．**「死へのエネルギー」が高い患者は，できるだけ速やかに精神科病床での入院**とする．**「死へのエネルギー」が低い患者は，精神科外来通院**とする．Tmax（最高血中濃度到達時間）が 1〜2 時間程度の薬剤で症状がない場合には 6 時間の経過観察で身体的には帰宅可能．

検査

- 動脈血液ガス（ABG）
- 血清浸透圧
- 電解質
- 腎機能/肝機能
- 凝固
- 尿検査
- 心電図

（必要なら）
- アルコール血中濃度
- アセトアミノフェン血中濃度
- 尿中薬物スクリーニング検査　など

※急性中毒の原因薬物を推定するうえで，特に検査では **2 つのギャップ〔anion gap（AG）と浸透圧ギャップ〕が有用**である

■ AG 開大性アシドーシスの原因薬物：「CHEMIST（化学者）」

C ：CO，青酸化物
H ：硫化水素
E ：エタノール，エチレングリコール
M：メタノール
I ：鉄，イソニアジド
S ：サリチル酸
T ：テオフィリン

※血清 AG ＝ $Na^{+} - (Cl^{-} + HCO_3^{-})$，基準値：12±2 mEq/L

■浸透圧ギャップをきたす原因薬物：「GAME」

G：グリコール類（エチレングリコール，プロピレングリコール）
A：アルコール類（メタノール，エタノール，イソプロパノール），アセトン
M：マグネシウム，マンニトール
E：エチルエーテル

※浸透圧ギャップ（Osm/L）＝血清浸透圧実測値（Osm/L）－〔2×Na（mEq/L）＋血糖（mg/dL）/18＋BUN（mg/dL）/2.8〕＞10

治療

治療の基本は，**「吸収の阻害」**と**「排泄の促進」**である．拮抗薬があれば積極的に考慮する．日本中毒情報センターの「中毒 110」は有料（1 件につき 2,000 円）だが有用．

- 大阪中毒 110 番（365 日 24 時間対応）072-726-9923
- つくば中毒 110 番（365 日 9～21 時対応）029-851-9999

胃洗浄

服用後 1 時間以内であれば考慮するが，エビデンスは乏しい．左側臥位で微温湯を 1 回 200～300 mL 注入する．ただし，**意識障害で気道確保されていない場合や腐食性物質（酸，アルカリ），石油などでは禁忌**．

活性炭

服用後 1 時間後でも効果はあるとされるが，早期投与が望ましい．ただし，中毒量に達していないなら見送る場合も多い．**投与量は 1 g/kg，**45° にヘッドアップして経鼻胃管（18 Fr 程度）経由で投与する．**意識が悪く気道確保なしの場合，腸管蠕動運動の低下，もしくは腸閉塞の場合は禁忌**．特にフェノバルビタール，テオフィリン，カルバマゼピンでは 25 g を 4 時間ごとに投与することも．

■活性炭で吸着できない薬物：「A FIKLE（気まぐれな）」

A：アルコール，アルカリ
F：フッ素化合物
I：鉄，ヨウ化物，無機酸類
K：カリウム
L：リチウム
E：エチレングリコール

血液透析

血液浄化法はあらゆる薬毒物に有効なわけではない．半減期がある程度長く，分布容積が小さく，蛋白結合率が小さいものである．

■ 血液灌流法および血液透析法で除去可能な薬物：「CAT MEAL(ネコのえさ)」

C：カルバマゼピン，カフェイン
A：抗けいれん薬(フェニトイン，フェノバルビタール)
T：テオフィリン
M：メタノール
E：エチレングリコール
A：アスピリン，サリチル酸
L：リチウム

トキシドローム

バイタルサインと身体所見に注目して原因薬物を想定するのにトキシドロームは重要である．

	血圧	脈拍	呼吸数	体温	意識	瞳孔	その他	例
抗コリン	−/↑	↑	↑	↑	抑制 幻覚・せん妄	散瞳	口渇 皮膚発赤	抗ヒスタミン薬，TCA，抗けいれん薬，抗パーキンソン病薬
コリン作動	…	…	−/↑	−	抑制	縮瞳	体液増加，下痢，筋攣縮	有機リン，カーバメイト，ニコチン，殺虫剤
鎮静薬 催眠薬	↓	↓	↓	−/↓	抑制	縮瞳	反射低下 失調	BZO，バルビタール，アルコール，ゾルピデム
麻薬	↓	↓	↓	↓	抑制	縮瞳	反射低下 注射痕	ヘロイン，オキシコドン，モルヒネ，フェンタニル
覚醒剤	↑	↑	↑	↑	興奮 幻覚	散瞳	振戦・けいれん 幻覚	ケタミン，ハーブ，LSD，合成アンフェタミン
鎮静離脱	↑	↑	↑	↑	興奮	散瞳	振戦・けいれん	
麻薬離脱	↑	↑	…	…	正常〜不安	散瞳	嘔吐・下痢 鼻汁過多	

(次頁に続く)

(前頁より続く)

交感神経作動	↑	↑	↑	↑	興奮 昏睡	散瞳	発汗，振戦	コカイン，アンフェタミン，エフェドリン，テオフィリン
環系抗うつ薬	↑/↓	↑	↓	↑	抑制	散瞳	乾燥・不整脈 ミオクローヌス	アミトリプチリン，ドキセピン[日本では未承認]，イミプラミン
セロトニン症候群	↑	↑	↑	↑	抑制 混乱	散瞳	振戦，発汗 ミオクローヌス	モノアミン酸化酵素阻害薬単独 or 併用，SSRIs

TCA：三環系抗うつ薬，BZO：ベンゾジアゼピン類.

各論

ベンゾジアゼピン中毒

代表的薬剤

- ジアゼパム(セルシン®，ホリゾン®)
- アルプラゾラム(コンスタン®，ソラナックス®)
- エチゾラム(デパス®)
- ロフラゼプ酸エチル(メイラックス®)
- トリアゾラム(ハルシオン®)
- フルニトラゼパム(ロヒプノール®[現在は販売中止]，サイレース®)

全身管理が適切であればほぼ予後良好. 呼吸抑制のみ問題なければ，むやみに胃洗浄しない.

フルマゼニルは拮抗薬だが，効果が短く，けいれんを誘発するため最近は使われる機会が減った.

バルビツール酸中毒

代表的薬剤

- ペントバルビタール(ラボナ®)：致死量 1 g 以上
- アモバルビタール(イソミタール®)
- フェノバルビタール(フェノバール®)：致死量 1.5 g 以上

全身管理が適切であればほとんど予後良好．**低血圧などの最重症例は血液透析**を考慮．フェノバルビタールは**腸肝循環があるので活性炭を繰り返し投与することが有効**である．

抗ヒスタミン系中毒

代表的薬剤

- ジフェンヒドラミン（レスタミン®）
- クロルフェニラミン（ポララミン®）
- ヒドロキシジン（アタラックス®-P）

QRS 時間が 0.12 秒以上に延長すると心室性不整脈をきたす可能性があるため，炭酸水素ナトリウム（メイロン®）1〜2 mEq/kg iv を繰り返し，pH を 7.45〜7.55 に保つ．

フェノチアジン系中毒

代表的薬剤

- クロルプロマジン（コントミン®，ウインタミン®，ベゲタミン®［現在は販売中止］）
- レボメプロマジン（レボトミン®，ヒルナミン®）
- プロペリシアジン（ニュープレチル®）

統合失調症などの**精神疾患履歴がある人の「意識障害＋縮瞳＋低血圧」で疑う**！肺塞栓も起こしやすいので疑ったら造影 CT も考慮！

QRS 時間が 0.12 秒以上に延長すると心室性不整脈をきたす可能性があるため，炭酸水素ナトリウム（メイロン®）1〜2 mEq/kg iv を繰り返し，pH を 7.45〜7.55 に保つ．

三環系抗うつ薬中毒

代表的薬物

- イミプラミン（トフラニール®，イミドール®）
- アミトリプチリン（トリプタノール®）
- クロミプラミン（アナフラニール®）
- ノルトリプチリン（ノリトレン®） など

頻脈，QT 延長，wide QRS（elevated terminal R in aVR も）で疑う！
入院後死亡の原因の多くは，心室頻拍や心室細動などの心室性不整脈であり，**QRS 時間が 0.12 秒以上に延長すると心室性不整脈をきたす可能性がある**ため，炭酸水素ナトリウム（メイロン®）1～2 mEq/kg iv を繰り返し，pH を 7.45～7.55 に保つ．かつ **24 時間は心電図モニター下で管理**！ ILE（後述）も有効．

Ca 拮抗薬中毒

代表的薬物

- アムロジピン（アムロジン®，ノルバスク®）
- ニフェジピン（アダラート®）
- ニカルジピン（ペルジピン®）
- ベラパミル（ワソラン®）

小児では 1 錠でも危険！
低血圧や QRS 延長を伴わない徐脈を認めたら 2％塩化カルシウム 50 mL iv またはグルコン酸カルシウム（カルチコール®）を 20 mL iv.
難治性の低血圧であればグルカゴン〔グルカゴン G・ノボ注 5～10 mg を iv，その後 1～5 mg/時で civ（持続静注）〕やアドレナリンの iv を．
高血糖あれば大量インスリン療法（1 U/kg インスリン＋ 0.5 g/kg ブドウ糖をまず iv，その後，0.5～1 U/kg/時のインスリン＋ 0.5 g/kg/時のブドウ糖を持続投与．血糖を 15 分ごとにチェックし血糖 100～250 mg/dL，K 2.0～2.5 mEq/L 目標に管理）も有効．
大量摂取していれば，24 時間は心電図，尿量などのモニタリングが必要．**血液透析は行わない**.

β 遮断薬中毒

代表的薬物

- アテノロール（テノーミン®）
- ビソプロロール（メインテート®）
- メトプロロール（ロプレソール®，セロケン®）
- プロプラノロール（インデラル®）
- カルベジロール（アーチスト®）

徐脈や低血圧に対してはアトロピン 0.5～1.0 mg iv を繰り返しながら，グルカゴン（グルカゴン G・ノボ注 2.5～7.5 mg を iv，その後 2.5～7.5 mg/時で civ）を．QRS 時間の延長または心室性不整脈があれば炭酸水素ナトリウム 50～

100 mEq iv を繰り返す.

高血糖があれば，大量インスリン療法(1 U/kg インスリン+ 0.5 g/kg ブドウ糖を iv. その後 0.5〜1 U/kg/時のインスリン+ 0.5 g/kg/時のブドウ糖を持続投与. 血糖を 15 分ごとにチェックし血糖 100〜250 mg/dL, K 2.0〜2.5 mEq/L 目標に管理).

アテノロールは血液透析が有効である可能性はある.

セロトニン症候群

代表的薬物

- セロトニン前駆物質を増加：L-ドパ，リチウム(リーマス®)，LSD，トリプトファン，トラゾドン(レスリン®)
- セロトニン放出促進：アンフェタミン，コカイン，MDMA，フェンフルラミン
- セロトニン再吸収阻害：SSRI としてフルボキサミン(ルボックス®)，パロキセチン(パキシル®)，エスシタロプラム(レクサプロ®)，セルトラリン(ジェイゾロフト®)など. 三環系抗うつ薬としてクロミプラミン(アナフラニール®)
- セロトニン代謝遅延：モノアミン酸化酵素阻害薬
- その他：バルプロ酸(デパケン®)，カルバマゼピン(テグレトール®)，メトクロプラミド(プリンペラン®)，デキストロメトルファン(メジコン®)，トリプタン製剤

セロトニンの過剰により，① 自律神経症状，② 認知行動症状(精神症状)，③ 神経筋症状をきたし，時に致死的となる急性疾患. **原因薬剤の投与あるいは増量から 24 時間以内に発症する**のが特徴. **診断基準として Hunter の基準**があり，5 週間以内にセロトニン作用薬を内服+以下のうち 1 つでも合致すれば診断となる.

Hunter の基準(セロトニン症候群の診断) (QJM 96：635-642, 2003)

セロトニン作用薬内服歴に加え，下記 ❶〜❺ のいずれか 1 つを満たす.

❶ 振戦+腱反射亢進
❷ 自発性クローヌス
❸ 筋硬直+高体温(>38℃)+(眼球 or 誘発性クローヌス)
❹ 眼球クローヌス+(精神運動興奮 or 発汗)
❺ 誘発性クローヌス+(精神運動興奮 or 発汗)
➡ Sn 84%，Sp 97%

ただし，診断に決定的な症状や検査はないので，**他疾患を除外することが重要．治療はセロトニン作用のある薬剤の中止や鎮静，抗セロトニン作用のあるシプロヘプタジン(ペリアクチン®)を，NG チューブから 4～8 mg 経口投与**(N Engl J Med 352：1112-1120, 2005)．

悪性症候群はドパミンアゴニストが原因薬剤となり，緩徐発症(数日～7 日)，無動，鉛管状の筋強剛，高体温，嚥下困難を特徴とする．ドパミン作用の急なブロックで起こり，メトクロプラミド投与や抗パーキンソン病治療薬の急な中断でも生じる．

急性症候群の治療はブロモクリプチン 2.5 mg 経口投与を 6～8 時間ごとから開始する．

一酸化炭素中毒

CO が，本来 O_2 が結合すべき Hb に結合してしまうため症状が出る．カルボキシヘモグロビン(CO-Hb)が 10%を超えると，**頭痛やめまい，嘔吐**などを訴え，50%を超えると昏睡状態に至る．心血管系にも作用して**心筋虚血**や**不整脈**が出現することもありモニタリングは必須．パルスオキシメータや動脈血液ガス分析での SpO_2，PaO_2 の値は正常になるので注意する．

HbCO レベルと中毒の重症度や予後は相関しないと言われている．**治療は酸素投与や高圧酸素療法(HBO)など**．2 日～4 週間後に出現する遅発性 CO 中毒に注意．

HBO の適応基準は，安全に搬送され，循環動態が安定している上で①CO-Hb 濃度＞25%もしくは BE＜－2 mmol/L，② CO 中毒による意識障害を認めるとき，③ 年齢＞36 歳もしくは曝露時間＞24 時間で CO 中毒による症状があるとき，④ 妊婦で CO-Hb 濃度＞15%のいずれかを満たすとき，⑤ 精神状態の持続的な変化，あるいは局所的な神経障害を認めるとき，⑥ 重度の代謝性アシドーシス(pH＜7.25)，⑦ 末端臓器に虚血所見(心電図変化，心臓バイオマーカーの上昇，呼吸不全など)を認めるとき(UpToDate® などを参照)．もし，HBO が即座にできない場合は，100%酸素の常圧酸素投与を行いつつ，HBO 実施施設への搬送を考慮する．

アセトアミノフェン中毒

アセトアミノフェンは 150 mg/kg 以上の摂取で肝障害を生じる可能性がある．日本の市販薬は 1 錠あたりアセトアミノフェンを 100～150 mg 含有している場合が多いので，**体重(kg)と同数錠以上飲んでいるときに中毒を疑うべき！**

4 時間後の血中濃度が 150 μg/mL を超えていたら治療適応．血中濃度と肝障害のリスクは相関することが知られており，200 μg/mL 以上になると 60%で肝障害(AST＞1,000 IU/L)，1% で腎不全，5% で死亡のリスクがあるとされる．

治療は胃洗浄なら1時間，活性炭なら4時間以内．ノモグラムなどから**治療適応とされた例には8時間以内に解毒薬としてアセチルシステイン(NAC) 140 mg/kgを投与**し，それ以降は70 mg/kgを4時間ごとに72時間内服する方法が一般的〔NACは非常ににおいがきつく，NGチューブなどから投与やコーラで希釈して飲みやすくする方法がある(N Engl J Med 359：285-292, 2008)〕．

有機リン中毒

アセチルコリンエステラーゼを阻害するためにアセチルコリンが体内であふれて **sludgeBBB** と呼ばれる特異な症状を呈する．

sludgeBBB

S：salivation	唾液多量
L：lacrimation	涙多量
U：urination	尿失禁
D：defecation	便失禁
G：GI symptoms	消化器症状(腹痛，嘔吐)
E：emesis	嘔吐
B：bronchospasm	喘鳴
B：bronchorrhea	気管内分泌亢進
B：bradycardia	徐脈

唾液があふれてきて窒息して死亡することが多いため，拮抗薬はアトロピン硫酸塩を**口腔内乾燥**を指標に大量(2～4 mg iv 5～15分ごと)に使用する．平均的なアトロピン硫酸塩の投与量は40 mg/日と言われている．また**PAM**(プラリドキシムヨウ化メチル)も1 g iv(コリンエステラーゼが基準値の1/3に戻るまで)する．

アスピリン中毒

中毒症状として難聴，傾眠，頻呼吸，嘔吐をきたす．

初期には呼吸中枢を刺激して過換気になり呼吸性アルカローシスを呈するが，次第にAG開大性代謝性アシドーシスも混在してくる．

治療は尿をアルカリ化してサリチル酸を排泄すること．**尿pHを7.5～8.0を目標に炭酸水素ナトリウム(メイロン®)**を0.5～1.0 mEq/kg ivで使用する．血中濃度が急性中毒で120 mg/dL以上，慢性中毒で60 mg/dL以上，重度のアシドーシス，意識障害が存在する場合は血液透析の適応となる．

急性アルコール中毒

日本のアルコール依存症患者の推定値は109万人と言われており，エタノールは世界で最も乱用されている薬物と言える．

中毒症状として散瞳，眼振，皮膚の紅潮，発汗，嘔吐，協調運動障害，失調症状，意識障害を認める．巣症状や外傷痕などアルコール中毒だけでは説明つかない所見がないか注意する．

➡ r/o 脳卒中，Wernicke脳症，髄膜炎/脳炎，低血糖，低Na，高K/低K，肝性脳症，薬物中毒，NCSE．血中アルコール濃度は症状との相関性が低いため必須検査ではない．血糖値や血液ガス，肝機能や腎機能をチェック．必要に応じてアンモニアや頭部/頸椎CTを検討する．

点滴は基本不要で，救急滞在時間を延ばすが症状の回復を早めない(Am J Emerg Med 36：673-676, 2018)．ただし，アルコール性ケトアシドーシスや低血糖を伴う場合は糖を含む点滴を行う．低換気，誤嚥，アシドーシス，介入に時間を要する電解質異常，外傷歴では入院を考慮する．帰宅させるときでも，アルコールに関する教育は短時間でも行う．

MEMO

ILE (intravenous lipid emulsion)

脂肪乳剤は高カロリー輸液に用いられる脂肪製剤であり，ブピバカインなどの局所麻酔薬中毒で適応であった．近年，他の薬物中毒(主に脂溶性薬剤)でも標準的な蘇生治療が奏効しない場合に検討される．ケースレポートレベルだが抗精神病薬，Ca拮抗薬，β遮断薬でも効果がある可能性がある．

その理由として，脂肪乳剤が脂溶性の薬剤を取り囲みその効力を弱めること，静注した脂肪乳剤由来の脂肪酸が心筋にエネルギーを与え，心機能を改善させることなどが推察されている．

使用法

ボーラス1.5 mL/kg → 0.25 mL/kg/分 div
体重70 kg換算で下記：
20%イントラリピッド® 100 mLを1分かけて全開投与(再投与可)
→ 18 mL/時(最大2倍まで速度アップ可)

- 循環動態が安定してから10分以上は少なくとも投与を継続
- 1時間で計10 mL/kgまで可(700 mL/70 kg/時)
- 1時間以上の投与継続の安全性は確立されていない

創傷処置

大まかな流れ

まずは評価➡その後に処置

評価で行うこと

ABC-VOMIT アプローチ(⇒ p.13)
⬇
四肢では,
✓Pulse(患肢の動脈触知可能か, CRT は正常か)
✓Motor(患肢の指先まで触覚はわかるか)
✓Sensory(患肢の指先まで触覚はわかるか)
を素早く確認
⬇
✓創傷の大まかな分類
✓異物の有無
✓開放骨折合併の有無

※創部の正確な評価は創部洗浄後にはっきりすることも多い

※**異物の有無は肉眼だけではなくX線,エコーも駆使して判断**する.緊急除去は必須ではないが,場合によっては翌日の専門外来受診も考慮する.砂利などは可能な限りブラシなどで除去する

※末梢主幹動脈の損傷を見つけても慌てない.まずは 10〜15 分程度の圧迫止血から始める

※糖尿病性末梢神経障害のある患者では,痛みがないことが骨折の否定とはならない.開放骨折合併にも注意! 1 cm 未満の傷なら 3 L 洗浄,1 cm 以上なら 6 L 洗浄+第 1 世代セフェムを 1 日分投与すべきという報告もある(N Engl J Med 373:2629-2641, 2015)

創傷の分類

“創”➡開放性損傷，“傷”➡非開放性損傷である．
処置方法の判断やカルテ記載の参照に以下の分類を理解しよう．

■ 創傷の分類

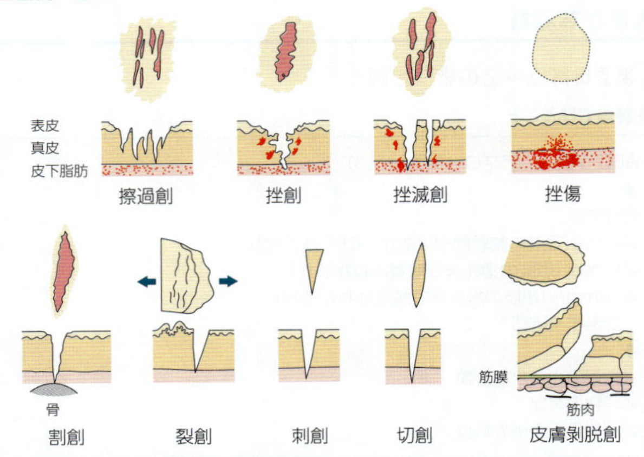

擦過創：鈍体により表皮が剥離した創
挫創：鈍器により皮膚が離開した創
挫滅創：挫創で損傷が皮膚のみならず皮下組織まで拡大した創
挫傷：鈍器による損傷だが皮膚が離開していない
割創：重量のある物体が体表面に打ちつけられて生じる開放性創傷
裂創：実際の外力作用点から離れた部位の皮膚が過度に伸展されて離断した創
刺創：鋭利な鋭器による創
切創：切線状の創
皮膚剥脱創：デグロービング損傷など

創傷処置の流れ

全身状態，創部の評価
(**消毒は創治癒遅延につながるので不要！**)

↓

局所麻酔±浸潤麻酔★1

洗浄
水道水でも感染率の有意差なし！
(Cochrane Database Syst Rev 2：CD003861, 2012)

↓

縫合 or 開放創のままか
➡ 必要なら縫合へ★2

※被覆材(創部を適切な浸潤環境に保つ)
- 滲出液ほぼなし → テガダーム™
- 滲出液少量 → デュオアクティブ®
- 滲出液中等量・出血 → カルトスタット®，アクアセル®フォーム

↓

感染予防(創部感染，破傷風)
(⇒ p.330, 331 を参照！)

↓

抜糸(外来フォロー)★3

★1 麻酔の方法

創面内側から，23 G 以上の細い針で，ゆっくり注入する．1%リドカイン(5〜10 分で効果発現し，1 時間程効く．極量 4.5 mg/kg．アレルギーの有無を確認！)でよい．アドレナリン(血管収縮剤)入りリドカインは止血作用にも優れるが，**指先，耳介，陰茎には禁忌**．足底を除いて麻酔前にリドカインゼリーを塗布しフィルムで覆っておくのも効果的．

✓指は指ブロックで麻酔．皮下には効かず創を合わせにくくなるので注意

✓口唇創傷では，赤唇縁と白唇縁を合わせるのが大事なので，麻酔の前に印をつけておく

✓四肢の麻酔には Oberst 法(基節骨の中枢側骨端の両側に局所麻酔をする方法)ないしは 1 回の注射でよい single palmar injection block 法がある．この方法では皮下までの浅い部分に 2 mL ほどの注入をするのが最もよいとされる．親指は効きにくいので注入量がもう少し必要(J Hand Surg Br 31：547-555, 2006)

■ single palmar injection block 法

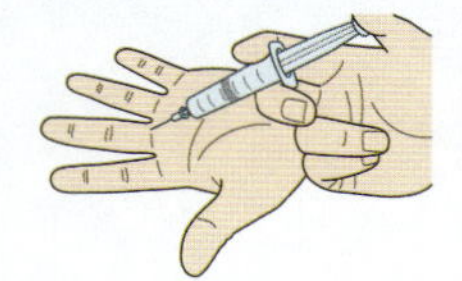

★2 縫合のやり方

※縫合すべきでない創：**汚染創，感染創，受傷して 6 時間以上経過した創，動物咬傷，no man's land（指第 2 関節〜手掌の腱損傷）**

■ 縫合糸，サイズの選択

商品名	特徴	用途
ETHILON®	非吸収糸，硬い	表皮単純結紮縫合
PDS®	吸収糸，硬い	皮下埋没縫合
Vicryl®	吸収糸，軟らかい	口腔内や乳幼児など

部位	皮膚	真皮・皮下
体幹	4-0〜5-0	3-0〜5-0
頭皮	4-0	
顔面	5-0〜7-0	4-0〜6-0
眼瞼	6-0〜7-0	縫合しない
手背	4-0〜5-0	縫合しない
手掌	4-0〜5-0	縫合しない

張力が低い場所なら Steri Strip™ ±ダーマボンド® なども考慮.

★3 外来フォローの注意点

✓帰宅指導 → 1 日 1 回洗浄，被覆材および軟膏塗布．消毒不要
✓傷跡が残ることを説明，遮光指導（特に小児，女性の顔面）
✓ワルファリン内服患者は PT-INR を確認．通常リバース不要
✓浴槽は抜糸まで控える．シャワーは OK
✓3〜7 日後に形成外科あるいは整形外科外来フォロー（抜糸依頼）

創傷の分類

単結紮

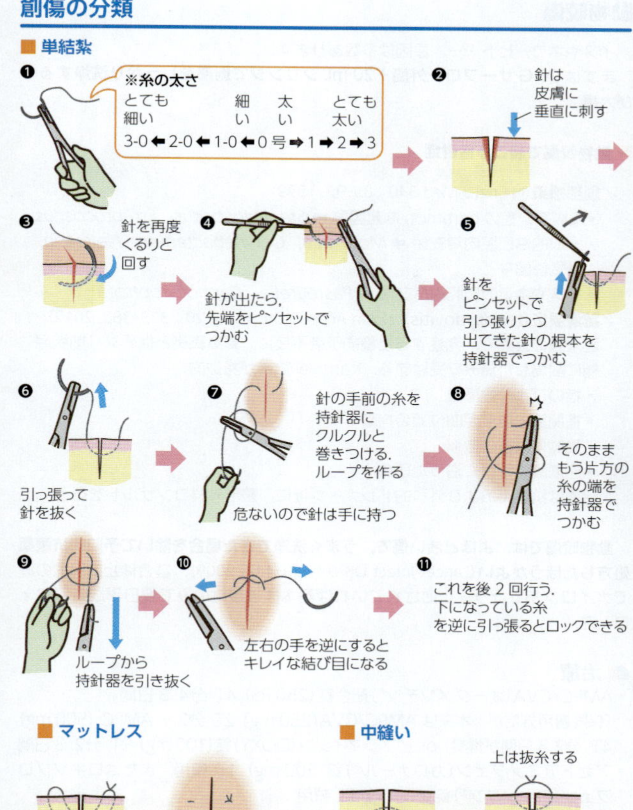
❶
※糸の太さ
とても細い
細い
太い
とても太い
3-0 ⬅ 2-0 ⬅ 1-0 ⬅ 0 号 ➡ 1 ➡ 2 ➡ 3
❷
針は皮膚に垂直に刺す
❸
針を再度くるりと回す
❹
針が出たら，先端をピンセットでつかむ
❺
針をピンセットで引っ張りつつ出てきた針の根本を持針器でつかむ
❻
引っ張って針を抜く
❼
針の手前の糸を持針器にクルクルと巻きつける．ループを作る
危ないので針は手に持つ
❽
そのままもう片方の糸の端を持針器でつかむ
❾
ループから持針器を引き抜く
❿
左右の手を逆にするとキレイな結び目になる
⓫
これを後 2 回行う．下になっている糸を逆に引っ張るとロックできる

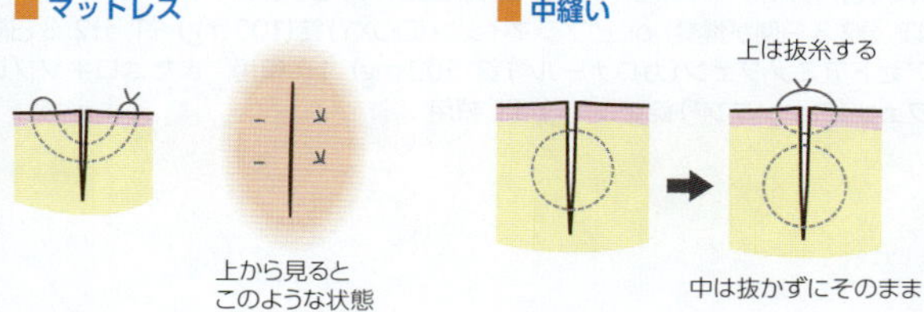
マットレス
上から見るとこのような状態
中縫い
上は抜糸する
中は抜かずにそのまま

動物咬傷

イヌやネコ，ヒト……．原因は多数あります．

まずは**20 G サーフロー外筒＋20 mL シリンジで創部をしっかり洗浄する**のが大事．

■ 動物咬傷で起こる合併症

✓**創部感染**(N Engl J Med 340：85-92, 1999)

- 皮膚感染症の common な起因菌 ➡ *Staphylococcus*，*Streptococcus*
- 一般的な口腔内常在菌 ➡ *Moraxella*，*Corynebacterium*，*Neisseria*，嫌気性菌など
- イヌやネコの口腔内常在菌 ➡ *Pasteurella*，*Capnocytophaga*

✓**腱滑膜炎(tenosynovitis)** (J Am Acad Orthop Surg 20：373-382, 2012)

腱滑膜の炎症で，発症すると機能予後不良に．蜂窩織炎とは異なり前腕屈側に限局した痛みで受診する．Kanavel 徴候が特徴的．

- 指のびまん性腫脹
- 指関節の軽度屈曲位での拘縮
- 受動伸展時の激痛
- 屈筋腱の走行に沿った圧痛

治療は抗菌薬および外科的ドレナージ後に，整形外科コンサルトを行う

動物咬傷では，よほど浅い傷で，うまく洗浄できた場合を除いて予防的抗菌薬処方したほうがよい(Lancet Infect Dis 9：439-447, 2009)．縫合は止血目的のみでナイロン糸で行う．止血されていれば基本は被覆材のみで翌日形成外科フォローを．

治療

- AMPC/CVA(オーグメンチン®)配合錠(250 RS) 4T 分4 3日間
〔保険適用外だが，本来は AMPC/CVA(250 mg) 2T 分2 + AMPC (500 mg) 4T 分2 3日間が推奨〕 or ビブラマイシン(DOXY)錠(100 mg) 2T 分2 3日間
- アセトアミノフェン(カロナール®)錠(500 mg) 1T 頓用，またはロキソプロフェン(ロキソニン®)錠(60 mg) 1T 頓用

破傷風対策

破傷風は，発症すると 65 歳以上では致死率 30％となり，特異的治療がない疾患．

動物咬傷や軽微な外傷でも以下の基準に沿って予防を行うべきとされている (N Engl J Med 340：138-140, 1999)．

適応

治療適応を決めるのは「予防接種歴」が最も重要で**傷の内容ではない**．汚染リスクの高い創では積極的にグロブリン投与も考慮される．

汚染リスクの高い創

- 星形，裂けた創
- 深さ 1 cm 以上
- 挫滅，熱傷，凍傷
- 感染徴候あり
- 壊死組織あり
- 創汚染あり
- 神経または血管損傷あり

1967 年以前に生まれた人は破傷風予防接種をほぼしていないため，**絶対接種！** 1967～1981 年に生まれた人は接種をしていない可能性がある．1982 年以降の日本の予防接種スケジュールでは 1 歳までに 3 回接種しているはずであり，最終接種歴を確認すること．

破傷風予防接種歴 3 回以上		破傷風予防接種歴 3 回未満 or 不明	
破傷風トキソイド	免疫グロブリン	破傷風トキソイド	免疫グロブリン
最終接種から 5 年以上経過していれば**必要**	不要	**必要**	**必要**

〔MMWR Recomm Rep 57(RR-6)：1-21, 2008〕

治療

- **破傷風トキソイド 0.5 mL 筋注 ± テタノブリン®IH 250 単位 iv(NS 50 mL に溶解して 30 分かけて投与) or 筋注**

3 回接種していない場合では，後日，破傷風トキソイドをさらに 2 回接種し予防接種を完了することが望ましい(2 回目は 3~8 週間後，3 回目は 2 回目の 12~18 か月後).

頭部打撲

成人の頭部 CT 撮影基準

- 意識消失，一過性の記憶障害があった場合
- 神経学的異常所見があった場合
- 嘔吐を認める場合
- 激しい頭痛がある場合
- 年齢≧65 歳
- 頭蓋骨骨折を示唆する所見を認める場合
- GCS<15
- 血液凝固異常の既往，抗血小板・抗凝固療法中
- 受傷機転が危険(自動車から放り出された場合，車両との接触事故，1 m 以上の高さから転落，5 段以上の階段からの転落)

(Ann Emerg Med 52：714-748, 2008 などを参考に作成)

その他の CT を考慮すべき状況：

✓飲酒者
✓認知症，精神疾患，外国人
✓脳外科手術(開頭術，シャントなど)の既往
✓本人の記憶が曖昧，説明のできない外傷がある
✓本人および家族の CT 撮影希望が強い
✓キーパーソン不在

※健忘，頭痛などの有症状や出血のリスクの高い患者では経過観察入院や脳挫傷検索の MRI も考慮する

小児の頭部 CT 撮影基準

2 歳以上

- GCS<15
- 何らかの意識レベル変化を示唆する所見を認めた場合
- 頭蓋底骨折を示唆する所見を認める場合
- 意識消失があった場合
- 強い頭痛がある場合
- 嘔吐がある場合
- 受傷機転が危険(自動車から放り出された場合，車両との接触事故，1.5 m 以上の高さから転落など高エネルギー頭部打撲など)

2 歳未満

- GCS<15
- 何らかの意識レベル変化を示唆する所見を認めた場合
- 頭蓋底骨折を触知した場合
- 前頭部以外に皮下血腫を認める場合
- 意識消失≧5 秒
- 親が見て普段と様子が異なる場合
- 受傷機転が危険(自動車から放り出された場合，車両との接触事故，1.5 m 以上の高さから転落など高エネルギー頭部打撲など)

(Lancet 374：1160-1170, 2009 などを参考に作成)

帰宅前説明のポイント

帰宅後の出血の増大による，

✓症状の増悪・顕在化

✓画像上の出血の顕在化

について説明する．高齢者の場合，1～3 か月後の慢性硬膜下血腫についても説明する．

➡ **適応はあくまでも適応！ 違和感を大事に，リスクマネジメントを！**

顔面外傷

眼窩底骨折

複視，眼球運動障害，三叉神経第 2 枝領域の感覚障害があれば疑う．

開放型，閉鎖型の 2 タイプに分かれる．後者は緊急性高い！

開放型

明らかに骨折があるタイプ．解剖学的に下壁と内側壁に骨折部位が多い．眼球運動障害や顔面陥没があれば手術適応だが**待機的手術**になるので（小児を除いて）翌日眼科または形成外科受診でよい．

➡ **「絶対に鼻をかまないように！」と説明**．

眼窩吹き抜け骨折

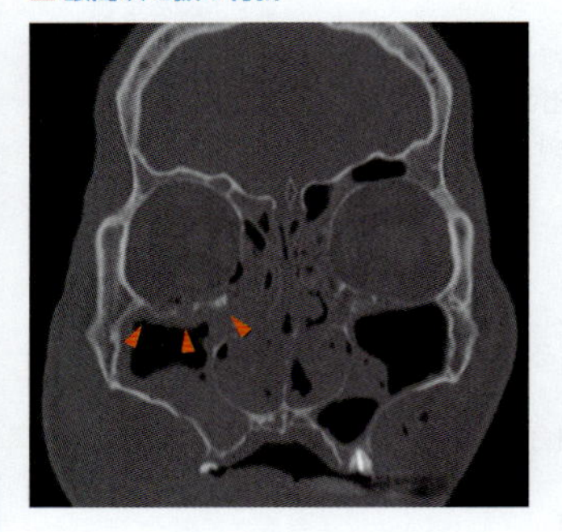

MEMO

second impact syndrome

脳振盪後に再び頭部に衝撃を受けた場合，軽微であっても重篤な脳障害（脳浮腫など）を引き起こすことがあり，最悪の場合，死に至ることもある．

スポーツにおける脳振盪の症状	症状消失からの安静時間	
	初回の脳振盪	同時期に複数回の脳振盪
一過性の混乱のみ（意識消失なし）脳振盪の症状が 15 分以内に消失	1 日	1 週間
一過性の混乱のみ（意識消失なし）脳振盪の症状が 15 分以上持続	1 週間	2 週間
秒単位の意識消失あり	1 週間	最低 1 か月
分単位以上の意識消失あり	1 週間	

（Br J Sports Med 47：250-258, 2013 などを参考に作成）

閉鎖型

いったん折れてから骨がしなって戻るため**一見骨折していないように見える**．しかし，骨折部位に筋肉または脂肪組織が挟み込まれているので**緊急手術適応！** **眼球運動障害や運動痛，痛みに伴う迷走神経反射（嘔気・嘔吐，徐脈）を認め，脳振盪と誤診されることある．**

外傷性視神経症

眉毛外側部の強打で視神経管が傷害され，**同側の視力低下や視野狭窄**などが起こった状態．

CT 上眼球破裂がないかを確認してから，暗い部屋で **RAPD 陽性**＊(relative afferent pupillary defect：健側眼に光を数秒当てた後に患側眼に光を当てると，わずかな縮瞳後に逆に散瞳すれば陽性）をチェック．視神経障害を示唆する．**早急にステロイドパルスや視神経開放術**などが必要なため眼科医に相談する．

＊ https://youtu.be/xXIloMhitqQ?t=3（2022 年 12 月最終確認）を参照

眼瞼裂傷・涙小管断裂

外傷による物理的に眼瞼が切れた状態であり，**涙小管断裂を伴う場合シリコンチューブの留置を怠ると，永続的な流涙症になってしまう**ので**眼科コンサルト**．判断が難しいときは通水検査も有用．髄液鼻漏は髄膜炎のリスクとなるため脳神経外科コンサルト＆入院．

鼻骨骨折

外鼻変形があれば，1〜2 週間以内の整復の適応だが**緊急手術は不要**．翌日の耳鼻咽喉科ないしは形成外科受診指示でよい．

頬骨骨折・上顎骨骨折

開口障害や眼球運動障害を認めるものや**変形の強いもの**は 1〜3 週間を目処に**待機的手術適応．**

➡ **「絶対に鼻をかまないように！」と説明**．鼻をかむと皮下気腫が形成されてしまう．手術まではできるだけ軟らかいものを摂取してもらう．

穿孔性眼外傷・眼球破裂

CT や X 線で異物や眼球の形態を確認．眼球をそっと保護しながら眼科に紹介．眼を押さない．異物を抜かない．**緊急手術適応！**

耳介血腫/鼓膜損傷

放置するとカリフラワー耳になってしまうため 18 G 針やメスで血液を絞り出す．鼓膜損傷は高度難聴，めまい，眼振，ふらつきあれば耳鼻咽喉科コンサルト．

熱傷

初期アプローチ

まずは ABC のチェックを行う.

Airway(気道熱傷があるか？)

顔面熱傷，鼻毛消失，口腔内の煤や煤を含む痰，嗄声，喘鳴 → 上級医 call！気管支ファイバーや気管挿管の準備を！

Breathing(換気可能か？)

体幹部の全周性の熱傷は呼吸抑制の可能性 → 呼吸抑制あれば気管挿管＋人工呼吸管理.

顔面熱傷や意識障害あれば CO 中毒を考え，SpO_2 の値にかかわらず 100％酸素投与.

Circulation(ショック状態か？)

初診時は正常でも，容易にショックに進展しうる．20 G 以上の留置針で静脈路確保し，細胞外液で輸液開始．Parkland(Baxter)の式(⇒ p.450)をもとに輸液量決定.

重症度判定

熱傷の重症度は進行する．**大まかな深さと広さの判定**が重要！

(ER での)深さ判定

I 度(EB)		発赤のみ
II 度	浅達(SDB)	水疱があり，水疱底の真皮が赤色
	深達(DDB)	水疱があり，水疱底の真皮が白色
III 度(DB)		白色皮革様もしくは褐色皮革様，炭化

(日本皮膚科学会：創傷・褥瘡・熱傷ガイドラインを参考に作成)

■(ERでの)広さ判定

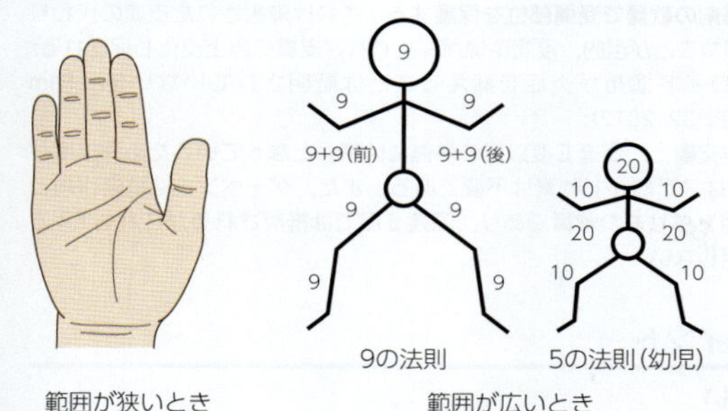

範囲が狭いとき　　　　範囲が広いとき

※指先から手首までが「手掌」=体表面積の約1%

皮膚科・形成外科への相談基準

- ✓体表面積の5%以上のⅡ度熱傷(原文は10%)
- ✓Ⅲ度熱傷
- ✓顔面，手，足，陰部，大関節の熱傷(美容・機能の喪失リスクがあり)
- ✓気道熱傷
- ✓電撃傷
- ✓化学熱傷

(J Burn Care Res 28：134-141, 2007を参考に作成)

軽度熱傷の処置

洗浄・冷却

受傷部位を15℃前後の流水で20分間洗う．現在では冷却による予後改善のエビデンスは疑問視されている(Am Fam Physician 85：25-32, 2012)が，皮膚に付着している異物除去目的にも励行！

氷水はかえって皮膚を障害する可能性があるので使用しない(Burns 35：768-775, 2009)．

軟膏・基剤で被覆

ワセリンが基剤の軟膏で受傷部位を保護する． これは障害された皮膚の代わりに浸潤環境を保つことが目的．浸潤環境が保たれれば皮膚の再上皮化も促される．

局所のステロイド塗布が炎症を抑えることは証明されていない(Am Fam Physician 85：25-32, 2012)．

一方で，添付文書上，深達Ⅱ度以上の熱傷には禁忌となっているため深達度が不鮮明なERではステロイド軟膏は不要である．また，ゲーベン®は抗菌作用と局所の軟化作用を併せもつ軟膏であり，深達Ⅱ度では推奨されるがこれもERではほとんど使用しない．

その他のポイント

水疱の扱い

水疱蓋は，汚染さえなければ浸潤環境を保つのに有用だが，水疱が自潰して創がむき出しになると創の拡大や感染のリスクとなる．

小型の水疱(＜6 mm程度)であれば，自潰することは少ないので，そのままでよい．大型の水疱であれば，自潰する前に18 G針などで破り，ワセリンと被覆材で保護する(J Burn Care Res 27：66-81, 2006)．

感染対策

通常患者での抗菌薬全身投与は，創傷の創部感染率に影響を与えなかった(Cochrane Database Syst Rev：CD008738, 2013)．

エキスパートオピニオンではあるが，汚染のリスクがある熱傷の場合は一般創傷と同様に扱うべきで破傷風トキソイドの扱いも同様(Clin Microbiol Rev 19：403-434, 2006)．

鎮痛対策

熱傷は痛いのでしっかり鎮痛薬を処方する．

■ **処方例**

ロキソニン®(60 mg) 1T 頓用

※重症熱傷では麻痺性イレウスと上部消化管出血の合併も配慮する

帰宅前説明のポイント

✓毎日しっかり洗う

毎日被覆材は外し，泡立てた石鹸で愛護的に洗浄し，シャワーで洗い流すように指導する．

✓傷は治るまで遮光や保湿が基本

皮膚のバリア機能が障害されているので日光による色素沈着が起こりやすい．

➡ 傷が完治するまでは遮光と保湿(ワセリン＋基剤)を行うよう指導する．

✓翌日は皮膚科か形成外科の外来フォローを

熱傷深度は 2〜3 日間で進行して初日より変化するため，翌日は皮膚科か形成外科フォローを指導する．

皮膚科救急

皮疹のよみかた

ER は皮膚科外来ではないため，**精確な皮膚科診断をする必要はない．**

極論を言えば，**典型的な膨疹（臨床診断名は蕁麻疹）と湿疹（薬疹を含む），皮膚感染症の区別がつけばよい．** その判断に必要な最低限の知識について，ここでまとめておく．

皮膚のイメージ

皮膚とは「かまぼこ」のようなイメージである．すなわち，イラストのように，赤い薄皮が表皮，白身が真皮，かまぼこ板が皮下組織に相当する．ドライスキンや小じわなど，眼に見える変化は赤い薄皮（表皮）の変化であり，深く刻まれたしわやたるみは白身（真皮）の変化である．例えば，接触性皮膚炎の小丘疹はいかにも浅い部分の表皮が病変の主座だとわかる．それに対して，真皮の浮腫である膨疹は境界不明瞭で今にも真皮から押し上げられたように見える

このように**病変の主座がどの深さにあるかを考える**のは皮膚診断に有用である．

■ 皮膚のイメージ

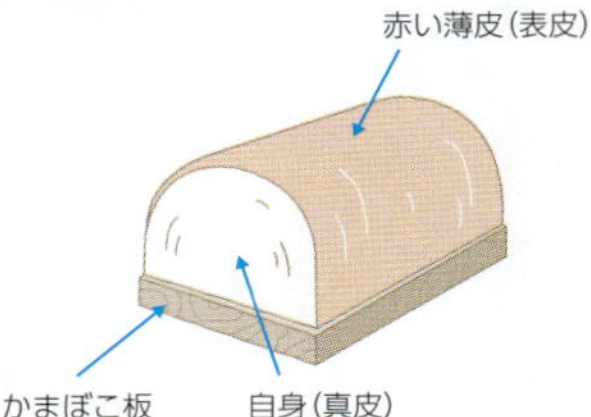

「湿疹」を正しく理解する

「湿疹」とは皮膚の表皮の炎症であり，**病態を表す言葉**である．湿疹三角にあるようにまず**紅斑**から始まり，その後**丘疹，鱗屑，びらん，水疱，膿疱，痂皮**などの様々な形態をとる．いずれも表皮の異常であり，**ステロイド外用薬が有効なことが多い**．鱗屑をみたら，その湿疹は 1 週間以上前から変化したものとわかる．苔癬化はさらに長い 2 週間以上の経過を考える．

紅斑がみられても鱗屑，びらん，水疱などがなく，皮膚表面が正常であれば病変の主座は真皮であり湿疹とは呼べない．

では皮疹を見たらどうする？

まずは，病変の主座が表皮なのか，それより深いのかを確認．次に**色と分布**，さらに必ず触って，**硬さ，温度，可動性，圧痛，圧迫による色調変化**を調べる．

(パターン 1) “赤く平らな病変”

- **紅斑**：血管拡張に炎症性細胞浸潤を伴った変化．指で押すと消え，炎症を伴うとむくむので少し周囲が盛り上がる．この場合は滲出性紅斑と呼ぶ
- **紫斑**：内出血なので指で押しても消えない．浸潤(わずかなしこり)を触れたら血管炎を想定

(パターン 2) “平らではないぶつぶつ”

直径 10 mm 以下の皮疹は「**丘疹**」．それ以上は「**結節**」(腫瘍，肉芽腫，沈着症などを想定)，さらに大きくなると「**腫瘤**」→「**局面**」と呼ぶ．

皮膚所見の記載の原則

場所	➡ 両側か片側か
大きさ	➡ サイズを単位つきで表現
色	➡ 鮮紅色，淡紅色，暗紅色，紫紅色，黒など
形	➡ 円形，楕円形，不整形，線状，枝状，網目状
分布	➡ 対称性，集簇性，皮膚割線に沿った，びまん性，散在性

例えば，帯状疱疹では「胸部正中から左側胸部にかけて 2～3 mm 大の有痛性の水疱が，周囲にピンク色の紅斑を伴って，上下幅 7 cm の帯状範囲に集簇し，一部痂皮化を伴う」のように記載する．

しかし，「百聞は一見に如かず」の言葉どおり，どんな詳細な皮疹の記載よりも一枚の写真のほうが情報が多い．**手持ちのスマートフォンで画像を残しておくと，皮膚科医からのフィードバックをもらいやすく治療反応も評価しやすいのでお勧め．**

皮膚外用薬

どんな外用薬も接触性皮膚炎になる可能性があることを常に念頭に置く．

基剤の使い分け

外用薬は主剤と基剤で構成される．主剤とは薬効の主成分であるステロイドや抗ヒスタミン薬，抗菌薬などを指す．基剤は主剤を保持し，これらを効率よく経皮吸収させるものである．軟膏，クリーム，ローションに大きく分かれる．

最も無難な基剤が軟膏であるが，粘度が高く，塗り心地はよくない．クリーム→ローションと進むにつれ塗り心地はよくなるが刺激が強くなるため，びらん面などには使用しづらい．頭皮など毛の生えている部分はローションがよく使われる．

保湿剤

皮膚の表面に脂の膜を作って水分を閉じこめるタイプと水と結合して肌の潤いを保つタイプがある．1日に2〜3回塗る．入浴後や手を洗った後などに塗ると保湿成分が染み込みやすい．

ただし，入浴後は皮脂膜がとれて水分が逃げやすいので，入浴後10分以内に塗るほうがよい．

白色ワセリン（プロペト® 軟膏）

脂の膜を作って水分を閉じこめるタイプ．塗っているうちに体の中から皮膚に水分が補給される．

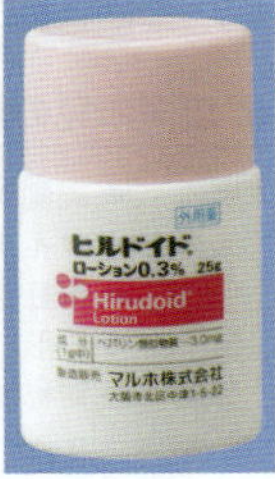

ヘパリン類似物質（ヒルドイド® ソフト軟膏）

水と結合して肌の潤いを保つタイプ．ローションタイプ（右写真）もあり，塗り心地はこちらのほうがよい．

尿素軟膏（パスタロン® 軟膏・クリーム・ローション）

水分を保持するタイプ．乾燥が強かったり，傷がある場合はヒリヒリする．

ステロイド外用薬

次頁に一覧を示す．

ステロイド外用薬一覧

薬効	一般名	主な製品名			
I群 ストロンゲスト	クロベタゾールプロピオン酸エステル	**デルモベート® 軟膏 0.05%**	**デルモベート® クリーム 0.05%**	**デルモベート® スカルプローション 0.05%**	ERでは、虫刺され、ムカデ咬傷以外は処方しない！
	ジフロラゾン酢酸エステル	**ダイアコート® 軟膏 0.05%**	ダイアコート® クリーム 0.05%		
II群 ベリーストロング	モメタゾンフランカルボン酸エステル	**フルメタ® 軟膏**	**フルメタ® クリーム**	フルメタ® ローション	
	ベタメタゾン酪酸エステルプロピオン酸エステル	アンテベート® 軟膏 0.05%	アンテベート® クリーム 0.05%	アンテベート® ローション 0.05%	
	フルオシノニド	トプシム® 軟膏 0.05%	トプシム® クリーム 0.05%	トプシム®E クリーム 0.05%	

※**太字**の外用薬は，著者の施設での採用薬

(次頁に続く)

■ステロイド外用薬一覧（前頁より続く）

薬効	一般名	主な製品名		
Ⅱ群 ベリーストロング	フルオシノニド	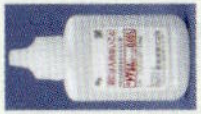 **トプシム® ローション 0.05%**	 トプシム® スプレー 0.0143%	
	ベタメタゾンジプロピオン酸エステル	 リンデロン®-DP 軟膏	 リンデロン®-DP クリーム	 リンデロン®-DP ゾル
	ジフルプレドナート	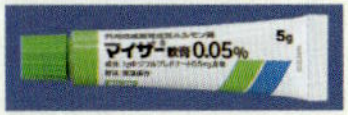 **マイザー® 軟膏 0.05%**	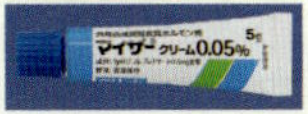 マイザー® クリーム 0.05%	
	アムシノニド	 ビスダーム® 軟膏 0.1%	 ビスダーム® クリーム 0.1%	
	ジフルコルトロン吉草酸エステル	 テクスメテン® 軟膏 0.1%	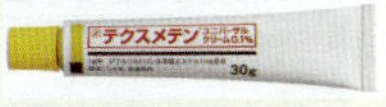 テクスメテン® ユニバーサルクリーム 0.1%	

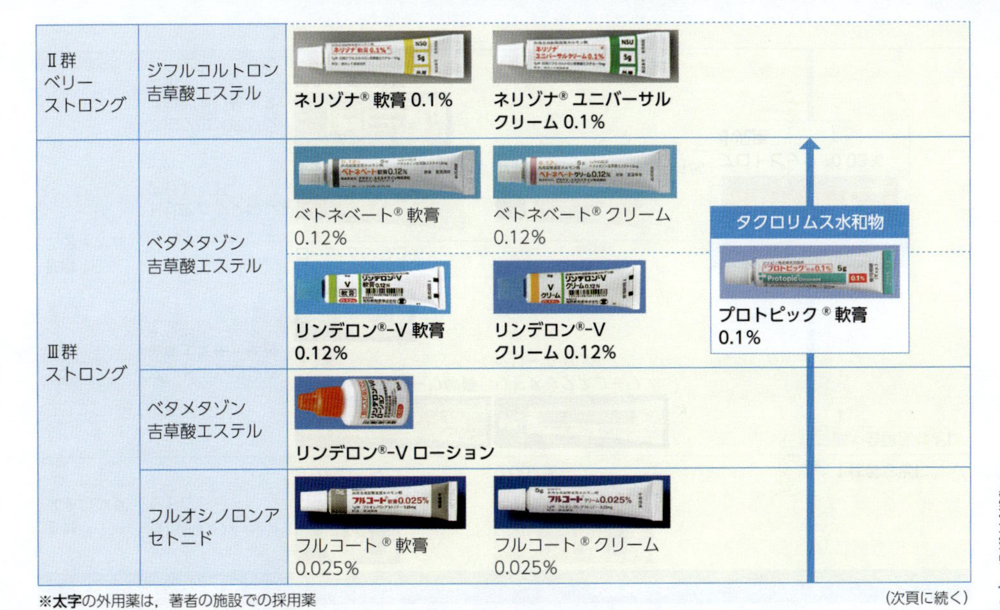

群	一般名	外用薬		
Ⅱ群 ベリーストロング	ジフルコルトロン吉草酸エステル	**ネリゾナ® 軟膏 0.1%**	**ネリゾナ® ユニバーサルクリーム 0.1%**	
Ⅲ群 ストロング	ベタメタゾン吉草酸エステル	ベトネベート® 軟膏 0.12%	ベトネベート® クリーム 0.12%	タクロリムス水和物 **プロトピック® 軟膏 0.1%**
		リンデロン®-V 軟膏 0.12%	**リンデロン®-V クリーム 0.12%**	
	ベタメタゾン吉草酸エステル	**リンデロン®-V ローション**		
	フルオシノロンアセトニド	フルコート® 軟膏 0.025%	フルコート® クリーム 0.025%	

※**太字**の外用薬は，著者の施設での採用薬
※タクロリムス水和物は，ER では不要

（次頁に続く）

ステロイド外用薬一覧（前頁より続く）

薬効	一般名	主な製品名		
Ⅲ群 ストロング	フルオシノロンアセトニド	フルコート®外用薬 0.01%	フルコート®スプレー 0.007%	↑体幹などに
Ⅳ群 ミディアム	プレドニゾロン吉草酸エステル酢酸エステル	リドメックスコーワ軟膏 0.3% リドメックスコーワローション 0.3%	リドメックスコーワクリーム 0.3%	顔や会陰部などに↓
	トリアムシノロンアセトニド	レダコート®軟膏 0.1%	レダコート®クリーム 0.1%	タクロリムス水和物 プロトピック®0.03% 小児用
	アルクロメタゾンプロピオン酸エステル	アルメタ®軟膏		

Ⅳ群 ミディアム	クロベタゾン酪酸エステル	**キンダベート® 軟膏 0.05%**	
	ヒドロコルチゾン酪酸エステル	**ロコイド® 軟膏 0.1%**	**ロコイド® クリーム 0.1%**
	デキサメタゾン	グリメサゾン® 軟膏	
		オイラゾン® クリーム 0.05%	オイラゾン® クリーム 0.1%
Ⅴ群 ウィーク	プレドニゾロン	プレドニゾロン軟膏	プレドニゾロンクリーム

※**太字**の外用薬は，筆者の施設での採用薬
※タクロリムス水和物は，ER では不要

MEMO

ステロイド外用薬の注意点

- 市販の外用薬は概して含有成分が多く，接触性皮膚炎のリスクが高くなる
- ベリーストロングやストロンゲストの顔，腋窩，陰部への使用は避ける
- 皮膚のしわの方向に沿って，塗る
- 決して擦り込まず，指の腹で薄く延ばすように塗る
- チューブから 5 mm 程度出すと，直径 5 cm 程度の円の範囲を塗ることができる
- 用法は「1 日 2 回 湿疹部(ざらざらした部分や赤い部分)に塗布」が一般的である
- 乾燥面では保湿剤塗布後に使用するとよい

蕁麻疹

✓診断は簡単！ 数時間から 1～2 日で消退ないし移動する瘙痒感を伴う膨疹をみたら「蕁麻疹」と診断してよい
✓**怖いのはただ 1 つ，「アナフィラキシー」．**疑ったら**アドレナリン(ボスミン®)0.3 mg を大腿部に筋注！**(⇒ p.488)
✓治療は抗ヒスタミン薬内服が基本．治るまで継続的な治療が基本
✓蕁麻疹の原因は 8 割が原因不明！
✓慢性化することも多く数週間単位の内服が必要なので皮膚科へのフォローが無難

診療のポイント

✓何よりもアナフィラキシーがないことをチェック！

ガイドラインでは全身性蕁麻疹に加え，(喉に食べ物が詰まる感じや嗄声 or 血圧低下 or 明らかな喘鳴や呼吸困難 or 強い腹痛と繰り返す下痢嘔吐のいずれか)があれば治療適応となる．アナフィラキシーと判断したらボスミン® 0.3 mg を大腿部に筋注，ルートキープし NS 1～2 L 全開(β 遮断薬や α 遮断薬服用者では，グルカゴン 1～2 mg iv を考慮)
＋上気道閉塞・気管支収縮に対してベネトリン® 吸入
＋ H_1 ブロッカーのアタラックス®-P(25 mg/1 mL/A) 1A
＋ H_2 ブロッカーのファモチジン(20 mg) 1A div

✓ウイルス感染症，細菌感染症(歯科治療歴，マイコプラズマ，ヒトパルボウイ

ルス B-19 など）や食物，薬剤などの関連があることが多いが，**ほとんどが採血などしても原因不明なので，原因検索を強く勧める必要はない**

✓いったん軽快しても，6〜8 時間後に再増悪することがあるので，重症例では入院適応

✓ACE 阻害薬，ARB 内服に伴う血管浮腫は，治療に反応が悪いので注意する

典型的な皮疹

急性発症の瘙痒感を伴う膨疹で，数時間〜1 日単位で消退する．

蕁麻疹

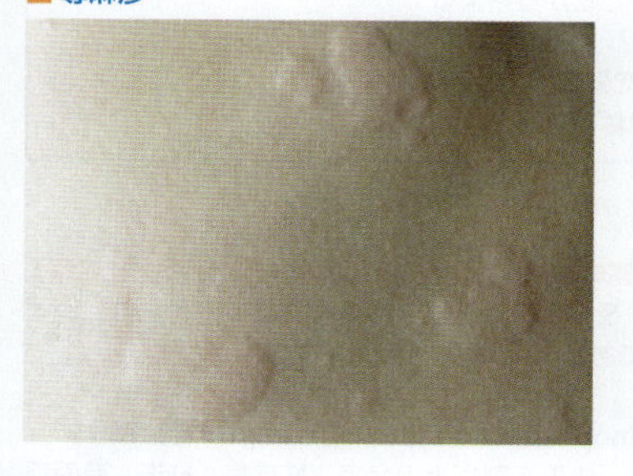

患者説明のポイント

以下のように説明するとよい．

「診察上，蕁麻疹を疑います．蕁麻疹は感染症・食物・薬など様々な原因で起こりますが，いろいろな検査をしても実際には 8 割程度原因がわかりません．痒みを抑える薬を内服していただくことが治療の基本となります．怖いのは蕁麻疹がひどくなり呼吸や循環に支障をきたすアナフィラキシーという状態です．いったん点滴で収まっても，6〜8 時間後にもう一度蕁麻疹が出現することもあり，喉に食べ物が詰まる感じや呼吸困難，頻脈や血圧低下などが出現した場合はすぐに受診してください．また，慢性化することもあるので，明日早めに皮膚科を受診し，継続して治療していただくことを勧めます」

■ 軽症患者への処方例

- 車の運転をする人：アレグラ® 錠(60 mg) 2T 分2(「効果不良につき倍量へ」と記載し，4T 分2まで増量できる！) or デザレックス® 錠(5 mg) 1T 分1
- 小児：アレジオン® ドライシロップ 0.5 mg/kg 1日1回
- 妊娠中：*d*-クロルフェニラミンマレイン酸塩錠(6 mg) 2T 分2
- 皮膚を掻いてしまう人：レスタミン® クリーム 1%

薬疹

✓「薬疹」では？ とまずは疑うことから始まる
✓皮疹の特徴が薬疹に近いか？
✓薬剤歴と各薬剤の投与日数を確認
✓粘膜疹の有無を確認 → あれば入院適応

診療のポイント

✓**「発熱，粘膜症状，水疱，倦怠感の出現」は重症薬疹を示唆するものであり注意！**

➡ 重症薬疹の9割はDRESS，SJS-TEN，AGEPの3つの型で占められ，いずれもⅣ型遅延アレルギーである

DRESS (drug rash with eosinophilia and systemic symptoms) /DIHS

好酸球増多を伴う発疹であり，体表5割以上の発疹，紅皮症，紅斑，顔面浮腫，体温>38℃，肝障害．薬剤を中止しても皮疹が消退しないこともあるので注意．

SJS-TEN (Stevens-Johnson syndrome and toxic epidermal necrolysis)

SJS-TENは口唇や眼瞼部の表皮と粘膜の境界部分から紅斑 → 二重斑 → 水疱形成，皮膚こすると剝脱(Nikolsky's sign)．表皮壊死が体表の10%未満はSJS，10〜30%はSJS-TEN，30%以上をTENという．SSSS(ブドウ球菌性熱傷様皮膚症候群)とTENは臨床像が類似しており，鑑別のためには皮膚生検が有用．

また近年，免疫チェックポイント阻害薬によるirAEでもSJS-TEN様の皮疹が出現するので注意する．

AGEP (acute generalized exanthematous pustulosis)

抗菌薬投与後3日未満に無菌性で毛嚢性でない膿疱が紅斑上に出現．

薬剤との関連の探り方

蕁麻疹型薬疹ならIgEによる即時型アレルギーなので投与数時間以内に起こる．一方，斑状疹・丘疹型薬疹は感作されるのに3日程度の時間がかかるため，通常4〜21日で出現．そのため，**2週間前後に開始された新規薬が被疑薬として可能性高い！**

- 薬剤開始3日以内の発疹(広範，対称性)は，ウイルス性発疹を考える．投与後2か月たってからの発疹はまず薬疹ではない
- 薬疹が多いのはペニシリン，セフェム，ST合剤，アロプリノール，抗てんかん薬(芳香族アミン系すなわち，カルバマゼピン，フェニトイン，フェノバルビタール，プリミドン，ラモトリギン)

典型的な薬疹

✓**斑状疹・丘疹型や麻疹型(morbilliform rash)が80%**，5〜10%が蕁麻疹型．その他光過敏，固定薬疹など様々である

✓斑状疹・丘疹型とは広範，左右対称にピンク〜赤の丘疹が癒合して斑状となっているのが特徴

✓痒みの程度は様々，38.5℃未満の熱はよくある

✓体の部位により形状が異なる(体幹では赤の斑状，融合傾向，四肢は孤立斑状か丘疹，下肢発疹は紫に近いことが多い)

✓薬疹とウイルス性発疹は鑑別がしばしば困難．ウイルス性では急な出現，広範対称的で熱，倦怠感，咽頭痛，結膜炎を伴うことがあり，また小児に多く自然治癒する

✓光毒性薬疹はドキシサイクリン，サイアザイド系利尿薬，ニューキノロン系抗菌薬，アミオダロン，ボリコナゾール(抗真菌薬)などで起こる

✓固定薬疹(fixed drug eruption)は色素の濃い人で口唇，生殖器，肛門周囲に多く色素沈着を残しやすい．**同じ場所に繰り返しでき**，特にペニシリン，NSAIDs，アセトアミノフェンで多い

治療のポイント

- 薬疹のほとんどは投薬中止で自然軽快
- 免疫不全がなければハイリスクの薬剤であっても重症薬疹となるのは稀
- 治療の原則は即座の薬同定と一刻も早く薬の中止をすること！ 痒みには抗ヒスタミン薬，局所ステロイド軟膏も使用する
- 薬剤性過敏症症候群(DRESS/DIHS)中等症以上ではプレドニゾロン1〜2 mg/kg/日を開始し，皮膚科コンサルト
- SJS-TENはステロイド10 mL/kgかシクロスポリン全身投与で死亡率減少したという報告もある(N Engl J Med 366：2492-2501，2012)．入院適応であり皮膚科医と相談して治療にあたる．眼症状は眼科医への介入依頼を必ず考慮する

V 特殊分野編

水痘

VZV (varicella-zoster virus) の初感染によるもので，接触，飛沫，空気感染で感染する．潜伏期は 10 日〜3 週間であり，成人は小児に比し，重症となりやすい．免疫抑制者はリスクがさらに高くなる．

発熱とともに顔，首，体感中心の小紅斑の中心に陥凹した丘疹や水疱が出現．被髪頭部，陰部などにも発疹出現するが，手掌と足底に出ないのが特徴的． ほぼ 3 日で痂皮化するが，すべてのかさぶたがとれるまで学校は出席停止！ 抗ウイルス薬早期投与で症状の軽減や罹病期間の短縮できる．

■ 処方例

バルトレックス® 錠（500 mg）6T 分3 7 日間 or アメナリーフ® 錠（200 mg）2T 分1 7 日間

※患者と接触した抗体陰性者は 3 日以内の水痘ワクチン緊急接種も考慮する

■ 水痘

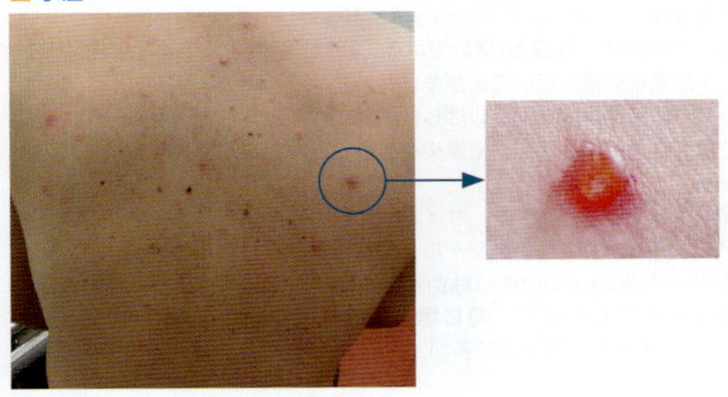

帯状疱疹

20 歳代の若年者と高齢者に多く，**デルマトーム** (⇒ p.209) **に沿った片側の「ぴりぴりした」感覚異常や痛みを伴う発赤ないしは水疱**で診断．入院適応は，眼痛や神経症状のある顔面病変 (特に三叉神経第 1 枝領域では髄膜脳炎や角膜炎合併につながることも)，ステロイドや免疫抑制薬内服患者，化学療法中，70 歳以上の高齢者で疼痛が強い例，汎発性帯状疱疹，腹部発疹で麻痺性イレウスをきたした例，膀胱直腸障害のある下肢病変など．顔面帯状疱疹で口腔内に粘膜疹がある場合は空気感染のリスクがあるため入院時個室隔離とする．

抗ウイルス薬の早期使用と患部含めて体全体を温めることが，帯状疱疹後神経痛の頻度を減らすと言われている．アメナメビル(アメナリーフ®)錠以外を投与するときはアシクロビル脳症に注意する．

■ 処方例

入院例：アシクロビル(250 mg) 1V + NS 100 mL(1時間で点滴) CCr > 50 mL/分なら8時間ごと，50 > CCr > 25 mL/分なら12時間ごと，CCr < 25 mL/分なら24時間ごと

帰宅例：ファムビル® 錠(250 mg) 6T 分3 7日間 腎機能で調整，皮膚科外来フォロー or アメナリーフ® 錠(200 mg) 2T 分1 7日間(腎機能低下患者にも使用可) + カロナール® 錠(200 mg) 1回3～5T 頓用 1日4回まで

■ 帯状疱疹

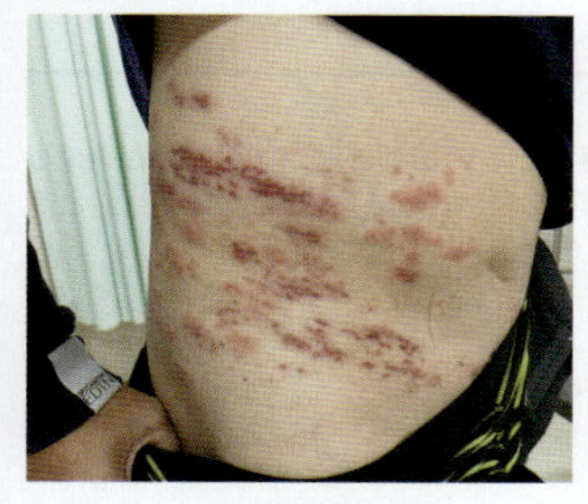

麻疹

潜伏期は10～14日であり，初期の「カタル期」は発熱，咳，鼻汁のような感冒症状のみ．いったん熱が下がり**二峰目の発熱に伴って融合傾向を伴う紅色斑丘疹が，耳，顔面，首から出始め，胴体・腕・脚に広がってくる**(発疹期)．このときのKoplik斑(口腔内臼歯外側の白色斑)は特徴的．その後「回復期」へと移り変わっていく．

他者への感染性は発疹が出る2～4日前から出た2～5日後まで．発疹出現前後で特に強い．

合併症は中耳炎7%，肺炎6%，脳炎0.1%である．

麻疹患者に接触した免疫のない小児・成人に対しては免疫グロブリン投与が推奨される(成書参照)．

風疹

潜伏期は2～3週間であり，**後頸部や耳介後部のリンパ節腫脹，軽度の眼球結膜充血などの症状出現後1～2日で，発熱とともに，ピンクがかった滑らかな発疹が，顔と首から出始め胴体・腕・脚に広がってくる**.

臨床診断は採血での血小板減少を頼りに風疹HI抗体とIgM抗体を提出することで診断．合併症は関節炎，脳炎，特発性血小板減少性紫斑病(ITP)など．

患者にはマスク着用．できれば自宅療養．特に妊娠可能年齢の女性との接触を避けることを説明しておく．実臨床では，麻疹と風疹が区別できない場合も多い．

※「蕁麻疹疑い」や「薬疹疑い」の症例に一定数紛れていると考え，しっかりと病歴・診察を行うことを忘れない！

皮膚軟部組織感染症

せつ・よう(膿痂疹)

毛囊に一致した発赤，腫脹，熱感，疼痛を伴う「おでき」．ブドウ球菌が感染して起こる．1つの毛囊炎だと「せつ」，複数の「せつ」が感染していると「よう」と呼ぶ．大きくて膿をもっている場合は18G針で穿刺排膿すると改善が早い．翌日の皮膚科受診が無難．

処方例

セファレキシン錠(250 mg) 8T 分4 など

丹毒

主に化膿連鎖球菌 *Streptococcus pyogenes*(A群β溶連菌)による皮膚感染症であり，**顔面・下腿などに突然生じる境界明瞭な有痛性浮腫性紅斑．辺縁が少し盛り上がるのが特徴**.

翌日の皮膚科受診が無難．

処方例

セファレキシン錠(250 mg) 8T 分4

or アモキシシリン(サワシリン®)カプセル(250 mg) 3Cp 分3＋オーグメンチン® 配合錠(250 RS) 3T 分3 など

蜂窩織炎

外傷，浮腫，白癬菌感染や虫刺症などに続発する下腿の脂肪織炎．**やや境界不明瞭な腫脹・熱感を伴う紅斑**を呈する．激しい疼痛や紫斑・水疱・血疱，病変の急速な拡大などがあれば蜂窩織炎だけでなく壊死性軟部組織感染症を考える．

主な起因菌は，黄色ブドウ球菌(市中MRSAも含む)，溶連菌(A・G・B)型．

■ **処方例**

※歩行不能なら入院も考慮

- セファゾリン（CEZ） or セフトリアキソン（CTRX） div
（糖尿病患者なら嫌気性菌も考慮してアンピシリン・スルバクタム（ABPC/SBT）や MRSA カバー必要ならバンコマイシンなども考慮）
- 内服ならセファレキシン錠（250 mg） 8T 分4 or アモキシシリン（サワシリン®）カプセル（250 mg） 3Cp 分3 ＋オーグメンチン® 配合錠（250 RS） 3T 分3 など（市中感染型 -MRSA カバーなら ST 合剤やクリンダマイシンを加える）

■ **皮膚軟部感染症の分類と病変部位**

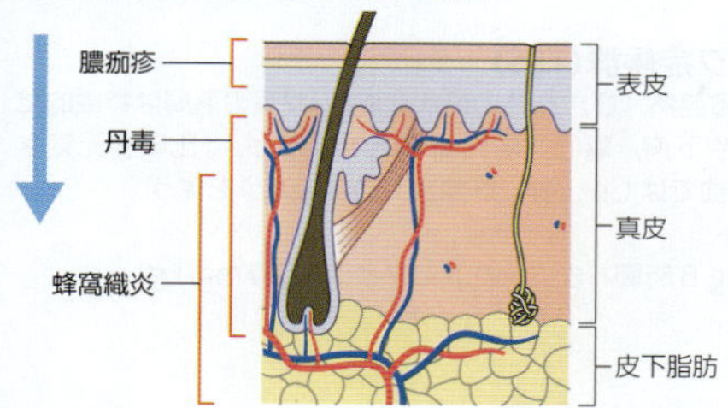

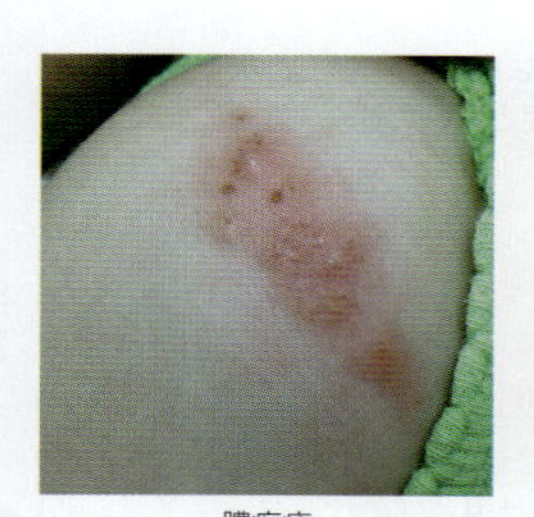

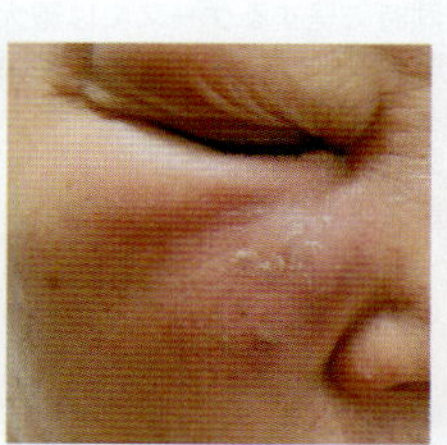

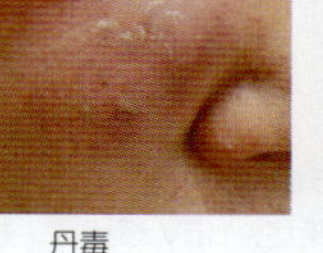

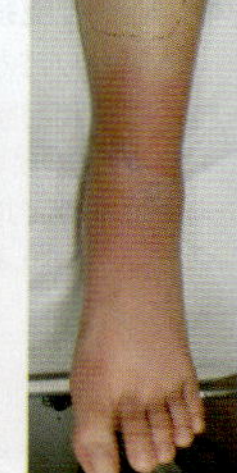

膿痂疹　　丹毒　　蜂窩織炎

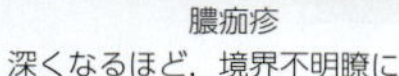

深くなるほど，境界不明瞭に →

壊死性筋膜炎

水疱形成や皮膚壊死，紅斑の境界を越えて広がる浮腫や握雪感，急速に拡大する病変，激しい痛み，皮膚所見のわりに全身状態不良の場合に強く疑う．

➡ LRINEC スコア（Crit Care Med 32：1535-1541, 2004）や画像検査ではなく，

診断には finger test(局所麻酔下に約 2 cm の幅で深筋膜まで切開を行い，深筋膜レベルで組織が容易に破れるようなら陽性)が必要であり，皮膚科コンサルト．抗菌薬大量投与とともに，広範なデブリドマンや四肢切断も考慮．

■ **処方例**

- ガス壊疽疑い　：クリンダマイシン 900 mg 8 時間おきに＋ペニシリン G 400 万 U 4 時間おきに
- 壊死性筋膜炎疑い：メロペネム 2 g 8 時間おきに＋クリンダマイシン 900 mg 8 時間おきに
  (クリンダマイシンは抗毒素効果も狙って)

※高圧酸素療法も有効である

トキシックショック症候群(TSS)

ブドウ球菌外毒素による発熱，びまん性の斑状紅皮症(皮膚の落屑は特徴的だが少し遅れて出現する)や下痢，嘔吐，筋肉痛などを伴うが，「比較的元気なショック患者」で疑う．採血では CK 上昇，肝障害，血小板減少を伴う．

■ **処方例**

クリンダマイシン 900 mg 8 時間おきに＋バンコマイシン 20 mg/kg

MEMO

発熱と皮疹へのアプローチ

発熱と皮疹を同時に呈するケースには重大な疾患を含むことが多いので，ここに鑑別を整理する．ポイントは重症感染症と薬疹の除外である．

- 麻疹，風疹，水痘，播種性帯状疱疹
- パルボウイルス B19 感染症
- エンテロウイルス属感染症(手足口病など)
- デング熱
- マラリア
- 腸チフス
- レプトスピラ症
- 急性 HIV 感染症，HBV 感染症，梅毒，播種性淋菌感染症
- 伝染性単核球症
- 全身性エリテマトーデス(SLE)
- 成人 Still 症
- TTP/HUS(血栓性血小板減少性紫斑病/溶血性尿毒症症候群)
- Sweet 病
- 悪性リンパ腫，皮膚 T 細胞性リンパ腫

整形外科救急

大まかな流れ

まずは「評価」

まずは，① **受傷機転・AMPLE 聴取**し，② **関節可動域(range of motion：ROM)の確認**を行う．四肢では以下を素早く確認．

- ✓Pulse(患肢の動脈触知可能か，CRT は正常か)
- ✓Motor(患肢の指先まで触覚はわかるか)
- ✓Sensory(患肢の指先まで触覚はわかるか)

各関節ごとの診察項目を確認し，疼痛部位の上下関節も必ず触診する．

※関節可動域は本人が動かせる範囲で構わない．無理矢理他動的に動かして医原性外傷を作らない！ ほとんど動かせないときは注意が必要．大きな損傷が隠れている可能性が高い！

※基本的に丁寧な触診が重要であるが，整形外科の診察は患者に痛み(苦しみ)を与えることが多いことに留意する．まずは痛くない部分から触っていき，最後に疼痛部分付近の圧痛を確認する

その次に「画像」

疼痛部位を，原則**左右，2 方向(正面・側面像)**ずつ X 線撮影する．場所によっては斜位なども追加する．その後，確認のため，画像と比較しながら再度診察．

Red flag に該当する外傷は専門科コンサルトを行う．

整形外科外傷診療の Red flag

- 開放性骨折
- 脊髄損傷
- コンパートメント症候群
- 壊死性筋膜炎，化膿性関節炎
- 血流障害・末梢神経障害を伴う外傷
- 転位の強い骨折
- 整復できない脱臼
- 不安定な骨盤骨折
- 小児の肘関節周囲の骨折

➡ **以上の症状を見かけたら原則専門科コンサルト！！**

最後に「処置と説明」

「骨折がない」と決して言わないこと！

骨折の転位が少なければ，「包帯 & シーネ固定」(⇒ p.363)を参照し固定を行う．また，初期治療「RICE」を説明し，必要に応じて鎮痛薬・湿布などの処方を行う．

RICE 療法

骨折でも打撲でも捻挫でもこの対処が原則！

Rest（安静）
➡ 打撲と思っても，痛みが強ければ局所安静のためにシーネ固定を行う

Icing（冷却）
➡ 受傷当初は鎮痛効果につながる

Compression（圧迫）
➡ 包帯などの適度な圧迫で内出血や腫脹を抑える

Elevation（挙上）
➡ 内出血や腫脹予防．患部を心臓より高い位置へ

引き続き，整形外科受診のタイミングなども含めてフォローアッププランを説明する．

説明の例：
「診察とレントゲン撮影をさせていただきましたが，明らかな骨折線や転位をきたしているような骨折は認めませんでした．しかし，レントゲンは一方向にしかビームが入らないため，ちょっとした亀裂や内部のヒビなど微細な骨折をすべて拾うことができません．時間がたってきて骨折線がはっきりしてくる場合もあるため，明日以降も痛みの改善が乏しい場合は整形外科外来の受診をお願いします．痛みや腫れの程度から考えて，本日は骨折と同様の対応をさせていただくのでご安心ください」

開放骨折のマネジメント

開放骨折の最初のマネジメントは骨折の根本治療ではなく感染予防である．抗菌薬は受傷から 3 時間以内，創洗浄は 6 時間以内に実施する．Gustilo 分類 I / II はセファゾリン 2 g + NS 100 mL を 1 時間投与．Gustilo 分類 III ではそれにゲンタマイシン 2 mg/kg を追加する．破傷風予防としてトキソイド 0.5 mL 筋注 & テタガム® P 筋注シリンジ 250 IU を筋注する．

骨の名称

手関節(右)　肘関節(右)

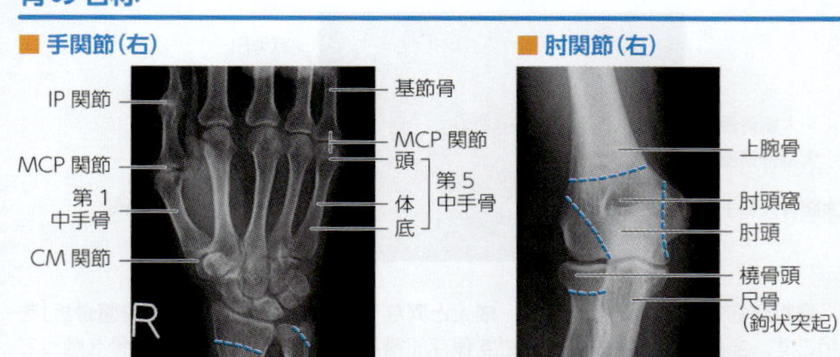

膝関節(左)

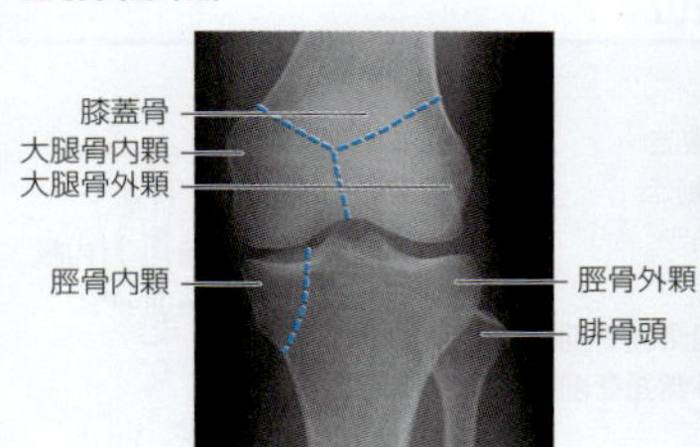

足関節(左)

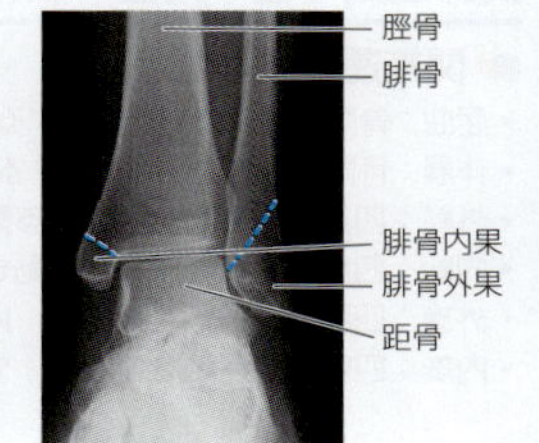

足部(左)

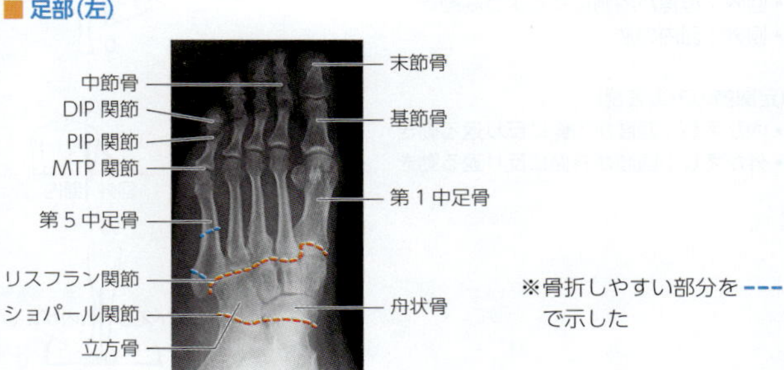

※骨折しやすい部分を ---
で示した

股関節

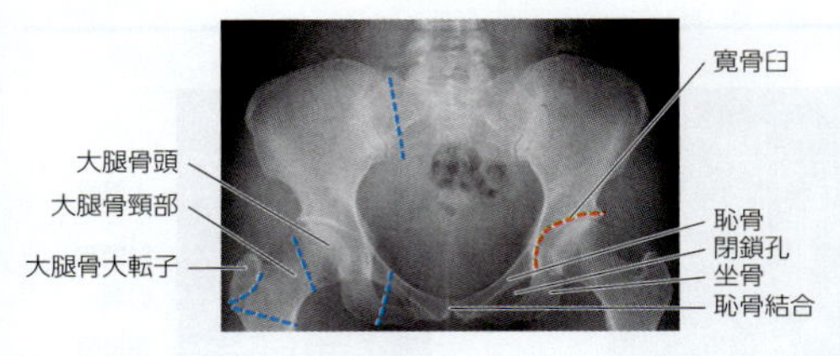

骨粗鬆症を有する高齢者では，成人と異なり，転倒だけで「脆弱性骨盤骨折」を起こす．多くが血管損傷は起こさず保存加療となる．恥骨，坐骨，仙骨を触ってチェックすること．

関節運動の基本用語・良肢位

関節運動の定義

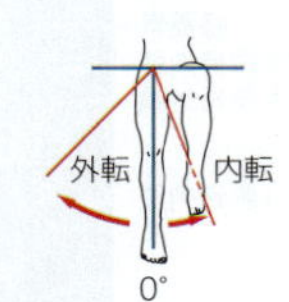

- 屈曲：骨同士の角度を少なくする動き
- 伸展：骨同士の角度を大きくする動き
- 外転：四肢を体幹から遠ざける動き
- 内転：四肢を体幹に近づける動き
- 外旋：四肢骨の長軸を中心に，内側面を前面に回す動き
- 内旋：四肢骨の長軸を中心に，外側面を前面に回す動き

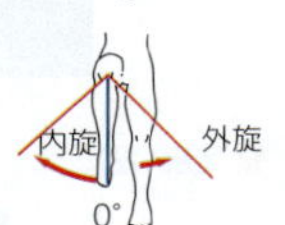

(手関節のみの表現)
- 回内：母指が内側にくるような動き
- 回外：回内の逆

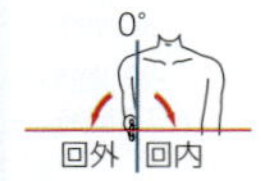

(足関節のみの表現)
- 内がえし：四肢が内側に反り返る動き
- 外がえし：四肢が外側に反り返る動き

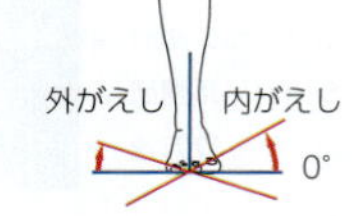

良肢位

固定の際は良肢位(下記)を意識する!

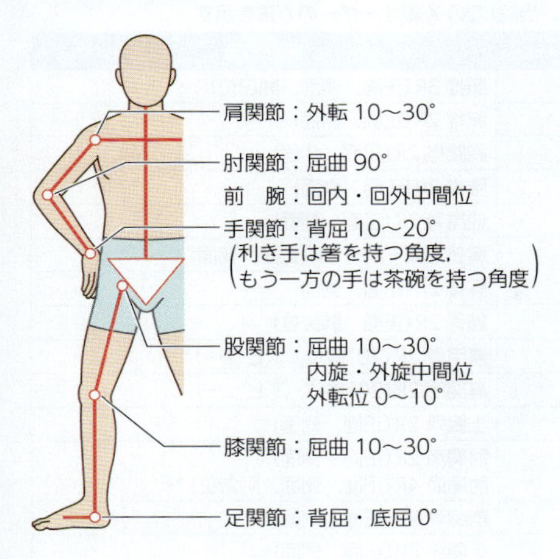

代表的なX線撮影方法一覧

洛和会音羽病院(以下，当院)でのX線オーダーの方法を示す．

撮影場所	撮影方法
頸椎	頸椎3R(正面，側面，開口位)
胸椎	胸椎2R(正面，側面)
胸腰椎	胸腰椎2R(正面，側面)
腰椎	腰椎2R(正面，側面)
仙尾骨	仙尾骨2R(正面，側面)
肋骨	胸部正面+肋骨2R(正面，側面)
胸骨	胸骨2R(正面，側面)
鎖骨	鎖骨2R(正面，肺尖位)
肩甲骨	肩甲骨2R(20°斜位，Yビュー)*1
肩関節	肩関節2R(20°斜位，Yビュー)
上腕骨	上腕骨2R(正面，側面)
肘関節	肘関節2R(正面，側面) 肘関節4R(正面，側面，両斜位)*2
前腕骨	前腕骨2R(正面，側面)
手関節	手関節2R(正面，側面)
舟状骨	舟状骨2R(正面，45°回内斜位)
手根～中手骨	手根～中手骨2R(正面，斜位)
手指骨	手指骨2R(正面，側面)
骨盤	骨盤正面
股関節	股関節2R(正面，ラウエンシュタイン)
大腿骨	大腿骨2R(正面，側面)
膝関節	膝関節3R(正面，側面，スカイライン)
下腿骨	下腿骨2R(正面，側面)
足関節	足関節4R(正面，側面，両斜位)
踵骨	踵骨3R(正面，軸位，アントンセン)
足趾骨	足趾骨2R(正面，斜位)

*1 s/o肩関節脱臼，s/o上腕骨近位部骨折では「Yビュー&正面」
*2 小児の肘痛は「肘関節4R」

原則として**左右撮影して比較すること**(特に小児では骨端線閉鎖していないため評価困難となる)．

包帯＆シーネ固定

原則

- 骨折であれ捻挫であれ，**痛みが強ければ，シーネ固定を行って悪いことはない**
- 良肢位での固定が原則だが，アキレス腱断裂（尖足位固定）や槌指（伸展位固定）などの例外もある
- 骨折部の上下 2 関節を含めた固定が原則だが，足関節骨折では下腿までの固定でよい
- 腓骨神経損傷やきつい圧迫による皮膚障害・循環障害を起こさないように留意し，自覚症状が出た際は固定を外してもらうよう，患者に説明しておく

シーネ固定の流れ

❶ 写真のように必要物品を準備
❷ 下巻き綿包帯で全体の長さを確認
❸ ❷ を参照に必要な長さのシーネをカットする
❹ シーネの中のファイバーガラスのみ取り出して，水で濡らし，タオルで水分を拭き取り元に戻す
❺ シーネを患部に当てて，包帯で固定．良肢位を保つように型を作る

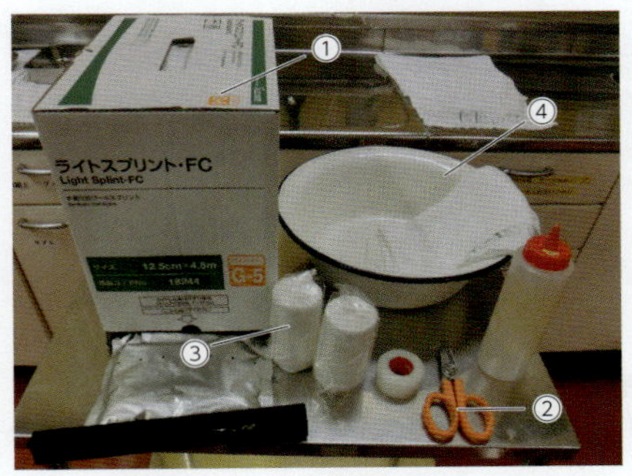

① 受傷部位の太さに合わせた号数のシーネ
② シーネを切るハサミ
③ シーネを固定する弾性包帯
④ シーネを濡らす水とたらい

号数	幅(cm)	目安
2	5.0	小児・(指)
3	7.5	手関節・肘
4	10.0	足関節・膝
5	12.5	

※サイズは上肢は3〜4号(7.5〜10cm)，下肢は4〜6号(10〜15cm)が目安．当てる部位の1/3〜1/2周の幅のものを選択するとよい

種類

- 合成樹脂シーネ ➡ オルソグラス® など
- ソフトシーネ®
  ➡ はしご状の金属心材をソフトなポリウレタンで覆ったシーネ．まずシーネを成形して，弾性包帯などで巻き付ける
- アルフェンス® シーネ
  ➡ アルミ板の片面にウレタンを貼付したシーネ．手指，手，足趾などに使われることが多い．成形して，粘着テープで装着する

■ ソフトシーネ®

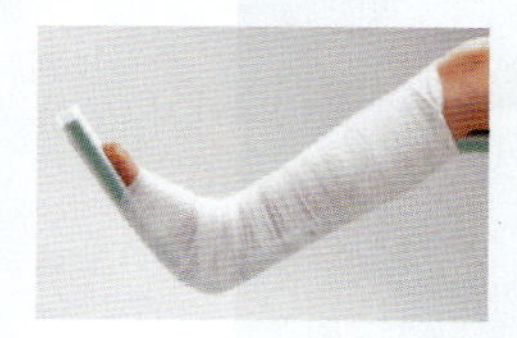

■ アルフェンス® シーネ

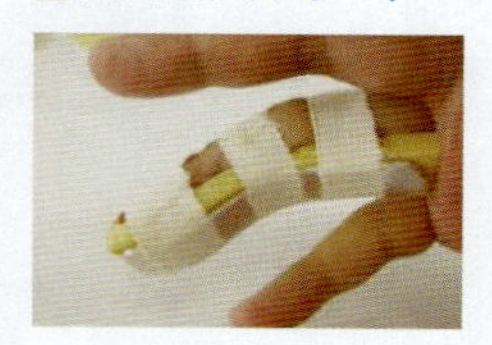

包帯の巻き方

- 環行帯で始まり，環行帯で終わるのが原則
- 足関節は八の字巻がよい
- 末梢から中枢に向かって巻いていく．逆だと浮腫がひどくなる
- 螺旋帯で巻いていくときは1/3程度重なるように巻いていく

■ 環行帯

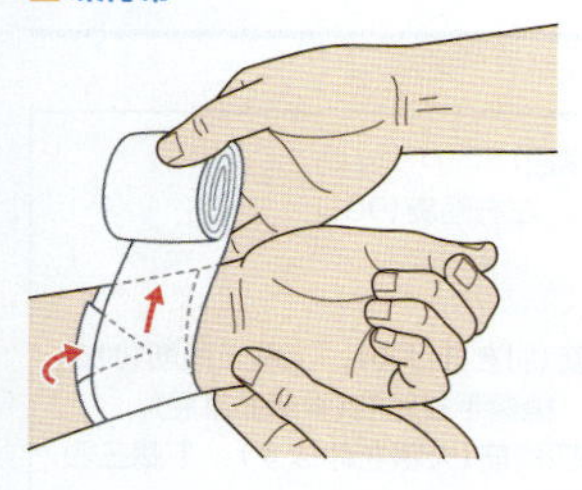

松葉杖の処方

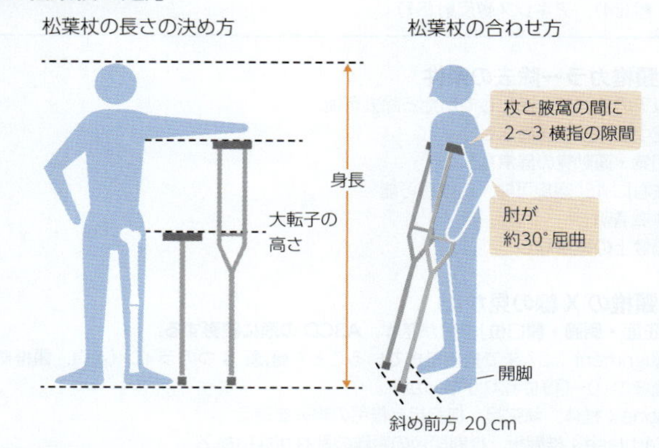

歩行時は杖を先に出し，杖だけで体重を支えつつ健肢の足を杖の下につく．次に，健肢と杖で体重を支え患肢を杖の下へ戻す．階段を登るときは，健肢で体重を支えて杖を階段の上に持ってきて，次に健肢と杖で体重を支え患肢を杖の下に戻す．

頸椎

診察のポイント

✓頸椎 ROM 障害の有無(※カッコ内は正常値)
前屈(60°)/後屈(50°), 左右側屈(50°), 左右回旋(90°)
✓圧痛点：棘突起, 傍脊柱筋
✓MMT(徒手能力検査)
- 上肢 ➡ 三角筋(脇広げる), 上腕二頭筋(肘を曲げる), 上腕三頭筋(肘を伸ばす), 橈側手根伸筋(手関節背屈), 橈側手根屈筋(手関節掌屈),
- 下肢 ➡ 腸腰筋(大腿を上げる), 大腿四頭筋(大腿を伸ばす), 下腿三頭筋(アクセルを踏む), 前脛骨筋(足を背屈)

✓腱反射：上腕二頭筋(C6), 上腕三頭筋(C7), 腕橈骨筋(C6), 膝蓋腱反射(L4), アキレス腱反射(S1)

頸椎カラー除去の条件

以下のすべてを満たしていたら除去可能.
✓正中項頸部の圧痛なし
✓知覚・運動覚の異常なし
✓左右に 45° 回旋可能, 前後屈可能
✓意識清明
✓画像上の異常なし

頸椎の X 線の見かた

「正面・側面・開口位」撮影が基本. **ABCD の順に読影する.**
✓**A**lignment：C7 まで描出できていることを確認. 4 つのライン(次頁, 頸椎側面像の ①〜④)に乱れがないか？
✓**B**one：椎体, 棘突起, 横突起, 椎弓の輪郭を追う
✓**C**artilage：椎間板, 椎間関節の距離の乱れがないか？
✓**D**istance of soft tissue：4 か所の軟部組織チェック. 重要！
➡ **頸部痛が強い場合は必ず CT 撮影**する.

■ 頸椎正面像

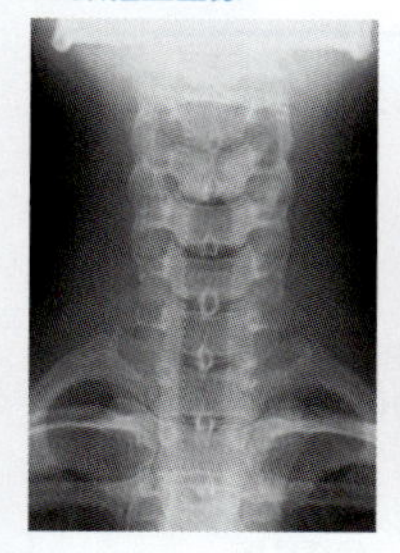

■ 頸椎側面像

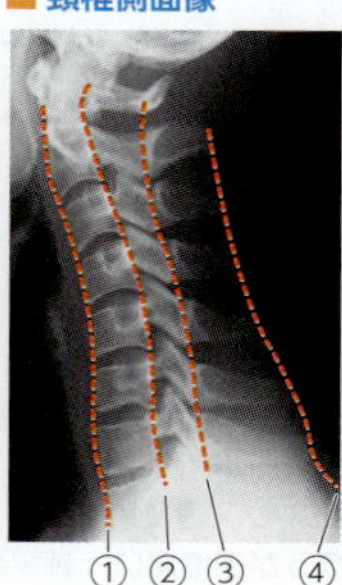

■ 頸椎開口位

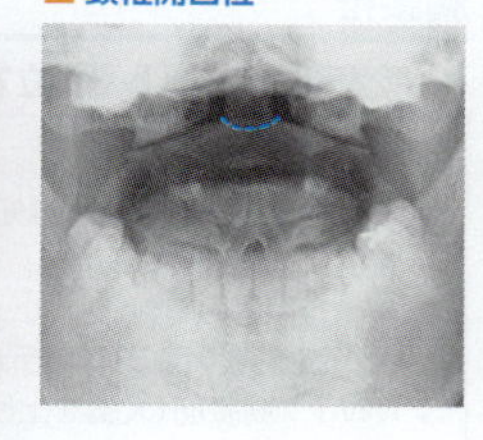

各疾患の各論

頸椎捻挫(Barré-Liéou syndrome)

- 外傷後に何らかの頸部症状があり，脱臼や骨傷がないものの総称．「むち打ち」という用語は正しくないが説明の際に使用すると患者は理解しやすい
- 頭痛，項頸部痛，背部痛，腰痛，上下肢の麻痺のないしびれ感，めまい，ふらつき，嘔気・嘔吐などを呈する
- 症状は受傷後数日してからひどくなることも多いので，あらかじめ説明しておく
- 治療は消炎鎮痛薬，湿布薬など．患者が楽になるならカラーキーパーで軟部組織の安静を保つのもよい
- 事故に伴う警察への診断書は通常 2 週間の見込みとなるが，実際は数か月～1 年程度症状が続くことがあることも

頸椎偽痛風(crowned dense syndrome)

「比較的元気な高齢者が首の回旋を避けるために，背中から首までハンガーを入れたように頭と上半身が一体化して動く」というエピソードが典型的．髄膜炎は首の屈曲ができないだけで，首の回旋はゆっくりであれば可能だが，頸椎偽痛風では，首の回旋も屈曲も痛い．首だけでなく，喉も痛いときは石灰沈着性頸長筋腱炎や咽後膿瘍を疑う．

CT で C1 の横靭帯に特徴的な石灰化を認めれば診断は容易(ただし，CT のコントラストを微調整しないと淡い石灰化を見逃すので注意)．治療は NSAIDs 投与となる．

胸腰椎

診察のポイント(臥位で行う)

✓循環・神経評価：
- 足背動脈，膝窩動脈触知
- 膀胱直腸障害の有無
- 歩行障害の有無
- 下肢感覚障害の有無〔デルマトーム(⇒ p.209)に沿って行う〕

✓MMT：腸腰筋(大腿を上げる)，大腿四頭筋(大腿を伸ばす)，下腿三頭筋(足を底屈)，前脛骨筋(足を背屈)

✓腱反射：膝蓋腱反射(**L4**)，アキレス腱反射(**S1**)

✓圧痛点：**仰臥位で確認するほうが感度高い**．棘突起，傍脊柱筋

✓簡易テスト：FNST，SLR 試験(神経圧迫症状の有無)

FNST

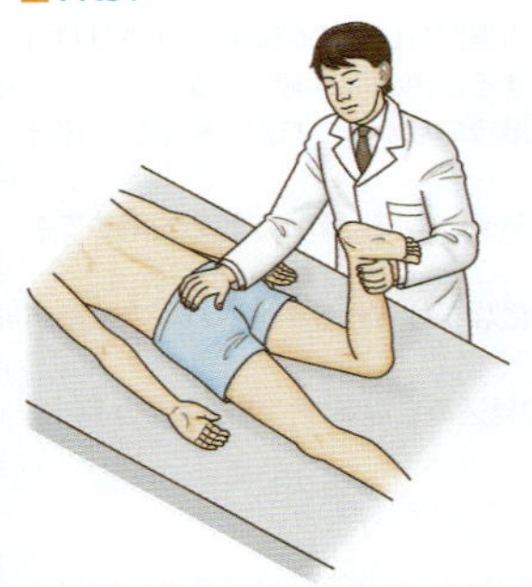

腹臥位の患者の下腿を，膝関節を 90° 屈曲位のまま上方に引き上げたときに大腿神経に沿った疼痛が痛発された場合を陽性とする．上位腰椎間板ヘルニアを示唆．
(標準整形外科学，第 14 版，医学書院，2020 より)

SLR 試験

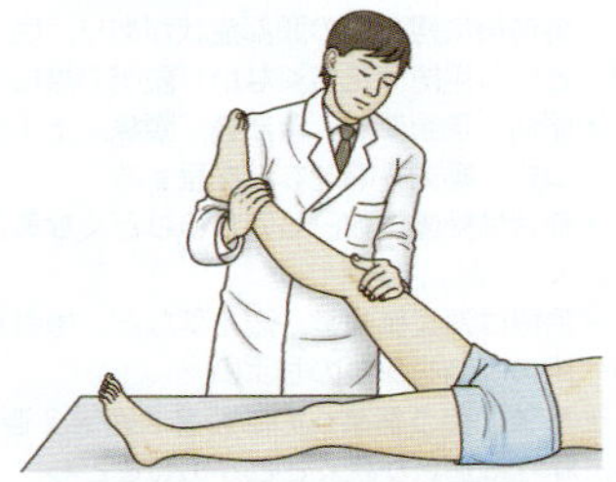

臥位の患者の下腿を，伸展位のまま上方に引き上げたとき坐骨神経に沿った疼痛が痛発された場合を陽性とする．下位椎間板ヘルニアを示唆．
(標準整形外科学，第 14 版，医学書院，2020 より)

■ **腰椎 X 線側面像**

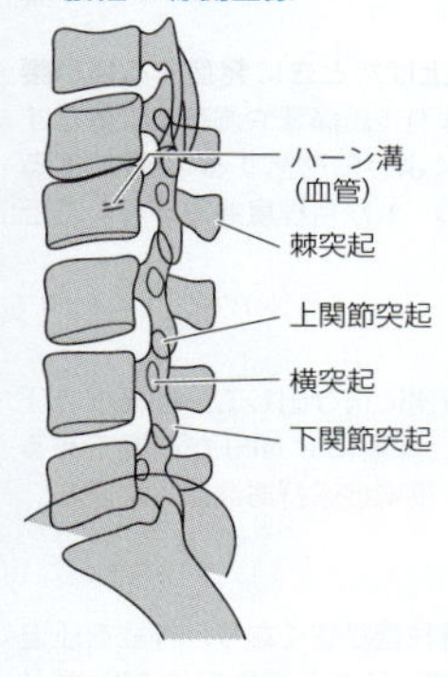

診療のポイント

✓下肢後面や下腿外側の痛みのみの訴えでも神経刺激症状を考慮して，腰椎 X 線を撮影！
✓馬尾症候群に注意！ ➡「膀胱直腸障害，歩行困難」では入院
✓内科疾患からくる胸腰椎の痛みに注意．詳しくは「腰背部痛」項 (⇒ p.189) を参照！
✓基本的には安静にして，鎮痛薬または外用薬処方．翌日整形外科外来フォローでよい

各疾患の各論

急性腰痛症

いわゆる「ぎっくり腰」であり，**重いものを持ち上げたときに発症する強い腰痛**．多くは筋肉や靱帯などの損傷で起こる．まずは消炎鎮痛薬や湿布＋安静とするが，痛みが少しでも改善すれば，できるだけ動くように助言する（安静にする回復が遅くなるため）．90% は自然軽快するものの，1 か月程度痛みが続くことがあると説明しておく．

椎間板ヘルニア

20〜40 歳代に多い．椎間板が変性し，髄核が背側に飛び出して，神経根を圧迫するため**腰痛，下肢の痛み，しびれ**が出現する．診断には MRI が必要であるが，鎮痛薬の処方で整形外科外来フォローでよい．**馬尾症候群あれば入院適応**．

脊柱管狭窄症

加齢による椎骨や椎間板の変性が原因となり，脊柱管が狭くなり，神経を圧迫する．特に屈曲で症状増悪し，間欠性跛行をきたす．これも診断には MRI が必要であるが，鎮痛薬の処方で整形外科外来フォローでよい．**馬尾症候群あれば入院適応**．

圧迫骨折

ギャッチアップでの疼痛の訴えでほぼ診断可能．

転倒時だけに限らず移乗や咳嗽での発症も多い．棘突起の圧痛よりも，腰椎の側屈運動での疼痛増強のほうが感度がよい．**ベッド移乗の際に強く疼痛を訴え，横になると痛みを訴えなくなるのが典型的**である．圧痛部位より 2 椎体程度上の骨折であることが多い．

骨折の診断目的ではなくフォローと悪性腫瘍の骨転移除外のために X 線撮影は，「**胸部正面像＋胸腰椎側面像＋腰椎 2 方向**」撮影が望ましい．脊椎圧迫骨折の新規骨折で X 線で楔形になるのは 10%，半年の経過で 60%となると言われており，転倒直後の楔形椎体は陳旧性骨折の可能性が高いからである（J Orthop Surg Res 9：96, 2014）．

「椎体後壁が保たれているか」に注意すべきであり，後壁成分の破綻は破裂骨折と呼ばれ神経障害が出やすい．入院ないし翌日の整形外科外来受診を強く勧める．まずは，しっかり痛み止め（アセリオ® 15 mg/kg など）を用いる．日常生活への障害度を含めて入院適応を考える．

■ 脊椎すべり症

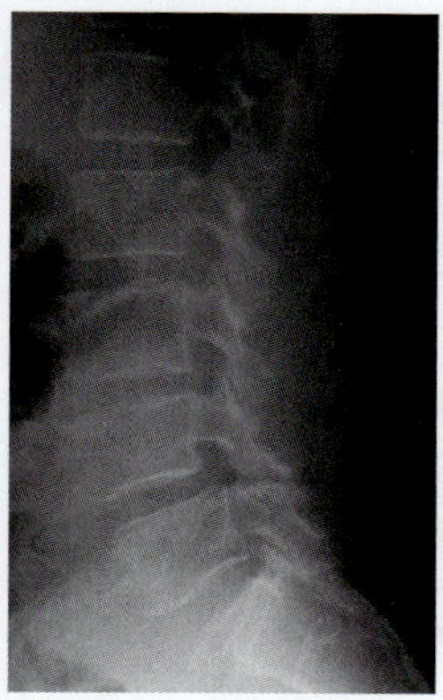

L4 が前方すべりを起こしている
腰椎ベルトで固定化したほうが症状の改善が期待できる.

■ 圧迫骨折

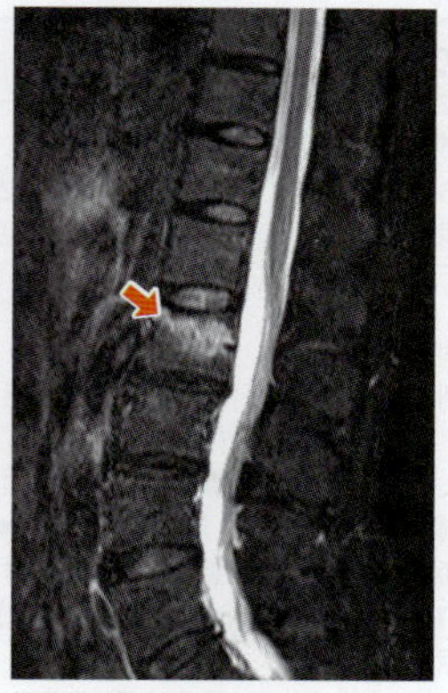

椎体の骨梁明瞭化, 椎体高の減少.
MRI を撮影しないとわからないこともある.

■ 化膿性脊椎炎の MRI 像(STIR)

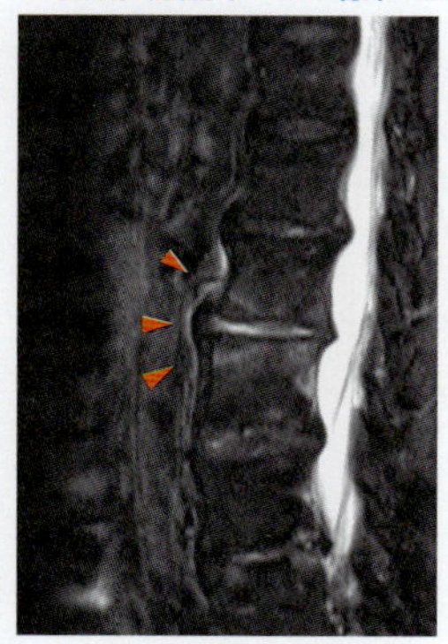

骨浮腫の評価に優れる STIR で高信号は有用である.

肩・上腕

診察のポイント

疼痛がちょうど女性が着用するブラジャーの紐の外側に当たる位置で，かつ可動域制限があれば肩の疾患を考える．一方，ブラジャーの紐の内側に当たる位置に疼痛があり，肩関節の可動域制限がないときは頸椎疾患を考える．

また，同時に肩関節の痛みなのか，肩周囲の痛みなのかも確認する．

✓循環・神経評価
橈骨動脈触知
手尺側感障害覚 & 示指〜小指の内転外転運動障害 ➡ 尺骨神経障害
示指・中指先端の感覚障害 & 母指対立運動障害 ➡ 正中神経障害
母指と示指の間の感覚障害 & 母指伸展運動障害 ➡ 橈骨神経障害
肩峰周囲の感覚障害 & 肩の外転障害 ➡ 腋窩神経障害

✓肩関節 ROM 障害の有無(※カッコ内は正常値)
屈曲(180°)・伸展(50°)，外転(150°)・内転(140°)

✓圧痛点
鎖骨(外・中・内) → 肩峰 → 肩鎖関節 → 烏口突起 → 上腕骨大結節 → 結節間溝

肩の解剖

上腕骨大結節
烏口突起
上腕骨骨幹部
鎖骨遠位端
肩鎖関節
鎖骨骨幹部

橈骨神経麻痺を認めても，基本的に保存的治療であるので緊急コンサルトの必要はなく，翌日の整形外科外来フォローのみでよい．

肩の圧痛点の検索

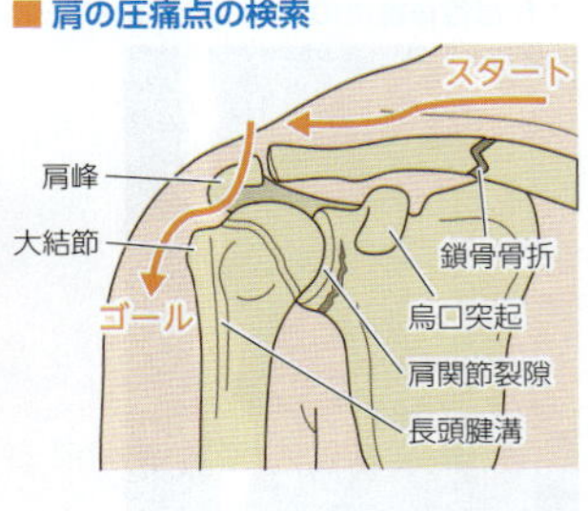

肩関節のX線の見かた

肩関節は**「正面・肩関節Yビュー」撮影が基本**.

外傷がある場合，軸位撮影（肩関節では側面像に相当）は非常に疼痛を伴うために，肩関節Yビュー（スカプラY）撮影を行う．鎖骨，肩鎖関節，肩峰の連続性，上腕骨，肩甲骨の骨折の有無について確認する．

■ 肩関節正面像

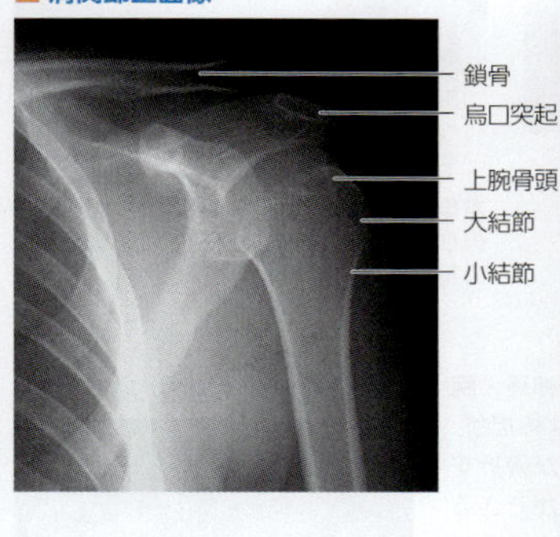

■ 肩関節側面像（スカプラY）

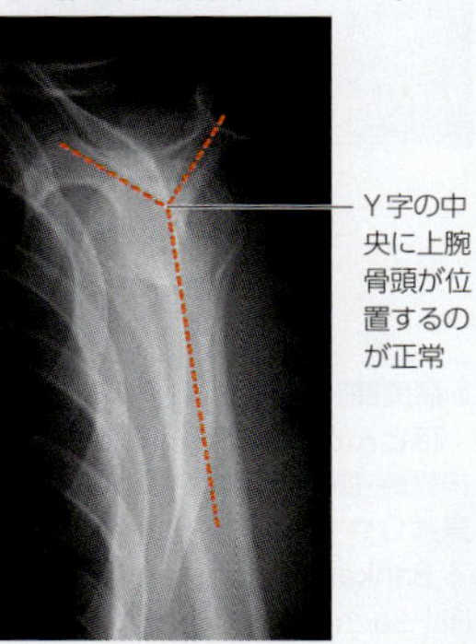

肩峰の形態と肩峰下関節腔，関節窩と上腕骨頭の前後の位置関係を観察するのに適している

V 特殊分野編

各疾患の各論

鎖骨骨折

肩から転倒したり．伸展位で手から転倒したときに，介達外力で折れる．約80%は中央1/3に起こる．神経，血管損傷や気胸を伴うことがあるので注意．クラビクルバンドは賛否あり，無難なのは三角巾＋バストバンド固定で翌日整形外科フォロー．**神経血管損傷例，骨片による皮膚障害，著しい転位を伴う骨幹部骨折などは手術適応**となりうる．

肩鎖関節脱臼

肩を下にして転倒して起こる．鎖骨を指で押すと沈み，離すと跳ね上がるpiano key signは有名だが出ないこともある．画像では肩峰と鎖骨の長軸が一直線にないことで診断できるが，判断が難しくCTが必要なときもある．烏口鎖骨靱帯の断裂を伴うものは手術適応となることが多い．三角巾＋バストバンド固定で翌日整形外科フォローでよい．

■ 鎖骨骨折(中央部)

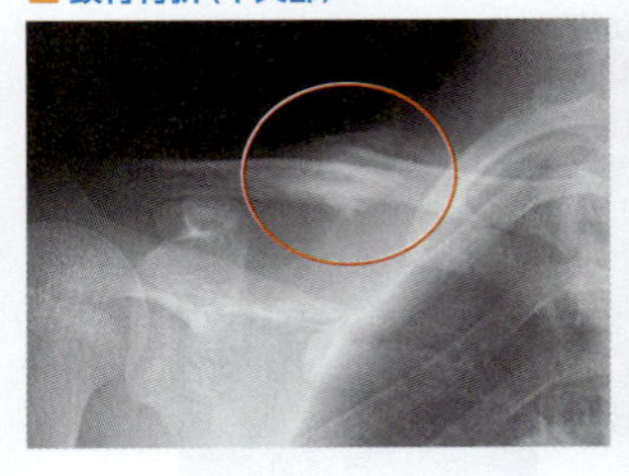

■ 肩鎖関節脱臼

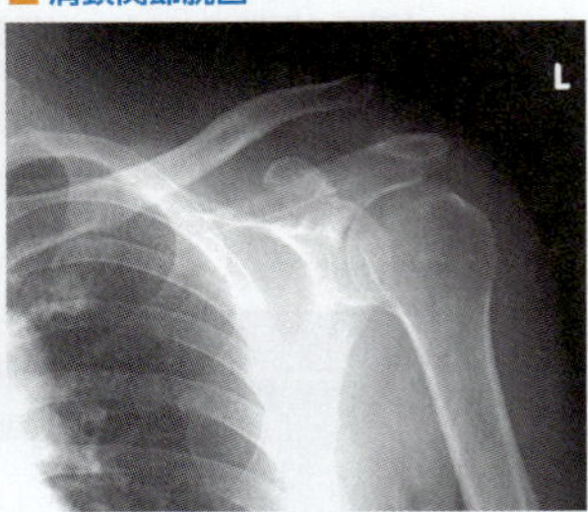

若年者やスポーツ選手の初回脱臼は再脱臼のリスクが高いので外旋位固定をして直近の整形外科外来へつなぐ.

肩関節脱臼

ほとんどが前方脱臼であり，腋窩神経・腕神経叢・血管損傷に注意．後方脱臼は稀だが，見逃しやすいので注意．関節窩の縁が骨折するBankart lesion, 上腕骨頭に陥没ができるHill-Sachs lesionなどわかりにくい骨折が起きることが多いので，ICの際に骨折合併の可能性は伝えておく．整復前後の2回，X線を撮影する．整復後に発生したものとかどうか判断に困るため，**整復前に必ず神経血管障害を確認**.

■ 右肩関節前方脱臼(20°斜位)

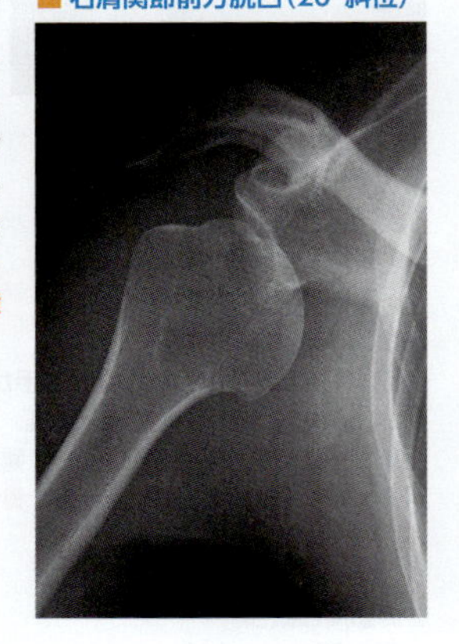

上腕骨近位部骨折

中高年者が転倒し手をついたり，肩を打つなどして受傷することが多い．上腕骨外科頸骨折，解剖頸骨折，骨頭骨折，大結節骨折などの総称であるが，外科頸骨折が多い．

受傷時の腋窩神経麻痺，橈骨神経麻痺の合併に注意．非転位型では三角巾＋バストバンド固定で翌日整形外科フォロー．手術を考慮するのは2パート骨折以上（骨折が1 cm以上 or 45°以上）である．この測定にはCTが必須なので，余裕があれば整形外科再診までに予約しておくとよい．

上腕骨頭，解剖頸の部分で骨折が起こる可能性はあまり高くないが，この部分の骨折は，関節内骨折のため骨癒合しにくいことに注意．

COLUMN 肩関節脱臼の整復方法

レジデントでも安全に施行できる整復方法はStimson法だが，1人で整復可能なMilch法あるいはFARES法もお勧めである．整復前に23 G針を用いて1%リドカインを20 mL注入するとよい．肩関節が脱臼していれば，突出している肩峰の下に外側から注射すれば誰でも簡単に注射できる．脈管系は前方にあるため，後方法での肩関節穿刺が安全である．肩峰から2 cm外部かつ2 cm下から肩峰の真下に添わせるように烏口突起を目指して，垂直に刺すとよい．

■ Stimson法（時間がないとき）

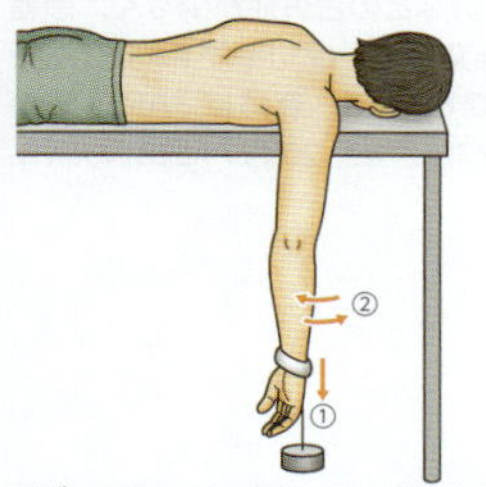

腹ばいになって，肩の力を抜かせて，
手首に2〜3kgの重りをつける．

■ 注射の様子

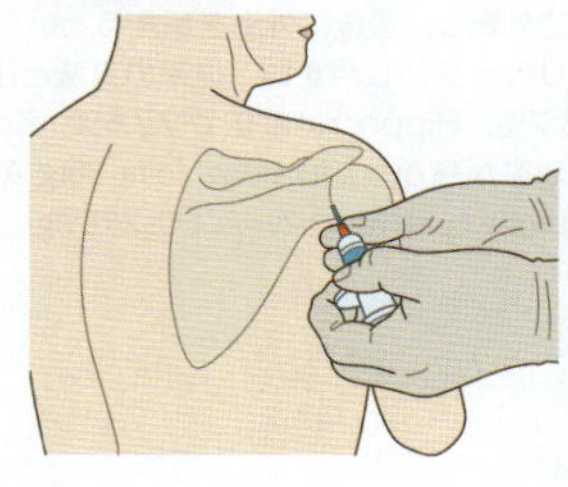

Milch 法

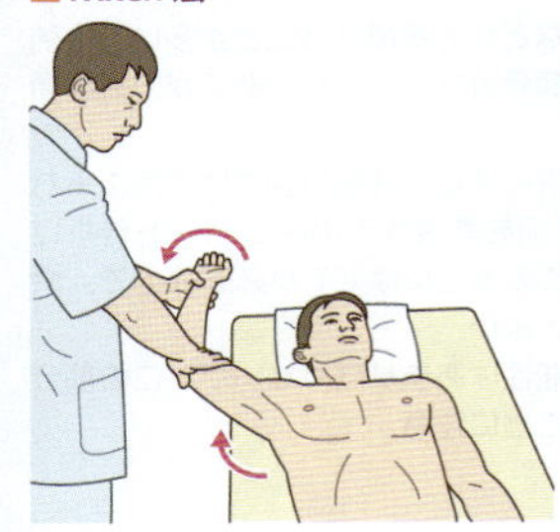

❶ 患者を仰臥位にし，術者は患側に立つ
❷ 術者は片手の母指で上腕骨骨頭を，その他の指で鎖骨をつかむ．他方の手で患肢を外転(脇を開いていく)していく
❸ 骨頭を抑えつつ，そのまま患肢を 90° になるまで外転(脇を開いていく)していく
❹ そこから患肢を前方挙上していく際に母指で骨頭を上方に押して患側を牽引すると整復する

FARES 法

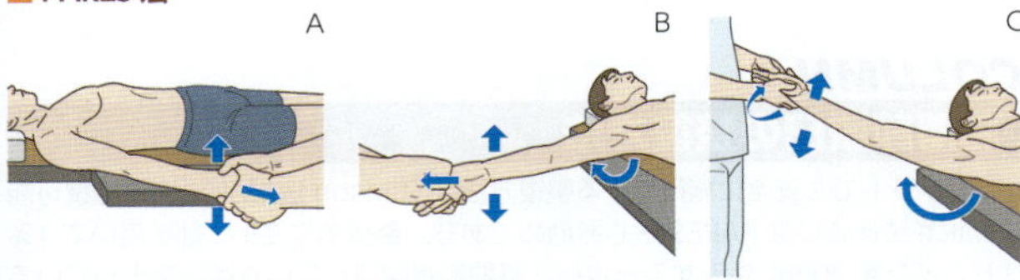

A：仰臥位で肘伸展，前腕中間位で牽引しながら，上下 5 cm の幅で振る
B：上下に振りながら外転 90° まで引き上げる
C：外転 90° を超えたときに，外旋を加えながら外転約 120° まで引き上げ整復する

仰臥位の患者の前腕を持ち上下に揺らしながら，軽度牽引し肩関節外転 150° まで外転し，最後に外旋を加えるというもの．骨折などの合併症が少なく，患者がリラックスしやすい．従来の方法と比較した論文では，成功率が FARES 法で 88.7%，Hippocratic 法で 72.5%，Kocher 法で 68% で，有意に FARES 法が成功率が高かった(J Bone Joint Surg Am 91：2775-2782, 2009 / https://www.youtube.com/watch?v=RCD0sZREYIg)．

肘関節

診察のポイント

✓循環・神経評価
- 橈骨動脈触知
- 手尺側感障害覚 & 示指〜小指の内転外転運動障害 ➡ 尺骨神経障害
- 示指・中指先端の感覚障害と母指対立運動障害 ➡ 正中神経障害
- 母指と示指の間の感覚障害と母指伸展運動障害 ➡ 橈骨神経障害

✓肘関節 ROM 障害の有無(※カッコ内は正常値)
屈曲(145°)/伸展(5°)

✓腫脹・発赤・熱感の有無 ➡ s/o 肘関節炎

✓圧痛点
肘頭 → 上腕骨外側上顆 → 上腕骨内側上顆 → 橈骨頭 → 上腕骨顆上部 → 橈骨 → 尺骨

✓簡易テスト：内外反ストレステスト

■ 右肘の正面像

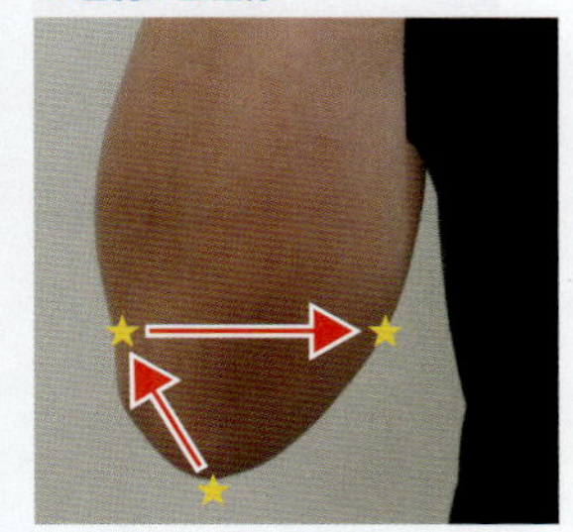

圧痛点のチェックは，肘頭 → 上腕骨外側上顆 → 内側上顆の順にしていくとよい.

■ 肘の解剖

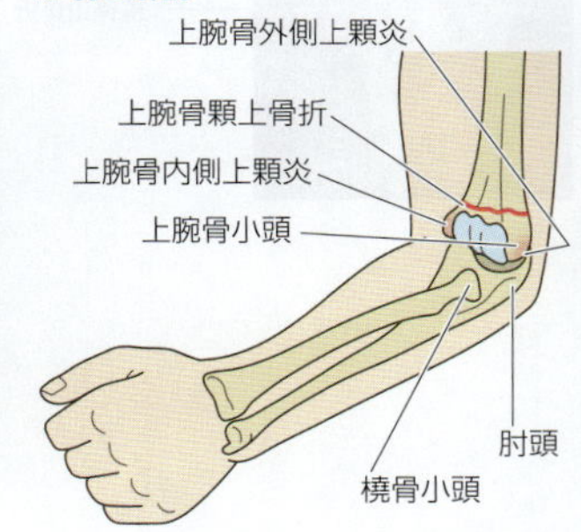

肘の X 線の見かた

肘関節は「正面・側面」撮影が基本.

肘は骨折の他，靱帯損傷や脱臼も合併するので，1 つの外傷を見つけて安心するのではなく，他の損傷がないかも留意．必要なら手関節の X 線も撮影する.

X 線では，2 つの line と fat pad sign，橈骨頭辺縁の不整に特に注意して読影する．fat pad sign は陰性で肘が伸ばせるなら，まず骨折は否定できる．一方，fat pad sign が陰性で肘が伸ばせない場合は骨折として対応する.

■ 肘関節正面像（右）

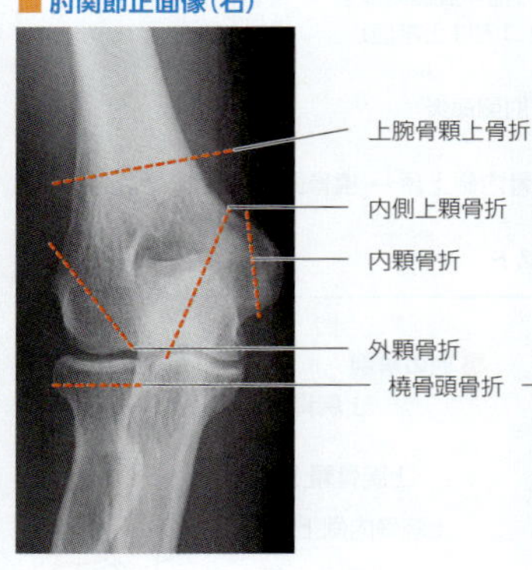

■ 肘関節側面像（右）

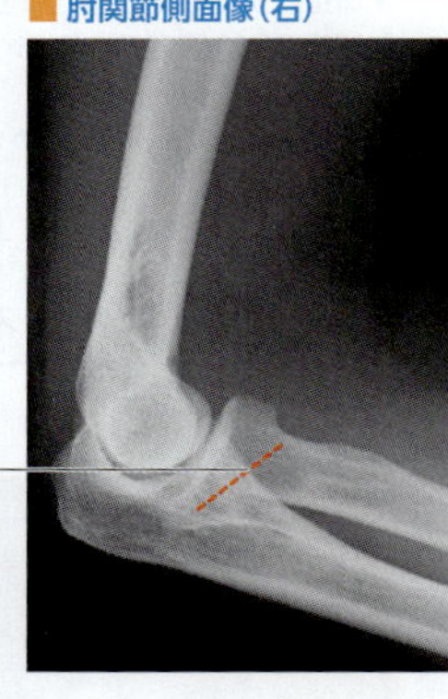

■ 肘関節X線読影のポイント

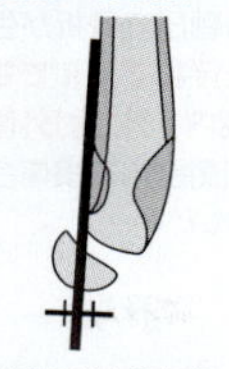

X線で上腕骨前方骨皮膚に引いた線(anterior humeral line)は上腕骨小頭の中1/3を通る

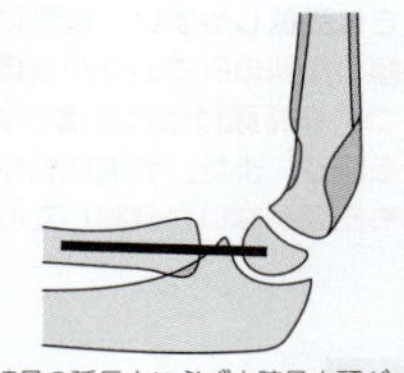

橈骨の延長上に必ず上腕骨小頭がある(どんな方向で撮っても)

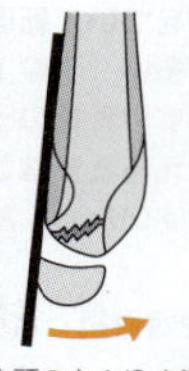

上腕骨小頭の中1/3を通らなければ骨折で転位したと考える

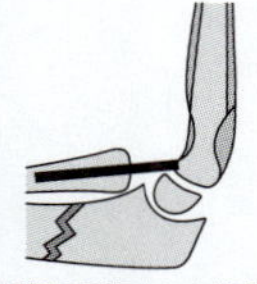

橈骨の延長上に上腕骨小頭がなければ橈骨の脱臼である．この例はMonteggia脱臼骨折(尺骨骨折＋橈骨骨頭脱臼)なので，整形外科へ脱臼整復目的にコンサルト！

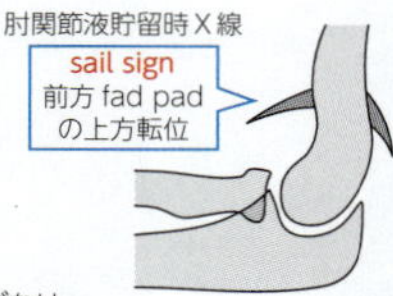

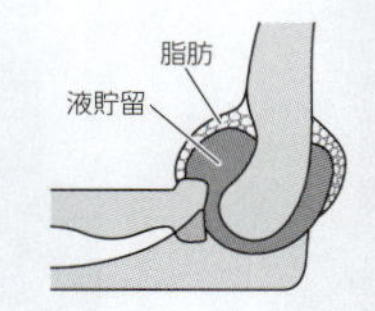

各疾患の各論

肘の直接の打撲でも，手をついて転倒したときでも肘周囲の骨折は発生する．

この部位での固定は上腕から前腕までのシーネ固定でよい．小児の場合はコンパートメント症候群のリスクがあるため，専門科コンサルトすべきである．

上腕骨遠位部骨折

上腕骨顆上骨折や上腕骨内側上顆，外側上顆骨折すべての総称である．神経損傷のリスクが高く小児では評価が難しいので必ず整形外科へコンサルトする．整形外科への電話コンサルトでは場所の特定にこだわることなく，「上腕骨遠位部骨折」と言い切ってよい．内側上顆や外顆骨折では，反対側の側副靱帯損傷も合併していることがあるので，**対側に圧痛がないかも確認**しておくとよい．

肘頭骨折

肘の直接打撲で生じやすい．上腕三頭筋によって近位骨片が牽引されて転位する．10%に生じる尺骨神経障害(環，小指の感覚障害，麻痺)の合併がないか注意する．

橈骨頭骨折

手掌をついて転倒したときに受傷しやすい．橈骨に対する軸圧で骨折が生じることが多い．画像上，**橈骨頭の傾斜のみで明らかな骨折線を伴わず，ER でも見逃されやすい骨折のうちの 1 つ．橈骨頭付近の圧痛や前腕の回内・外で肘外側の疼痛を訴えるときはこの骨折を疑う**．また，受傷機転から内側側副靱帯損傷合併も伴いやすいため，**肘内側にも圧痛がないか確認**しておくとよい．

■ 橈骨頭骨折

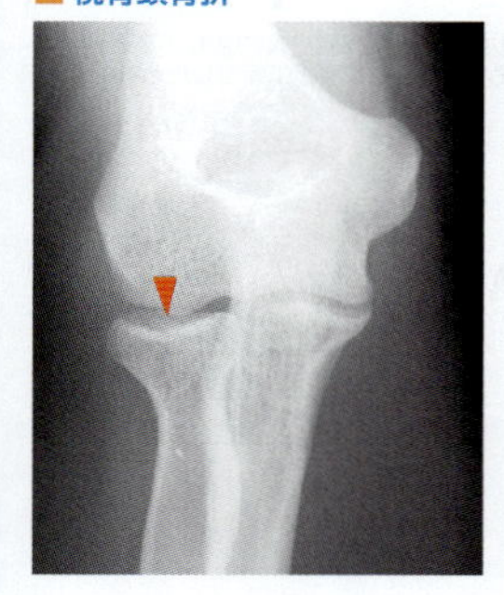

尺骨鉤状突起骨折

骨片自体小さいが側面像で診断可能．肘が後方脱臼しようとして上腕骨と鉤状突起が衝突することで生じる．

肘内障

小児の肘関節（正確には腕橈関節）における橈骨頭の亜脱臼．

典型的な受傷機転は児の手を保護者などが強く引っ張って発症することがほとんどである．

転倒や寝ている間に上肢が体の下敷きになり，前腕の回内が強制されることでも発症しうる．この場合は必ず肘関節 X 線で骨折を否定してからでないと，整復作業を行ってはいけない．

整復は，受傷機転が肘伸展位での前腕回内であるため，その逆を行えばよい．すなわち，前腕を回外（あるいは回内）させつつ，肘を屈曲する．この際，橈骨頸部を触れておくと整復時のクリックを感じることができ，かつ整復もされやすい．整復感が得られない場合は，前腕を過回外しながら肘を深屈曲するとよい．

整復後，たいていの小児は痛がって動かそうとしないため 5 分程度様子をみてから，再度診察．その際，患肢を使って遊んでいることを確認し帰宅．

保護者には，手指の牽引をしないよう指導し帰宅させる．特に外固定などは不要である．反復することも多いが成長とともに亜脱臼することはなくなると説明するとよい．

■ 肘内障の整復

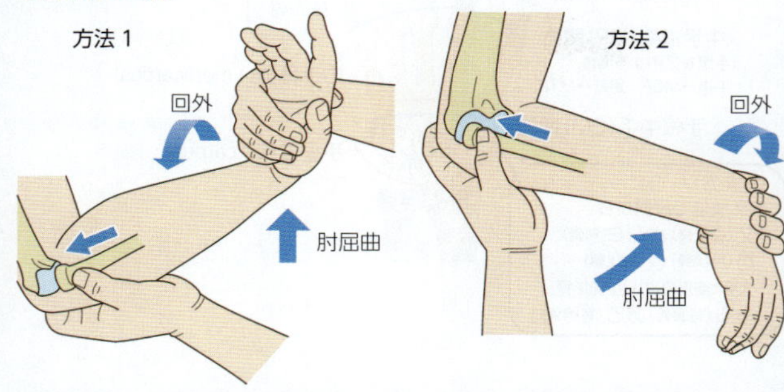

治らない場合は再度骨折の可能性を疑うことと，三角巾をして翌日に整形外科フォローとする．

手関節・手指

診察のポイント

✓循環・神経評価
- 橈骨動脈触知
- 手尺側感覚障害と示指〜小指の内転外転運動障害 ➡ 尺骨神経障害
- 示指・中指先端の感覚障害と母指対立運動障害 ➡ 正中神経障害
- 母指と示指の間の感覚障害と母指伸展運動障害 ➡ 橈骨神経障害

✓膝関節 ROM 障害の有無（※カッコ内は正常値）
掌屈（90°）・背屈（70°），回内（90°）・回外（90°）

✓腫脹・発赤・熱感の有無 ➡ s/o 手関節炎

✓圧痛点（橈側 → 尺側 → 末梢へと触っていく）
橈骨茎状突起 → 第 1 手根中手関節 → 解剖学的嗅ぎタバコ窩 → 三角骨 → 尺骨茎状突起 → 中手骨 → 指節骨

✓簡易テスト：scaphoid shift test，Grind test ➡ 舟状骨骨折疑い

手指の各名称

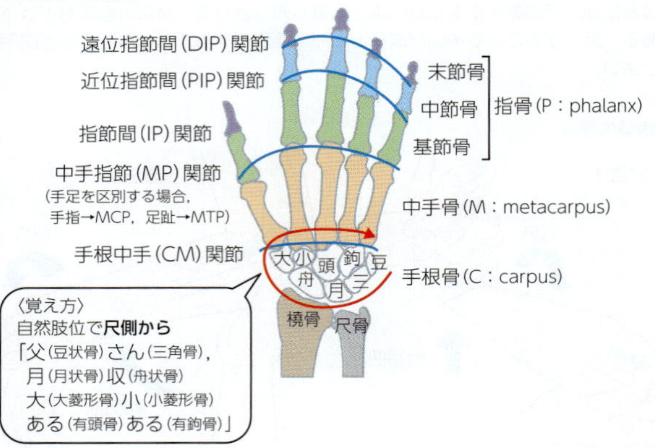

Grind test

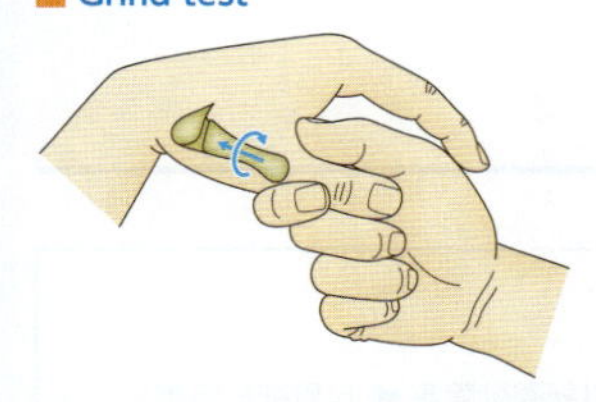

舟状骨骨折に対する Sn 82%，Sp 58%．

scaphoid shift test

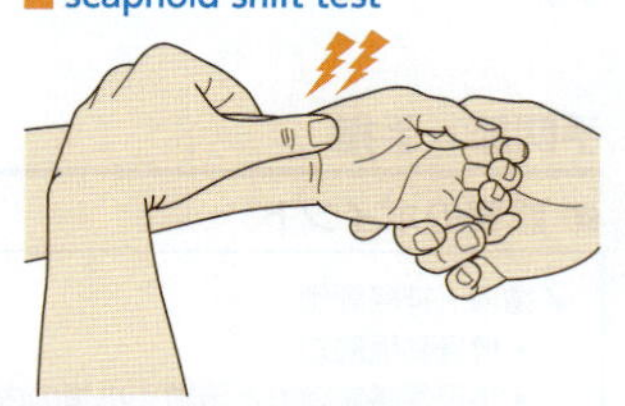

舟状骨骨折に対する Sn 77%，Sp 42%．

※ Grind test，scaphoid shift test の Sn，Sp は Acad Emerg Med 21：101-121，2014 より

手関節 X 線読影のポイント

「正面・側面」撮影が基本である．診察上，必要であれば，斜位や舟状骨撮影を追加する．

正面像では，舟状骨，月状骨，三角骨の上下端および遠位手根骨の近位面に

沿って「Gilula 弧状線」と呼ばれる 3 本の線が滑らかに引ければ正常．月状骨は正常では四角形に見える．これが三角形に見えたら月状骨脱臼，または月状骨周囲脱臼を示唆する．

側面像では，橈骨・月状骨・有頭骨・第 3 中手骨基部がすべて各々連結し直線上に並んで見える．月状骨は三日月形を呈していて，陥凹部に有頭骨が嵌まり込んでいる．

■ 手関節 X 線正面像と側面像の読影のポイント

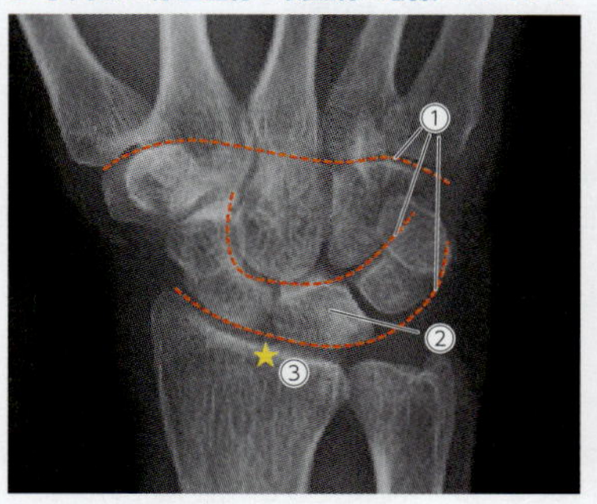

① Gilula 弧状線が滑らかか？
② 月状骨は正面では四角形．三角形に見えたら異常！
③ 橈骨の中央部分に舟状骨と月状骨の間がきているか？
※ 舟状骨と月状骨の間に間隔(> 3mm)が空いていたらおかしい(Terry Thomas sign)！

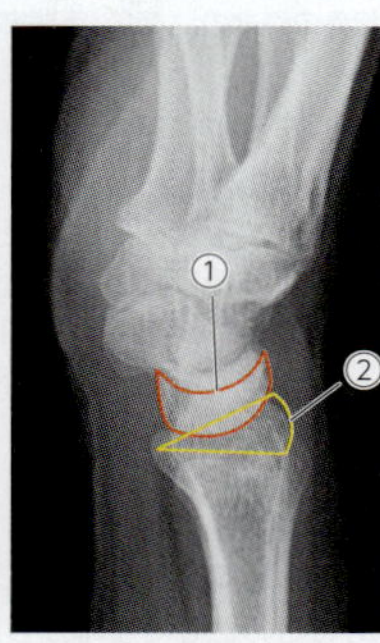

① 月状骨は側面では三日月形．
② volar tilt は 10〜15°．

✓Monteggia 骨折
➡ **尺骨骨折をみたら肘のところで橈骨脱臼がないかチェック**

✓Galeazzi 骨折
➡ **橈骨骨折をみたら手首のところで尺骨脱臼がないかチェック**

手関節の固定法

指が動かせるように，掌側面にシーネを当てて関節と前腕を固定する．母指球の部分はシーネをカットする．**転位がある場合は整形外科コンサルトを！**

thumb spica splint 法（舟状骨固定）

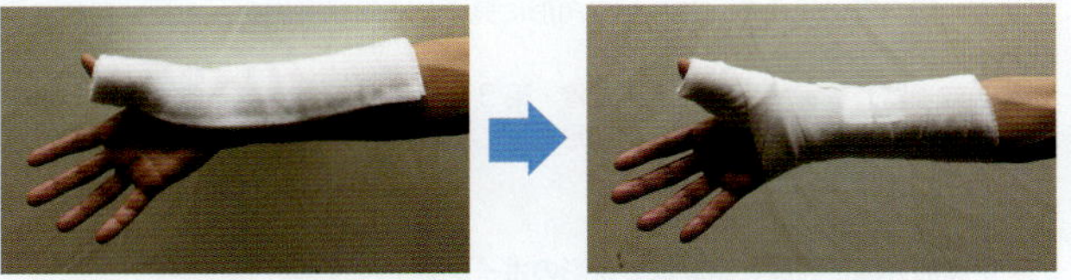

舟状骨の両端の 2 関節（手関節と母指 MP 関節）をがっちり固定.

各疾患の各論

橈骨遠位端骨折

転倒して手掌をついて受傷することが多い. 小児では若木骨折になりやすい. 側面像で橈骨長軸と関節面は正常で掌側に 15～20°傾いているが, 直角～背側 10°より転位している場合は, 整形外科に整復を依頼する. 原則 2 関節固定を行い, 高齢者で固定により転倒リスクが上がる場合は 1 関節固定して整形外科外来へつなぐ.

舟状骨骨折

見逃しやすく, 偽関節になったり, 壊死を起こすので注意. 疑わしければ骨折があるものとして手掌から肘下まで掌側シーネ固定をして, 翌日整形外科へ.

月状骨脱臼・月状骨周囲脱臼

月状骨のみが橈骨から脱臼しているのが月状骨脱臼. 月状骨周囲脱臼は, 有頭骨と月状骨間の脱臼で, 月状骨と橈骨の位置関係は正常な場合. 90%以上は月状骨周囲背側脱臼である. 正中神経麻痺を残すので見逃さないように.

中手骨頸部骨折（ボクサー骨折）

拳で殴ることで起こる. 第 4・5 中手骨頸部に多い. MP 関節背側に創があることが多い. 正面と斜位像を撮影. 隣の指とテーピング固定する（buddy taping）. 創は human bite に準じて対応.

指脱臼

PIP 関節脱臼が手指で最も多い. 指ブロック後に X 線で剥離骨折（Wilson 骨折）を除外し, 撮影後に鎮痛されたのを確認して整復する. 整復後は PIP を 20～30°屈曲位にして buddy taping で固定する. 掌側の軟部組織（volar plate）損傷を放置していると変形が残ってしまうので整形外科フォローを.

■ 手指の固定 buddy taping

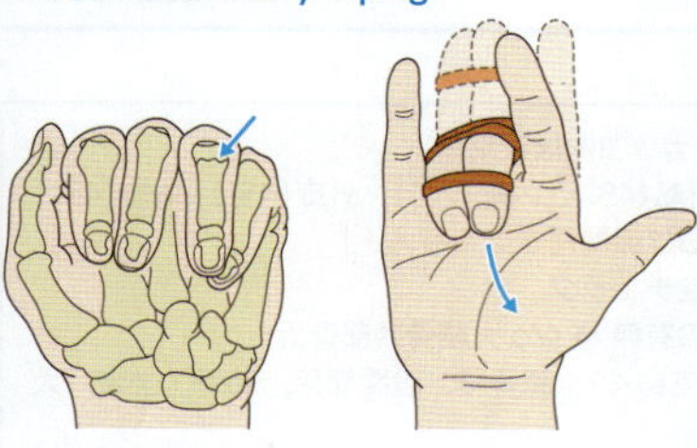

■ 月状骨脱臼と月状骨周囲脱臼

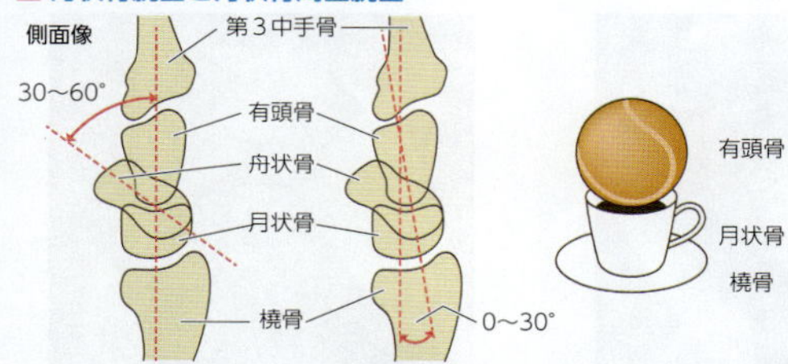

月状骨-舟状骨角は，30〜60゜が正常
舟状骨が前におじぎしている

月状骨-有頭骨角は，0〜30゜が正常
ほぼ一直線

コーヒーカップの受け皿のように橈骨-月状骨-有頭骨が一直線になっている

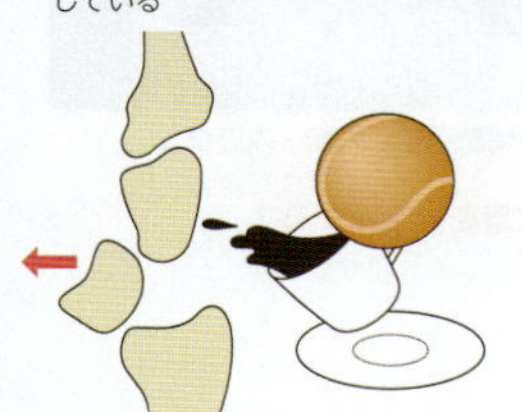

月状骨脱臼
月状骨と橈骨の関係破綻
コーヒーカップ(月状骨)がひっくりかえる

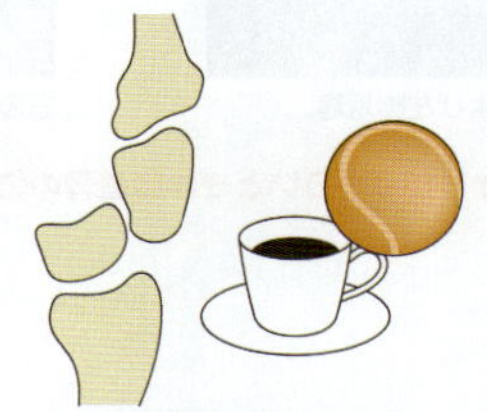

月状骨周囲脱臼
月状骨と橈骨の位置関係は正常のままで，月状骨周囲の手根骨が脱臼する

股関節・大腿

診察のポイント

✓股関節 ROM 障害の有無(※カッコ内は正常値)
屈曲(130°)・伸展(15°), 外転(45°)・内転(20°), 外旋(45°)・内旋(45°)
➡ 大雑把に「**内旋が困難ならば股関節疾患を疑え!**」
✓足背動脈, 膝窩動脈の血流をチェック
✓下腿外旋位の有無, 脚長差の有無 ➡ s/o 大腿骨頸部骨折
✓圧痛点(外側 → 内側と触っていく):腸骨稜, 股関節部, 恥骨, 坐骨, 大腿骨の順にチェック

左大腿骨頸部骨折

左下肢外旋位および左脚短縮.

右股関節脱臼

右股関節屈曲, 内転・内旋位.

※内旋か外旋かわかりづらいときは膝蓋骨の位置を参考にする!

股関節X線読影のポイント

- 「腰椎2方向」と「股関節正面・ラウエンシュタイン」の撮影が基本
- 読影ポイントは2つ
  ① 2つのSが一筆書きで滑らかに書けるか？
  ② 骨頭と大転子の高さの差が保たれているか？

  上級者は「皮質骨の不連続性」もチェックする．
- 不全骨折は初診時X線で確認できないが，後日転位して問題となる．「骨折はない」と説明しない
- 必要であれば，CT・MRIも．MRIで骨折はT1強調画像で低信号，T2強調画像で高信号の線状陰影
- 大腿骨骨幹部骨折の初回X線では2〜10%がoccult fractureとなる(Injury 36：788-792, 2005)．しかし，occult fractureでも手術適応となるため，疑ったら内・外旋で疼痛を認めた場合はMRIを躊躇しない

正常なラウエンシュタイン像

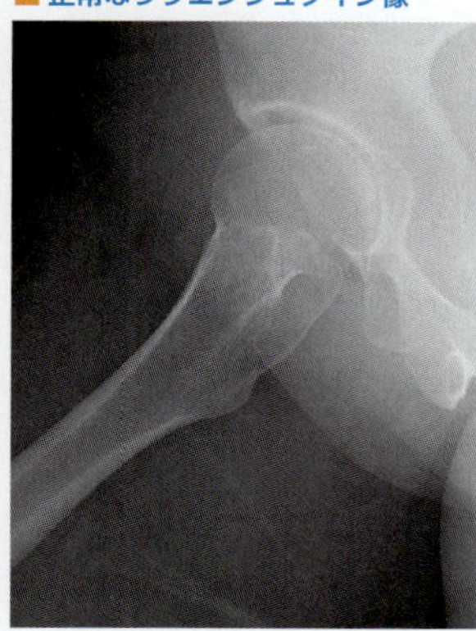

■ **大腿骨X線読影のポイント**

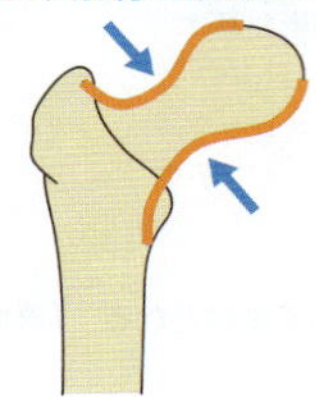

上・下のなだらかな「S」を確認せよ！

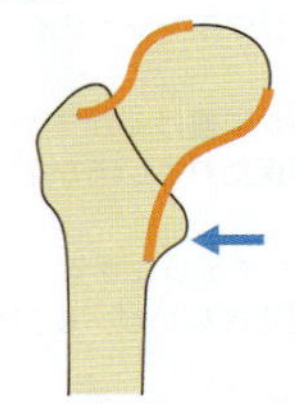

小転子のとびだしの大きいときは外旋していることを意味する．このとき，上の「S」は寸詰まりの「S」となる

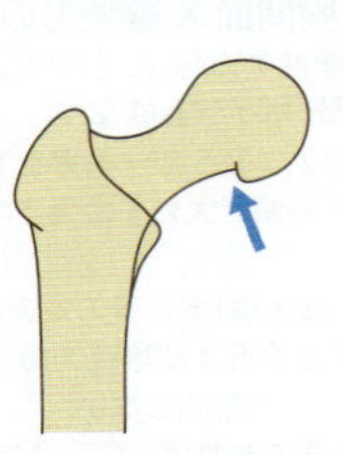

「S」が乱れていたら骨折である

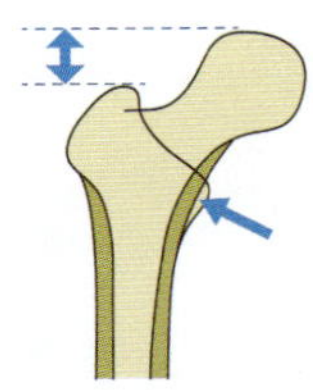

骨頭と大転子は 1～3 cm の差がある．内側皮質骨の連続に注意

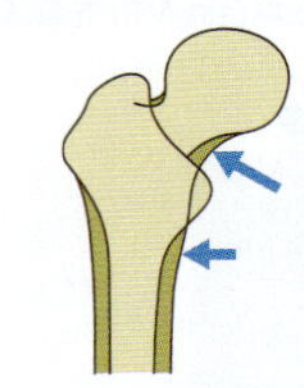

外旋すると内側皮質骨は途切れるが，同じ延長線上にある

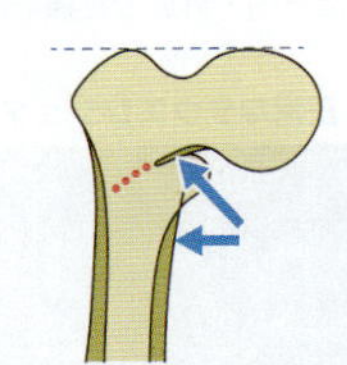

骨頭と大転子の高さに差がなければ骨折である．内側皮質骨が同じ延長線上になければ骨折である

ポイントは以下の 2 つ，
① 上下の 2 つの「S」が滑らかに引けるか？
② 骨頭と大転子の高さの差は保たれているか？

MEMO

聴診的打診（auscultatory percussion）

大腿骨骨折に有効な診察方法．恥骨結合に聴診器の膜面を当てて聴診しながら，膝蓋骨の左右を軽く叩く．聴診上音が減弱している側に骨折がある．

若干バラツキがあるが，Sn 96%，Sp 86%，陽性的中率 98%，陰性的中率 75%との報告もある（Singapore Med J 43：467-469, 2002/Am J Emerg Med 15：173-175, 1997）．

大腿骨の解剖

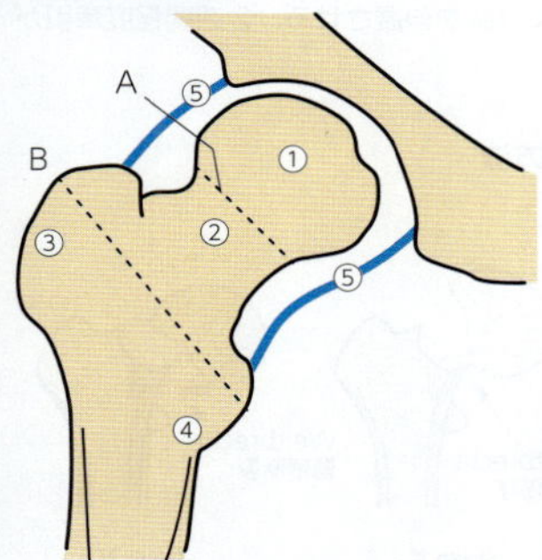

① 大腿骨頭，② 大腿骨頸部，③ 大転子，
④ 小転子，⑤ 関節包
A：大腿骨頸部（内側）骨折（関節内骨折）
B：大腿骨転子部骨折（関節外骨折）

各疾患の各論

大腿骨近位部骨折（頸部骨折，転子部骨折）

- 高齢者の転倒ではまずこれを疑え！
- 高齢者で鼠径部も痛がったら恥骨骨折も疑う
- 大腿骨頸部骨折は Garden 分類で分類する．Ⅰ型は骨頭が外反しているもの，Ⅱ型は折れてもそのままのもの，Ⅲ 型は内反しているもの，Ⅳ 型は完全に分類しているものを指す
- 大腿骨骨頭の血流は頸部から入って上行し，骨頭内に入る．骨頭直下で折れると骨頭の血流が悪くなり，せっかく手術で骨を接合しても後で骨頭壊死を起こすことが多い．そのため，骨の転位が大きいⅢ・Ⅳ 型では最初から人工骨頭置換術を行うことが多い．逆に転位の少ないⅠ型やⅡ型をみたら，骨接合術の適応．そのため，転位が悪くならないようにそっと扱うべし！
- 24 時間以内の手術をしたほうが入院期間も短縮し，ADL 低下も少ないと言われている．48 時間以降になると 1 年後の死亡率が 2 倍へ上昇すると言われている

股関節脱臼

墜落などの高エネルギー外傷にて起こることが多いが，人工関節や人工骨頭患者では，軽微な外力でも起こりうる．ほとんどが後方脱臼である．

診断は X 線のみで容易であるが，骨折の合併症も多いので CT を撮影しておいたほうがよい．

整復が必要であり，整形外科コンサルトを．抑制帯で骨盤をベッドに固定し，

患者の脚を術者の股に固定して，てこの原理で両手で膝を引き上げる.

整復が得られたら，牽引しながらゆっくり膝を伸展させる．2 週間程度牽引が必要となることが多い.

■ 大腿骨頸部骨折の Garden 分類と治療方法

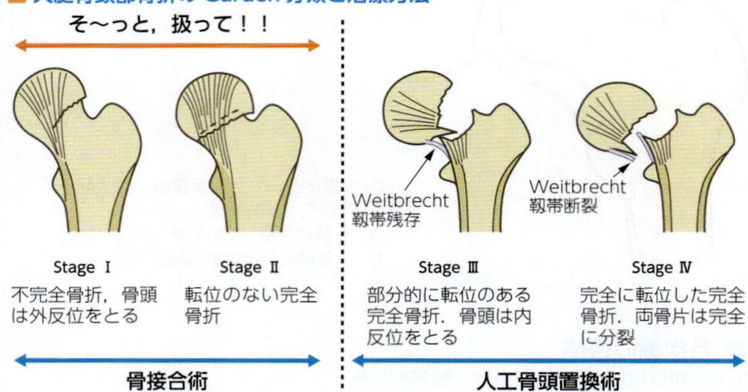

膝関節・下腿

診察のポイント

- ✓膝関節 ROM 障害の有無(※カッコ内は正常値)
  屈曲(120°)・伸展(0°)
- ✓膝蓋骨位置異常 ➡ s/o 膝蓋骨脱臼
- ✓腫脹・発赤・熱感の有無 ➡ s/o 膝関節炎．同時に膝蓋跳動の有無
- ✓圧痛点：
  内側・外側関節裂隙 → 内側上顆，膝蓋骨 → 腓骨近位部，脛骨の順にチェック
- ✓股関節疾患で「膝痛」を訴える患者もいるので股関節内外旋を確認しておく
- ✓簡易テスト(**いずれも痛がっているときには施行しない！**)
  - ACL 損傷 ➡ Lachman test
  - PCL 損傷 ➡ 後方引き出しテスト
  - MCL 損傷 ➡ 内・外反ストレステスト
  - 半月板損傷 ➡ McMurray test

■ 圧痛点の検査

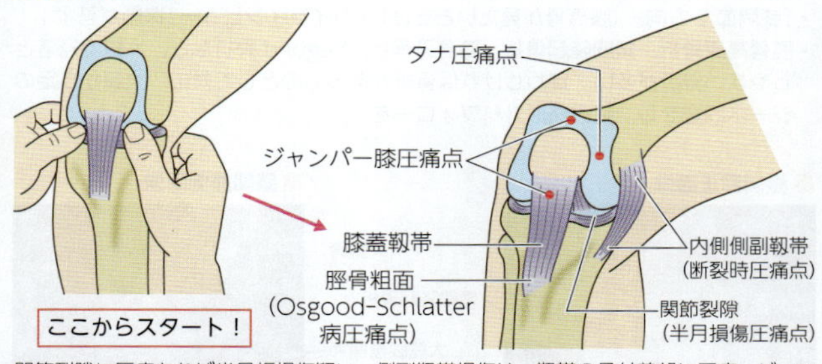

関節裂隙に圧痛あれば半月板損傷疑い．側副靱帯損傷は，靱帯の骨付着部に圧痛，ジャンパー膝は膝蓋骨上縁か下縁に圧痛あり．
膝蓋骨内側の圧痛はタナ障害．

■ Lachman test

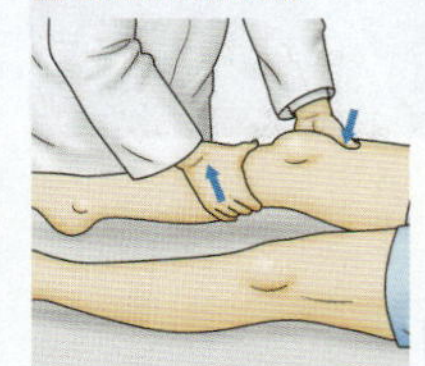

膝を 30° 屈曲位で片手で大腿を把持し，もう一方の手で下腿近位を把持して引き出しを行う．ACL 損傷で感度のよいテストだが，急性期外傷では出ないことが多い．

■ 後方引き出しテスト

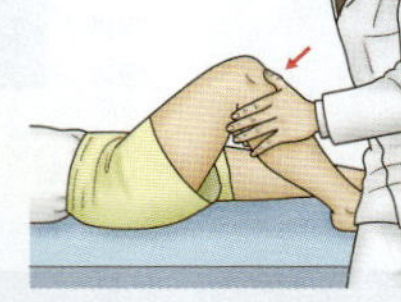

脛骨を後方に押し出したとき，ガクッとしたエンドポイントがなく，ズルズルと，脛骨が後方に落ち込んだら陽性．PCL 断裂を疑う．急性期外傷では出ないことが多い．

■ McMurray test

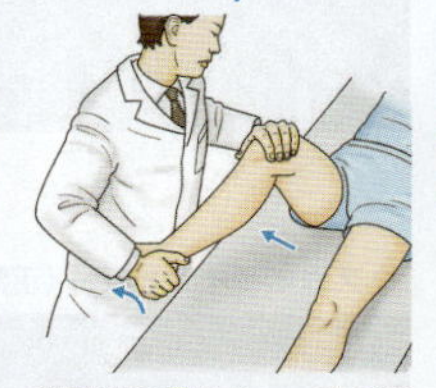

仰臥位で寝かせ，一方の手で関節裂隙を触れつつ膝を保持し，一方の手で足底を把持し踵が臀部につくまで膝を曲げる．次に外側半月板を見たいときは足を内旋，内側半月板を見たいときは足を外旋しつつゆっくり膝を伸展する．大腿顆が半月板断裂部を通過するときにクリックを触れる．

膝関節X線読影のポイント

- 「膝関節2方向＋(膝蓋骨が見たいときは)スカイラインビュー」撮影が基本
- 脛骨高原骨折，顆間隆起骨折，膝蓋骨骨折，Segond骨折など，X線で見落としやすい骨折が多い．疑わしければ骨折があるものとして対応．大腿から足のシーネ固定をし，翌日整形外科フォローを

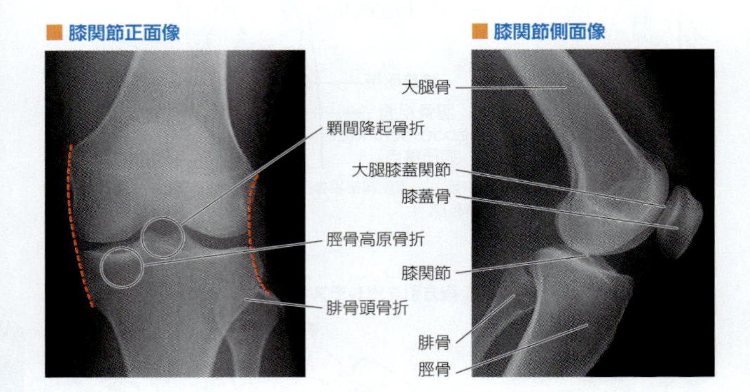

■ 膝関節正面像　■ 膝関節側面像

■ スカイラインビュー(正常)

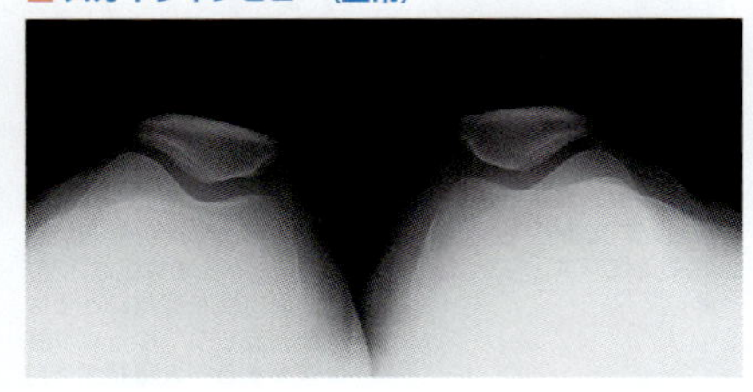

■ 膝関節穿刺

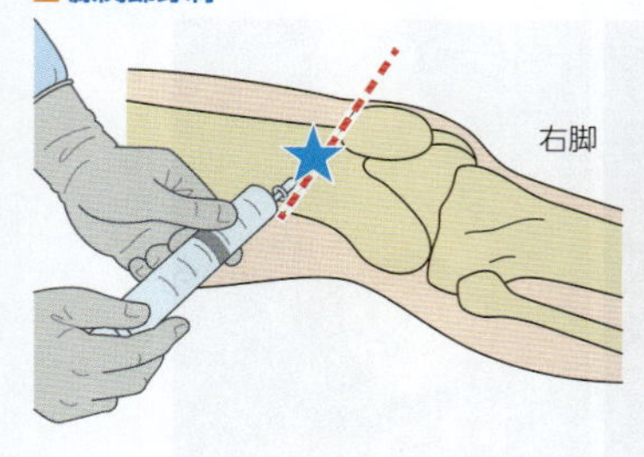

患者を仰臥位にし，膝関節を伸展した状態で通常 20 G 針で膝蓋の頭側端かつ 1 横指下外側のくぼみより穿刺．関節内液体貯留を疑った場合は，関節穿刺の適応について上級医と相談する．穿刺液に油滴が浮いていたら骨折あり．

各疾患の各論

膝の靭帯損傷

確定診断は MRI になるため，疑ったらシーネ固定＋免荷にて帰宅．翌日整形外科受診を．

脛骨高原骨折

高地からの着地など，軸方向の外力が大部分だが，自動車のバンパーが当たったなど様々な受傷機転で起こる．脛骨粗面の叩打痛や膝関節腫脹で疑う．半月板損傷や靭帯損傷を合併する．歩行可能なこともあるが，カニのような横歩きはできない．シーネ固定＋免荷で翌日，整形外科外来を受診してもらう．

MEMO

Ottawa knee rules

鈍的膝外傷で以下のいずれかの所見をみた場合は膝関節 X 線（正面・側面・軸位）を施行する．

① 55 歳以上
② 腓骨骨頭に圧痛
③ 膝蓋骨に圧痛
④ 膝関節を 90° 以上屈曲できない
⑤ 受傷直後および受診時に患肢で荷重できない場合か 4 歩以上歩けない

除外項目：18 歳未満，対麻痺，同日再診，多発外傷．

➡ 以上所見がすべて陰性であれば，臨床的に問題となる骨折は否定できる．ただし，靭帯損傷，半月板損傷，軽微な剥離骨折の可能性は残るので注意（JAMA 278：2075-2079, 1997）．

脛骨高原骨折

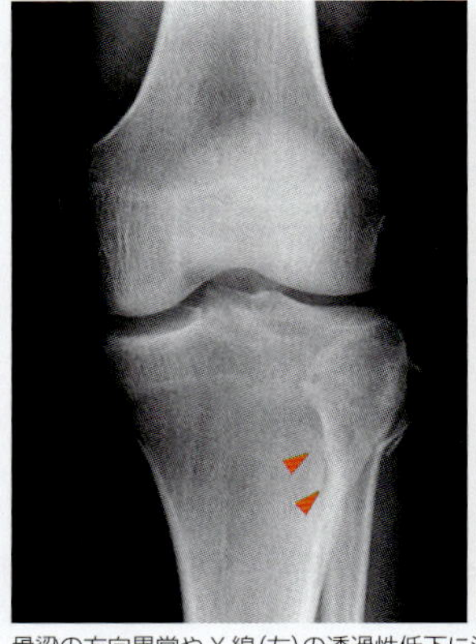
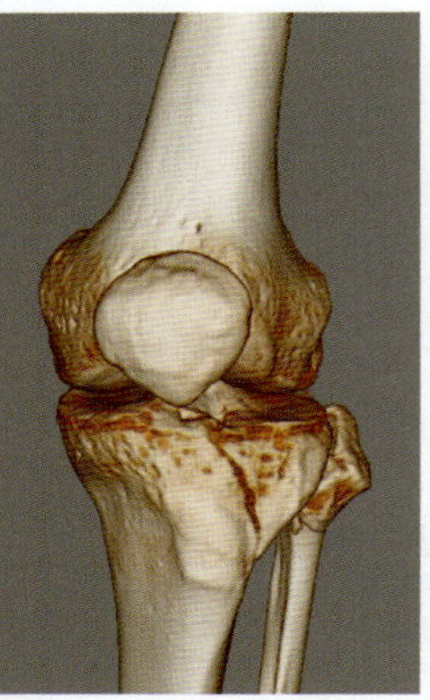

骨梁の方向異常やX線(左)の透過性低下に注意．3D-CT(右)では明らか．

下腿骨折

高エネルギー外傷で発症．上下の関節の診察を忘れない．1 cm未満の小さな裂創でも，骨折部直下なら開放骨折なので注意する．また，脛骨骨幹部骨折はコンパートメント症候群の合併に必ず注意する．

膝蓋骨骨折

膝前面への直達外力で受傷．横骨折があると膝関節伸展機構が破綻するために手術が必要な場合が多い．分裂膝蓋骨との鑑別を骨折と誤解しないように注意．分裂膝蓋骨では一般に外側上方に分離骨片がみられることが多いのがポイントである．

大腿骨遠位端骨折

若い人の高エネルギー外傷と，高齢者の転倒などの低エネルギー外傷で発症する．10%が開放骨折という報告があるため注意する．準緊急手術対応となる．関節外骨折で転位が強いと直達牽引して手術待機となる．

■ 膝蓋骨骨折

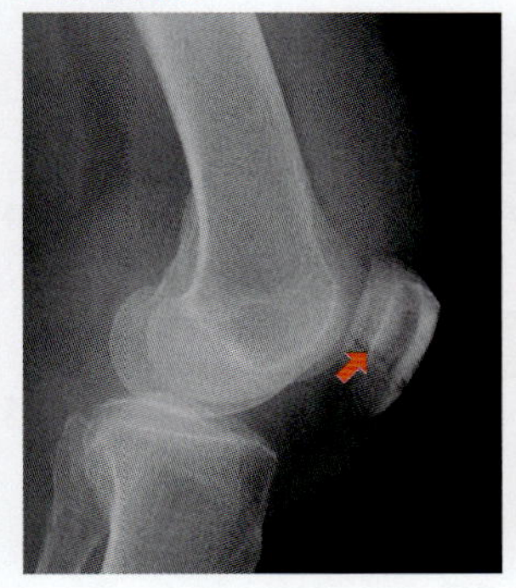

■ 分裂膝蓋骨

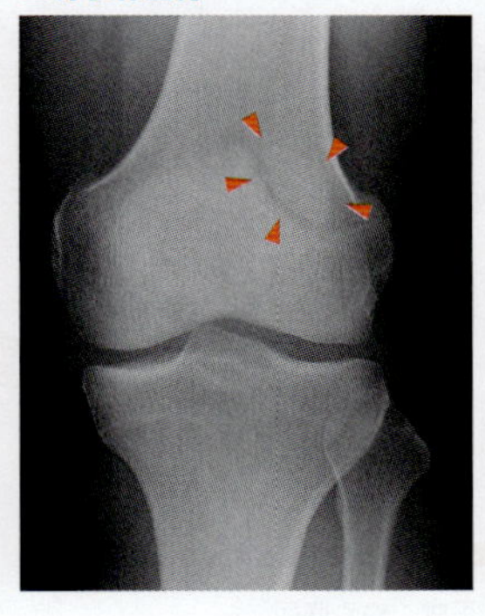

足関節・足部

診察のポイント

✓循環・神経評価
- 足背動脈触知
- 表在知覚異常の有無

✓足関節 ROM 障害の有無(※カッコ内は正常値)
底屈(45°)・背屈(20°)，外転(10°)・内転(20°)，内反(30°)・外反(20°)

✓腫脹・発赤・熱感の有無

✓圧痛点(外側 → 内側と触っていく)：
まずは外果を目印にして，① 前距腓靱帯 → ② 踵腓靱帯 → ③ 第 5 中足骨基部 → ④ 二分靱帯 → ⑤ 脛骨 → ⑥ 踵骨，次に内果を目安にして，⑦ 腓骨 → ⑧ アキレス腱の順(⇒次頁「足関節の解剖」参照)

✓簡易テスト：Thompson test

足関節の解剖

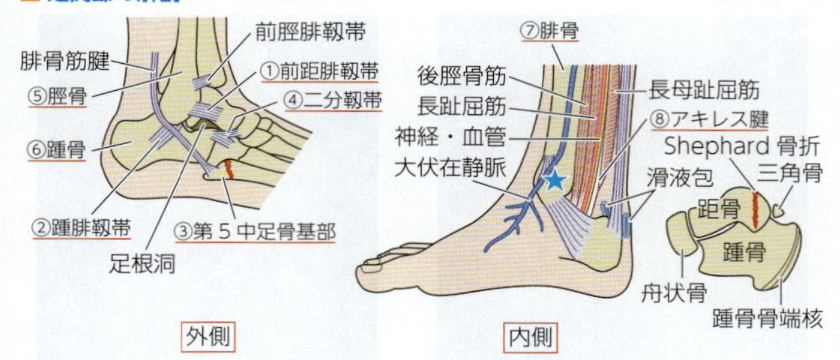

Thompson test

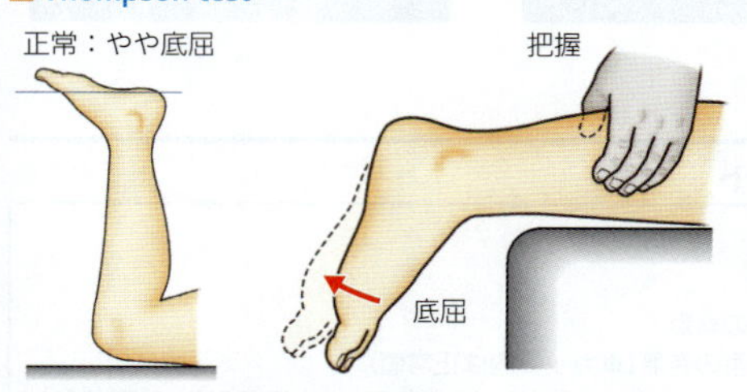

腹臥位で膝を90°屈曲し，患肢の腓腹筋をつかむと，正常では足関節の底屈が認められる．
アキレス腱が完全に断裂している場合，底屈が起こらない(Thompson test 陽性)．

■ 足背動脈の見つけ方

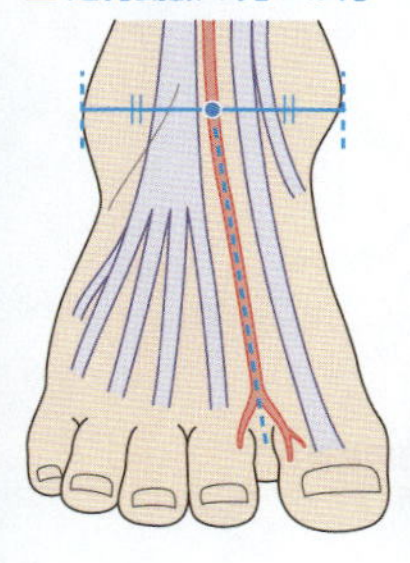

足関節の中点から，母趾と第2趾の間に線を引く．その上に足背動脈がある．

足関節X線読影のポイント

足関節は「正面・側面」撮影，足部2方向は「正面・**斜位**」撮影が基本である（側面像では中足骨や足根骨が重なり合ってしまうので）．それぞれ，受傷機転と圧痛点を考慮し，下記および次頁の図の赤線に示したような部分に骨折線がないか，確認する．

■ 足関節正面像

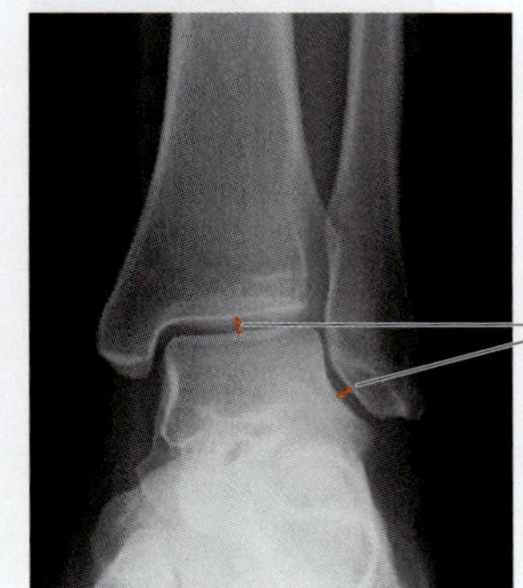

足関節側面像

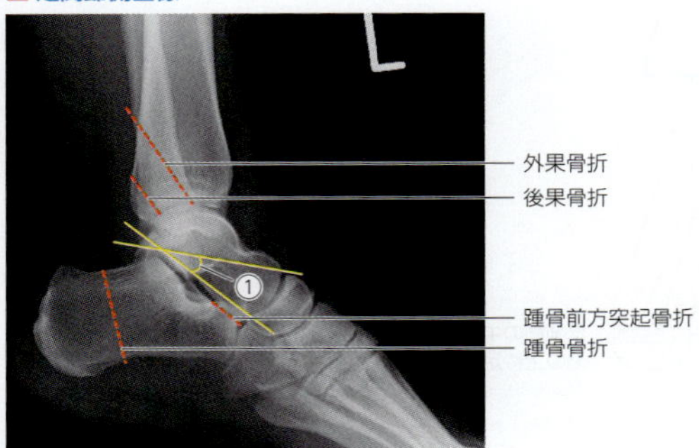

① の Böhler 角の減弱は正常では 20～40°.
※踵骨痛では Böhler 角(正常 20～40°)を測り，その角度が減弱しているときは骨折を疑う

足部正面像

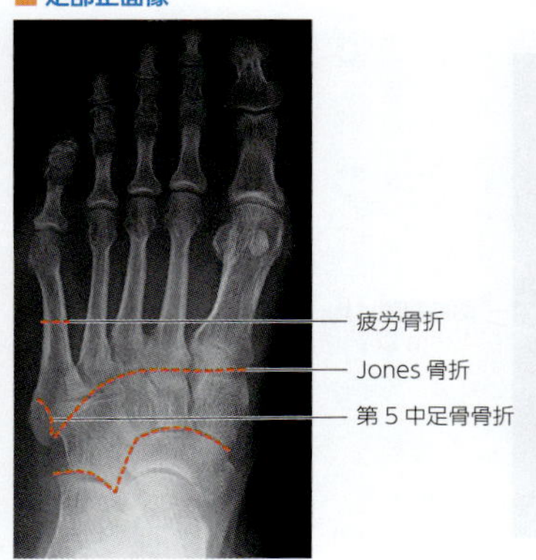

足部斜位像

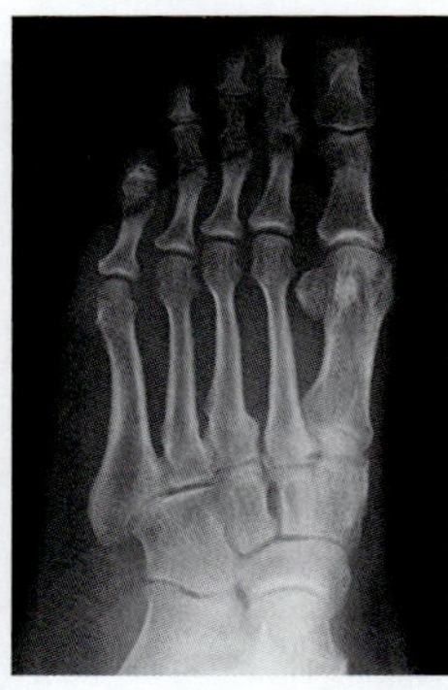

足趾周囲の骨折

「重いものを足に落とした」「椅子や机の角にぶつけた」などで受傷することが多い．

足趾が痛いのか，足背(足の甲)が痛いのかで足趾2方向撮影か足部2方向撮影か選択する．ただし，**MCP関節近傍を痛がる場合は足趾斜位撮影も追加**する．

治療は，基本的には外固定をメインとし，アルフェンス®シーネや隣接趾テーピング固定を行う．

■ 足趾骨折の固定方法(buddy taping)

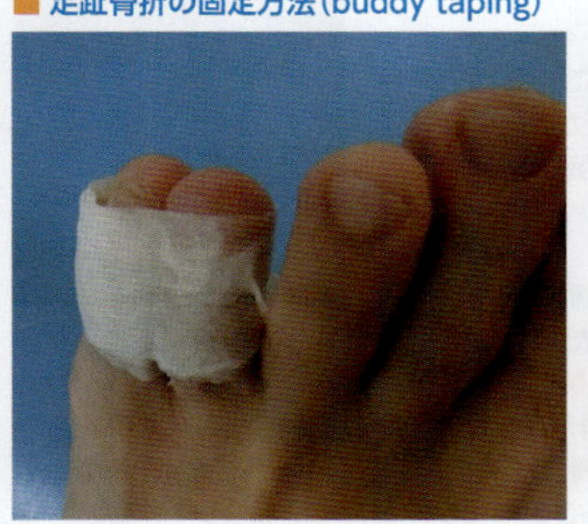

■ 中足骨基部骨折

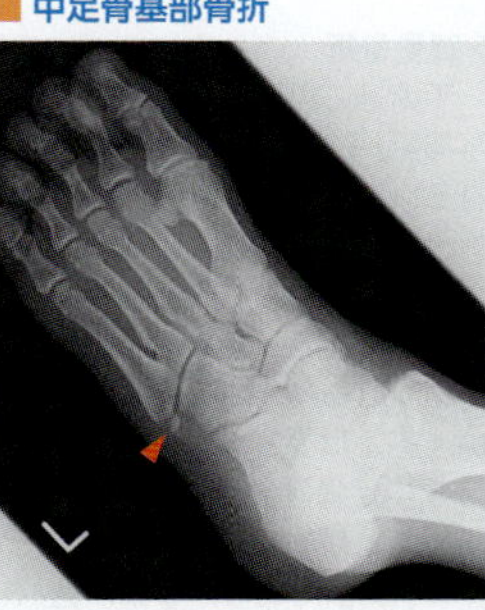

MEMO

Ottawa ankle rules

以下のいずれかの所見があれば足関節X線(正面・側面)を撮影する．

- 外果(腓骨)より6 cm上方までの腓骨後方に圧痛がある場合
- 内果(脛骨)より6 cm上方までの脛骨後方に圧痛がある場合
- 受傷直後および受診時に患肢で荷重できない場合か4歩以上歩けない

以下のいずれかの所見があれば足関節X線(正面・斜位)を撮影する．

- 第5中足骨基部に圧痛がある場合
- 舟状骨に圧痛がある場合
- 受傷直後および受診時に患肢で荷重できない場合か4歩以上歩けない

除外項目：18歳未満，対麻痺，同日再診，多発外傷(JAMA 311：594-597, 1995)．

足部の骨折

リスフラン関節脱臼骨折

リスフラン関節(中足骨と足根骨間の関節のこと)は，骨折を伴わない脱臼の場合は，第3〜5中足骨が外側へ転位しているだけのことがあり注意が必要．中足骨基部が外側だけでなく，背側への脱臼を伴っていることも多いので，これをみたらX線**足部側面像も追加**で撮影する．

■ リスフラン関節脱臼骨折

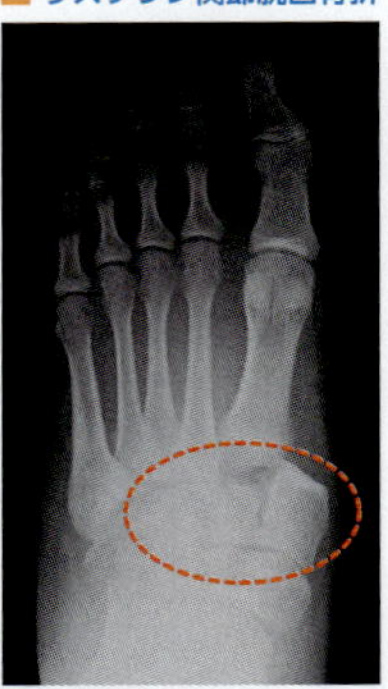

踵骨骨折

手術適応の判断には足関節2方向に加え，「踵骨軸写撮影」「アントンセン撮影」が必要だがCTで代用される．また，受傷機転が転落なら，胸腰椎の圧迫骨折合併に注意．

足関節捻挫，足関節外果骨折，内果骨折，後果骨折

いずれも「つまずいて足首をひねった(内がえし)」受傷機転で受診することが多い．基本は足関節2方向撮影だが**足関節斜位を追加したほうが見逃しが減る**．第5中足骨基部骨折(短腓骨筋腱が付着するため)や，踵骨前方突起骨折を合併することがあり注意する．第5中足骨基部骨折のうちJones骨折は，骨癒合しにくい骨折であり，手術が選択されることが多い．歩行不能ならシーネ固定，歩行可能なら弾性包帯固定＋踵足歩行で翌日の整形外科外来フォローへ．

ピロン(天蓋)骨折

大きな外力で受傷する脛骨遠位部の粉砕骨折であり，軟部組織の循環障害が生じやすい．オルソグラス®固定および松葉杖による免荷を行うが，循環障害があれば入院も考慮．

アキレス腱断裂

運動時の「後ろから誰かに蹴られたと思った」や「ボールが当たったと思った」などのエピソードが典型的で，アキレス腱部の疼痛と陥没，歩行困難感がある．Thompson testとエコーでアキレス腱の連続性が失われていることから診断．

足関節を最大底屈位にして膝下からオルソグラス®固定を行う．保存的治療と手術療法の長期的予後は変わらないと言われるが，スポーツへの早期復帰や再断裂の減少から若年者では手術を選択されることが多い．

眼科救急

red eye（目が赤い）

アプローチのポイントは「RED Pain」のゴロで押さえる．

> ✓Region「赤い範囲はどこか？」
> ✓Eye vision「視力低下はないか？」
> ✓Discharge「眼脂はあるか？」
> ✓Pain「痛みは伴っているか？」

Region「赤い範囲はどこか？」

血管拡張が眼球の周辺部であれば結膜充血，角膜周囲に集中しているなら毛様充血を考える．毛様充血ならぶどう膜炎などを考慮し，眼科コンサルトを考慮．その他，結膜周辺部がべたっと赤い場合は結膜下出血であり，抗凝固薬などで異常浮腫などがなければ 1～2 週間で治るので経過観察．

Eye vision「視力低下はないか？」

大まかな視力の確認（必ず片眼ずつ），次にペンライトで前房と瞳孔を観察し，対光反射を確認．視力低下を伴う場合は，基本的に眼科コンサルトを考える．

Discharge「眼脂はあるか？」

- 膿性 ➡ 細菌性結膜炎
- 漿液性 ➡ 数日後に通常は触知しないはずの耳前リンパ節腫脹が出現すればウイルス性結膜炎．痒みや乳頭があればアレルギー性結膜炎を考える

Pain「痛みは伴っているか？」

感染症や急性（閉塞性）緑内障を疑い，眼科コンサルトを考える．

化学外傷

酸よりもアルカリのほうが組織内への浸透が早い．
視力低下や眼痛，大量の流涙を認めるが，**角膜びらんは肉眼ではわからない．**

身近なアルカリ性物質

石灰，セメント(コンクリートやモルタル)，肥料・農薬，家庭用洗剤(カビ取り剤，塩素系漂白剤などのトイレ用洗剤など)，パーマ液，毛染剤，除毛剤，冷却溶媒など

➡ これですべてではないので，眼に入った可能性があるものがわかればインターネットでなるべく検索する！

アプローチ

❶ オキシブプロカイン(ベノキシール®)点眼液で表面麻酔をし，眼をしっかり開ける．「刺すときは一瞬染みます」と説明する．ベノキシール® がなければリドカインでもよい

❷ 痛みがとれてきたら，片眼につき，最低 500 mL の生理食塩水(NS)で洗浄する(最初は必ず手動で洗浄)．水浸しになるので吸水マットをしいて，患側に少し頭を傾けるとよい)

❸ 1 セット洗浄が終わったところで，尿試験紙で眼表面(下眼瞼で)の pH チェックし，pH が 7.4 近くになるか確認する

➡ 色の判定で困ったら健側や自分の涙で確かめるとよい．中性でないなら，さらに洗浄を追加する

帰宅可能になったら，

✓異物が残存していないか上眼瞼も含めて丁寧に確認

✓結膜に異物が残存している場合は，濡らした綿棒やピンセットで除去

✓眼軟膏，点眼抗菌薬，内服鎮痛薬の 3 点セットを処方

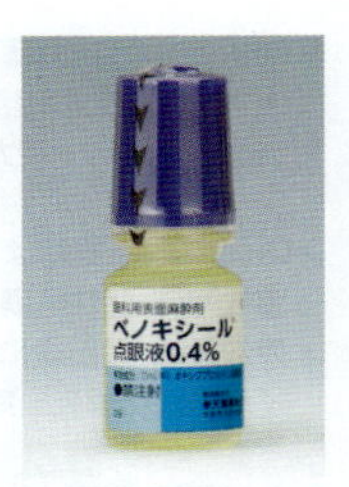

角膜障害を悪化させるので，患者がほしがってもベノキシール® は処方しないこと！

処方例

- オフロキサシン(タリビッド®)眼軟膏 0.3% 1 日 1 回
- ロキソプロフェンナトリウム(ロキソニン®)錠(60 mg) 1T 疼痛時
- レボフロキサシン(クラビット®)点眼液 1 回 1 滴 1 日 3 回

網膜中心動脈閉塞症

「突然，片眼が痛みもなく見えなくなってきた」の主訴➡「眼の心肺停止(CPA)」と言えるこの疾患を考える！

急性の経過での片側・無痛性の視力低下をきたす疾患には黄斑部にかかる網膜剝離や硝子体出血，脳梗塞・TIA などいくつかの鑑別疾患もある．しかし，網膜中心動脈閉塞症のみ治療の golden time は 100 分以内と言われている(Ophthalmology 87：75-78, 1980)ため，疑ったら初期治療を開始してよい．

有名な眼底所見「cherry red spot」は役に立たない．見つけにくく，時間がたたないと出現しない．

疑ったらすぐに眼球マッサージ開始！ 心臓マッサージと同じ要領で 1 分間に 100 回程度，両手の人さし指で眼瞼上から交互に圧迫し 5 分間続ける．

その後は t-PA 療法や高圧酸素療法などをするが予後は悪い．すぐに眼科コンサルト．

緑内障発作(Clin Geriatr Med 23：291-305, 2007)

主に ER で出合うのは急性閉塞隅角緑内障(acuteangle-closure glaucoma：AACG)である．もともと隅角が狭かった人が，何らかの誘因により隅角の閉塞をきたし，眼圧が高度に上昇して種々の症状が出現した状態を指す．

以下のようなもともと前房が浅くなる要素をもっている人は AACG のリスクとなる(Lancet 377：1367-1377, 2011)．一方，**白内障術後の人は，閉塞隅角になることはない．**

- 高齢者(加齢で水晶体が厚くなる)
- 遠視(眼球前後径が短いことが多い)
- 女性
- 狭隅角の家族歴

主な症状は，急性の眼痛，視力低下，霧視，毛様充血，散瞳，対光反射減弱・消失だが，片側性の眼痛や嘔気・嘔吐・心窩部痛のような訴えのときもある(Dig Dis Sci 53：1430-1431, 2008)．

角膜の触診では**“rock-hard”**と表現されるほど固い眼球を触れる．

「ペンライト法」は眼の外側の真横からペンライトを当てることで，隅角の形状を簡便に判断する検査であり，ライトの光が内側(鼻側)まで届いているときは「開放隅角」と判断し，ライトの光が内側(鼻側)まで届かず内側が暗いときは「閉塞隅角」と判断する．ペンライト法を非眼科医が行った報告によると，**Sn 92%，Sp 67%**だった(Int Ophthalmol 34：557-561, 2014)．

■ **隅角の狭い患者の見つけ方：「ペンライト法」**

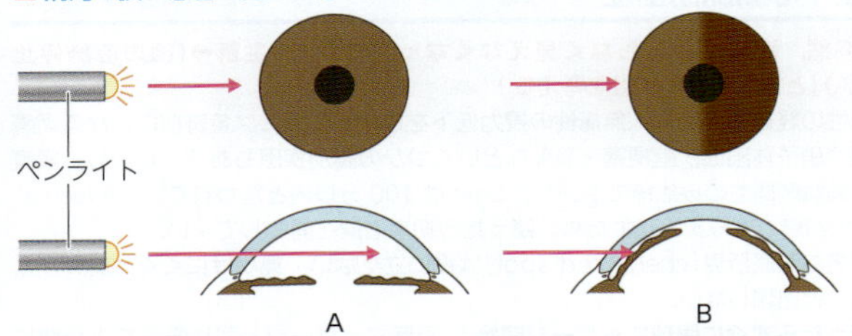

外側よりペンライトにて角膜に光を当てる．隅角が正常の倍（A），虹彩全体が照らされる．狭隅角の場合（B），虹彩の鼻側に影ができる．

虹彩切除術による瞳孔ブロック解除が根本的治療である． 眼科コンサルト～引渡しまでにできることに(1)～(3)などがある．

(1) 高浸透圧薬

マンニトール 20%溶液 1～3 g/kg (500 mL) 30～45 分で div

※60～90 分で眼圧降下，4～6 時間持続

※脱水，腎障害，心不全の増悪には注意

(2) 縮瞳薬

1・2% ピロカルピン（サンピロ®）10 分おきに点眼 1 日 2～3 回

(3) 房水産生抑制

アセタゾラミド（ダイアモックス®）10 mg/kg div

※施設ごとに治療方法は異なるため，眼科医に指示を仰ぐ

参考：目の解剖

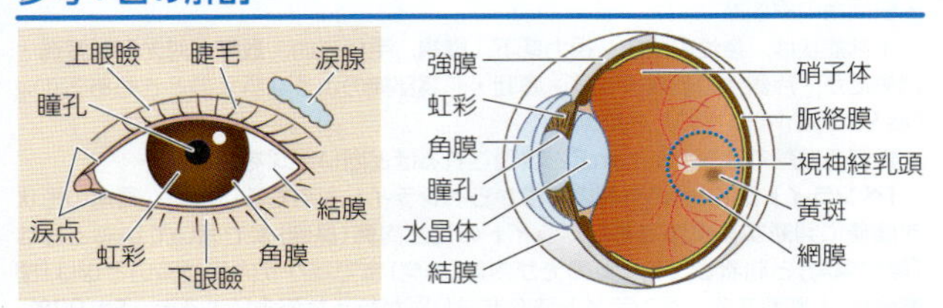

青い点線で囲まれた部分が眼底写真で写っている部分．

耳鼻咽喉科救急

外耳道異物

成人では昆虫，爪楊枝や綿棒の軸など，小児ではBB弾，ビーズ玉などが多い．稀だが，補聴器用のボタン型電池もある．

まずは，耳鏡で異物の位置と鼓膜穿孔の有無を確認．**耳介をつかんで，成人であれば後上方に，小児であれば後方に引っ張りながら耳鏡を挿入すると観察しやすい．異物が刺激性のもの(昆虫，薬剤，電池など)でなければ緊急性はなく，後日の耳鼻咽喉科受診でも構わない．**

昆虫などの生物は，外耳道にオリーブ油やサラダ油などで注入し，昆虫を窒息させた後に摘出する．

流行性耳下腺炎(ムンプス)

Paramyxoviridae 科に属するムンプスウイルスによる全身性ウイルス感染症．流行時に認める2日間以上持続する一側または両側の有痛性耳下腺腫脹が特徴．無菌性髄膜炎，脳・脊髄炎，難聴，膵炎，精巣・卵巣炎などの合併症が起こりうる．好発年齢は3～6歳であり，通常，感染者と接触してから16～18日後に耳下腺が腫脹する．治療法なく対症療法のみだが，全身状態によっては入院を考慮する．**ムンプス難聴も治療効果がないため翌日以降の専門医受診を指示**する．第二種感染症であり，学校保健安全法で**「耳下腺，顎下腺または舌下腺の腫脹が発現した後5日を経過し，かつ，全身状態が良好になるまで」**出席停止が指示されている．

突発性難聴

72時間以内に出現し増悪する原因不明の感音性難聴であり，通常片側性である．わが国では発症率は約60人/10万人年であり，発症年齢は50～70歳代に多い(耳鼻咽喉・頭頸部外科 87：558-563, 2015)．

発症は何時何分か特定できるほど突然で，めまいを併発する例を3割ほど認める．発作は1回で，**再発はほとんどない**．通常難聴が悪化したり改善したりする変動はみられない．耳痛や顔面神経麻痺を伴う場合はTolosa-Hunt症候群を考える．鑑別として**最も重要なのは前下小脳動脈領域の脳梗塞**である．病態は感音難聴なのでWeber法では健側に偏移し，Rinne法では患側で陽性となる．

発症後 1 週間以内に治療すれば予後良好であるので，翌日の耳鼻咽喉科外来フォローでよい． 副作用に注意しながらプレドニゾロン 1 mg/kg/日(最大 60 mg)を 7～14 日間投与し，7～14 日間かけて漸減することが多い．めまいを伴った症例は治癒困難なことがあり，半数以上は聴力低下が残存するのでその点はしっかり説明しておく．

顔面神経麻痺

顔面神経麻痺の原因は中枢性，末梢性に分けられるが，その 7 割が Bell 麻痺と Hunt 症候群で占められる．その他の末梢性顔面神経麻痺の原因として，外傷性，中耳炎，腫瘍性などがある(BMJ 329：553-557, 2004)．中枢性か末梢性かの鑑別は，前額部の麻痺の有無や味覚・唾液・涙液分泌異常の有無および中枢神経症状の有無で判断する．

また，耳鏡で中耳炎の確認を行い，皮疹(耳介，外耳道，口腔粘膜)の有無や耳下腺の触診を行う．

■ 中枢性か末梢性かの判断

中枢性顔面神経麻痺

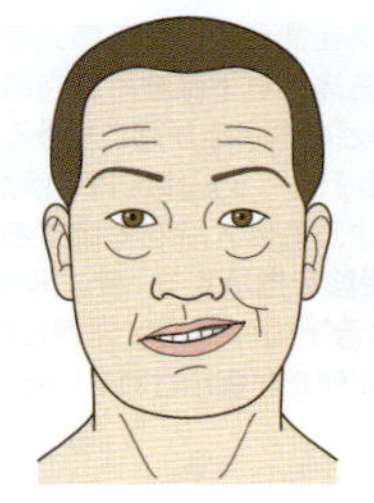

末梢性顔面神経麻痺

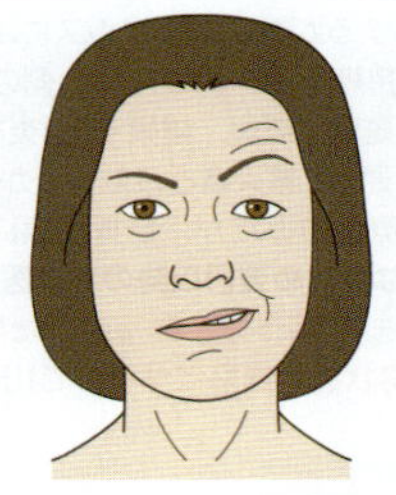

末梢性(hemifacial spasm で口が閉じられることもあり)

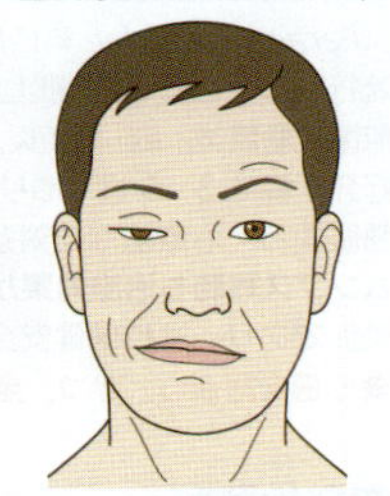

※ Bell 麻痺では顔面神経麻痺以外に三叉神経の症状(顔面の感覚障害，しびれ)も多く合併する

Bell 麻痺

原因不明だが，膝神経節における HSV-1 の再活性化が原因であると考えられている．

発症後 3 日～1 週間は顔面神経麻痺が炎症，浮腫，変性により悪化するが，その後一定期間内に改善を示す．臨床的に鑑別困難な無疱疹性帯状疱疹(zoster sine herpete：ZSH)との鑑別のために血清水痘・帯状疱疹ウイルス(varicella zoster virus：VZV）抗体価の測定を考慮する．

治療なしでも，71％が6か月以内に完全に回復するが，それ以外では後遺症（麻痺，拘縮，不随意運動の残存）を残しうるため耳鼻咽喉科相談のうえ治療を開始する．抗ウイルス薬は重症例では考慮される．すべての重症度でステロイド投与が推奨されており，神経浮腫の内圧軽減および二次的に得られる血流改善が推測されている．**発症後48時間以内**にステロイド投与を開始すれば，麻痺残存の期間および程度をわずかに軽減（70％→90％）できると言われている（CMAJ 186：917-922, 2014）．

■ 処方例

プレドニゾロン（プレドニン®）1日60 mg＋バラシクロビル塩酸塩（バルトレックス®）錠 1,000 mg 分1

Ramsay Hunt 症候群

VZVの再活性化が原因と考えられている．

顔面神経麻痺，耳介または口腔咽頭の帯状疱疹，第Ⅷ脳神経症状の3主徴を認める場合を完全型，いずれか1つを欠くものを不全型に分類する．帯状疱疹・第Ⅷ脳神経症状を伴わず，臨床的にはBell麻痺と鑑別困難なZSHも不全型Hunt症候群に分類される．

不全型Hunt症候群の場合，自然経過で顔面神経麻痺が完全に治癒するのは40％と報告され，Bell麻痺より予後不良である．特に完全麻痺例ではわずか10％しか自然治癒しないと言われる．

やはり耳鼻咽喉科に相談のうえ治療を開始し，翌日に耳鼻咽喉科外来フォローとするのが望ましい．

■ 処方例

プレドニゾロン（プレドニン®）1日60 mg
＋バラシクロビル塩酸塩（バルトレックス®）錠（500 mg）6T 分3 7日分
or アメナメビル（アメナリーフ®）錠（200 mg）2T 分1 7日間

顔面神経麻痺をみたら，
✓中枢性の除外（額のしわ，中枢神経症状）
✓耳介，外耳道，口腔内の発疹
をチェックすることを忘れない！

V 特殊分野編

■ 耳介，外耳道，口腔内の発疹

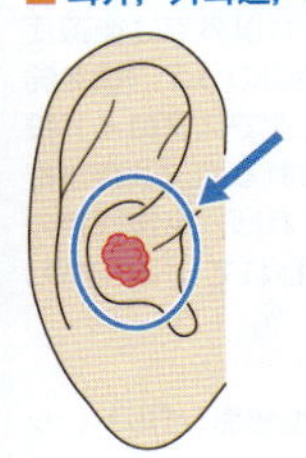
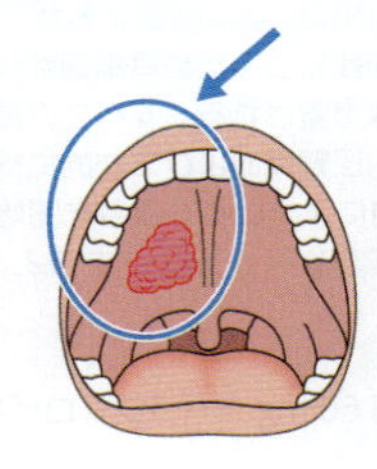
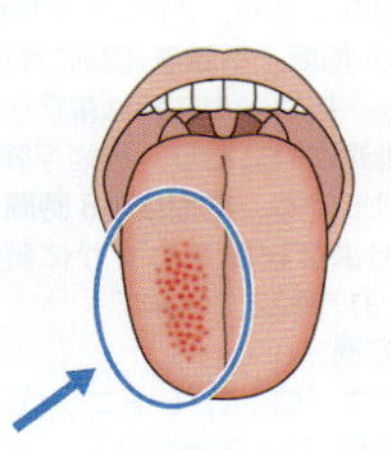

鼻出血

■ アプローチ

ABC-VOMIT アプローチ（⇒ p.13）

病歴では以下を確認

✓鼻腔内悪性腫瘍，高血圧，凝固異常，肝硬変の既往や抗凝固薬投与歴など

✓外傷の関与（骨折の合併考慮）

出血部位の特定

- 前方出血か後方出血か？ 後方出血は，原則耳鼻咽喉科コンサルト
- 不明の場合はまず簡易止血術（後述）を行い止血困難なら耳鼻咽喉科コンサルト！

止血得られたら帰宅可（翌日，耳鼻咽喉科外来フォロー）

■ **鼻出血の好発部位**

ほとんどが前方出血！

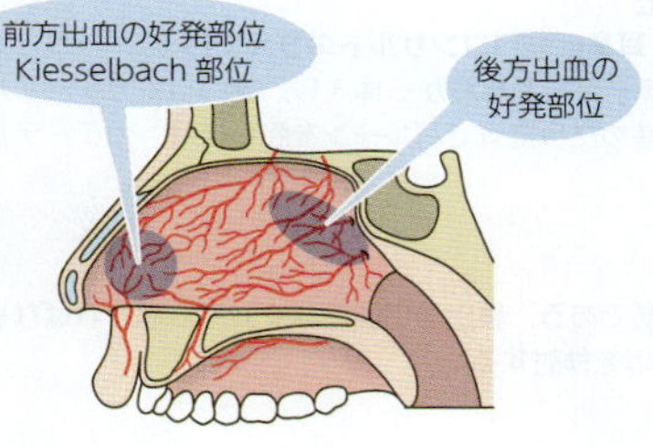

前方出血の簡易止血法

以下の ❶→❸ の順に試していく．夜中に再出血で帰ってくる可能性があるため，原則 ❷ を行ったら，❸ まで行ったほうがよい．

❶ 用手圧迫

圧迫部位の誤りと圧迫時間の不足で出血が止まっていない例も実は多い．

「**正しい用手圧迫**」とは，

① 下を向いて，

② 鼻翼全体を，

③ 15 分間程度抑え続けることである（N Engl J Med 360：784-789, 2009）．

❷ ボスキシガーゼ

“ボスキシガーゼ”は，1,000 倍希釈アドレナリン（ボスミン®）＋ 4％リドカイン（キシロカイン®）を染み込ませたガーゼのこと．これらを座布団のように鼻腔底に沿ってまっすぐ奥まで入れ，挿入後 10 分程度したら，取り出して止血できたかを確認する．

長時間ボスキシガーゼを置いておくと粘膜障害を起こすため，必ず取り出すこと！ これで止血が得られたら帰宅可能．❸ の手技に進む！ メイヨークリニックの研究によると，プラセボ群と比較してボスキシガーゼが血圧や心拍数の有意な上昇はなかったと言われている（J Emerg Med 55：455-464, 2018）．

❸ ガーゼパッキング

持続的に圧迫止血が得られるよう，ヘッドライトと鼻鏡を用いて視野を確保し，鼻腔底に沿ってまっすぐ（あるいはやや内下方）止血用ガーゼや創傷被覆材（ソーブサン® など）を複数枚挿入しておく〔黄色ブドウ球菌による toxic shock syndrome 予防のためにパッキング用ガーゼにゲンタマイシン（ゲンタシン®）軟膏などを塗っておく施設もある〕．長時間ボスキシガーゼを置いておくと粘膜障害を起こすため必ず取り出すこと！ これで止血が得られたら帰宅可能.

後方出血の簡易止血法

バルーンパッキング（原則，耳鼻咽喉科コンサルトのうえで行う）.

14 Fr 程度のフォーリーカテーテルを鼻腔から挿入し，開口してカテーテルの先端が見えるようになるまで進めたら空気でバルーンを膨らませ，カテーテルを前方に牽引する.

その他

抗血栓薬は原則的に休薬不要である．鼻出血に関係なく対応しなければならないような INR 延長時などは対応を検討する.

妊婦，婦人科救急

問診技法

「女性をみたら妊娠を考えよ」
but，思いやりをもった問診を！

原則

女性の診療に際しては必ず**ルーチン3（最終正常月経歴・妊娠歴・最終性交歴）**を押さえる．

当然快く言い出せないことが多いため，**「女性の患者さんには皆さんにお聞きしているのですが……」「腹痛の原因の診断のために大事なことなのですが……」**，などと病歴聴取の普遍性や重要性を前置きするとよい．

月経に関して

初経は10～15歳（日本人は平均12歳），閉経は45～55歳のことが多い．月経周期は，月経の始まった日（この日を1日目とする）から次に月経が始まる日までの日数を指す．排卵は次の月経開始日の約2週間前に起こるので，**月経周期が短ければ，月経中にも妊娠することがある．**

月経の発来は体内のエストロゲンとプロゲステロンのバランスによって決まる．エストロゲンは子宮内膜を増殖するレンガのような役割をしており，プロゲステロンはレンガの維持のためのセメントのような役割をする．この2つがあって初めて子宮内膜という壁が維持できる．排卵後に，妊娠が成立しないときはセメントの供給がストップし，壁が破壊される．これが消退出血（月経）である．

月経周期は正常では25～38日（短いと頻発月経，長いと稀発月経　3か月以上は無月経と定義）であり，月経期間は3～7日（短いと過短月経，長いと過長月経），月経量は20～150 mL（少ないと過少月経，多いと過多月経　ナプキン10枚くらい変える）ということは前提知識として覚えておく．

「普段生理は順調ですか？」
「**最後の生理が始まった日はいつ**ですか？ **さらにその1か月前はいつでしたか？**」

などと確認すると月経周期が不安定な患者でも確実に周期を把握できる．**本人は月経と思っていてもそれが不正出血や流産の場合もあるので注意する．**

■ 女性の月経と子宮内膜の関係

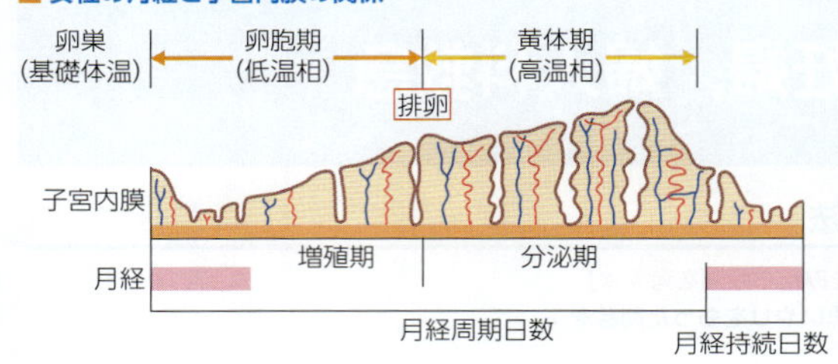

性交・妊娠歴について

思春期の女性にとっては，性交歴は特に敏感な問題であり，**保護者と距離をおいて聞く**必要がある．診察中に一緒についてきた保護者に「(女性看護師付き添いのうえで)お腹の診察をするので，診察中は外で待っていただけますか」と説明し，患者と 2 人になってから尋ね始めるとよい．**妊娠の可能性，避妊の有無・方法，パートナーの数，帝王切開や中絶歴なども確認**すべきである．妊娠可能年齢として 5～66 歳までの報告がある．**人を見かけで判断しないこと！**

MEMO

妊娠反応検査について

「妊娠反応」検査とは，通常「(尿中)hCG(human chorionic gonadotropin：ヒト絨毛性ゴナドトロピン)定性」検査，すなわちある一定量の尿中 hCG の有無を検出する迅速検査を指す．hCG は，胎盤の合胞体栄養膜細胞から産生される糖蛋白ホルモンで，α，βのサブユニットからなる．このうちβサブユニットは hCG に特異的であり，これを検出するのが「妊娠反応検査」である．多くの検査キットが，25～50 万 mIU/mL 程度の範囲の hCG を検出することができる．**異常妊娠，絨毛性疾患の診断管理目的では保険適用**(2022 年度診療報酬では検査料点，判断料点)となるが，通常の妊娠判定では保険適用外(自費)となる．hCG は**尿中検査キットで妊娠 4 週ごろから判定可能**となる．初診時の妊娠週数は，中期以降まで未受診であった場合を除き，通常最終月経から推定することが多いが，月経周期の長さ，規則性には個人差があるため最終月経から推定する妊娠週数は必ずしも正確ではない．

婦人科急性腹症

女性の腹痛は，それ以外の患者と比較して「**一般的腹痛＋婦人科臓器にまつわる腹痛＋妊娠にまつわる腹痛」の3つの軸**で鑑別を挙げなければならない．しかし，1,509例の婦人科急性腹症の内訳の研究では35%が骨盤内炎症性症候群(PID)，31%が異所性妊娠，21%が卵巣出血，9%が卵巣茎捻転であったと報告されており，この4疾患でなんと90%がカバーできる！(日産婦誌 53：1850-1853, 2001)

骨盤内炎症性症候群(PID)

本来無菌である女性の上部生殖管(upper genital tract)の感染症で，具体的には子宮内膜炎，子宮留膿腫，子宮付属器炎(卵管炎，卵巣炎)，骨盤腹膜炎，卵管卵巣膿瘍などを含む疾患の総称．肝臓まで炎症が及んだものをFitz-Hugh-Curtis症候群(PIDの5～15%)という．

15～29歳の若年女性に集中し，発症は緩やかで，典型的には骨盤領域の疼痛，膣からの分泌物異常，発熱，性交痛，排尿時痛，嘔気・嘔吐などを認める．子宮頸管粘液のクラミジアDNA(Sn 90～98%，Sp 98～100%)，淋菌DNA(Sn 88.9～95.2%，Sp 99.1～100%)および培養を提出．クラミジアでは初尿の核酸検出も有用(Sn 94%，Sp 99%)(Ann Intern Med 142：914-925, 2005)．PIDで有名な造影ダイナミックCTでの早期相における肝表面帯状濃染(内側区域～右葉外側が多い)は感度は低い．

日本産科婦人科学会の診療ガイドライン(婦人科外来編，2020)では，

〔**必須診断基準**〕(A)
1. 下腹痛，下腹部圧痛
2. 子宮，付属器の圧痛

〔**付加診断基準および特異的診断基準**〕(B)
1. 体温 ≧ 38.0℃
2. 白血球増加
3. CRPの上昇
4. 経腟超音波検査やMRIによる膿瘍像確認

とされるが，臨床診断の正診率は高くないため「疑わしきは罰する」という姿勢で治療することが必要．

治療はクラミジア＋淋菌をカバーしたempiricな抗菌薬治療である．セフトリアキソン(CTRX) 1回1 g 1日1回 div＋ドキシサイクリン100 mg 分2 14日間が多い．

PIDの後遺症として，不妊，異所性妊娠，慢性骨盤痛があり，いずれもPID

を繰り返すごとにリスクが増える．治療反応すれば3日で症状改善することが多い．必ずパートナー(診断からさかのぼり60日間で性的接触あった人)の評価も行う．

異所性妊娠

受精卵が子宮体部内腔以外の場所に着床する疾患であり，全妊娠の1%で認められる．卵管炎や腹膜炎の既往，不妊治療歴がリスクとなる．

最終月経から6〜8週前後の腹痛・無月経・性器出血で発症することが多いがこれらの症状が全部そろうのは1/3のみ．腹腔内出血による腹膜刺激症状を伴うことも多く，横隔膜刺激で肩痛も認める．実は6割で腹痛の訴えがないという報告もあり，初期の不正出血を月経と勘違いしている患者も多いため，必ず月経周期と性交歴を確認する．エコーでDouglas窩やMorrison窩のEFSや卵管血腫を示す腫瘤エコー像などを認める．内診を行えるER医は少ないため，**腹部診察＋妊娠反応＋腹部エコーFAST**を行い，「妊娠反応陽性＋エコーで子宮内胎嚢(通常高輝度の厚みのある環状や楕円形のエコー像)を認めない」のならややオーバートリアージでも産婦人科コンサルトを行う．ただし，0.01%で内外同時妊娠があるため胎嚢が見えても完全に否定はできない．薬物療法もあるが，基本は手術が必要．

卵巣腫瘤茎捻転

卵巣(囊腫)が捻転し阻血による痛みを生じたもの．骨盤部の痛み(90%)，付属器腫瘤(86〜95%)，嘔気や嘔吐(47〜70%)，発熱(2〜20%，付属器の壊死を疑う所見)などで疑う(Ann Emerg Med 38：156-159, 2001)．

■ 急性下腹部痛への付属器捻転の予測スコア“SAQ-GE”

(Hum Reprod 27：2359-2364, 2012)

❶ 片側性の痛み	3点
❷ 白色帯下や性器出血がない	2点
❸ 卵巣の痛み	2点
❹ 耐えられない痛み	2点
❺ 嘔吐	1点

➡ 6点のときの **Sn 96.8%**，Sp 64%(LR − 0.05)
9点以上のSn 38.6%，**Sp 97.7%**(LR ＋ 16.8)

経腹エコーで5〜10 cmの卵巣囊腫を認め，同部に圧痛がある場合で疑う．MRIでは血流障害のため皮膜の浮腫や内部の出血所見を認めることがある．根治的には手術だが，閉経前の女性では切除よりも減捻による保存的治療も多くなっている．悪性疾患を除外した後に，術中迅速診断を考慮して予定手術としたほうが望ましい．

卵巣出血

20〜30 歳に多く右卵巣優位(63%)で性交，外傷などが誘因となって起こる．70%が黄体期中期(月経中期〜後半の黄体期≒**月経予定の 1 週間前**)**の突然発症の下腹部痛**として発症する．月経の時期の把握が大事．**時に大量の出血によりショック状態に陥る**こともある(PLoS One 9：e91171, 2014)．

エコーにて推定される腹腔内出血量が 500〜600 mL 以内でバイタルサインが安定していれば，自然止血が期待できるため，保存的治療となる．CT では血性腹水〔CT 値が 20〜40 HU！(腹部外傷，日獨医報 51：51-71, 2006)〕が認められるため，**画像のみでは異所性妊娠との鑑別が重要．これは妊娠反応陰性で鑑別するとよい．**

月経からの期間と鑑別(28 日周期として)

- ✓ 1〜 5 日　子宮内膜症
- ✓ 5〜13 日　卵胞嚢胞破裂
- ✓13〜15 日　排卵痛，排卵出血
- ✓15〜28 日　黄体嚢胞破裂
- ✓ 28 日以降　異所性妊娠，流産

MEMO

産婦人科カルテ解読メモ

例えば，「4 G2P〔SA × 1，AA × 1，N.V.D × 1，C/S(BEL)〕」は「4 経妊 2 経産〔自然流産× 1，人工流産× 1，自然経腟分娩× 1，帝王切開(骨盤位)〕」という意味．

※ L.M.P(最終月経)，EDC(expected date of confinement：分娩予定日)

妊婦の緊急疾患

非専門医にとっては悩ましいが，30 分以内の治療介入で母子の予後が大きく変わるため素早い対応が求められる．

Red flag の「お腹がいつもより張る，腹痛，性器出血，破水感，胎動減少」があればコンサルト！

妊娠週数で鑑別がほぼ特定される．出血は常位胎盤早期剥離を考慮，破水の有無は臍帯脱出や羊水塞栓のリスクとなるため必ず評価しておく．詳細は成書を参照．

① 妊娠初期 ～14 週
➡ 異所性妊娠破裂，切迫流産
② 妊娠中期 14～28 週
➡ 臍帯脱出，常位胎盤早期剥離
③ 妊娠後期 28 週～
➡ 重症妊娠高血圧症候群，HELLP 症候群，急性妊娠脂肪肝，子癇，子宮破裂，常位胎盤早期剥離，臍帯脱出，羊水塞栓

ポイント

✓妊娠後期の嘔気・心窩部痛なら HELLP 症候群を考えて必ず採血で肝酵素，血小板をチェックせよ！
✓子癇はマグネゾール® 4 mg iv でけいれんを抑えて，緊急帝王切開へ！
✓妊婦が血圧 160/110 mmHg なら，重症妊娠高血圧症候群なので子癇と同じ対応を！
✓妊婦の持続腹痛は常位胎盤早期剥離や子宮破裂を疑うべし！

緊急避妊法について

処方例

性交後 72 時間以内にレボノルゲストレル（ノルレボ®）錠 1.5 mg を医師の目の前で内服
✓保険適用外のため 1 万円前後かかる
✓禁忌は，① アレルギー，② 重篤な肝障害，③ 妊婦
※男性には処方しないこと！
※阻止率は 84％であり 100％でないこと，72 時間以降の内服では阻止率 63％へ落ちることは説明を
※**レイプなどの性暴力の事例では，必ず婦人科による内診および本人の同意のもと警察への被害届を提出する．**被害届を出す場合，都道府県によっては診察にかかる費用が公費負担になることもある

妊娠と投薬

残念ながら**妊婦に対して 100％安全と言い切れる薬剤はない．**しかし，必要以上に患者の不安をあおる必要はない．そもそも，何もしなくても自然流産率は約 15％，出産に伴う自然奇形率 2～3％である．そのうち原因不明が 65～

70%，薬剤を含めた環境因子が5〜10%といわれている．

原則を押さえながらも，一方的にこちらの説明に終始するのではなく，**薬剤に対する思いなどをまず患者からしっかりと聴取し**，そのうえで適切な説明を行うのがプロである．**「おくすり110番」や国立成育医療研究センターの「妊娠と薬情報センター」**はインターネットで調べるときに有用である．

薬剤の妊娠への影響の基礎

- 受精〜2週 ➡ all or none の時期
- 受精後2週〜妊娠10週 ➡ **胎児の中枢神経，心臓，目，耳，四肢などの器官形成期のため処方はできるだけ避けるべき**

処方の原則

- できるだけ頓用で
- アセトアミノフェン≫NSAIDs
- インスリン≫SU
- 点鼻薬>内服薬
- アジスロマイシン>クラリスロマイシン

※湿布薬とヨードうがい薬は処方しない！！

絶対避けるべき薬

- **アミノグリコシド**
- **テトラサイクリン**
- **ACE阻害薬/ARB**
- **ビタミンA**
- **カルバマゼピン**
- **バルプロ酸**
- **フェニトイン**
- **フェノバルビタール**
- **トリメタジオン**
- **サリドマイド**
- **レナリドミド**
- **シクロホスファミド**
- **ダナゾール**
- **NSAIDs**
- **メトトレキサート**
- **ワルファリン**

一方，授乳婦は妊婦と一緒ではない．ほとんどの薬剤は母乳に移行しうるが，たいていの赤ちゃんは自分で排泄可能である．添付文書では「授乳婦への投与は推奨しない」と記載しているが，多くのタイプの薬剤が授乳中に使ってもほとんど影響はないと言われている．

ただし，抗癌薬，ヨウ化Na，アミオダロンは禁忌である．母乳が出続けるためには飲ませ続けることが大事なので，**薬剤投与でむやみに授乳を止めない**よう必ず説明すること！

妊娠と放射線

X 線(胸部，腹部)など，日常行われている放射線検査で，胎児に大きな影響を与えるほどの線量はない．妊娠と気づかずに X 線を撮ってしまい，後から相談されることがあるが，基本的に心配はいらないと伝える．間違っても早まって中絶などしないように伝える．

このようなトラブルを避けるために，妊娠可能年齢の女性では，X 線以外の検査(エコーや MRI)で代用できないかを常に考える．また，骨盤を含んだ X 線検査をする場合は 10 日間ルール(月経開始から 10 日間の間に検査を行う＝妊娠の可能性がほとんどない時期)に従うと，患者の不安を減らせると思われる．

■ 胎児への放射線の影響

胎児への影響	感受性の特に高い時期	閾線量 (mGy)
胎芽・胎児死亡	着床前期(受精～ 9 日間)	100
奇形の発生	器官形成期(妊娠 4～10 週)	100
精神発達遅滞	胎児期(妊娠 10～15 週 or 25 週まで)	300
癌	全期間	10

■ 通常の診断手段から受けるおよその胎児線量(妊娠初期)

(草間朋子：放射線防護マニュアル，第 2 版．pp20-22，日本医事新報社，2004)

単純 X 線	平均(mGy)	最大(mGy)
腹部	1.4	4.2
胸部	＜0.01	＜0.01
腰椎	1.7	10
骨盤	1.1	4
頭蓋骨・胸椎	＜0.01	＜0.01

CT	平均(mGy)	最大(mGy)
腹部	8.0	49
胸部	0.06	0.96
頭部	＜0.005	0.005
腰椎	2.4	8.6
骨盤	25	79

透析患者救急

原則

2020年末の時点で日本の透析患者は約34.8万人いると言われ，増加傾向である(透析会誌54：611-657, 2021).

ERでの透析患者診療は，**易免疫性・血管病変の高いリスク，薬剤の使用制限などがポイント**となり，見た目の全身状態からかけ離れたような「**想定外の病態**」が隠れていることも少なくない.

透析患者の出血性病変(外傷，鼻出血，胃十二指腸潰瘍，直腸潰瘍，術後出血など)では，もともと抗凝固薬を飲んでることも多く，ER受診時に安定していても入院を考慮するなど慎重に対応することが必要である．初学者では勘違いも多いが，全く自尿のない場合ではvolume負荷とアレルギーの問題さえなければ造影CTを避ける必要はない(透析で排出可能).

マネジメントという視点からは，入院させる場合に**透析条件の確認，透析ベッド確保，緊急透析の必要性やシャントの管理**(スリル触知の有無，シャント音の聴取を．50%ブドウ糖液のような高浸透圧の輸液は使用を避けること！)**の面からも注意が必要**である.

透析患者の発熱

透析患者の発熱原因としては，

❶ 感染症，❷ 非感染症　❸ その他(MIA症候群など)の3つの側面から考える.

血液培養のオーダーをためらわないことが肝要.

❶ 感染症

- 透析アクセス感染：ブラッドアクセス，腹膜透析カテーテル関連
- 全身臓器感染：呼吸器，尿路，皮膚軟部組織，消化器，中枢神経系，結核，真菌，ウイルス(特にB型肝炎)

❷ 非感染症

悪性腫瘍(特に腎癌，肝癌)，膠原病・血管炎，薬剤，カラム・透析液に対するアレルギー，尿毒症

❸ その他
MIA (malnutrition-inflammation-atherosclerosis) 症候群(栄養障害，炎症，動脈硬化が相互にサイトカインと関連し悪循環を起こす状態)

呼吸器感染症のポイント

透析患者では，体液バランスの変動により胸部 X 線での浸潤影の発見が遅れる可能性があること，またうっ血性心不全の治療的介入の遅れで肺炎併発のリスクが上昇することから，常に呼吸器感染症の可能性を考える必要がある．その一方で，**市中肺炎の起因菌や選択すべき抗菌薬は非腎不全患者と変わらない**．入退院を繰り返すケースでは，病院内肺炎で考慮する起因菌(緑膿菌，エンテロバクター，ESBL 産生大腸菌，クレブシエラ，アシネトバクターなど)の可能性もある．

透析患者の結核頻度は非透析患者の 10 倍とも言われ，特に透析導入 6 か月後に多い．そのため，「微熱やしつこい咳が続く」「肺炎治療に反応しない」場合には積極的に結核を疑い，喀痰や胸水から結核菌(培養，遺伝子)検出や QuantiFERON® 検査陽性で診断を行う．

皮膚軟部組織感染症のポイント

- **糖尿病による末梢神経障害，動脈硬化による末梢循環不全から蜂窩織炎，壊死性筋膜炎，骨髄炎**の頻度上昇 → 血流不全のためグラム陽性球菌，グラム陰性桿菌，嫌気性菌といった多菌種を起因菌として想定
- **穿刺操作に伴う皮膚バリア障害**からのブラッドアクセス感染 → MRSA，MRSE などを起因菌に想定

尿路感染症のポイント

意外かもしれないが，透析患者では乏尿・無尿ゆえに尿路感染症が多く，特に無尿での膀胱炎では下腹部不快感・悪臭の尿道分泌物などが感染症状となり，**尿路症状が全くない敗血症の発症に注意が必要**．

診断には尿細菌培養が必須だが，安易な尿道カテーテル挿入および膀胱洗浄は感染を誘発する可能性があるため，尿路感染が鑑別に入る乏尿患者のみに行う．

また尿路感染症が持続する場合，**成人型多発性嚢胞腎(ADPKD)，多嚢胞化萎縮腎(ARCD)の嚢胞感染，感染した尿路結石の存在，細菌性前立腺炎**を鑑別する必要がある．嚢胞感染では，移行性の良好な抗菌薬を最低 3 週間投与することが必要(ST 合剤，ニューキノロンなど)．

尿路感染症の特殊な病型として，機能していない膀胱内に多量の膿が貯留した**膀胱膿症**があり，特に無尿の透析患者で原因不明の発熱時には必ず疑う必要がある．

腎障害時の抗菌薬投与の考え方

初回投与量は腎障害の有無にかかわらず通常量をまず用いる．

2回目以降は一般原則として，以下のように対応．

✓CCr (eGFR) 40〜60 mL/分 ➡ 腎排泄型の抗菌薬の1回投与量を50%に減らすが，投与間隔は変更なし

✓CCr (eGFR) 10〜40 mL/分 ➡ 腎排泄型の抗菌薬の1回投与量を50%に減らし，投与間隔も2倍に延長

また，透析患者では血液透析・腹膜透析で排出される抗菌薬であるかどうかを必ず確認することも重要になる．

透析患者の胸痛

透析患者の胸痛でも，基本的には致死的疾患の除外から診療を始めることに変わりはない．しかし，検査所見の解釈が以下のように難しくなるのが要注意．

❶ 心電図における ST-T 変化

心肥大などでも非特異的な ST-T 変化が出現するため，心筋虚血に対する特異性が低くなる．

❷ バイオマーカーの解釈

CK-MB 5%以上でも心筋障害を生じていない透析患者が30〜50%存在する．

トロポニンTが0.01 ng/mL以上でも心筋障害が生じていない透析患者が20%存在する(Clin Chem 43：976-982, 1997)．

また，尿毒症性心外膜炎(透析導入後8週未満の発症)や透析関連心外膜炎(透析導入後数か月以降での発症)などの特殊疾患も鑑別に挙げる．

透析患者の腹痛

透析患者の腹痛では，**病変が，① 血管系，② 腸管系，③ その他，のどこに存在するかに分けて考える．**

① 血管系評価

透析患者では，糖尿病，高血圧，慢性腎臓病に伴うミネラル骨代謝異常などのため，動脈硬化，血管の石灰化が高度に認められており，非透析患者に比して，血管疾患発症リスクが高い．

② 腸管系評価

非透析患者に比べ，透析患者では**非閉塞性腸管虚血症**(non-occlusive mesenteric ischemia：NOMI)が1.5〜9.5倍起こりやすい．動脈硬化，高齢，

高血圧，糖尿病，うっ血性心不全，不整脈，薬剤(シクロスポリン，プロプラノロール，フェノバルビタールなど)，エリスロポエチン製剤，透析中の低血圧などがリスクとなるが病態はいまだ不明な点が多い．

症状は非特異的だが，透析患者のNOMIでは**盲腸，右半結腸が侵されることが多く**(Case Rep Nephrol Dial 5：145-151, 2015)，炎症の広がりとともに腹膜刺激徴候を呈することもある．リスクに加えて，透析間の体重増加，単位時間あたりの除水速度，透析開始前の血圧，透析中の血圧低下の有無に関して聴取する．透析開始前の血圧が120/50 mmHg以下，あるいは**透析中に収縮期血圧が26.5 ± 24 mmHg，拡張期血圧が10.3 ± 12 mmHgの低下をきたすものはNOMI発症リスクが高い**と報告されている(Nephrol Dial Transplant 18：911-917, 2003)．

NOMIを疑ったときは**速やかに造影CTを施行**する．CTでは腸管壁肥厚の有無，腸管壁肥厚部の造影効果，脂肪織濃度，大腸壁や肝内胆管の異常ガス，腹腔内free airなどに注目する．**NOMIの診断がついたら，迅速な外科的処置が必要**．NOMI発症から24時間以内に治療された場合の死亡率が15%程度であったのに対し，24時間以降に治療された場合，死亡率が45%まで上昇すると言われている(Nephrol Dial Transplant 18：911-917, 2003)．

③ その他

嚢胞性疾患がある場合は嚢胞内感染，動脈瘤がある場合は，動脈瘤感染や切迫破裂などを考慮する．

腹膜透析患者では，透析カテーテルの出口部・カテーテルを通した菌体の侵入や，透析液を介した菌体の侵入による腹膜炎のリスクがある．バッグ交換手技の様子や最近の内視鏡検査，婦人科の処置，便秘または下痢の有無などの確認を行う．**排液中の白血球数が100/μL以上で好中球が50%以上なら腹膜透析関連腹膜炎**と考える．治療は入院のうえ，第一世代セフェムに加えて，緑膿菌を含むグラム陰性菌を広域にカバーする薬剤や，必要によってはMRSAを考慮してバンコマイシンを使用する必要がある．

また，**透析患者の電解質異常としては低Na，低Ca，高K，高P＋低Mg**をセットで覚えておくとよい．

Na，K，Mgは透析で補正を実施できるが，CaおよびPは透析で補正が困難であるため内服加療で対応されていることが多い．低Ca血症は活性化ビタミンD〔アルファカルシドール(アルファロール®)やカルシトリオール(ロカルトロール®)など〕，高P血症は消化管吸着薬〔セベラマー(レナジェル®)や炭酸ランタン(ホスレノール®)〕などを内服している．

肝硬変患者救急

原則

「肝がん白書 令和4年度」(日本肝臓学会)「平成23年患者調査」(厚生労働省)によると肝硬変の国内の患者数は30万人以上，そのうち，医療機関を受診している肝硬変患者は約56,000人と推定されている．また，肝硬変で亡くなる患者数は年間で約17,000人と言われている．肝硬変とは「肝臓におけるびまん性の線維増生と再生結節の形成により肝小葉の構造が改築された状態」と病理学的に定義される慢性肝疾患の終末像である．

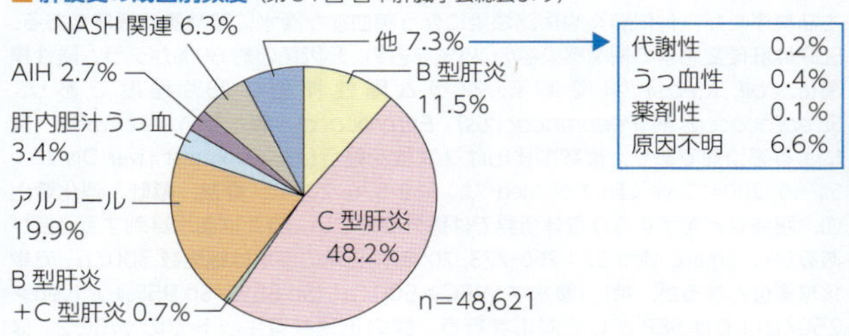

無症候性に病期が進行し，非代償期となるまで症状が出てこないことが多い．肝予備能が比較的保たれた**無症状の代償期**と，肝予備能が失われ合併症が起こってくる**非代償期**に分けられる．スコアリング方法として，臨床病期をABCの3つに分けるChild-Pugh分類(⇒ p.460)あるいはMELD scoreがよく用いられる．Child-Pugh分類はカルテにもよく記載され，スコア8〜9点の場合には1年以内に死亡する例が多く，10点以上になるとその予後はおよそ6か月と言われている．肝硬変患者特有の合併症の救急対応としては，SBP(特発性細菌性腹膜炎)，静脈瘤破裂，肝性脳症，肝腎症候群がメインとなる．独特の予防的抗菌薬投与の状況(急性の消化管出血，重症肝硬変の易感染状態，SBPの既往)も予後改善につながるため特筆すべきポイントである．

肝硬変患者の発熱

(Hepatology 63：1632-1639, 2016/N Engl J Med 384：2317-2330, 2021)

肝硬変は感染症が多く，死亡率も高いため，早期診断と適切な治療が極めて重要となる．しかし，肝硬変症における感染症の死亡率は多剤耐性菌の拡大によってあまり改善していない．有効な抗菌薬投与が遅れると，1時間ごとに7%以上死亡率が上昇し，特に血圧低下をきたした例で多い．しかし，検体採取から病原体の同定までにタイムラグがあり，また肝硬変の患者では培養陰性が多いため，確実な治療は難しい．

特にSBPは注意すべき病態である．他に合併しやすい感染症としてUTI(尿路感染症)25%，肺炎19%，皮膚軟部感染症10%，カンジダ感染症，CDI(*Clostridioides difficile* 感染症)などが続く．UTIでは緑膿菌合併，肺炎ではGNR(グラム陰性桿菌)起因，皮膚軟部感染症では壊死性筋膜炎に注意する．

特発性細菌性腹膜炎（spontaneous bacterial peritonitis：SBP)

肝硬変患者における重要な感染症の1つであり，bacterial translocationが主な機序だが，他に肺炎や尿路感染に伴う菌血症が腹水に波及する機序もある．SBPは肝硬変患者の細菌感染症の25%を占め，起因菌の約60%がグラム陰性桿菌(*E. coli*, *Klebsiella*)である．グラム陽性桿菌は25%程度であり，*Streptococcus* 属(*Pneumococcus*)，*Enterococcus* 属が多い．92%が単一菌による感染症であり，複数菌検出は2次性を疑う(J Gastrointest Liver Dis 15：51-56, 2006/Clive Clin J of Med 71：569-576, 2004)．発熱，嘔吐，消化管出血，腹痛などを呈するが身体所見では除外できない．疑えば腹水穿刺する必要がある(Ann Emerg Med 52：268-273, 2008)．正常の腹水は細胞数300/μLで単核球優位となるが，特に「腹水中WBC>500/μL(Sn 85%，Sp 95%) or Neu>250/μL」ではSBPとして対応を行う．尿の迅速検査キットでのWBC 2+はSn 89%，Sp 100%と有用である(Eur J Gastroenterol Hepatol 16：579-583, 2004)．グラム染色の感度は低いが，血培ボトルで腹水を10 mL以上とることで感度がSn 85%まで高められる．

一般的に診断基準(WBC>250/μL)を満たさなくても，症状(腹痛，発熱など)があれば培養待たずにエンピリックに治療を開始することが多い．

「セフトリアキソン2g iv 24時間おきに 5日間」，または「セフォタキシム(セフォタックス®)2g iv 12時間おきに」が選択されることが多いが，経口投与が可能ならノルフロキサシン（バクシダール®)錠(200 mg) 2T 分1となる．

アルブミン製剤の点滴投与1.5 g/kg divは肝腎症候群の予防によく，肝硬変患者では予後改善する．治療開始後2日後に再度腹水検査を行い，多核球の減少が25%未満にとどまる場合は治療失敗を示唆する．

肝硬変患者の吐血

肝硬変患者の 40～60% で胃食道静脈瘤が認められ，右図のようにシャント血管などを通して発生する．

■ 食道静脈瘤の発生場所

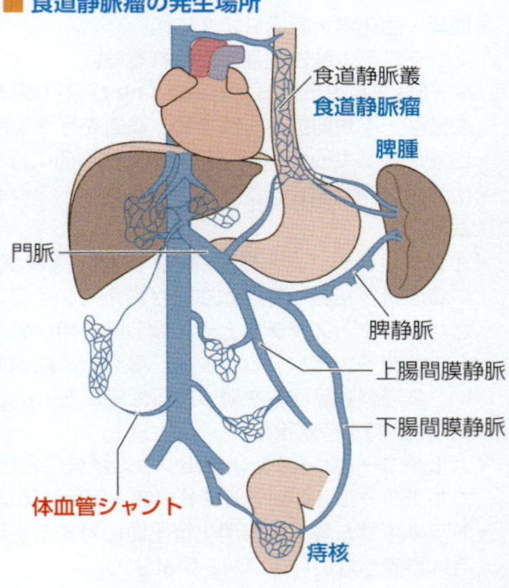

出血リスクは年間 12% で，静脈瘤の大きさ，形態，肝硬変の重症度が出血リスクに関与する(Med Clin North Am 98：119-152, 2014)．静脈瘤の破裂予防として β 遮断薬が投与されることが多い．

食道動脈瘤の出血例のうち 40～50% は自然に止血するが，6 週間以内に 30～40% が再出血をきたす(N Engl J Med 345：669-681, 2001)．

出血時の死亡率は 15～20% と高いため，12 時間以内の内視鏡による止血が推奨される(Med Clin North Am 98：119-152, 2014)．吐血の際は輸液，輸血で循環動態の安定化を図り，Hb 7～9 g/dL を維持しながら緊急内視鏡での止血や IVR を検討する．肝硬変患者では血管拡張のため普段の血圧が低いことが多く，過剰な輸液や輸血は門脈圧亢進を悪化させるリスクがある．血小板減少や凝固障害があれば PC や FFP の輸血も検討する．短期間(5～7 日間)の抗菌薬加療は感染と再出血予防になり，ノルフロキサシン(バクシダール®)錠 200 mg 2T 分 1 の経口投与またはセフォタキシム(セフォタックス®)2 g/日 div を検討する．どうしても出血コントロールがつかない場合は S-B(segstaken-Blakemore) チューブや外科治療，食道ステント，組織接着物質を使用した内視鏡的静脈瘤硬化療法を考慮する．また高頻度に合併し予後不良の原因となりうる脳症対策も忘れずに行う．

■ 当院での食道静脈瘤破裂時の検査と投薬セット

- 血算・生化学・凝固に加えて，
  アンモニア：肝性脳症が疑われる場合
  IP・Mg・ビタミン B_1：refeeding 症候群が疑われる場合
  血液型・不規則抗体・感染症：輸血を行う場合
- 血液培養 2 セット：抗菌薬の予防投与前に行う．
- 血液ガス(静脈血可)：アルコール性ケトアシドーシス，イオン化カルシウム
- オクトレオチド：肝硬変では，一酸化窒素が肝臓で処理されないためか，内臓血管が拡張して門脈血流が増えているので，選択的に内臓血管を収縮させるソマトスタチンとその類似薬を用いる．日本で使用できるのはオクトレオチド．バソプレシンは心臓や脳の血流も低下させるため使用しにくい．食道静脈瘤破裂を疑ったら即座に 50 μg iv でボーラス投与したのち，50 μg/時で持続投与
- カルチコール：イオン化カルシウムが低いときや大量輸血するときに考慮．カルチコール 10A+5%ブドウ糖 100 mL 60 分かけて
- トラネキサム酸：上部消化管出血に対する使用はエビデンスに乏しく，投与は推奨しない(HALT-IT trial より)

肝硬変患者の意識障害

「意識障害をきたしたすべての肝硬変患者が肝性脳症」ではない．

必ず，「意識障害」項(⇒ p.156)を参考に頭蓋内病変，脳炎や髄膜炎，血糖値異常，CO_2 ナルコーシス，薬剤性，Wernicke 脳症，てんかんなどを除外することが大切．血液ガス，採血，血液培養，髄液検査，頭部 CT などを施行する(J Hepatol 54：1030-1040, 2011)．

肝性脳症

肝性脳症とは「重篤な肝障害あるいは門脈体循環シャントにより精神神経症状を引き起こした状態」と定義される(Hepatology 60：715-735, 2014)．あくまで肝性脳症は臨床的プレゼンテーションで診断され，検査値で診断されるわけではない(Cleve Clin J Med 76：252-254, 2009)．アンモニア値が正常でも肝性脳症を除外できないし，アンモニア値が高くても肝性脳症とは診断できない(Am J Med 114：188-193, 2003)．UpToDate® では，肝硬変の 30～45%に起こり，門脈体循環シャントの 10～50%に生じると記載されている．

肝性脳症は，❶臨床背景，❷重症度，❸時間経過，❹誘因の4つの分類方法がある(Hepatology 35：716, 2002).

❶ 臨床背景
急性肝不全によるもの，門脈体循環シャントによるもの，肝硬変に伴う門脈圧亢進症，全身性シャントによるもの

❷ 重症度
犬山分類，West Haven criteria など

❸ 時間経過
episodic，recurrent，persistent

❹ 誘因
便秘，消化管出血，蛋白質の過剰摂取，感染症(SBP や UTI など)，鎮静薬，睡眠導入薬や利尿薬などの薬物過剰投与，腎不全，血液量減少，低酸素，低血糖，腹水大量穿刺排液などによる脱水，電解質異常(低K血症)など

典型的な病歴としては，睡眠覚醒リズムの逆転，傾眠傾向，不眠，倦怠感，構成失行，イライラが初期に認められ，進行すると興奮・せん妄となり，さらに進行すると昏睡となる．bradykinesia，hyperreflexia，rigidity，myoclonus，asterixis なども出る．進行すると対光反射が鈍くなり，瞳孔が中央に固定化される．腱反射低下は起こりづらい．17%程度に片麻痺などの脳神経巣症状が出たという報告もある(Am J Gastroenterol 96：515-518, 2001).

治療は，誘因の除去(抗菌薬による感染症治療，出血源の止血，利尿薬中止，アンモニア産生抑制，排便促進など)＋栄養療法〔蛋白制限，点滴での脱水や電解質(Na，K)補充〕の2本柱となる．

- まずは合成二糖類(ラクツロースシロップ 1回30〜40 mL 1日2〜3回
- 合成二糖類でも改善乏しいようなら，リファキシミン(リフキシマ® 1回400 mg 1日3回 食後に経口投与)2週間内服(腸内細菌からのアンモニア産生を抑制)
- 低Alb血症(<3.5 g/dL)かつ低栄養状態であれば分枝鎖アミノ酸(BCAA)製剤投与を考慮．アミノレバン® 200〜500 mL 1日1〜2回点滴，ないしはリーバクト® 3包 分3
  ※BCAAによるアンモニア消費量の増加により意識障害を改善させるメタアナリシスはあるが，死亡率の改善に関してはエビデンスがない

上記で改善が乏しい場合は，腹部骨盤造影CTで門脈体循環シャントの検索を行う．シャントが存在する場合はシャント閉鎖術(BRTO，PTO，TIO)を考える．またMELDスコア15以上なら肝移植を検討．劇症肝炎では悪化するのでCHDFを優先．West Haven criteria の grade Ⅰでは外来で，grade Ⅱ以上は

入院対応となる．

重症度の分類と症候の概要

（日消誌 104：344-351，2007/J Hepatol 61：642-59，2014 を参考に作成）

犬山分類	症候の概要	West Haven criteria	症候の概要
Ⅰ	潜在性 (retrospective)	Minimal	脳症テスト*の異常
		Grade Ⅰ	注意散漫
Ⅱ	失見当識	Grade Ⅱ	失見当識
Ⅲ	興奮・せん妄・嗜眠	Grade Ⅲ	傾眠・混乱・異常行動
Ⅳ	昏睡	Grade Ⅳ	昏睡
Ⅴ	深昏睡		

＊ Psychometric Hepatic Encephalopathy Score（PHES），Critical Flicker Frequency（CFF），electroencephalogram（EEG）など

肝硬変患者の腎機能低下

肝硬変患者の急激な腎機能低下をみたら通常の急性腎障害(AKI，特に利尿薬増量と薬剤性)および肝腎症候群(hepatorenal syndrome in cirrhosis：HRS)を考える．

HRS とは，肝硬変末期患者において「**腸間膜血管床への血液不均等分布と腎皮質血管攣縮による腎虚血**」により，腎臓血流障害と糸球体濾過量の減少が生じる一方，尿細管機能自体は保たれている病態である．循環障害であり，腎実質障害ではないため，肝移植で腎不全は改善する．SBP をはじめとする感染症が起因となることが多い．

臨床的には，非代償期肝硬変患者が，SBP や消化管出血で critical な状態になったときなど，尿量が低下して腎機能が悪化した状態で疑い，2 週間以内の経過で血清 Cr 値が 2 倍以上上昇し 2.5 mg/dL を超える場合を Type1，それよりも緩徐の経過で治療抵抗性の腹水を特徴に Cr 上昇(48 時間以内に Cr が 0.3 mg/dL 以上の上昇，あるいは 7 日以内に Cr が既知のベースラインから 50%以上上昇)で診断される．中央生存期間は臨床経過の早い Type1 では 1 か月と言われている．

急性尿細管壊死(ATN)との鑑別は，循環不全である HRS は脈圧が低く血圧が低いが，ATN では脈圧が維持されて血圧も高めになることが多い．

治療は，アルブミン投与 1 g/kg/日投与を 2 日間行う．血圧低下がある場合は，ノルアドレナリン 0.1 μg/kg/分で開始する．高窒素血症や電解質異常がある場合は透析を考慮し腎臓内科にコンサルトを行う．

担癌患者救急

原則

2021 年の国内癌罹患数は全癌で約 100 万人であり，トップ 5 が大腸癌，胃癌，肺癌，前立腺癌，乳癌であった．また，2019 年のデータによると，日本人が癌で死亡する確率は男性 26.7%，女性 17.8%となっている．

65 歳以上の癌患者が亡くなる半年前に救急外来を受診する頻度は 75%という研究結果もあり，救急外来に立つ医師が担癌患者の救急対応を避けることはできない．

担癌患者救急対応とは ❶ **癌そのものの病態に対する対応**，❷ **抗癌薬関連対応**の 2 つを指す．

❶ 癌そのものの病態に対する対応

癌そのものの生物学的特徴として下記のような項目があり，鑑別に有用である．

- 脳転移の頻度の多い癌：肺癌，乳癌，腎癌，悪性黒色腫，胚細胞腫瘍
- 骨転移の頻度の多い癌：肺癌，乳癌，腎癌，前立腺癌
- 出血しやすい癌：肝細胞癌，腎癌，下垂体腺腫
- 血栓を起こしやすい癌：膵臓癌，肺癌，尿路上皮癌，腎癌

❷ 抗癌薬関連対応

抗癌薬は殺細胞薬，分子標的薬，免疫チェックポイント阻害薬の 3 種類がメインとなる．殺細胞薬，分子標的薬の副作用は ⑴ 骨髄抑制（ピークは 3 週ごとの抗癌薬であれば 10〜14 日，2 週ごとであれば 7〜10 日と考える），⑵ 反応性，⑶ 血栓や止血，⑷ 臓器障害の 4 つのカテゴリーで分けて考えるとよい．免疫チェックポイント阻害薬は免疫関連有害事象（irAE）に注意する．

ここでは主に oncologic emergency（発熱性好中球減少症，腫瘍性硬膜外脊髄圧迫症候群，脳転移による頭蓋内圧亢進症，上大静脈症候群，癌性心内膜炎による心タンポナーデ，腫瘍による気道狭窄）と irAE 対応について記載する．

発熱性好中球減少症（febrile neutropenia：FN）

化学療法や無顆粒球症などが誘因で好中球数（ANC）が 500/μL 未満，または数日以内に 500/μL 未満になりそうな場合の方に起きた 1 時間以上の 38℃以

上の発熱を発熱性好中球減少症(FN)と呼ぶ.

化学療法のレジメンによりFNのリスクは異なるが, **多くの殺細胞薬では10〜14日にnadir(ドイツ語で"底"を意味する)がくる**ため, その時期に熱が出た場合は, 血液検査の結果を待たずとも, FNの可能性が高いと考えて対応すべきである. ただし, ドセタキセル(タキソテール®)は7日ごろと早めにnadirがくるので注意する.

まずは体温以外のバイタルサインを確認し, 敗血症の有無と悪寒戦慄がないかチェックする. 毛布をかけても体の震えが止まらない悪寒戦慄(shaking chills)は菌血症のリスク12.1倍, 毛布をかぶりたくなる悪寒(moderate chills)は菌血症のリスク4.1倍, セーターを羽織りたくなる寒気(mild chills)は菌血症のリスク1.8倍になる.

感染源がはっきりしない場合が多いが, 穴と異物〔副鼻腔, 口腔内(粘膜炎, 歯周炎, 口腔内カンジダの有無), 肛門周囲, カテ刺入部〕を中心に全身の診察を行う. **直腸診は感染波及リスクがあるため禁忌**となる. 血液培養2セット, 胸部X線, 尿検査・尿培養を提出し, **MASCCスコア(⇒p.479)でリスク評価を行い, 20点以下は緑膿菌を含めたグラム陰性菌を広範囲にカバーする抗菌薬を考慮する**. 特に, 腹痛があり, 好中球減少性回盲部炎や肛門周囲膿瘍を疑うときはタゾバクタム・ピペラシリン(TAZ/PIPC)やメロペネム(MEPM)を選んだほうがよい. 通常FNの初期治療で抗MRSA薬は不要だが, ショックや皮膚軟部感染や口腔粘膜障害が目立つ場合などはバンコマイシン(VCM)を追加する. 感染のフォーカス不明の場合は, 解熱して2日以上経過し, ANC>500/μLまでは継続する. 3〜5日たっても解熱しない場合やANCが回復しない場合は, 発熱の原因を見直し, 抗真菌薬や抗MRSA薬の追加を検討していく.

腫瘍性硬膜外脊髄圧迫症候群 (malignant spiral cord compression：MSCC)

限局した徐々に増強/消えない背部痛ののちに次第に生じる筋力低下(左右対称), **膀胱直腸障害**, **体動時に出現する神経領域に放散する神経根痛**(しびれ, 感覚障害)で疑い, **MRIで診断する**. **病変は1か所とは限らない！**

治療の目標は疼痛コントロール, 合併症の回避, 機能維持や改善である.

✓疼痛コントロールは麻薬≫**NSAIDs**

✓MSCCの治療は**ステロイド投与と放射線治療**

初回診断時にデキサート®13.2 mg(or 10 mg) ivし, 翌日からデキサメタゾン16 mg/日を1回8 mg 1日2回 朝昼内服 or 4 mgを6時間ごとに投与する. 以後16 mg/日を2週間以上かけて漸減する方法を取ることもある.

放射線治療は一般的に有害事象が少なく, 症例の約70%が疼痛の改善を認める. 生命予後が半年以内の症例では8 Gy/1回などの短期の治療, 予後が1年以上見込まれる場合は, 30〜40 Gy/10回以上の治療計画が推奨される.

脊椎の不安定性の存在があれば手術も考慮される．SINS (spine instability neoplastic score)のスコアリングシステムで7点以上は整形外科コンサルトを行う．麻痺出現から48時間以内に手術し，その後放射線治療を行うと機能予後，疼痛緩和が良好だったという報告もある．ただし，放射線治療後の手術は術後合併症が増える．

■ **SINSのスコアリングシステム** (Spine 35：E1221-1229，2010)

要素		点数
部位	Junctional (後頭部〜C2，C7〜T2，T11〜L1，L5〜S1)	3
	Mobile spine (C3〜6，L2〜4)	2
	Semi-rigid (T3〜10)	1
	Rigid (S2〜5)	0
仰臥位での疼痛緩和，体動や脊椎への負荷による疼痛	あり	3
	なし	1
	疼痛自体がない	0
骨病変	溶骨性	2
	混合性 (溶骨性/造骨性)	1
	造骨性	0
X線撮影写真による脊柱のアライメント	亜脱臼/転位あり	4
	新たな変形 (後弯/側弯) あり	2
	正常	0
椎体崩壊	＞50% 崩壊	3
	＜50% 崩壊	2
	No collapse with ＞50% body involved	1
	上記以外	0
脊椎部位の後側方浸潤 (椎間関節，椎弓根，肋椎関節の骨折または腫瘍による置換)	両側	3
	片側	1
	上記以外	0

脳転移

初発症状は多彩で，**頭痛**(約 40%)，**限局性の神経障害**(20〜40%)，**記憶力低下などの認知機能障害**(30〜35%)，**けいれん**(10〜20%)，中には脳梗塞(5〜10%)として見つかる場合もある．高 Ca 血症など代謝異常や感染症，薬剤性などの除外が必要で，**診断は造影 MRI か造影 CT** で行う．

治療は手術，全脳照射(whole brain radiotherapy：WBRT)，定位手術的照射(stereotactic radio surgery：SRS)の 3 つである．単発性で全身状態がよく，手術可能な部位であることや水頭症に対するシャント手術は脳外科にコンサルトする．SRS は病巣に対し多方向から放射線を集中させる方法であり，一病巣の大きさが平均 3 cm 以下であること，病巣の数が数個で治療可能な範囲内に存在すること，治療後少なくとも予後 3 か月以上であることなどが適応となる．

化学療法施行時は脳浮腫予防のためグリセオール®1 回 200〜300 mL を 1 日 1〜2 回 連日投与やデキサメタゾン(デカドロン)1 回 4〜8 mg/日を経口ないし iv で投与しておくことが多い．

上大静脈症候群(SVC syndrome)

腫瘍や血栓により上大静脈が圧迫または閉塞して起こり，**「急速に起こった両手と顔のむくみ(足はむくんでいない)」**や**「臥位で増悪する頭頸部・顔面・上肢の浮腫，呼吸困難や胸痛」**で疑う．CT または MRI で診断し，気道狭窄合併の有無を検索する．治療は下記の重症度分類に基づいて選択される．Grade1〜3 では癌種や病期に応じた治療が行われるが，放射線治療が優先されることが多い．リンパ腫，胚細胞腫，小細胞肺癌では化学療法が第一選択となることもある．重症度が高いときは緊急で上大静脈ステントを検討する．

■ 上大静脈症候群(SVC 症候群)の重症度分類

(J Thorax Oncol 3：811-814，2008)

Grade	カテゴリー	定義
0	無症状	画像上，上大静脈の狭窄を認めるが無症状
1	軽症	顔面・頸部の浮腫・静脈怒張，チアノーゼ，顔面発赤
2	中等症	嚥下機能障害，咳嗽，視覚障害が出現
3	重症	軽度の脳 / 咽頭浮腫，起立時失神
4	致死的	重度の脳 / 咽頭浮腫，失神，血圧低下
5	死亡	死亡

癌性心嚢水による心タンポナーデ

肺，乳，食道などの縦隔腫瘍やリンパ腫によって引き起こされることが多く，**易疲労感，胸部不快感，呼吸困難，頻脈，浮腫，血圧低下や奇脈（吸気時に sBP が 10 mmHg 以上低下する）など**で疑う．胸部 X 線，心エコーで診断し，心嚢穿刺液で細胞診，セルブロックによる病理診断で確定診断となる．経過観察では改善しないので，低酸素に対して酸素投与と適度な輸液を行い心拍出量を維持しながら，CCU on call に相談して心嚢ドレナージを行ってもらう．

腫瘍による中枢性気道狭窄

「頸部腫瘤に伴う呼吸困難，ストライダー，頸部圧迫感，喀痰増加」では，数時間で窒息のリスクとなるため上記を考えて速やかに対応する．

上気道（声帯より上）では頭頸部腫瘍や悪性リンパ腫由来が多く，下気道（声帯より下）は甲状腺，食道，肺，胚細胞腫瘍，縦隔・気管周囲リンパ節腫大，リンパ腫などが多い．気道確保後に緊急気管切開または気管切開となる．耳鼻咽喉科や麻酔科などにラセン入りのチューブや気管内ステントを挿入してもらう．

免疫チェックポイント阻害薬による免疫関連有害事象 (immune-related adverse event：irAE)

近年癌治療の新たな未来を切り開いた免疫チェックポイント阻害薬（immune checkpoint inhibitor：ICI）は，イピリムマブ（ヤーボイ®），ニボルマブ（オプジーボ®），ペムブロリズマブ（キイトルーダ®），アテゾリズマブ（テセントリク®），アベルマブ（バベンチオ®），デュルバルマブ（イミフィンジ®）などが承認され多くの癌症例に投与されるようになった．**ICI 投与中の患者は T 細胞が全身の各臓器に浸潤して免疫反応を起こし，免疫反応が過剰になる場合がある**．このような副作用は自己免疫疾患に類似した症状を呈し，免疫関連有害事象（irAE）と呼ばれる．**irAE の中でも，間質性肺疾患，消化管穿孔，心筋炎，劇症 1 型糖尿病などのいくつかの事象は重大な副作用**である．MD アンダーソンがんセンターの救急部門の報告によると，ICI 利用患者の救急受診では，下痢・下垂体炎・甲状腺炎・膵炎・肝炎の頻度が多かったと報告されている（Ann Emerg Med 73：79-87, 2019）．

ポイントは以下の 2 点である

❶ irAE による内分泌障害は投与開始から 10 週前後で起こることが多く，頻度は 甲状腺＞下垂体≫副腎皮質・1 型糖尿病の順となる．また，irAE による下垂体機能低下症の中では副腎皮質刺激ホルモン（ACTH）分泌低下が多い（中枢性尿崩症は稀）．ACTH 分泌低下は不可逆であるが，甲状腺刺激ホルモン（TSH）やゴナドトロピン分泌低下は可逆的なことが多くホルモン補充して安定すれば，ICI を再開できることが多い．

❷ ICI の種類によって頻度・障害されるホルモンの傾向が異なる．

✓抗 CTLA-4 抗体：頻度 4〜10%，ACTH 分泌低下± TSH やゴナドトロピン分泌低下
✓抗 PD-L1 抗体 ：頻度 1%，ACTH 単独欠損が多い

よって，救急外来での ICI 投与中の患者の非特異的愁訴に対しては一般生化学，血糖，尿検査，胸腹部 X 線，心電図の他に，甲状腺機能，ランダムコルチゾール値などを考慮し，主科や病院のコンセンサスルールに則って対応をする

自殺企図・自傷行為対応

原則

2007 年の国民意識調査によると，これまでの人生で少なくとも 1 回以上「本気で死にたい」と考えたことがある人は，調査対象者の約 2 割に達していたとも言われている．

一般的に「自らが死を念頭に行う行動」を「自殺企図」，その結果として死に至ったものを「自殺」あるいは「自殺既遂」，命が助かったものを「自殺未遂」という．自殺統計によると，例年 3 月が最も多くなり，12 月が最も少なくなる．曜日別では月曜日が最も多く，祝日や年末年始が少なくなる．年齢階級別には 40 歳代が最も多く，無職者が多い．

自殺者の 40％以上に過去の自殺未遂歴があったという報告（Br J Psychiatry 173：531–535, 1998）や，自殺未遂者を 9 年以上フォローすると 3〜12％が自殺に至るという報告（Psychiatr Clin North Am 20：499–517, 1997）もあり，リストカットや大量服薬など救急外来でよく見る自殺企図患者にも注意が必要である．**自傷のある患者では，そうでない患者に比較して自殺完遂率が 100 倍高い．また，自殺者の 40〜60％が，自殺 1 か月前に医療機関受診歴があると言われている．そのため，手首自傷対応だったとしても背景の気分障害や統合失調症の併存と自殺のリスク評価を行うことを忘れない．**また，自殺企図後はカタルシス効果で精神症状が軽度にみえることがあるので注意する．**希死念慮の重症度判定に関しては悩む場合，精神科医や自治体の精神科救急事業を積極的に活用するようにする．**

■ 自殺企図患者の確認ポイント

精神科の通院状況	通院歴の有無．通院中であれば入院施設のある病院か．
キーパーソンとなる家族の有無	帰宅の際の見守りは可能か．精神科受診の際の付き添いが可能か．
過去の自殺企図歴	自殺企図を短期間に繰り返していないか．手段が致死的な方法に変化していないか．

- 今回の自殺行動が失敗に終わり，「いま生きている」という事実について，現在，患者はどのように感じているか？
- 今回の行動は衝動的か，計画的か？

- アルコールや薬物による酩酊の影響はあるのか？
- 対人関係への影響を期待していたか？(特定の他者に対する復讐，あるいは，保険金による借金の補填，犯罪行為の隠蔽など，目的が明確な場合には，持続的で強い自殺意図が認められることが多く，再企図のリスクが高い)
- どのような外的なストレッサーが関与したか？

人はなぜ自殺をするに至るのか？

人が自殺行動を起こすためには，自殺に対する心理的なハードルが下がるプロセスが必要である．つまり，自殺願望を行動に移すには，死に対する恐怖感が減弱したり，自分の身体を傷つけることに対して慣れたり，身体的苦痛に対して鈍感になったりするという，一種の準備状態が必要となる．こうした能力のことをJoiner らは「獲得された自殺潜在能力」と名付けている．自殺潜在能力は，リストカット，摂食障害，アルコール・薬物乱用のような，自殺以外の意図から故意に自分の健康を害する行動によって高められる．さらに自殺潜在能力は，他者の身体損傷や疼痛の体験に遭遇したり，他者の死を目撃したりすることでも高められる可能性がある．また，自殺の衝動性は自殺願望の高まりによって引き起こされる．**一般的に，自殺願望は「所属感の減弱」と「負担感の知覚」の重なりで起こると言われている．**「所属感の減弱」とは，「誰も自分を必要としていない」という感覚であり，「負担感の知覚」とは，「自分が生きていることが周囲の迷惑になっている」あるいは，「自分がいないほうが周囲は幸せになれる」という認識を指す．

まとめると，**自殺の行動化のリスク評価に関してわれわれは ① 自殺潜在能力(故意に自分の健康を害する行動)，② 所属感の減弱(誰も必要とされていない感情)，③ 負担感の知覚(自分がいないほうがいいと思っている)の 3 つの評価を行うことが重要**である．

どのように情報収集し，コミュニケーションを行うのか？

情報収集をするときの医療者の対応は重要であり，**「TALK」の原則**に沿って進めていくのが望ましいとされている．

「TALK」の原則

Tell	誠実な態度で話しかける
Ask	自殺企図についてはっきりと尋ねる
Listen	相手の話を傾聴する
Keep safe	安全を確保する

幸い，**自殺念慮に関する質問をすることで自殺するリスクが上がった報告はない**．むしろ，質問されることで「患者は，これまで必死に秘密にしてきたことや個人的な恥や屈辱の体験に終止符が打たれ，安心する」とも言われている．もし，自殺の話題に関して，ことさら素っ気なく，あるいは怒ったように否定する場合は，何かを隠している可能性がある．総じて，「自殺リスクの高い患者は援助者に対して挑戦的な態度をとる傾向にある」と心得えておくべきだろう．

患者から「死にたかった」と言われたら「死にたかったのですね」と反復するなど，真摯な態度で耳を傾けることが重要である．「命を粗末にしてはいけない」などの説得は厳に慎む．

自殺を考えている人は，決して「死にたい」のではなく，「死ぬことで自分が抱えている困難な問題を解決したい」と捉えるとよい． そして，「死にたい」と誰かに告げることは，「死にたいくらい辛い」ということであり，「もしもこの辛さを少しでも和らげることができるならば，本当は生きたい」という意味なのである．だから，自殺の是非を巡って患者と論争する必要はなく，その背景にある困難な問題をどう解決するのかを考えることが重要だ．自殺のホットスポットとして名高いサンフランシスコのゴールデンゲートブリッジから飛び降りようとしたところを警察による発見＆強制的退去された人の約９割は数年後も生存していたという報告もあり，自殺を考えている人は，生と死の間でたえず気持ちが揺れ動いていて，それゆえに，ささいなことでも自殺を思いとどまらせる理由となりうる．

特に「誰も自分を必要としていない」などという「所属感の減弱」が強い患者に対して，「少なくとも今あなたの目の前にいるこの援助者は，あなたに関心を持っていて，命を落としてほしくない．次も会いたいと考えている」と伝えることは大事である．

精神科への紹介とフォローをどうするか？

自殺リスク（再企図）の評価は今後の対応において非常に重要である．今回のエピソードが自殺企図によるものであったのか，またその理由・背景を確認していく．例えば睡眠薬を多量摂取した患者から「眠ってしまいたかった」と表現される場合でも，「死に至る可能性を考えていたか」を確認し，そうである場合は自殺企図として対応する必要がある．

自殺リスクの評価法の１つとして「SAD PERSONS スケール」（J Emerg Med 6：99-107, 1988）がある．「SAD PERSONS スケール」では各項目を１点として点数が高いほど危険性が高いといわれているが，系統的なレビューでは有用性が否定されている．

SAD PERSONS スケール

Sex	性別：既遂自殺は男性に，自殺未遂は女性に多い
Age	年齢：高齢者と思春期
Depression	うつ病：特に絶望感が強いとき
Previous attempt	自殺企図の既往
Ethanol abuse	アルコール乱用：そのほかの薬物の乱用
Rational thinking loss	合理的思考の欠如：幻聴や妄想
Social support deficit	社会的援助の欠如：援助されないという思い込み
Organized plan	組織的な計画：具体的な自殺手段の想定，強い意志
No spouse	配偶者の欠如：別居，離婚，死別，未婚
Sickness	病気：特に慢性の消耗性疾患

各項に当てはまるときの自殺リスク　0～4：Low，5～6：Medium，7～10：High

身体的に問題がないと判断された場合，施設内に精神科医がいる病院であれば，可能な限り精神科コンサルトをして帰宅可能の判断を仰ぐほうが望ましい．特に帰宅の判断に慎重となる状況としては，① 希死念慮が残存している，② 今回の自殺を後悔していない，③「もう自殺をしない」という約束に応じない，④ 自殺企図を頻繁に繰り返している，⑤ 不安や幻覚妄想が強い，⑥ 見守る家族がいない，などが言われている．

夜間など精神科医が不在である場合は，入院させて翌朝精神科・心療内科を受診してもらう，無理せずに他施設の精神科および自治体の精神科救急情報センターに対応を問い合わせるようにする．自殺は完全に防げないものの，自殺企図患者を返して自殺された場合，裁判で診療医の責任にされてしまう可能性もある．明らかな自傷・他害を認める場合は，警察に通報する．ただし，精神保健福祉法第 23 条で警察ができることは県知事ないし保健所への「通報」であり，「保護」は含まれない．

また，**自殺念慮者や自殺未遂者の援助においては守秘義務の原則が適応されない．**患者自身が「家族に言わないでください」と 訴えても，「あなたを守るためにそれが必要である」ことを粘り強く説明すべきであり，**もしも家族と連絡を取らないまま対応し，患者が自殺した場合は訴訟リスクも皆無ではないことも忘れない．**

虐待対応(DV・子ども・高齢者)

原則

ファミリー・バイオレンス(family violence：FV)とは，「家族や親密な関係にある他者を，支配したり害したりするために，虐待的行為を行うこと」を指す．従来のドメスティック・バイオレンス(DV，配偶者やパートナーからの暴力)，子ども虐待，高齢者虐待，親子間暴力，兄弟間暴力などを含む「私的で親密な場における暴力」のことである．

一般的に安心・安全な場と考えられている「家庭」は実際には暴力が発生しやすい場所でもある． 警察庁によれば2020年の国内における殺人事件検挙総数のうち52%が親族間で，このうち加害者では配偶者26%，親36%，子26%，兄弟8%であった．暴行・傷害では，加害者が親族の場合が28%であり，このうち56%が配偶者であった(警察庁：令和2年の刑法犯に関する統計資料，2021)．

DVについての内閣府の調査では，成人女性の約4人に1人が「配偶者」からの暴力の被害経験があり，約1割は繰り返し暴力を受け，被害経験者の約8人に1人は「命の危険」を感じたと明らかになっている(内閣府男女共同参画局：男女間における暴力に関する調査報告書＜概要版＞，2021)．

また「子ども虐待」は，2019年度中に児童相談者が受けた虐待相談対応件数は20.5万件であり，増加の一途をたどっている(厚生労働省：令和2年度 児童相談所での児童虐待相談対応件数，2020)．「高齢者虐待」は2019年度中の虐待判断件数は1.8万件であり，これも増加傾向である．特に要介護施設従事者による虐待ではネグレクト，威嚇的発言や高齢者の意欲や自立心を低下させる行為(職員都合でのオムツ使用や食事の全介助化)，経済的虐待(立場を利用した金銭の寄付や贈与)などが問題になっている(厚生労働省：令和2年度「高齢者虐待の防止，高齢者の養護者に対する支援等に関する法律」に基づく対応状況等に関する調査結果，2020)．**虐待を受けた高齢者はそうでない高齢者に比較してオッズ比3.1と死亡率が高い**(JAMA 280：428-432, 1998)．介護者が男性である場合に虐待に至る率が高く，最も虐待に至る可能性が高いのは息子である．

FVは医療者側が疑って問診を行わなければ見逃してしまう．FVは家庭内での非対称的な力関係に基づく暴力であり，対等な関係性における「喧嘩」とは大きく異なる．また，医療者が不適切な対応(「なぜ今まで逃げなかったの？」や「なぜ暴力を振るわれたのか？ あなたも原因があったのでは？」などという発言)で被害者をさらに傷つける「二次被害」も問題になっている．二次被害は，被害者にさらにダメージを与え，支援を受ける動機づけを低下させてしまう．

■ 暴力の種類

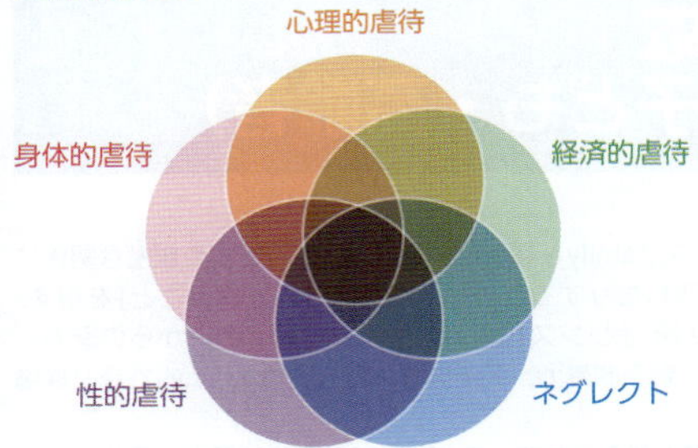

用いられる暴力には「身体的」「性的」「心理的」「経済的」「ネグレクト」など様々な形態がある．ERで出合う頻度が多いのは身体的虐待であるが，その背景の虐待の合併にも思いを寄せる必要がある．

診療の流れ

❶ 被害者の安全確保

FVを疑った場合，なるべく他の人に会わない待合に案内する．加害者が家族や友人のふりをして被害者の逃げ場などを医療機関に問い合わせることもあるため，診療で知り得た情報(特に住所や居場所)を，本人の許可なく第三者(家族や友人を含む)へ答えてはならない．

❷ 問診環境を整える

被害者から話が聞けそうな場合は，付き添いの人には席を外してもらう．子ども虐待疑いでは「体重を測る」「傷の処置をする」などの名目で親子を分離し，別室で子どもからさりげなく話を聞くのがコツである．DV疑いでは「このようなケガは，暴力を振われたときにもできるのですが，誰かに暴力を振われたことはありませんか」のように問診する．問診や診察時には女性看護師を同席させ，話した内容の秘密は必ず守られることを説明する．決してやってはいけないことは「犯人捜し」である．虐待は，家族の構造的な問題を背景として生起する家族機能不全の氷山の一角であり，一時的な助言や注意，あるいは経過観察のみでは改善が望めないものである．継続的な支援の道を開くイメージを持つ．

❸ 被害状況を記録する

警察への通報や裁判での証拠となるため，**事象発生の日時や内容は詳細に記録する**．**被害者が話した言葉そのままに記録し，同意が得られれば打撲痕や傷の写真を撮影する**．特に**性暴力被害の場合は，緊急避妊薬の処方，性感染症検査や感**

染予防薬の処方を検討し，産婦人科受診を推奨する．虐待を判定するのは行政のため，われわれは安全確保と通告に徹する．

関連法案と対応方法について

医療者のみで被害者の支援はできないものと心得る．いずれの暴力も本人の同意を得て警察や各支援センターに連絡する．同意が得られない場合も，相談窓口の番号やパンフレットなどを渡して必ず情報提供を行う．**命に関わる場合や重大な危険が差し迫っているときは，本人の同意がなくても通報できる．医療機関および医師をはじめとした医療従事者は，虐待からの「保護」等の施策に協力することが求められているため個人情報保護にも抵触しない．**

DVは「配偶者暴力相談支援センター」，子ども虐待は「児童相談所」，高齢者虐待は「地域包括支援センター」と，対象別に法律と機関が決められている．しかしDVと子ども虐待，高齢者虐待は，家族という関係の中でメビウスの輪のようにつながっており，これらの機関の間の連携は弱い点が現状の課題である．

配偶者からの暴力の防止及び被害者の保護等に関する法律（DV防止法）

ＤＶ防止法は，配偶者暴力等から保護するために特別規定された法律．配偶者からの一定の暴力を受けた被害者は，裁判所に申立てを行うことで保護命令の発令を求めることができる．保護命令に違反した場合には，罰則（①接近禁止命令，②退去命令，③電話等による接見禁止命令，④被害者の子への接見禁止，⑤被害者の親族などへの接見禁止命令など）も用意されている．

また，配偶者暴力相談支援センターは多くの都道府県に配置されており，相談，カウンセリング，緊急時の被害者の安全確保や一時保護施設の紹介などを行っている．

※全国共通のDV相談電話：＃8008（有料）

児童虐待の防止等に関する法律（児童虐待防止法）

児童虐待の予防および早期発見によって，虐待を受けた児童を保護することを目的として成立．児童虐待防止法第9条は，実際に虐待が行われているおそれがあると認める場合に，児童の住所等へ立ち入り，必要な調査することができる．また，同法第9条の3は，一定の要件のもとで，裁判所の発付する許可状により，実力行使を行う臨検・捜索を行うことができる旨も規定している．そして，児童福祉法との関係で一時保護や社会的保護（児童養護施設に入所させたりすること）ができる場合や，保護者の子へ通信を制限したり，接近を禁止したりすることもできる．

※児童相談所虐待対応ダイヤル：189（いちはやく）（無料）

発信した電話の市内局番等から（携帯電話等からの発信はコールセンターを通じて）当該地域を特定し，管轄の児童相談所に電話を転送してくれる．

高齢者虐待の防止，高齢者の養護者に対する支援等に関する法律（高齢者虐待防止法）

家庭内における養護者による高齢者虐待と，施設における従業員等による高齢者虐待について規定した法律．児童虐待防止法に類似する点が多く，老人短期入所施設への一時保護や入所措置が採られた場合の養護者による高齢者との面会制限等が規定されている．他方で，児童虐待と異なり，高齢者虐待の場合は，成人であることから，臨検・捜索制限や接近禁止命令制度が設けられていないなどの違いがある．

※各自治体で相談電話が設定されている

トラブル患者対応

クレーム対応の原則

苦情・クレームとは，受診前の期待水準よりも実際に得たものが下回ったときに発生する．予想より長い待ち時間など了解可能なものから，薬物中毒者の処方希望，点滴希望などERでは様々なクレームが発生する．

まずは以下の3つの原則を押さえて行動するとよい．

❶ 初期消火

クレーム処理で最もやってはいけないことは，初動までに時間をかけすぎることである．「(看護師であれば)医師の意向を確認してから」あるいは「(研修医であれば)上級医の意向を確認してから」などの理由で対応が遅れれば遅れるほど，相手の“怒りの炎”は勢いを増す．クレームが放出されたその場ですぐ対応を開始すべきである．

❷ 傾聴

では，具体的にどう対応すればよいか？ まずは，**とにかく相手の話を聴くこと**，である．

返答の第一声は「はい」にし，相手が話している途中での応答は行わない(特に，「でも」「だから」「ですから」はNG！)．「話をさえぎられた」「真剣に聞いていない」という印象を与えてしまい“火に油を注ぐ”結果になる．

「そうなんですか」「○○ということだったんですね」と適切な相づちを打ち，**相手の言葉を繰り返す**．共感が，患者の怒りに対する最も効果的な反応である(Lipp MR：Respectful Treatment, 2nd ed. Elsevier, New York, 1986)．

ここでは，**相手が何を望んでいるのか(＝期待値)を察知することに徹する**．

❸ 状況把握

話を聞きながら，**自分の置かれた状況と自分の心理状態をしっかり自己認識**する．声を荒らげたり，暴力的な雰囲気を出す患者と相対したら，共感の態度や受容的姿勢の維持を念頭に置きつつも「ああ，この患者はこういう自己表現に頼って，少しでも医療上の立場を優位にしようとしているのだな」と一歩引いて，客観的に考える癖をつける．

決して，怒りを自分に向けられたものと捉えたり，防御的な構えを行ったりすることを避けなければならない．

謝罪はピンポイントに行う

単に「申し訳ありません」では相手に伝わらず，かえって付け入る隙を与えることにもつながる．

- 「時間を余計にかけてしまい」申し訳ございません
- 「不快な思いをさせた点について」謝罪いたします

のように対応する．

相手の期待値が明らかに社会的にみて常識外の行動である場合は対応が変わってくる．このレベルまで行くと対応者は「CS（顧客満足）対応」から「RM（危機管理）対応」に大きくモードチェンジすべきである．暴れそう，大声を出しそうなら，「怖い」という感情をそのまま伝えるのもよい．

特に誰かが怪我したとき，物が壊れたとき，通告しても他の患者の診療に支障が出るときは相手に断りなく警察の協力をあおぐ．

> 「怒っていらっしゃるんですね？ そのような大きな声を出されますとこちらも安心して診療することが困難になります」
> 「ここは病院の診察室で，他の患者さんもたくさんおられるところです．大声を上げる必要はないですよね．一般的に守っていただくべきルールはありますので，こちらとしてもこれ以上なら医療機関としての対応をあきらめざるをえないです」

自分は「ただの窓口」という姿勢

薬物中毒者の薬物投与希望などでは，「自分の許可では処方できないことになっている」と伝え，できないことはできないとし 1 人で処理しない．この際，事実の共有のためにもカルテ記載はしっかり行う（必要なら患者に宣言した後に録音も行う）．

そもそもクレームをもらわないようにするために，予防線を張ることも重要である．服装は白衣のほうが患者からは好印象という報告もある．また，対応は可能な限り，院内で情報共有し，統一した対応マニュアルを形成すべきである．暴言・暴力などで医療従事者が何らかの身体的または心理的な「脅威」を感じた際には，「コードホワイト」として担当者に電話連絡をするシステムを取り入れている病院もある．

暴力をふるう可能性がある相手と交渉する場合の注意点としては，

- 相手よりも多い人数で対応し，凶器となるものは患者から離す
- 相手の呼び出しには応じない．悪用されるおそれがあるので氏名を書いた紙を渡さない
- 組織を挙げて対応し，個人に責任転嫁をしない
- 相手が用意した文書への署名・押印をしない

- 事前に警察に相談し，連絡体制をとっておく
- 初期対応で安易な回答をしない
- 事実関係がはっきりするまでは謝罪しない．しかし，相手に不快な思いをさせたことに関しては謝罪しても構わない
- 不当な要求に対する拒否の意思表示を明確にし，毅然と対応する
- 診療の経緯について相手が納得するまで根気よく説明し，患者や家族の不安な気持ちを思いやる

> 「こうした場合，私だけの対応だと規則上難しいことになりますので，他のスタッフも同席させてください．それから，“言った言わない”の話になるのは，あなたにとっても不本意でしょうから，これから記録を録音させていただけたらと思います」

「応招義務」に関して

法的に，患者が受診した時点で，医師と患者の間には診療の「**準委任契約**」というものが成立する．

この契約では，**医師は誠実に診療行為を遂行する義務があるが，病気を完治させる義務までは負わないと解釈するのが相当となる**．不動産の売買を不動産業者に行ってもらうのと同じであり，不動産を買いたい人が，「俺はこれしかカネを支払いたくないから，実勢相場より 1/10 程度の安い土地やマンションを今すぐ探してこい．探せなかったらただじゃおかないぞ！」と大声を上げるのと同じである．

また，どんな診療を受けるかの決定権は患者にあるが，契約上，患者には医師の診療に協力する努力義務がある．

> 「診療拒否とおっしゃったことですが，診療拒否とは，何もせずに追い返す状態のことだと認識しております．患者さんの要望に 100%沿う以外はすべて診療拒否だということにはならないと理解しております」

知っておくべき法律

No.	医療従事者にとって迷惑となる行為	法律
1	泥酔し，騒ぐなどして他の患者に迷惑をかけること	酒に酔って公衆に迷惑をかける行為の防止等に関する法律（酒酔い防止法）➡ 法律違反
2	医療者や他の患者に対して，殴る・蹴る・小突く・胸ぐらをつかむなどの暴力行為	刑法 204 条 ➡ 暴行罪，傷害罪
3	院内の設備や備品を破壊すること	刑法 261 条 ➡ 器物損壊罪
4	医療者や患者に暴言を浴びせること	刑法 231 条 ➡ 侮辱罪
5	医療者に対してみだりに接触すること	刑法 176 条 ➡ 強制わいせつ罪
6	わざと大声や奇声を発し，居続けて業務を妨害すること，院内で怒鳴り散らすなどして，医療者の業務を妨害すること	刑法 234 条 ➡ 威力業務妨害罪
7	「お前ら，不幸が起きるぞ」など，脅迫的暴言を吐く行為	刑法 222 条 ➡ 脅迫罪
8	医療者に物を投げつけること	刑法 204 条 ➡ 暴行罪，傷害罪
9	卑猥な発言など，公然わいせつ的行為をすること	刑法 174 条 ➡ 公然わいせつ罪
10	土下座させたり，謝らせる行為	刑法 223 条 ➡ 強要罪
11	正当な理由がないのに院内に侵入し，「退去してください」と言っても従わない	刑法 130 条 ➡ 住居侵入罪，不退去罪

（木沢記念病院企画総合部長 佐合茂樹氏作成の資料を参照）

トラブル患者対応とアンガーマネジメント

トラブル患者対応では少なからず医師自身が陰性感情を持つことが多い．怒りというのは人間が持ち合わせている自然な感情であり，0 にすることはできない．**怒りと上手に付き合う方法としてアンガーマネジメント**がある．アンガーマネジメントには，① **衝動のコントロール**（怒りのピークは 6 秒ですぎるため，手を強く握る，一度席を外すなど「時間を稼いで怒りの感情を客観視する」），② **思考のコントロール**（自分が抱いている理想と現実とのギャップによって怒りが生まれるため，自分のこうある「べき」という理想像を見つめる），③ **行動のコントロール**（生じた事象が変えられるものなのか，そうでないものか判断する）の 3 つのポイントがあり，それぞれのステップを踏むことで自身の怒りへの対応スキルを上げていくとよい.

興奮した患者への4ステップアプローチ

❶ まずは患者および医療スタッフの安全を確保

距離や出口の確保, 患者とスタッフへの周知, 早めの救急リーダー対応を行う.

❷ 患者を落ち着かせることを試みる

挑発的な態度を取らず, 簡潔に, わかりやすい言葉を使う. 感情や願望を明確にし, 選択肢を与え, 選んでもらう.

❸ 可能な限り身体拘束などの強制的介入を避ける

「暴力は許されません」など法の話を出すようにして抑制をかける.

❹ 止むを得ない場合にのみ身体拘束などの対応を考える

救急外来における身体拘束の適応などは明確化されていない. 一般的に, 介護領域では切迫性(利用者および他者への生命, 身体, 権利が危険に晒されている), 非代替性(身体拘束以外の手段がない), 一時的の3要素を満たすことが必要とされている.

身体抑制の方法としては(1)身体的抑制, (2)薬物的拘束の2つがある. (1)は頭部, 両手, 両脚を押さえるために5人以上のチームで対応する. 頭頸部の保護, 気道確保, モニタリング, 外傷性窒息を回避するために頭部/体幹部を圧迫しないことなどが留意点となる.

(2)は(1)よりも患者の権利を犯す可能性が高く, スタッフが足りないなどの理由で(1)が行えないときに用いる. 内服が可能ならリスペリドン内用液やクエチアピンなどを本人に促す. 一方, 筋注ではハロペリドールが第一選択だが, アルコール離脱せん妄, てんかんなどではベンゾジアゼピン系薬剤が第一選択薬となる.

いずれの方法を選択したとしても, 必要性や方法などを診療記録に残すことが必須となる(West J Emerg Med 13 : 17-25, 2012などを参照).

薬物的拘束の薬剤一覧

	商品名（一般名）	初回投与量	注意
内服薬	リスパダール® 錠 /内用液（リスペリドン）	0.5～2 mg	悪性症候群 QT 延長 高血糖 など
	セロクエル® 錠（クエチアピン）	25～50 mg	
	ジプレキサ® 錠（オランザピン）	2.5～10 mg	
注射薬（筋注）	セレネース®（ハロペリドール）	2.5～10 mg	急性ジストニア 悪性症候群 QT 延長 など
	セルシン®/ホリゾン®（ジアゼパム）	5～10 mg	逆説反応* 呼吸抑制 など
	ドルミカム®（ミダゾラム）	2.5～5 mg	
	ケタラール®（ケタミン）	4～6 mg/kg	心理的作用 一過性頻脈・血圧上昇 など

* 逆説反応：「脱抑制」となり，不安や焦燥が増悪することがある

暴れる患者の器質的疾患の除外に「FIND ME」！！

Functional　精神疾患
Infectious　脳炎，髄膜炎，脳膿瘍，敗血症，発熱関連
Neurologic　脳神経疾患，頭部外傷，けいれん発作，non-convulsive status epilepticus
Drugs　薬物，離脱，副作用，中毒，アルコール
Metabolic　代謝性疾患，血糖異常，体温異常，低酸素，高 CO_2 血症，肝性脳症，腎不全，低栄養
Endocrine　内分泌疾患，電解質異常

VI

使える！
ERの覚え書き

一般

血漿浸透圧の概算

2×Na (mEq/L) +BUN (mg/dL) ÷2.8+血糖 (mg/dL) ÷18

尿浸透圧の概算

2× (Na+K) +BUN (mg/dL) ÷2.8=尿比重の下 2 桁×20〜40 (mOsm/L)

水分欠乏量の概算

現体重 (Kg) ×0.6 × (1-140/Na)

γ計算

「1 γ=0.06 mg/kg/時」のみ覚えておく.
例えば，ある薬剤を体重 60 kg の患者に投与するとき，
1 γ=0.06×60 mg/時=3.6 mg/時
で投与すればよい.

Parkland (Baxter) の式

※熱傷患者への輸液量
=4 mL×熱傷面積 (%) ×体重 (Kg)
(受傷後 8 時間で半量を，16 時間でもう半量を投与)
バイタルサイン安定+尿量 0.5〜1.0 mL/Kg/時となるよう調整.

Performance status (PS)

※担癌患者などでの全身状態指標

- PS0：制限受けることなく発病前と同等のふるまい
- PS1：軽度の症状があるが，歩行，家事や事務などの軽作業や座業は可能
- PS2：歩行や身の回りのことはできるが，時に要軽介助．日中の 50%以上は起居
- PS3：身の回りのことはある程度できるが，しばしば介助必要．日中の 50%以上をベッドか椅子で過ごす
- PS4：身の回りのこともできず，常に介助が必要．終日就床を必要

循環器

聴診の Levine 分類

※心雑音の grade 分類

Levine Ⅰ度	Levine Ⅱ度	Levine Ⅲ度
胸壁 • 極めて微弱で，注意深い聴診で聞こえる雑音	• 弱いが，聴診器を当てるとすぐに聞こえる雑音	• 振戦を伴わない高度の雑音
Levine Ⅳ度	**Levine Ⅴ度**	**Levine Ⅵ度**
• 振戦を伴う高度の雑音	• 聴診器の端を胸壁に当てるだけで聞こえる • 振戦あり	• 聴診器を胸壁に近づけるだけで聞こえる • 振戦あり

NYHA 分類

※慢性心不全の重症度分類

Ⅰ度	心疾患はあるが，通常の身体活動では症状なし
Ⅱ度	普通の身体活動，疲労・呼吸困難などが出現 通常の身体活動がある程度制限される
Ⅲ度	普通以下の身体活動で愁訴出現．通常の身体活動が高度に制限される
Ⅳ度	安静時にも呼吸困難を示す

San Francisco Syncope Rule (SFSR) (CMAJ 183：E1116-1126, 2011)

※失神の重症度スコアリング

5項目中1つでも該当すれば陽性

❶ 来院時呼吸苦(＋)
❷ 来院時収縮期血圧＜90 mmHg
❸ Ht＜30％
❹ 心不全の既往(＋)
❺ 心電図にて異常あり

➡ Sn 87％(95%CI:79～93％)，Sp 52％(95%CI:43～62％)で重篤なアウトカムを示唆．

revised Geneva score (Ann Intern Med 144：165-171, 2006)

※肺塞栓(PE)の診断スコアリング

項目	点数
❶ 年齢＞65歳	1点
❷ 深部静脈血栓症(DVT)，PEの既往	3点
❸ 外科手術，下肢骨折の既往(1週間以内)	2点
❹ 活動性の悪性腫瘍	2点
❺ 片側下肢の疼痛	3点
❻ 血痰	2点
❼ 心拍数 75～94回/分	3点
心拍数 ≧95回/分	5点
❽ 片側下肢の浮腫，把握痛	4点

➡ 0～3点　：LR＋0.3
4～10点　：NS(not significant)
11点以上：LR＋8.5

※ Simplified versionでは，心拍数≧95のみを2点，それ以外の項目を1点として計算し，≦2点：PE unlikely，＞2点：PE likelyと判断する(Ann Intern Med 154：709-718, 2011)

Well's score for PE

(JAMA 295：172-179, 2006/Thromb Haemost 83：416-420, 2000)

項目	点数
❶ DVTの臨床症状	3.0
❷ PEが他の鑑別診断と比べてより濃厚	3.0
❸ 心拍数＞100回/分	1.5
❹ 過去4週間以内の手術もしくは3日以上の長期臥床	1.5
❺ DVTもしくはPEの既往	1.5

❻ 喀血	1.0
❼ 悪性疾患	1.0

➡ PE の可能性低い(≦4)：D ダイマー陰性 → 治療不要.
PE の可能性高い(>4)または D ダイマー陽性 → 造影 CT → PE なしであれば治療不要,
PE ありであれば治療を行う.

Well's score for DVT (N Engl J Med 349：1227-1255, 2003)

※深部静脈血栓症(DVT)の診断スコアリング

❶ 活動性の悪性腫瘍	1 点
❷ 下肢の麻痺あるいは最近のギプス装着	1 点
❸ ベッド安静> 3 日または手術後< 12 週	1 点
❹ 深部静脈触診で疼痛	1 点
❺ 下肢全体の腫脹	1 点
❻ 下腿直径差>3 cm	1 点
❼ 患肢の圧痕性浮腫	1 点
❽ 患肢の表面静脈拡張	1 点
❾ DVT の既往	1 点
❿ 診断が DVT らしくない	− 2 点

➡ 2 点以下　：低リスク
3 点以上　：高リスク

大動脈解離の prediction rule (Arch Intern Med 160：2977-2982, 2000)

❶ aortic pain(重度で突然発症，裂けるような痛み)
❷ 胸部単純 X 線写真で縦隔陰影拡大
❸ 血圧の左右差 20 mmHg 以上

➡ どれも当てはまらなければ，LR− 0.03 でほぼ否定.
2 項目当てはまれば LR +5.3．3 項目当てはまれば LR +66.

Brugada 症候群の基準

V1〜3 誘導の J 点が 2 mm 以上を示す ST 上昇で,

- Type1：coved 型
- Type2：saddleback 型で ST の終末部が基線の 1 mm 以上
- Type3：saddleback 型で ST の終末部が基線の 1 mm 未満

■ **coved型**

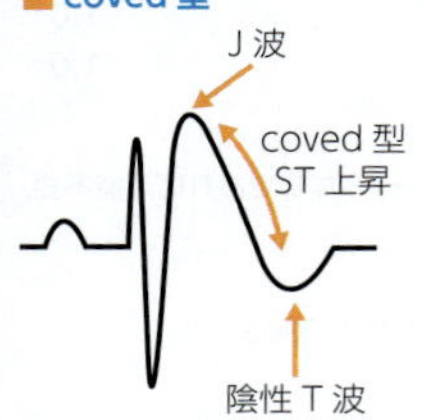

■ **saddleback型**

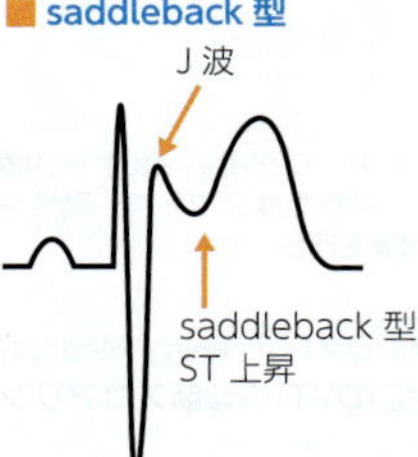

TIMIスコア (JAMA 284：835-842, 2000)

※非ST上昇型心筋梗塞(NSTEMI)の14日間のイベント発生率

❶ 65歳以上	1点
❷ coronary risk ("FL DASH"⇒p.130) ≧3項目	1点
❸ 既知の冠動脈狭窄病変≧50%	1点
❹ 0.5 mm以上のST変化	1点
❺ 24時間以内に2回以上の狭心症発作	1点
❻ 過去7日以内のアスピリン内服	1点
❼ 心筋酵素上昇	1点

➡ 5点で26.2%，6〜7点で40.9%イベント発生率が増加するためPCI考慮．特に難治性症状，重症心不全，致死的不整脈，血行動態不安定は優先．

左脚ブロックの虚血評価

■ **Sgarbossa's criteria** (Ann Emerg Med 52：329-336, 2008)

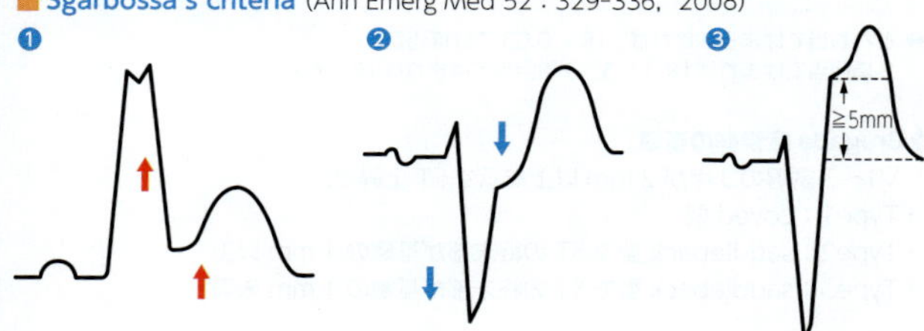

❶ QRS が上向きの誘導で，ST 上昇が 1 mm 以上	5 点
❷ V1～V3 の QRS は下向きで，ST 低下が 1 mm 以上	3 点
❸ QRS は下向きの誘導で，ST 上昇が 5 mm 以上	2 点

➡ スコア 3 点以上で虚血あり．Sn 20%，Sp 98%のため除外診断には向かない．

■ **Smith's criteria** (Ann Emerg Med 60：766-776，2012)

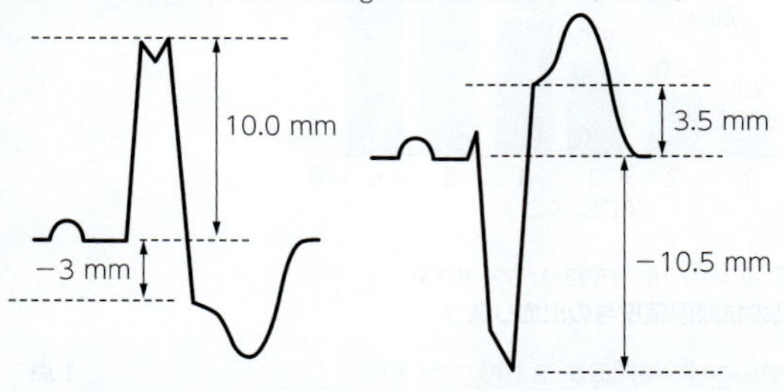

ST/S 比＝−3/10＝−0.30　ST/S 比＝3.5/−10.5＝−0.33

❶ QRS が上向きの誘導で，ST 上昇が 1 mm 以上	5 点
❷ V1～V3 の QRS は下向きで，ST 低下が 1 mm 以上	3 点
❸ ST/S 比≦−0.25	2 点

➡ スコア 3 点以上で虚血あり．比の計算が必要な分手間はかかるが，Sn 91%，Sp 90% と Sgarbossa's Criteria の感度の低さをカバーしている．

$CHADS_2$ スコア

※心房細動の脳血管イベント発生率

	危険因子	スコア
C	Congestive heart failure (うっ血性心不全)，LV dysfunction (左室機能不全)	1
H	Hypertension (高血圧)	1
A	Age≧75 (75 歳以上)	1
D	Diabetes mellitus (糖尿病)	1
S_2	Stroke (脳梗塞)，TIA (一過性脳虚血発作の既往)	2

➡ 2 点以上ならワルファリン，DOAC による脳卒中予防効果が期待できる．

脳卒中の年間発症率 (JAMA 285：2864-2870, 2001)

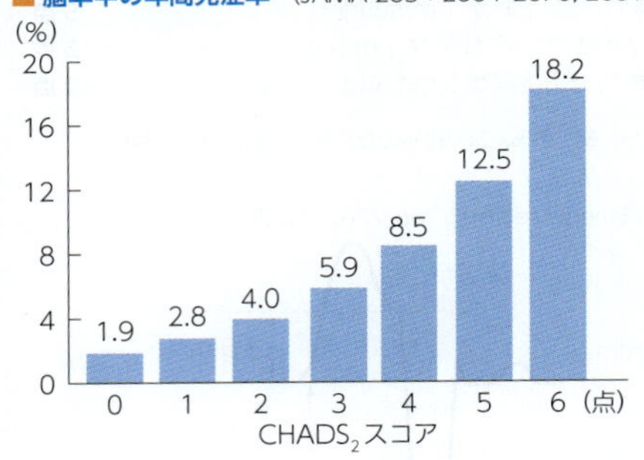

HAS-BLED (Circ J 78：1593-1599, 2014)

※心房細動の抗凝固薬投与の出血リスク

❶ Hypertension (収縮期血圧 ≧140 mmHg)	**1点**
❷ Abnormal renal/liver function (腎・肝機能障害　各1点)	**1～2点**
❸ Stroke (脳卒中)	**1点**
❹ Bleeding (出血歴)	**1点**
❺ Labile INR (INR≧3.5のエピソード)	**1点**
❻ Elderly (年齢65歳以上)	**1点**
❼ Drugs (抗血小板薬の使用)	**1点**

合計点0～8のうち，
0点　　＝低リスク(1年間の大出血発症リスク：1%前後)
1～2点＝中等度リスク(2～4%)
3点以上＝高リスク(4～6%以上)
➡ 3点以上なら抗凝固薬使用しない．

経皮ペーシングの使い方

⓿ 患者に除細動の心電図モニターを貼付する．心臓を挟むように，胸骨左縁と背部左肩甲骨下にパッドを貼り，コネクターを接続する
❶ 出力エネルギー・モード選択つまみを“ペーシングデマンド”に合わせる
❷ ペーシングレートのつまみを回して60回/分(年齢相当)にセットする

❸ ペーシング強度のつまみを 0 mA に合わせる．緊急時はフィックスモードが無難
❹ 経皮ペーシングのスタート・ストップボタンを押して，スタートさせる
❺ ペーシング強度を適切な値まで上げていき，QRS 波が捕捉(キャプチャー)された電流値から，2 mA 高い出力の電流値に設定

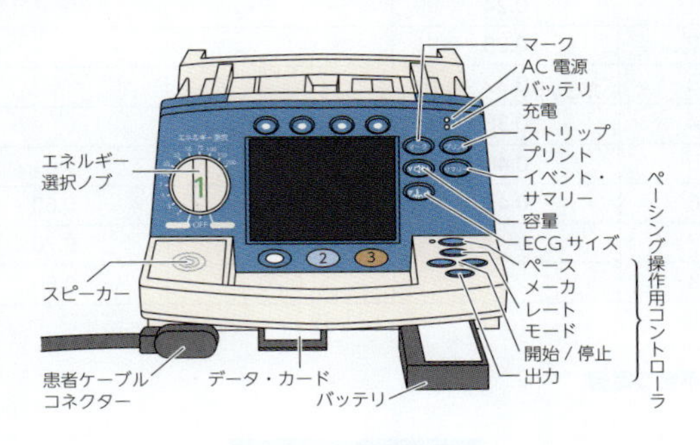

呼吸器

呼吸困難の重症度分類

Fletcher-Hugh-Jones の分類

Ⅰ度	同年齢の健常者と同様の労作ができ，歩行，階段の昇降も健常者並みにできる(正常)
Ⅱ度	同年齢の健常者と同様に歩行できるが，坂，階段の昇降は健常者並みにできない
Ⅲ度	平地でさえ健常者並みには歩けないが，自分のペースなら 1 マイル(1.6 km)以上歩ける
Ⅳ度	休みながらでなければ 50 ヤード(約 46 m)も歩けない
Ⅴ度	会話，衣服の着脱にも息切れを自覚する．息切れのために外出できない

酸素投与量互換表

酸素投与量 F_IO_2 対比表

酸素投与量(L/分)	F_IO_2		
	鼻カニューラ	マスク	リザーバー付マスク
1	0.24		
2	0.28		
3	0.32		
4	0.36		
5	0.40	0.40	
6	0.44	0.50	0.60
7		0.60	0.70
8		0.70	0.80

呼吸不全の定義

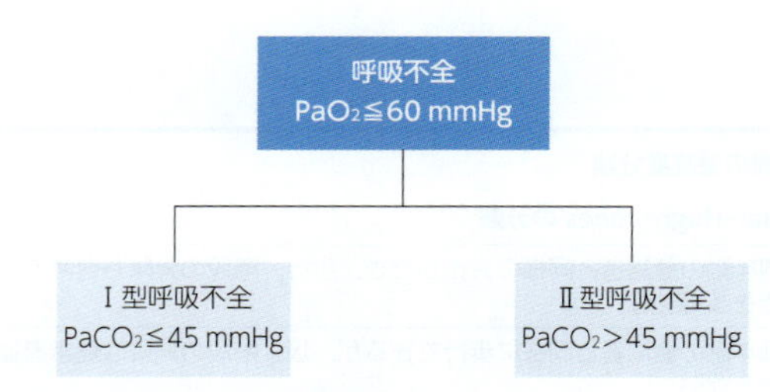

1回換気量(VT)に用いる理想体重の計算式

- **男性**：50＋0.9×〔身長(cm)－152〕(kg)
- **女性**：45.5＋0.9×〔身長(cm)－152〕(kg)

Heckerling score (Ann Intern Med 113：664-670, 1990)

※肺炎疑いの診断スコアリング

❶ 心拍数＞100 回/分	1 点
❷ 呼吸音の減弱	1 点
❸ 体温 ≧37.8℃	1 点
❹ 肺雑音が片側にある	1 点
❺ 喘息がない	1 点

➡ 事前確率が 5%とすると，ポイント総数による事後確率は，
0 個 → ＜1%，1 個 → 1%，2 個 → 3%，3 個 → 10%，4 個 → 25%，5 個 → 50%.

➡ 3 点以上なら胸部単純 X 線撮影を考慮.

A-DROP

※市中肺炎の重症度分類

指標

❶ 男性 ≧70 歳，女性 ≧75 歳
❷ BUN ≧21 mg/dL または脱水あり
❸ SpO_2 ≦90% (PaO_2≦ 60 mmHg)
❹ 意識障害
❺ 収縮期血圧≦90 mmHg

重症度分類

軽症	上記 5 項目のいずれも満たさない	外来
中等症	上記の 1～2 項目を満たす	外来または入院
重症	上記の 3 項目を満たす	入院
超重症	上記の 4～5 項目を満たす ※ショックは 1 項目のみを満たす場合でも超重症扱い	ICU 入院

非定型肺炎のスコアリング

❶ 年齢60歳未満
❷ 基礎疾患がない，あるいは軽微
❸ 頑固な咳がある
❹ 胸部理学的所見に乏しい
❺ 喀痰がない，または迅速診断法で原因菌が証明されない
❻ 末梢血白血球数が＜10,000/μLである

➡ 6項目中4つ以上だと非定型肺炎のSn 77.9%，Sp 93%．
❶〜❺までの5項目中3つ以上だとSn 83.9%，Sp 87%．
➡ 60歳以上の非定型肺炎とレジオネラ肺炎には使えない．
〔日本呼吸器学会呼吸器感染症に関するガイドライン作成委員会(編)：成人市中肺炎診療ガイドライン．日本呼吸器学会，2017より〕

消化器

Child-Pugh分類

※肝硬変の重症度スコアリング

	1点	2点	3点
脳症	ない	軽度	ときどき昏睡
腹水	ない	少量	中等量
血清ビリルビン値(mg/dL)	＜2.0	2.0〜3.0	＞3.0
血清アルブミン値(g/dL)	＞3.5	2.8〜3.5	＜2.8
プロトロンビン活性値(%)	＞70	40〜70	＜40

各項目のポイントを加算しその合計点で分類する．
Child-Pugh分類：**A** 5〜6点
B 7〜9点
C 10〜15点

➡ スコアが8〜9点の場合には1年以内に死亡する例が多く，10点以上になるとその予後はおよそ6か月．

急性胆囊炎の診断基準・重症度分類

(J Hepatobiliary Pancreat Sci 19：578-585, 2012)

診断基準

A　局所の臨床徴候
(1) Murphy sign *1，(2) 右上腹部の腫瘤触知・自発痛・圧痛

B　全身の炎症所見
(1) 発熱，(2) CRP 値の上昇，(3) 白血球数の上昇

C　急性胆囊炎の特徴的画像検査所見*2

確診：A のいずれか＋B のいずれか＋C のいずれかを認めるもの
疑診：A のいずれか＋B のいずれかを認めるもの

注) ただし，急性肝炎や他の急性腹症，慢性胆囊炎が除外できるものとする.

＊1　Murphy sign：炎症のある胆囊を検者の手で触知すると，痛みを訴えて呼吸を完全に行えない状態

＊2　急性胆囊炎の画像所見：

- 超音波検査：胆囊腫大 (長軸径＞8 cm，短軸径＞4 cm)，胆囊壁肥厚 (＞4 mm)，嵌頓胆囊結石，デブリエコー，sonographic Murphy sign (超音波プローブによる胆囊圧迫による疼痛)，胆囊周囲浸滲出液貯留，胆囊壁 sonolucent layer (hypoechoic layer)，不整な多層構造を呈する低エコー帯，ドプラシグナル
- CT：胆囊壁肥厚，胆囊周囲滲出液貯留，胆囊腫大，胆囊周囲脂肪織内の線状高吸収域
- MRI：胆囊結石，pericholecystic high signal，胆囊腫大，胆囊壁肥厚

重症度判定基準

重症急性胆囊炎 (Grade Ⅲ)

急性胆囊炎のうち，以下のいずれかを伴う場合は「重症」である.

- 循環障害 (ドパミン≧5 μg/kg/分，もしくはノルアドレナリンの使用)
- 中枢神経障害 (意識障害)
- 呼吸機能障害 (PaO_2/F_iO_2 比＜300)
- 腎機能障害 (乏尿，もしくは Cr＞2.0 mg/dL) *
- 肝機能障害 (PT-INR＞1.5) *
- 血液凝固異常 (血小板＜10 万/μL) *

中等症急性胆囊炎 (Grade Ⅱ)

急性胆囊炎のうち，以下のいずれかを伴う場合は「中等症」である.

- 白血球数＞18,000/μL
- 右季肋部の有痛性腫瘤触知
- 症状出現後 72 時間以上の症状の持続
- 顕著な局所炎症所見 (壊疽性胆囊炎，胆囊周囲膿瘍，肝膿瘍，胆汁性腹膜炎，気腫性胆囊炎などを示唆する所見)

軽症急性胆囊炎(Grade Ⅰ)

急性胆囊炎のうち，「中等症」「重症」の基準を満たさないものを「軽症」とする．

＊ 慢性腎不全，肝硬変，抗凝固療法中の患者については※を参照

- 急性胆囊炎と診断後，ただちに重症度判定基準を用いて重症度判定を行う
- 非手術的治療を選択した場合，重症度判定基準を用いて24時間以内に2回目の重症度を判定し，以降は適宜，判定を繰り返す

※血清クレアチニン(>2.0 mg/dL)，PT-INR(>1.5)，血小板数(<10万/μL)などの血液・生化学検査値は，慢性腎不全，肝硬変，抗凝固療法中などの状況により，胆道感染症と無関係に異常値を示す場合がある．これまで，既往歴・併存疾患に伴う検査値異常を考慮し検討したエビデンスはない

※ただし，慢性腎不全患者，肝硬変患者に急性胆管炎や胆囊炎を合併した場合には，併存疾患のない場合に比べて治療に難渋するおそれがあることから，慎重な対応が望ましい

急性胆管炎の診断基準・重症度分類

(J Hepatobiliary Pancreat Sci 19：548-556, 2012)

診断基準

A. 全身の炎症所見

A-1. 発熱(悪寒戦慄を伴うこともある)

A-2. 血液検査：炎症反応所見

B. 胆汁うっ滞所見

B-1. 黄疸

B-2. 血液検査：肝機能検査異常

C. 胆管病変の画像所見

C-1. 胆管拡張

C-2. 胆管炎の成因：胆管狭窄，胆管結石，ステントなど

確診：Aのいずれか＋Bのいずれか＋Cのいずれかを認めるもの

疑診：Aのいずれか＋BもしくはCのいずれかを認めるもの

※A-2：白血球数の異常，血清CRP値の上昇，他の炎症を示唆する所見

B-2：血清ALP，γ-GTP(GGT)，AST，ALTの上昇

ほかに，急性胆管炎の診断に有用となる所見として，腹痛(右上腹部痛もしくは上腹部痛)と胆道疾患の既往(胆囊結石の保有，胆道の手術歴，胆道ステント留置など)が，挙げられる

※一般的に急性肝炎では，高度の全身炎症所見がみられることは稀である．急性肝炎との鑑別が困難な場合にはウイルス学的，血清学的検査が必要である

閾値

A-1	発熱		体温＞38℃
A-2	炎症反応所見	WBC (× 1,000/μL)	<4, or >10
		CRP (mg/dL)	≧1
B-1	黄疸		T-Bil ≧ 2 (mg/dL)
B-2	肝機能検査異常	ALP (IU)	>1.5×STD*
		γ-GTP (IU)	>1.5×STD*
		AST (IU)	>1.5×STD*
		ALT (IU)	>1.5×STD*

＊ STD (standard)：各施設での健常値上限

重症度判定基準

重症急性胆管炎 (Grade Ⅲ)

急性胆管炎のうち，以下のいずれかを伴う場合は「重症」である．

- 循環障害（ドパミン≧5 μg/kg/分，もしくはノルアドレナリンの使用）
- 中枢神経障害（意識障害）
- 呼吸機能障害（PaO_2/F_IO_2 比＜300）
- 腎機能障害（乏尿，もしくは Cr>2.0 mg/dL）
- 肝機能障害（PT-INR>1.5）
- 血液凝固異常（血小板＜10 万/μL）

中等症急性胆管炎 (Grade Ⅱ)

初診時に，以下の 5 項目のうち 2 つ該当するものがある場合には「中等症」とする．

- WBC>12,000，or <4,000/μL
- 発熱（体温 ≧39℃）
- 年齢（75 歳以上）
- 黄疸（総ビリルビン≧5 mg/dL）
- アルブミン（<健常値下限×0.73 g/dL）

上記の項目に該当しないが，初期治療に反応しなかった急性胆管炎も「中等症」とする．

軽症急性胆管炎 (Grade Ⅰ)

急性胆管炎のうち，「中等症」，「重症」の基準を満たさないものを「軽症」とする．

※肝硬変，慢性腎不全，抗凝固療法中の患者については成書参照

※急性胆管炎と診断後，診断から 24 時間以内，および 24～48 時間のそれぞれの時間帯で，重症度判定基準を用いて重症度を繰り返し評価する

劇症肝炎の診断基準

定義は「**初発症状出現から8週以内に昏睡Ⅱ度以上の肝性脳症をきたし，プロトロンビン時間（PT）が40％以下を呈する肝炎**」.

➡ しかし，この診断基準を満たしてから治療を始めたのであれば手遅れ.

➡ 出血傾向や凝固延長を伴う黄疸や不眠・不穏やBilの継続的上昇，BUN低下などをみたら早めに介入すべき！

急性膵炎の診断基準・重症度分類

（厚生労働科学研究費補助金難治性疾患克服研究事業難治性膵疾患に関する調査研究，平成19年度総括・分担研究報告書，2008）

診断基準

❶ 上腹部に急性腹痛発作と圧痛がある
❷ 血中または尿中に膵酵素の上昇がある
❸ エコー，CTまたはMRIで膵に急性膵炎に伴う異常所見*がある

上記3項目中2項目以上を満たし，他の膵疾患および急性腹症を除外したものを急性膵炎と診断する．慢性膵炎の急性増悪は急性膵炎に含める.
※膵酵素は膵特異性の高いもの（膵アミラーゼ，リパーゼなど）を測定することが望ましい

* 画像所見：主にエコーおよびCTを活用．膵腫大，膵周囲脂肪織濃度上昇，膵周囲液体貯留，仮性嚢胞形成，膵実質densityの不均一化，膵壊死

造影 CT による CT Grade 分類（予後因子と独立した重症度判定項目）

膵外進展度 ＼ 膵造影不良域	前腎傍腔	結腸間膜根部	腎下極以遠
< 1/3	Grade1		
1/3 ～ 1/2		Grade2	
1/2 <			Grade3

浮腫性膵炎は造影不良域 1/3 に入れる.
原則として発症後 48 時間以内に判定する.

重症度判定

予後因子（予後因子は各 1 点とする）

❶ BE≦−3 mEq/L，またはショック（収縮期血圧≦80 mmHg）
❷ PaO_2≦60 mmHg（room air），または呼吸不全（人工呼吸器管理が必要）
❸ BUN≧40 mg/dL（or Cr≧2 mg/dL），または乏尿（輸液後も 1 日尿量が 400 mL 以下）
❹ LDH≧基準値上限の 2 倍
❺ 血小板数≦10 万/μL
❻ 総 Ca≦7.5 mg/dL
❼ CRP≧15 mg/dL
❽ SIRS 診断基準における陽性項目数≧3
  1）体温＞38℃，または＜36℃
  2）心拍数＞90 回/分
  3）呼吸数＞20 回/分または $PaCO_2$＜32 mmHg
  4）白血球数＞12,000/μL か＜4,000/μL，または 10% 幼若球出現
❾ 年齢≧70 歳

➡ 3 点以上で重症.

Glasgow-Blatchford bleeding score (Lancet 356：1318-1321, 2000)

※上部消化管出血の重症度分類

来院時評価	点	来院時評価	点
収縮期血圧		**Hb値(男性)**	
100〜109 mmHg	1	≧12, <13 g/dL	1
90〜99 mmHg	2	≧10, <12 g/dL	3
<90 mmHg	3	<10 g/dL	6
血中尿素窒素(BUN)		**Hb値(女性)**	
≧18.2, <22.4 mg/dL	2	≧10, <12 g/dL	1
≧22.4, <28 mg/dL	3	<10 g/dL	6
≧28, <70 mg/dL	4	**他のリスク因子**	
≧70 mg/dL	6	心拍数>100回/分	1
		血便(メレナ)	1
		失神	2
		肝疾患	2
		心不全	2

➡ 0点なら緊急内視鏡不要！

Alvarado score (Arch Surg 146：64-67, 2011)

※急性虫垂炎の診断スコアリング

❶ 右下腹部に移動する腹痛	**1点**
❷ 食欲不振	**1点**
❸ 嘔気・嘔吐	**1点**
❹ 右下腹部の圧痛	**2点**
❺ 反跳痛の存在	**1点**
❻ 37.3℃以上の発熱	**1点**
❼ 白血球数>10,000/μL	**2点**
❽ 好中球75%以上の左方移動	**1点**

➡ 4点以下なら恐らく否定的.

➡ 7点以上ならSn 81%, Sp 74%, LR +3.1, LR −0.26.

血液

貧血の定義

成人男性：Hb<13 g/dL，成人女性：Hb<12 g/dL.
小児と妊婦・高齢者：Hb<11 g/dL 未満.

トランスフェリン飽和率(TSAT)

TSAT＝血清鉄/TIBC
➡ 20% 未満なら鉄欠乏性貧血と考える.

RPI(reticulocyte production index)

RPI＝(Ht/45)×Ret/maturation time*
➡ RPI>3 なら造血機能は正常，
RPI<2 なら造血反応低下とみなす.

* maturation time：
Ht≧40% なら 1，Ht 30～39.9% なら 1.5，
Ht 20～29.9% なら 2，Ht < 20% なら 2.5 を代入する

急性期 DIC 診断基準 (日本救急医学会雑誌 18：237-272，2007)

スコア	SIRS	血小板数(/μL)	PT 比	FDP(μg/mL)
0	0～2 項目	≧12 万	<1.2	<10
1	3 項目以上	12 万>，≧8 万 or 24 時間以内に 30%以上の減少	≧1.2	10～25 未満
2				
3		8 万> or 24 時間以内に 50%以上の減少		≧25

4 点以上を DIC と診断する.

※参考：SIRS の診断基準(2 項目以上で SIRS と診断)

1. 体温の変動(≧38℃，または≦36℃)
2. 脈拍数増加(≧90 回/分)
   呼吸数増加(≧20 回/分)または $PaCO_2$ が≦32 mmHg
3. 白血球数>12,000/μL または>4,000/μL，あるいは幼若球数が≧10%

腎臓

急性腎障害の定義と重症度〔Kidney Int Suppl(2011) 2：19-36, 2012〕

定義は「**48時間以内の血清Crが0.3 mg/dL以上，または7日以内にわかっていたか予想される基準値より血清Cr値が50%以上増加，あるいは尿量が0.5 mL/kg/時未満が6時間以上続くとき**」.

KDIGO AKIステージ

Stage	クレアチニン(Cr)	尿量
1	基礎値の1.5〜1.9倍 または ≧0.3 mg/dLの増加	<0.5 mL/kg/時が6〜12時間
2	基礎値の2.0〜2.9倍	<0.5 mL/kg/時が12時間以上
3	基礎値の3倍以上 または ≧4.0 mg/dLの増加 または 腎代替療法開始	<0.3 mL/kg/時が24時間以上 または12時間以上の無尿

急性腎障害における緊急腎代替療法(RRT)の適応

(日腎会誌 59：419-533，2017/Crit Care 25：15，2021)

- 利尿薬に反応しない溢水
- 高K血症あるいは急速に血清K濃度が上昇する場合
- 尿毒症症状(心膜炎，原因不明の意識障害など)
- 重度代謝性アシドーシス
- 重症肺水腫　など明確で困難な適応を持つ重症患者

➡ いずれかを満たした場合に緊急透析を考慮.

※早期(Stage 3到達時点)に導入しても生存率改善効果や維持透析回避効果はない(N Engl J Med 383：240-251, 2020)

神経

JCS (Japan Coma Scale)

※意識障害の grade 分類

Ⅰ．覚醒している（1 桁の点数で表現）		
0	意識清明	
Ⅰ-1	見当識は保たれているが意識清明ではない	(1)
Ⅰ-2	見当識障害がある	(2)
Ⅰ-3	自分の名前・生年月日が言えない	(3)
Ⅱ．刺激に応じて一時的に覚醒する（2 桁の点数で表現）		
Ⅱ-1	普通の呼びかけで開眼する	(10)
Ⅱ-2	大声で呼びかけたり，強く揺するなどで開眼する	(20)
Ⅱ-3	痛み刺激を加えつつ，呼びかけを続けるとかろうじて開眼する	(30)
Ⅲ．刺激しても覚醒しない（3 桁の点数で表現）		
Ⅲ-1	痛みに対して払いのけるなどの動作をする	(100)
Ⅲ-2	痛み刺激で手足を動かしたり，顔をしかめたりする	(200)
Ⅲ-3	痛み刺激に対し全く反応しない	(300)

R（不穏）・I（糞便失禁）・A（自発性喪失）がある場合，JCS Ⅲ-2-I などと表す．

GCS (Glasgow Coma Scale) （⇒ p.113 も参照）

観察項目	反応	スコア
開眼反応（E） (eye opening)	自発的に 呼びかけにより 痛み刺激により 全く開眼しない	4 3 2 1
最良の言語反応（V） (best verbal response)	見当識あり 混乱した会話 不適当な言葉 理解不能な発声 全く発声なし	5 4 3 2 1
最良の運動反応（M） (best motor response)	指示に従う 疼痛部位識別可能 四肢を屈曲・伸展する ・非識別性逃避反応 ・異常屈曲 ・四肢（異常）伸展 全く動かない	6 5 4 3 2 1

片頭痛の診断スコアリング

POUNDing

❶ Pulsatile quality（拍動性）
❷ Duration 4～72 時間（持続時間）
❸ Unilateral location（片側性）
❹ Nausea and vomitting（嘔気・嘔吐）
❺ Disabling intensity（日常生活困難）

➡ 4 項目以上該当なら LR+24，3 項目なら LR+3.5，2 項目以下なら 0.41（JAMA 296：1274-1283, 2006）.
➡ 実際には，日常生活に支障をきたす，嘔吐を生じる，寝起きや入浴中にも痛みがある点が特徴的.

片頭痛の診断基準

〔日本頭痛学会・国際頭痛分類普及委員会（訳）：国際頭痛分類，第 3 版〕

「前兆のない片頭痛」の診断基準

A. B～D を満たす頭痛発作が 5 回以上ある
B. 頭痛の持続時間は 4～72 時間（未治療もしくは治療が無効の場合）
C. 頭痛は以下の特徴の少なくとも 2 項目を満たす
  1. 片側性
  2. 拍動性
  3. 中等度～重度の頭痛
  4. 日常的な動作（歩行や階段昇降などの）により頭痛が増悪する，あるいは頭痛のために日常的な動作を避ける
D. 頭痛発作中に少なくとも以下の 1 項目を満たす
  1. 悪心または嘔吐（あるいはその両方）
  2. 光過敏および音過敏
E. 他に最適な ICHD-3 の診断がない

「典型的前兆に片頭痛を伴うもの」の診断基準

A. B および C を満たす頭痛発作がある
B. 前兆は完全可逆性の視覚症状，感覚症状，言語症状からなる．運動麻痺（脱力），脳幹症状，網膜症状は含まれない.
C. 頭痛（片頭痛の特徴を有する場合とそうでない場合がある）が前兆に伴って，または発現後 60 分以内に出現する

TIA の ABCD2 スコア (Lancet 369：283-292, 2007)

TIA（一過性脳虚血発作）とは，脳局所または網膜の虚血により短時間（2〜15分など多くは1時間以内）に認められた神経機能不全＋画像で急性期脳梗塞の所見を認めないもの．

項目	点
Age（年齢）＞60歳	1
BP（収縮期血圧＞140 mmHg，拡張期血圧＞90 mmHg）	1
Clinical（臨床症状）：片麻痺 構音障害	2 1
Duration（持続期間）：10〜60分 ＞60分	1 2
Diabetes（糖尿病）：あり	1

➡ 4点以上は原則入院．3点以下でも注意は必要．
➡ TIA後の脳梗塞発症は24時間以内が最も多く，約1週間前後までリスクは高い．

NIHSS〔https://stroke.nih.gov/documents/NIH_Stroke_Scale.pdf（2018年4月最終確認）〕

※脳梗塞の重症度スコアリング

検査は以下のリストの順に行う．戻って評点を加えたり，指示された部分を除いてヒントを与えたりしてはならない．

1a）意識水準（「わかりますか？」）
- 0：完全覚醒
- 1：覚醒していないが，簡単な刺激で覚醒．従命など可
- 2：繰り返し刺激，強い刺激で覚醒
- 3：完全に無反応

痛み刺激に対し，反射以外の姿勢を示さないときのみ3点

1b）意識障害-質問（「今月は何月？」「ご年齢は？」）
- 0：両方正解
- 1：片方正解
- 2：両方不正解

※ヒントや指導を与えてはいけない．部分点も与えない．訂正を行って正解した場合も，最初の答えを採用する
※失語症や昏迷状態で質問が理解できない場合は2点
※挿管，口腔外傷，高度の構音障害，失語症によらない言語の問題で話すことが出来ない場合は1点

1c) 意識障害-従命（「眼を閉じたり開けたり」「手をグーパーして」）

0：両方可
1：片方可
2：両方不可
※ヒントや指導を与えたり，励ましたりしない．最初の企図のみで評点する
※動作が完璧でなくても企図が明らかな場合は評点
※反応を示さない場合は，パントマイムは行ってもよい
※手が使えない場合（外傷・身体障害など）は，「舌を出してください」など他の1段階命令に置き換える
※昏睡患者は2点．麻痺があるときは健側で評価する

2) 最良の注視（「目だけでこの指を追ってください」）

0：正常
1：部分的注視麻痺
2：完全注視麻痺
※水平眼球運動のみで評価
※従命不能なときは，頭位変換眼球反射により評価

3) 視野：「片眼を隠して私の眉間を見てください．今から指を動かすので左右どちらが動いたか言ってください」）

0：視野欠損なし
1：部分的半盲
2：完全半盲
3：両側性半盲
※患者の頭側から行うとよい．検者と患者の真ん中に手を置き，4分割の視野全部を必ず確認
※検者が示す指の数を数えさせる，あるいは視覚的脅しに対する瞬目など，患者の状態に合わせて検査を行う
※励まして検査をしてもよい
※眼球摘出後などであれば，残りの視野のみ評点
※喋れなければ動いた側へ指差ししてもらうという手も

4) 顔面麻痺：「口をイーとして　目をぎゅーとつむって　ペン先を上に動かすので見て」

0：正常
1：軽度の麻痺（動作をさせると左右差はっきりする程度）
2：部分的麻痺（見た目で軽度左右差あり）
3：完全麻痺（見た目で完全に左右差あり）
※パントマイムで促してもよい．顔面下半分と上半分を両方評価する
※昏睡状態で1aが3点の患者では，顔面麻痺も3点

5) 上肢の運動(左右片方ずつ評価！)：「手を挙げてこのまま 10 秒間そのままで」
➡ 落ちたら,「そのまま手を持ち上げてください」「左右に自分で動かしてみてください」

上肢は座位で 90°，仰臥位で 45° 挙上させる．
秒数のカウントは声に出し，指折りを見せるとよい．
0：45° を 10 秒間保持可能(全く動揺も下垂もなし)
1：45° を保持できるが 10 秒以内に下垂
2：45° の挙上または保持ができないが重力に抗せる
3：重力に抗して動かないが，少しは動く
4：全く動きがみられない
N：切断，関節癒合
※ Barré 試験と異なり手掌は下向きでよい
※検査内容を把握させるため，健側から行う．あるいは麻痺がよくわからないときは左側から行う
※失語症患者などではパントマイムで執拗に励ます
※覚醒していない場合は，軽い痛みを与え，自力で腕を動かせるか確認する

6) 下肢の運動(左右片方ずつ評価)：「足を上げて 5 秒間そのままで」
➡ (落ちたら)「そのままの状態で足を持ち上げてください」➡「左右に自分で動かしてみてください」

仰臥位で下肢を 30° 挙上させる．
0：30° を 5 秒間保持できる(下垂なし)
1：30° を保持できるが 5 秒以内に下垂
2：重力に抗して動きがみられる
3：重力に抗して動かないが，少しは動く
4：全く動きがみられない
N：切断，関節癒合
※検査は片側ずつ行い，健側から行う
※覚醒していない場合は，軽い痛みを与え，自力で腕を動かせるか確認する

7) 運動失調：指鼻指試験，膝踵試験

0：なし
1：1 肢
2：2 肢
N：切断，関節癒合
※運動失調は，筋力低下の存在を割り引いても存在するときのみ評価する
※理解力のない患者，片麻痺患者では失調はない(＝0 点)と評価

8) 感覚(触覚 → あやふやなら pin prick)：「左右で違いがあったら言ってください，触ってるのがわかりますか？」

※顔，上肢，体幹，下肢の順．なるべく近位側
0：障害なし
1：軽度〜中等度障害
2：重度〜感覚脱失
※意識障害や失語症例では，しかめ面などの表情や逃避反応などで評価する
※できるだけ多くの部位で評価
※無反応，四肢麻痺，昏睡患者，脳幹病変で両側感覚障害を認める患者では 2 点

9) 最良の言語 ※資料1〜3参照

「この絵の中で起こっていることは？」

➡「男の子は何をしていますか？」

➡「私が指差すものの名前を言ってください」

➡「手袋はどれですか？」

➡「ここに書いてある文章を読んでください」

0：正常

1：軽度〜中等度の失語（言語の流暢性あるいは理解力に何らかの障害があるが，考えを述べることや表現の仕方に重大な障害はない）

2：高度の失語（すべてのコミュニケーションが断片的な言語表現が行われる，聞き手の負担も大きい）

3：無言・全失語

※絵カードの中で起こっていることを尋ね，呼称カードの中の物の名前を言わせ，文章カードを読んでもらう流れ

※1aが3点の患者は3点．昏迷状態などで無言，かつ1段階命令にも従わない場合も3点

10) 構音障害 ※資料4参照

➡単語シートを提示して読ませる．

0：正常

1：軽度〜中等度（少なくとも数個の単語について発語が不明瞭であるが，最悪でもやや困難を伴うものの内容は理解できる）

2：高度 → 本当に読んでいるのかどうかも不明

N：挿管または身体的障壁

11) 消去・無視：「目を閉じてください 体を触るので左右か両方か言ってください」（感覚），「この聴診器の真ん中をつまんでください」（視覚），「指をこするので左右か両方か教えてください」（聴覚）

0：異常なし

1：視覚，触覚，聴覚，視空間または自己身体に対する不注意，あるいは1つの感覚様式で2点同時刺激に対する消去現象がある

2：重度の半側不注意あるいは2つ以上の感覚様式に対する半側不注意がある

※行うときは右 → 左 → 両方の順で行う

※両側の2点同時の（皮膚）刺激は，閉眼して行う

※高度の視覚障害があっても（皮膚）刺激に対する反応が正常であれば，0点

合計42点

- 4点以下は軽症であり，t-PA ivは不要
- 5〜9点は軽症
- 10〜15点は中等症
- 16〜20点は重症
- 21点以上は超重症
- 23点以上の患者さんへのt-PAは慎重投与

■ 資料 1

■ 資料 2

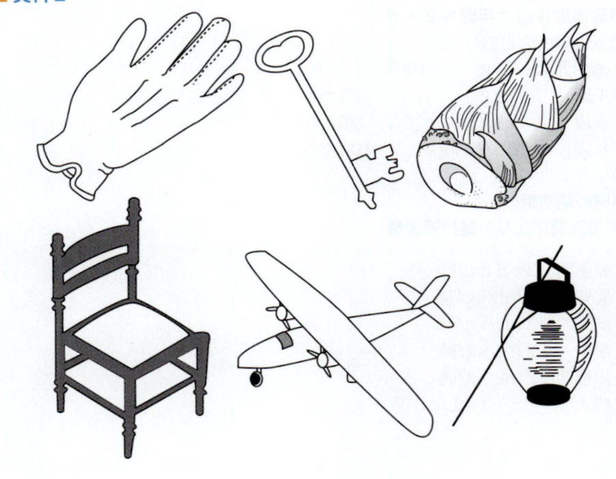

資料 3

ママ，はとぽっぽ，バイバイ，とうきょう，かたつむり，バスケットボール

資料 4

- わかっています
- 地面に落ちる
- 仕事から家に帰った
- 食堂のテーブルのそば
- 昨夜ラジオで話しているのを聴きました

小児

小児の体格予測

予測体重(kg)＝年齢× 2 + 8

目安は以下のとおり.

- 新生児 ： 3 kg （身長） 50 cm
- 1 歳 ： 9 kg 75 cm
- 3 歳 ：12 kg 90 cm
- 6 歳 ：15～20 kg 100 cm

小児の輸液量

単位時間あたりの維持輸液量

- 新生児：3～5 mL/kg/時
- 乳児 ：4 mL/kg/時
- 幼児 ：3 mL/kg/時
- 学童 ：2 mL/kg/時
- 思春期：2 mL/kg/時
- 成人 ：1.5～2 mL/kg/時

小児輸液療法の留意点

❶ 未熟児はすべての臓器が未熟．尿濃縮力は成人の 1/3 である（約 500 mOsm/L）
❷ 新生児の尿濃縮力も成人の 1/2 である（約 800 mOsm/L）
❸ 不感蒸泄量が多い（乳児 30 mL/kg/日，成人 15 mL/kg/日）
❹ 尿量が多い（乳児 3 mL/kg/時，小児 2 mL/kg/時，成人 1 mL/kg/時）

複雑型熱性けいれんの特徴

生後 6～60 か月の発症，15 分以上発作，同日に 2 回以上，体温 38℃ 以上の発熱，焦点性発作の要素（体の一部分に優位にみられる焦点性運動発作や，半身けいれん，眼球偏位など左右差のある発作），けいれん後の麻痺，精神運動発達遅滞．

代表的学校感染症の登校許可の目安

学校保健安全法での規定を示す．

- 麻疹（はしか）➡ 解熱後 3 日間経過してから
- インフルエンザ ➡ 発症後 5 日，かつ解熱後 2 日（幼児は 3 日）を経過するまで
- 風疹 ➡ 発疹が消失してから
- 水痘 ➡ すべての発疹が痂皮化してから
- 流行性耳下腺炎（おたふくかぜ）➡ 耳下腺，顎下腺または舌下腺の腫脹が発現してから 5 日，かつ全身状態が良好になるまで
- 咽頭結膜炎（プール熱）➡ 主症状が消え 2 日してから
- 百日咳 ➡ 特有の咳が消失，または 5 日間の適正な抗菌薬による治療が終了してから

以下は，大まかな目安である．

- 手足口病 ➡ 食事摂取不良，発熱，下痢，頭痛がなければ登校 OK
- 伝染性紅斑 ➡ 元気であればもう感染性はないので登校 OK
- 伝染性膿痂疹（とびひ）➡ 病変が広範囲で全身症状なければ登校 OK

Westley croup score

※クループ症候群の診断スコアリング

項目	点数
意識	正常→0点，失見当識や混乱→5点
チアノーゼ	なし→0点，興奮時のみ→4点，安静時も→5点
喘鳴	なし→0点，興奮時のみ→1点，安静時も→2点
呼吸音	なし→0点，減弱→1点，著しく減弱→2点
陥没呼吸	なし→0点，軽度→1点，中等度→2点，高度→3点

➡ 軽症＜2点，3〜7点 中等症，重症＞8点.
※中等症以上：酸素投与，24時間以内再診では入院考慮

小児の腹痛の鑑別：「CHIL(R)D PAIN」

C	constipation（便秘），cyclic vomiting（周期性嘔吐）
H	hernia（ヘルニア），HUS（溶血性尿毒症症候群）
I	intussusception（腸重積）
L	rotation（腸捻転，精巣捻転・卵巣捻転）
D	DKA（糖尿病性ケトアシドーシス）
P	purpura（IgA 血管炎）
A	appendicitis（虫垂炎），acute myocarditis（急性心筋炎）
I	infection（肺炎，喘息）
N	non-abdominal, neoplasma（非腹部疾患，悪性腫瘍）

小児虐待チェックリスト

❶ **子どもの様子**：表情乏しい，笑わない，おびえている，親と離れても泣かない，異様に人懐こい
❷ **体格**：低身長，体重増加不良，栄養障害（成長曲線で確認）
❸ **皮膚**：垢まみれ，不衛生，外傷の痕，火傷痕，円形脱毛
❹ **親の様子**：辻褄が合わない，母子健康手帳未記入，外来中断・転院繰り返す
❺ **その他**：新旧入り交じった骨折，乳児の長管骨骨折，肋骨骨折，捻転骨折，頭蓋骨骨折，頭蓋内出血

感染症

敗血症

定義は，「感染症に対する患者本人の無調節な免疫反応によって致命的な“臓器障害”を呈する病態」.

➡ “臓器障害”とは，急性の SOFA (sequential organ failure assessment) ≧2 点の変化で定義される.

発熱性好中球減少症 (FN)

【発熱性好中球減少症の定義】

❶ **好中球減少**：末梢血好中球数 500/μL 未満，もしくは 1,000/μL 未満であり 48 時間以内に 500/μL 未満への低下が予想される場合

＋

❷ **発熱**：腋窩温 37.5℃ 以上または口腔温 38.0℃ 以上が 1 時間以上持続する

【発熱性好中球減少症のリスク判定のスコアリング】

➡ MASCC スコアで行い，対応方法を決定する.

- 低リスク：キノロンの予防内服がなければ外来で経口抗菌薬治療 (シプロフロキサシン＋アモキシシリン・クラブラン酸). キノロンの予防内服あれば入院で静注抗菌薬治療
- 高リスク：入院のうえ，抗緑膿菌作用をもつ β ラクタム系抗菌薬を投与

MASCC スコア (16 歳以下には適応されない)

項目	スコア
臨床症状 • 無症状 • 軽度の症状 • 中等度の症状	 5 5 3
血圧低下なし	5
慢性閉塞性肺疾患なし	4
固形癌である あるいは造血器腫瘍で真菌感染症の既往がない	4
脱水症状なし	3
外来管理中発熱した患者	3
60 歳未満 (16 歳未満には適応しない)	2

➡ 低リスク≧21 点，高リスク≦20 点.

不明熱の分類

❶ 古典的不明熱

38.3℃以上の発熱が3週間以上の経過で数回以上．3日間の入院精査もしくは3回の外来検査で診断つかず．

➡ 診断確定を第一に．

❷ 院内発症の不明熱

入院患者で38.3℃以上の発熱が3日間以上の経過で数回以上（入院時には感染症や潜伏感染なし）．3日間の精査で診断つかず，48時間の培養検査陰性．

➡ 状況により素早い対応が必要．

❸ 好中球減少患者の不明熱

好中球数500/μL以下で38.3℃以上の発熱が3日間以上の経過で数回以上．3日間の精査で診断つかず，48時間の培養検査陰性．

➡ 迅速に経験的抗菌薬投与が必要．

❹ HIV患者の不明熱

HIV患者で38.3℃以上の発熱が外来で4週間以上あるいは入院で3日間以上の経過で数回以上．3日間の精査で診断つかず，48時間の培養検査陰性．

➡ HIV治療を基本に感染症，栄養治療を．

腫瘍熱の診断基準 (Support Care Cancer 13：870-877, 2005)

❶ 1日1回，37.8℃以上の発熱が出る
❷ 2週間以上続く
❸ 身体所見や各種培養検査，画像検査で感染症が否定済
❹ 薬剤熱や輸血による発熱が否定されている
❺ 適切な抗菌薬を7日以上使用しても改善しない
❻ ナプロキセンテストによって解熱している

薬剤

ヘパリン投与方法

ヘパリンはアンチトロンビンⅢと結合し効果を発揮する．アンチトロンビンⅢは凝固因子の酵素活性作用を抑制する物質であり，ヘパリンはこの物質と結合することで，血液凝固因子Ⅱa・Ⅶa・Ⅸa・Ⅹa・Ⅺa・Ⅻa（aは活性化の意味）の活性を阻害する．APTTの基準値は20～50秒程度であるが，抗凝固中はAPTTを46～70秒くらいに調整することが目標となる．

APTTを2（1.5～2.5）倍にするためには，おおよそヘパリン（単位/時間）＝（20－年齢/10）×体重で投与すればよいと言われている．年齢が20歳ならば

18 単位/kg/時程度，80 歳なら 12 単位/kg/時程度である．

静注(iv)では，投与開始後 4～6 時間で APTT を再評価し，以降は次のノモグラムに沿って投与量を調節する．投与量の変更があれば再度 4～6 時間後に APTT を再検査する．連続 2 回の APTT が治療域ならばその後は 24 時間ごとの測定にする．HIT(ヘパリン起因性血小板減少症)の評価目的に投与後 3, 5 日目に血小板を評価する．

ヘパリンは 20,000 単位に生理食塩水(NS) 30 mL を加え合計 50 mL とし 10 倍濃度にすると，1 日投与量が計算しやすい．年齢が 20 歳ならば 1.8 mL/時，80 歳ならば 1.2 mL/時で開始する．

■ ヘパリンのノモグラム (Ann Intern Med 119：874-881, 1993 より改変)

※ヘパリン 20,000 単位/50 mL とした場合

APTT	体重調節法
35 秒未満	80 U/kg ボーラス後＋4 U/kg/時
35～45 秒	40 U/kg ボーラス後＋2 U/kg/時
46～70 秒	変更なし
71～90 秒	−3 U/kg/時
91 秒以上	1 時間休薬後 −3 U/kg/時

■ ヘパリンのリバースの方法

過去 2 時間に使用したヘパリン 100 U につきプロタミン 1 mg を 10 分以上かけて投与する．プロタミン投与後 15 分で APTT フォロー．急に入れると血圧低下を起こすので，NS 100～200 mL 程度に溶解して点滴が無難．

ワルファリン過剰投与への対応(当院での対応)

INR・出血症状の有無	体重調節法
INR 4～7 で出血なし	ワルファリン中止のみ
INR 7 以上で出血なし	メナテトレノン(ケイツー®) 1～2 mg 経口投与
INR 2 以上で出血あり	メナテトレノン 2～10 mg iv
INR 4 以上で出血あり	メナテトレノン 2～10 mg iv±PPSB 製剤(25～50 U/kg)± FFP

ステロイドの分類

✓短時間型(半減期 8〜12 時間)：ヒドロコルチゾン，コルチゾン，フルドロコルチゾン

✓中間型(半減期 12〜36 時間)：プレドニゾロン，メチルプレドニゾロン，トリアムシノロン

✓長時間型(半減期 36〜56 時間)：デキサメタゾン，ベタメタゾン

➡ 半減期が長時間型のものは，副腎抑制が強い

■ステロイドの分類

一般名	商品名	プレドニゾロン換算	等価投与量	対ヒドロコルチゾン力価比		血中半減期(時間)	作用時間
				抗炎症作用	電解質作用		
コルチゾン	コートン®錠 25 mg	1 T	25 mg	0.8	0.8	1.2〜1.5	短時間型
ヒドロコルチゾン	コートリル®錠 10 mg	2 T	20 mg	1	1	1.2〜1.5	
プレドニゾロン	プレドニン®錠 5 mg	1 T	5 mg	4	0.8	2.5〜3.3	中間型
	プレドニン®錠 2.5 mg	2 T		2	0.4		
	プレドニン®錠 1 mg	5 T		0.8	0.16		
メチルプレドニゾロン	メドロール®錠 4 mg	1 T	4 mg	5	0.5	2.8〜3.3	
	メドロール®錠 2 mg	2 T		2.5	0.25		
トリアムシノロン	レダコート®錠 4 mg	1 T	4 mg	4	0	—	
デキサメタゾン	デカドロン錠 4 mg	1/8 T	0.5 mg	200	0	3.5〜5.0	長時間型
	デカドロン錠 0.5 mg	1 T		25〜30	0		
ベタメタゾン	リンデロン®錠 0.5 mg	1 T	0.5 mg	25〜30	0	3.3〜5.0	

京都 ER 救急薬剤一覧

薬剤(商品名)	内容量	作り方	使い方*	適応／副作用・注意点
ノルアドレナリン	1 mg/1 mL/1A	1A + NS 9 mL (10 mL)	1.5 mL/時スタート	敗血症性ショック／腸管虚血・腎虚血
ドパミン塩酸塩	3 mg/1 mL/1キット	キットなのでそのまま	5 mL/時でスタート	敗血症性・心原性ショック／頻脈，心筋虚血
ドブタミン塩酸塩(ドブトレックス®)	3 mg/1 mL/1キット	キットなのでそのまま	5 mL/時でスタート	左心不全のからむ病態／血圧↑，心筋虚血
l-イソプレナリン塩酸塩(プロタノール®L)	0.02 mg/1 mL/1キット	1A + NS 9 mL (10 mL)	3 mL/時でスタート	アトロピン不応の徐脈，肺高血圧，右心不全／血圧↑，臓器低灌流
ミルリノン(ミルリーラ®)	1 mg/1 mL/1A	原液 5A	1 mL/時でスタート	β遮断薬内服中の慢性心不全急性増悪／血圧↑
バソプレシン(ピトレシン®)	2 単位/1 mL/1A	1A + NS 9 mL (10 mL)	0.5 mL/時でスタート	敗血症性ショック，食道静脈瘤破裂，心停止／心筋虚血，不整脈，血圧↓，腸管壊死
ニトログリセリン(ミオコール®)	50 mg/100 mL/1キット	キットなのでそのまま	1 mL/時でスタート 降圧目的なら3 mL/時	前負荷過多の心不全，不安定狭心症／頭蓋内圧上昇や ARDS では使いにくい
ニコランジル(シグマート®)，CCU 下で	1 mg/1 mL/1V	5V + NS 60 mL (60 mL)	4 mL フラッシュし 4 mL/時で開始	血圧低下傾向の前負荷過多心不全，不安定狭心症／頭痛，動悸
ニカルジピン塩酸塩	1 mg/1 mL/1A	原液 3A	2 mL/時でスタート	CS1 の心不全，脳出血・術後の高血圧／血圧低下
フロセミド(ラシックス®)	20 mg/2 mL/1A	1A	1A iv	前負荷過多の心不全，肝硬変，ネフローゼ／リバウンド現象，低K・Ca・Mg
カルペリチド(ハンプ®)，CCU 下で	1,000 μg/1v	2V + 5% TZ40 mL (40 mL)	3 mL でスタート 尿量をみて 1 時間おきに 3 mL/時↓	前負荷・後負荷心不全
ランジオロール塩酸塩(オノアクト®)	50 mg/1v	3V + NS 50 mL (50 mL)	心機能正常 5 mL/時　心機能低下 1 mL/時	拍出量は保たれている心房細動，上室性頻拍，解離／血圧↑，徐脈
フェンタニルクエン酸塩	0.1 mg/2 mL/1A	1A	1/4〜1/2A iv	鎮痛／呼吸抑制，嘔気・嘔吐
ケタミン塩酸塩	200 mg/20 mL/1A	原液	1/4〜1/2A iv	ショック患者の鎮静／血圧↓，脳圧↓，悪夢
ミダゾラム	10 mg/2 mL/1A	1A + NS 8 mL (10 mL)	1/2〜1A iv	非ショック患者の鎮静／呼吸抑制，血圧↑
デクスメデトミジン塩酸塩(プレセデックス®)，ICU/CCU 下で	200 μg/2 mL/1A	1A + NS 48 mL (50 mL)	2.5 mL/時でスタート	NPPV などの鎮静／低血圧，徐脈
プロポフォール	200 μg/2 mL/1キット	原液	1.5 mL/時 iv して 1.5 mL/時 div	非ショック患者の鎮静／呼吸抑制，血圧↑

CS：クリニカルシナリオ，NS：生理食塩水，iv：静脈注射，div：点滴静脈注射．
* 使い方は 50 kg 換算．最低量を記載している体重そして年齢に合わせて調節を！

ER 処方頻用薬一覧

	一般名	商品名	用法用量	備考欄
解熱鎮痛薬	アセトアミノフェン	カロナール® 錠 200 mg，300 mg，500 mg アセリオ® 静注液 1000 mg アルピニー® 坐剤 50 mg，100 mg，200 mg		最も副作用の少ない解熱鎮痛薬（肝障害に注意） 効果発現時間：15～60分， 効果持続時間：2～6時間 1 回 300～1,000 mg　投与間隔は 4～6 時間．**1 日最高用量 4,000 mg**， 肝硬変患者などでは 2,000 mg まで アセリオ®は15 分かけて投与　血圧低下が起こりやすく全量投与するかは要相談 小児は体重10 mg/kg 投与間隔は4～6時間，60 mg/kg/日まで
解熱鎮痛薬	漢方	葛根湯 2.5 g	3包 分3	
解熱鎮痛薬／NSAIDs	セレコキシブ	セレコックス® 錠 100 mg，200 mg	2～4T 分2	副作用の少ない COX2 阻害剤
解熱鎮痛薬／NSAIDs	ロキソプロフェン	ロキソニン® 錠 60 mg	3T 分3 or 頓用	
解熱鎮痛薬／NSAIDs	ジクロフェナク	ボルタレン® 錠 25 mg	頓用	短時間作用型 基本的に健康な若年成人にのみ投与 禁忌：**小児（Reye 症候群），** **妊娠後期**
解熱鎮痛薬／外用薬	ジクロフェナク	ジクロフェナクナトリウム注腸軟膏 25 mg，50 mg	頓用	
解熱鎮痛薬／外用薬	ロキソプロフェン	ロキソニン® テープ 50 mg，100 mg	1日1回， 1回1枚	
抗炎症薬	トラネキサム酸	トランサミン® カプセル 250 mg	3Cp 分3	咽頭痛に使用
鎮咳薬	デキストロメトルファン	メジコン® 錠 15 mg	6T 分3	去痰阻害されるため湿性咳嗽時には注意
鎮咳薬	漢方	小青竜湯	3包 分3	鼻汁を伴う咳
鎮咳薬	漢方	麦門冬湯	3包 分3	乾いた咳
去痰薬	カルボシステイン	ムコダイン® 錠 250 mg，500 mg	1,500 mg 分3	錠剤大，**量の多い喀痰**に
去痰薬	アンブロキソール	ムコソルバン® 錠 15 mg	3T 分3	錠剤小，**キレの悪い喀痰**に
緩下薬	酸化マグネシウム	マグミット® 錠 250 mg，330 mg	3～6T 分3	高 Mg 血症に注意（特に高齢者，腎機能障害患者） 抗菌薬，鉄剤との同時投与は避ける
緩下薬	ルビプロストン	アミティーザ® カプセル 24 μg	2T 分2	MgO と同じく便を軟らかくする

	一般名	商品名	用法用量	備考欄
緩下薬	ピコスルファートナトリウム	ラキソベロン® 内用液 0.75%	眠前に 10~15滴	習慣性少ない 8~12 時間後に作用する
緩下薬	センノシド	センノシド錠 12 mg	眠前に 1~2T	習慣性あり，連用は避ける 8~12 時間後に作用
緩下薬	炭酸水素ナトリウム	新レシカルボン® 坐剤	1個挿肛，1個追加可	挿肛 15~30 分後に排便
緩下薬	グリセリン	グリセリン浣腸 60mL	1 個挿肛	挿肛 3~10 分後に排便
整腸剤	ビフィズス菌	ビオフェルミン® 錠，R 錠	3T 分3	抗菌薬投与時のみ R 錠
整腸剤	酪酸菌 宮入菌	ミヤ BM® 細粒・錠	3.0g 分3 3T 分3	
止瀉剤	タンニン酸アルブミン	タンニン酸アルブミン	3g 分3	軟らかすぎる便を少し硬くする 鉄剤との併用禁忌
制吐薬	メトクロプラミド	プリンペラン® 錠 5 mg	頓用 5 回分	**妊婦に使用可**　ナウゼリン®も含めて QT 延長リスクあり 3 日以上の連用は避けて基本は頓用で処方
制吐薬	メトクロプラミド	プリンペラン® 注射液 10 mg	1 日 1 回 iv，筋注	
制吐薬	ドンペリドン	ナウゼリン® OD 錠 10 mg	頓用 5 回分	**授乳婦に使用可**　妊婦には禁忌 基本頓用
胃薬 PPI	ランソプラゾール	タケプロン® OD 錠 15 mg，30 mg	30mg 分1	治療 30 mg　予防/維持 15 mg ピロリ菌検査偽陰性に注意
胃薬 PPI	ランソプラゾール	タケプロン® 静注用 30mg	1日2回 iv	
胃薬 P-CAB	ボノプラザン	タケキャブ® OD 錠 10 mg，20 mg	20mg 分1	効果出現が早く強い
胃薬 H_2 阻害薬	ファモチジン	ガスター® 錠 10 mg，20 mg	20~40mg 分2	効果早い，ピロリ菌検査偽陰性にならない
胃薬 粘膜保護	レバミピド	ムコスタ® 錠 100 mg	3T 分3	NSAIDs 頓用と同時内服で使用多い
めまい薬	ベタヒスチン	メリスロン®錠 2 mg，6 mg	6T 分3	
めまい薬	ジフェニドール	セファドール® 錠 25mg	3T 分3	腎機能が極端に悪い患者では禁忌
めまい薬	ジフェンヒドラミン	トラベルミン® 配合錠	3T 分3	QT 延長，緑内障，前立腺肥大の患者では禁忌

（次頁へ続く）

(前頁より続く)

		一般名	商品名	用法用量	備考欄
めまい薬	点滴	ヒドロキシジン	アタラックス®-P注射液 25 mg/mL, 50 mg/mL	NSに溶かして1A iv	BPPV 眠る直前で止めないとなかなか起きない
		炭酸水素ナトリウム	メイロン® 静注7% 20 mL	1A ワンショット	
尿路結石用薬剤		ウラジロガシエキス	ウロカルン® 錠 225 mg	6T 分3	
		フロプロピオン	コスパノン® 錠 40 mg, 80 mg	3T 分3	
縫合後		ゲンタマイシン	ゲンタシン® 軟膏 0.1%	創部へ 1日1回	縫合した後や軽微な外傷に
熱傷		ジメチルイソプロピルアズレン	アズノール® 軟膏 0.033%	創部へ 1日 数回	熱傷処置後
保湿剤		白色ワセリン	白色ワセリン	1日 数回	保湿のみ カサカサしたら
	ヘパリン類似物質	ヘパリン類似クリーム	ヒルドイド® クリーム 0.3%	1日 数回	通常の皮膚のガサガサへ
	尿素配合	尿素クリーム	パスタロン® ローション 10%	1日 数回	固くなった皮膚へ
抗ヒスタミン薬		フェキソフェナジン	フェキソフェナジン塩酸塩OD錠 30 mg, 60 mg	120 mg 分2 朝, 眠前	痒いとき 鼻水が出るとき
		ジフェンヒドラミン	レスタミンコーワクリーム 1%	1日 数回	痒いとき
消炎外用薬		クロタミトン	オイラックス® クリーム 10%	1日 数回	痒いとき
点眼薬		ヒアルロン酸	ヒアレイン® 点眼液 0.1%	1日5~6回 1回1滴	眼の異物感があり異常のないとき
		レボフロキサシン	クラビット® 点眼液 0.5%	1日3回 1回1滴	感染を疑ったら

アナフィラキシーのER対応マニュアル

アナフィラキシーは，アレルギー反応による複数臓器障害のことを指し，皮膚・粘膜，呼吸器，循環器，消化器のうち2つ以上の臓器障害で定義される（これを満たさないものも多いため注意が必要）〔Am J Med 127(1Suppl)：S6-S11, 2014〕.

グレード分類

（日本アレルギー学会，アレルギー総合ガイドライン2022，協和企画，2022より転載）

		グレード1（軽症）	グレード2（中等症）	グレード3（重症）
皮膚・粘膜症状	紅斑・蕁麻疹・膨疹	部分的	全身性	←
	瘙痒	軽い瘙痒（自制内）	瘙痒（自制外）	←
	口唇，眼瞼腫脹	部分的	顔全体の腫れ	←
消化器症状	口腔内，咽頭違和感	口，のどの痒み，違和感	咽頭痛	←
	腹痛	弱い腹痛	強い腹痛（自制内）	持続する強い腹痛（自制外）
	嘔吐・下痢	嘔気，単回の嘔吐・下痢	複数回の嘔吐・下痢	繰り返す嘔吐・便失禁
呼吸器症状	咳嗽，鼻汁，鼻閉，くしゃみ	間欠的な咳嗽，鼻汁，鼻閉，くしゃみ	断続的な咳嗽	持続する強い咳き込み，犬吠様咳嗽
	喘鳴，呼吸困難	－	聴診上の喘鳴，軽い息苦しさ	明らかな喘鳴，呼吸困難，チアノーゼ，呼吸停止，$SpO_2 \leq 92\%$，締め付けられる感覚，嗄声，嚥下困難
循環器症状	脈拍，血圧	－	頻脈（＋15回/分），血圧軽度低下，蒼白	不整脈，血圧低下，重度徐脈，心停止
神経症状	意識状態	元気がない	眠気，軽度頭痛，恐怖感	ぐったり，不穏，失禁，意識消失

血圧低下：1歳未満＜70 mmHg, 1～10歳＜[70＋(2×年齢)] mmHg, 11歳～成人＜90 mmHg
血圧軽度低下：1歳未満＜80 mmHg, 1～10歳＜[80＋(2×年齢)] mmHg, 11歳～成人＜100 mmHg

➡ グレード3の症状を含む複数臓器の症状，グレード2以上の症状が複数ある場合はアナフィラキシーと診断する.

診療の流れ

(Ann Emerg Med 36：462-468，2000/J Allergy Clin Immunol 108：871-873，2001)

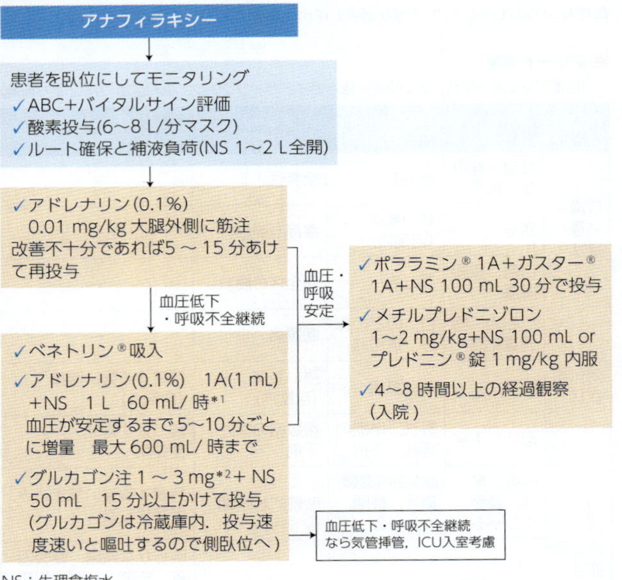

NS：生理食塩水．
＊1 小児は 0.01 mL/kg(最大 0.3 mL)．
＊2 小児 20～30 μg/kg(最大 1 mg)．もともとβ遮断薬内服患者ではよい適応

あとがき

突然の雨に降られたとき，人は気象予報を確認しておけばよかったと考える．災難に遭うことが予めわかっていれば，それを避けることができたと感じるからだ．

研修医時代の自分にとって当直はまさに「災難」のようなものだった．人を突然襲う外傷や感染症などの急性病態に対応する救急診療が怖くて仕方がなかった．

それでも，同じような不安に慄きながら日々診療にあたる医療従事者の「気象予報」になるようなものを願って，2012 年から本書の元となる原稿を書き始めた．初版が 2018 年に世に出て，多くの方々に読んでいただき，新たな出会いの扉を開かせていただいた．

そして，本当の災難がやってきた．
2019 年 12 月初旬から，わずか数か月ほどの間にパンデミックとなった新型コロナウイルス感染症（COVID-19）である．この感染症は，人々の生活を変え，医療を変え，そして ER の診療現場をも変えた．近年の社会心理学が指摘してきたように将来のリスクが事前に知らされていたとしても，人は必ずしも問題に適切に対応するとは限らないことも散見された．

ほぼ毎日 COVID-19 関連の論文が発表される中で，医療における情報提供の限界のようなものを感じていた．そんな中，本書の第 2 版改訂のお話をいただいた．「発熱があれば全て COVID-19 対応」となる時代に，改訂にどのように向き合うか悩んだ．

その結果が本書である．

自身の家庭医療/在宅医療での経験や，大阪赤十字病院救急科での臨床・教育実践を大きく反映させ，初版から大切にしている「指導医がいないタフな ER 診療下の初学者でも何とか生き残れる実践的な本」の軸を保つようにした（相変わらず私が救急医ではないことも功を奏したと思う）．

前著同様，本書を手にしたあなたにとって，この本が今まで以上に日々の救急診療に役に立ち，ひいては目の前の患者さんの幸福につながることを祈っています．

謝辞

・この本を世に出すことに応援してくださった松村理司先生（洛和会本部参与・洛和会京都厚生学校長），酒見英太先生（洛和会京都医学教育センター長），神谷亨先生（洛和会音羽病院院長）
・前著に引き続き本書のグレードアップに，粘り強く，真摯に向き合ってくださった宮前伸啓先生（洛和会音羽病院救命救急センター副部長），医学書院の安藤 恵さん，日高汐海さん

その他，全国で活躍されている洛和会音羽病院時代の指導医，先輩や後輩，そして同期の方々．皆様との出会いによって人生を拓かせていただきました．

最後に，自分をここまで育ててくれ，常に支え続けてくれた父と母，兄．そしていつも人生の羅針盤を示してくれる妻と，生きる意味を与えてくれる長男，次男にこの本を捧げます．

2023年新春　新潟から主戦場である神戸への移動中の飛行機にて　　荒　隆紀

索引

欧文索引

数字・ギリシャ文字

A

E

F

G

Q

R

S

和文索引

あ

い

う

え

お

か

き

く

け

こ

さ

し

す

せ

そ

た

ち

つ

て

と

な

に

ね

の

は

ほ

ま

み・む

め

も

や

ゆ

よ

ら

り

る・ろ・わ

MEMO

MEMO

MEMO

MEMO

MEMO

MEMO